CW00540498

Oscar grandi classici

Dello stesso autore

nella collezione Oscar

Il dolore
40 sonetti di Shakespeare
Vita d'un uomo. 106 poesie 1914-1960

Giuseppe Ungaretti

VITA D'UN UOMO

Tutte le poesie

A cura di Leone Piccioni

OSCAR MONDADORI

I edizione I Meridiani settembre 1969
I edizione Oscar grandi classici aprile 1992

ISBN 978-88-04-52170-9

Questo volume è stato stampato
presso Mondadori Printing S.p.A.
Stabilimento NSM - Cles (TN)
Stampato in Italia. Printed in Italy

Ristampe:

19 20 21 22 23 24 25 26 27

2007 2008 2009 2010 2011

www.librimondadori.it

SOMMARIO

Sugli autografi del « Monologhetto »
di Piero Bigongiari

Note
a cura dell'Autore e di Ariodante Marianni

Apparato critico delle varianti
a cura di Giuseppe De Robertis, Mario Diacono e Leone Piccioni

Bibliografia
a cura di Leone Piccioni

Indice dei titoli e dei capoversi

PREFAZIONE E CRONOLOGIA

di Leone Piccioni

PREFAZIONE

Nel suo stesso simultaneo nascere e irrompere della poesia Ungaretti, nell'oscuro inizio dei giovanili tumulti, in quei gridi ed in quei silenzi, portava il segno, e la sorte di tutta la sua stagione poetica, dai versi del '14 a quelli del 1967: mezzo secolo ampio di poesia viva, diretta, mai quieta in formule o in interne proposte di imitazione, sempre a scoprire qualche altro lato di sé, non del tutto dichiarato, non approfondito appieno; sempre a riproporre – in una diménsione unitaria del tempo – un preciso rapporto alla vita che scorre, a tutto quello che nei rapporti tra gli uomini e l'esistenza, andava mutando, più che mai indicando, come stabili e perenni, certe costanti dei sentimenti: del dolore, dell'amore, della fratellanza, del coraggio necessario sì a credere, come a meditare, dubbiosi.

L'unica, diciamo così, perdita di tempo (ma non poi del tutto tale) in qualche modo imitativa, tra « crepuscolare e ironista », per dirla con il De Robertis, futurista quel tanto da apparentarsi anche di più, per un attimo appena, a Palazzeschi, il nostro poeta la spese in quelle poche « poesie disperse » o « rifiutate » che apparvero su « Lacerba » nel '15, alcune poi scomparse dal suo « Canzoniere », altre tali da proporre spunti, strofe, parti soltanto da meritar d'essere riprese, e portate alla altezza inventiva che, con caratteri di unicità, siglò subito il suo esordio.

Un poeta che letto per la prima volta in una traduzione inglese, ha fatto scrivere a Thomas Merton:

« Realmente io penso che Ungaretti è sconvolgente. La sua intensità ti annienta, e l'onestà con la quale egli rifiuta di battere in nessun'altra cosa che sul suo chiodo, sul suo tasto. »

*Merton nella solitudine meditativa del suo convento trappista, e nella forza della sua grande anima, ha certo letto – seguendo la scelta della traduzione curata da Mandelbaum, – poesie dell'*Allegria *come queste:*

Lontano lontano
come un cieco
m'hanno portato per mano

oppure:

Ma le mie urla
feriscono
come fulmini
la campana fioca
del cielo

Sprofondano
impaurite

o ancora:

Morire come le allodole assetate
sul miraggio

O come la quaglia
passato il mare
nei primi cespugli
perché di volare
non ha più voglia

Ma non vivere di lamento
come un cardellino accecato

Non ha trovato, però il Merton in quella scelta (anche se vi avrà letto Giugno*) compiuta tra le composizioni, la lirica che s'intitola* Perché? *e che stupendamente comincia:*

Ha bisogno di qualche ristoro
il mio buio cuore disperso

Un effetto « sconvolgente », una insolita intensità.

È dall'inizio folgorante, « sconvolgente », appunto, tutta l'unicità d'accento che Ungaretti non perderà mai, fino alle recenti poesie d'amore del Dialogo, *mai potendosi derivare da alcuna imitazione o suggestione letteraria o culturale il suo rinnovare dall'interno l'espressione poetica, e la tecnica, il suono stesso, la scelta delle parole (un rinnovamento – si badi bene – mai pensato da snob o da produrre* choc, *voluto ma da ricondursi sempre nell'alveo della sua invenzione, e dunque anche prevedibile, alla fine: nelle linee della sua mano tutto era già segnato fin dall'inizio! E lo* choc, *per forza di ispirazione, fu semmai proprio d'inizio: l'insorgere delle linee della mano). Ed è dell'inizio la tematica di fondo di tutto l'arco della sua ricerca, sia rispetto alle cose in cui credere, cercandosele intorno e lontano e da approfondire sempre, sia rispetto alla fusione delle sue strutture poetiche nel paesaggio: la poesia del* Porto Sepolto *nasce dal deserto e punta subito, è orientata verso la* Terra Promessa.

Non so quanto spazio sia stato dato dalla critica al fatto che la nascita della poesia in Ungaretti avviene in un clima di rapporti letterari e culturali, del tutto a sé, appartato, fuori dalla bagarre *italiana del tempo, fuori dalla polemica, e dalla necessità di una scelta, di una presa di posizione all'interno della nostra cronaca letteraria. Gli anni che Ungaretti passò in Egit-*

to, dalla sua nascita (8 febbraio 1888 – anche se denunciato poi all'anagrafe il 10) a quel giorno del '14 in cui un piroscafo lo accolse per condurlo in Italia, puntando per la prima volta sul paesaggio stesso di Terra Promessa, sempre evocato, termine drammatico di raffronto al deserto, all'ottica del deserto, che alla periferia d'Alessandria s'era formato (e si veda la poesia Levante): sono pur quelli gli anni formativi. Ungaretti brucerà le tappe in modo folgorante, ma l'inizio poetico, noto, e probabilmente effettivo, non è così precoce, rispetto a tanti casi della storia letteraria che ci son presenti: è un giovane di 25-26 anni che incomincia nel '14 a far poesia. Ci sono state certo tappe precedenti, ma ci sono del tutto ignote. Ungaretti ci parla del primo componimento poetico scritto a quindici anni per un coetaneo suo amico al quale era pateticamente legato – certo ci furono altre carte poetiche andate smarrite. Non solo inediti, ma anche versi pubblicati in giornali di Alessandria in quel tempo e che non è stato possibile rintracciare. Vero è che già nel '19 con l'edizione vallecchiana di Allegria di Naufragi i caratteri finiti, compiuti del poeta di razza sono già fermi; ma è pur vero che la parte preparatoria alla sua esplosione poetica è tutta legata all'Egitto. E in Egitto, Ungaretti non ebbe proprio alcun bisogno, ebbe in fondo la felice sorte di non dovere fare i conti né con il dannunzianesimo, né con l'accademia carducciana, né col pascolismo di maniera, né con la stagione crepuscolare: non si trovò come si sarebbe trovato chiunque fosse vissuto in Italia a quel tempo con interessi letterari, a dover operare scelte, a dover fare i conti con l'uno o con l'altro dei filoni poetici disponibili, sia pur per rifiutare, o poi per digerir tutto, riproporsi nuovo, come, certo, toccò anche ad altri poeti veri come Campana, o Rebora, come Saba o Sbarbaro o Montale. Le scelte, le identità poetiche, Ungaretti se le può stabilire *in assoluto senza le massicce pressioni che, in qualche modo, lo avrebbero certamente influenzato, sia pure per ritrovare in poco tempo la sua unica strada. La possibilità di subire influenza, lievemente ritardatrice, è del resto dimostrata dal fatto che la prima presa di contatto con la poesia è in lui, come s'è detto, pur per un attimo breve, palazzeschiana, per dire una parola sola; la possibilità di influenza ideologica è anche attestata dal fatto che, appena sbarcato in Italia, in acceso clima interventista o neutralista, Ungaretti si trovò subito implicato nella* querelle*; e fu interventista.*

Studia in una scuola svizzera, legge, e legge per suo conto: i poeti che subito scopre, che subito sente, sono Leopardi e Baudelaire, s'accosta di colpo, perché un professore gliene parla, e ne è come rapito e sorpreso, alla intuizione poetica di Mallarmé. « A diciotto anni nel 1906, avevo già afferrato il primo segreto dell'arte. Sino dai banchi della scuola avevo scoperto Leopardi e Baudelaire e Mallarmé e Nietzsche. Non dico che capissi allora Mallarmé. Ma è la sua poesia così piena del segreto umano dell'essere, che chiunque può sentirsene musicalmente attratto anche quando ancora non ne sappia che malamente decifrare il senso letterario ».

Per il senso della sua partecipazione diretta alla poetica letteraria italiana, Leopardi può ben essere stato per lui, l'ultimo poeta – il suo lavoro d'inserimento nella nostra tradizione, può benissimo essere ripartito di lì, fatti i conti, con la forma e la novità della rivoluzionaria proposta di Mallarmé.

Certo che la sua voce nasce in una totale unicità di espressione: non si vede a chi assomigli la sua nettezza, la sua folgorante capacità di illuminazione, il suo andar diritto al segno, dei primissimi accenti, le visioni di paesaggio, i versicoli dal fronte, o le più ampie cantiche d'amore, la meditazione sul dubbio eppure sulla speranza, del Porto Sepolto. *C'è chi ha ritenuto, proprio per la subita conoscenza della tradizione da Baudelaire a Rimbaud a Mallarmé, fino al sodalizio con Apollinaire, che Ungaretti si potesse piuttosto ritenere poeta di formazione tutta francese, ma è anche questa indicazione quant'altre mai imprecisa, perché è naturale in Ungaretti, al suo esordio, ogni rifiuto di eleganze, di contorni rifiniti, di emozioni colte musicalmente, e giocate.*

Fermi a Mallarmé come punto di riferimento comune, un raffronto che si può accennare sul linguaggio poetico tra Ungaretti ed i francesi di poco a lui precedenti o contemporanei (malgrado addirittura certe identità precise di senso: « so di passato e d'avvenire quanto un uomo può saperne » è una letterale traduzione della Jolie Rousse, *ma siamo in presenza di un* collage, *tipo scambio pittorico del tempo, che so?, Picasso-Braque, e del resto la stessa scansione del testo di Apollinaire, subito dà il senso della diversa misura di stile: « Je sais d'ancien et de nouveau autant qu'un homme seul pourrait des deux savoir »: l'asciuttezza secca dell'uno, l'elementare lingua parlata e popolare, trovata senza sforzo di elaborazione intellettuale; il più elegante giro dell'altro, il di più che si vuol far trasparire), torna, appunto, sempre a riproporre, due elementi di fondo. Ungaretti non cerca mai al suo inizio di caratterizzare in eleganza, in suggestione raffinata e musicale, in soluzioni di linguaggio o metriche che siano comuni ad altri, la sua presenza: non tende, in quel suo inizio, a « colorire » mai. In più, a proposito di certa nuova elementarietà della sua proposta poetica, in Ungaretti essa non si determina affatto per recupero culturale di antiche, o barbare civiltà: non c'è in lui scoperta della* negritude *in senso di originaria riproposta dell'elemento nudo della raffigurazione o del canto. In quel senso, certo, in lui c'era il deserto, la vita nei deserto, quello che aveva, bimbo, visto e sentito: ma è cosa diversissima dall'essersi, a Parigi, commossi o stupiti per riscoprire maschere lignee della antica arte africana, o di aver condotto riflessioni nuove su così lontani segni, nei quali poteva anche apparire come un'altra cultura meglio dalla nostra si potesse identificare nelle naturali ragioni della vita: il tutto, però, scoperto o riscoperto per riflessione, in una classica operazione di recupero intellettuale.*

Né c'è Valéry, pur subito conosciuto, in Ungaretti a dettar regole o suggestioni di stile: anche in questo caso, certo, con Mallarmé, idolo comune. Ma l'elaborazione di Valéry è tutta razionale e cartesiana, quanto quella del Nostro è affidata a movimenti del sangue e della natura. Valéry mette in moto, con le sue grandi doti inventive, una formidabile macchina di poesia, la costruisce, e la propone, con rigore grande ed eleganza ineguagliabile, e non è una macchina sulla quale Ungaretti – pur ammirandola molto – abbia inteso salire.

La stessa lettura delle poesie francesi di Ungaretti di quel tempo, ci fa persuasi che la vera operazione da lui compiuta, il vero miracolo uscitogli da quella condizione ambientale e sentimentale, e da quella sintesi che in lui poté essere operata tra la conosciuta tradizione italiana, fino all'aver approfondito, più di tutto, meglio di tutto, la presenza del Leopardi, e la manifesta crisi del linguaggio e della situazione umana da lui sentita e preannunciata (il momento della « fine », insomma) – e Mallarmé – il vero miracolo fu quello di averci subito proposto una lingua poetica italiana del ventesimo secolo, non somigliante ad alcun'altra, popolare tanto da poter resistere al tempo, e, soprattutto, lingua parlata: parlata ieri come oggi, perché nata semplice, spontanea. Dante, Jacopone, le meditazioni sul « barocco », che Roma e Michelangelo determineranno in lui, Shakespeare, Gón-

*gora e Racine, vengono tutti più tardi, e continuamente Ungaretti riuscirà ad inserire su quella sua lingua poetica popolare e parlata, i sensi di cui via via si accresce, essendo sempre rimasto fedele a quell'avviso già dato ai tempi dell'*Allegria *che la storia della sua poesia non sarebbe stata altro che un diario, la storia della propria vita, un'autobiografia scritta, pur d'impeto, sempre, e di necessità.*

Lingua popolare, parlata ma oscura, talvolta, si potrà dire – difficile, come per decenni gli fu imputato se non ai tempi del Porto Sepolto, *più tardi. Le rare oscurità, le difficoltà che anche Ungaretti propone non possono non esserci all'interno della vera poesia che cerchi a se stesso e ad altri di svelare, o andare attorno ai segreti veri del vivere e dell'essere: una poesia, insomma, che riproponga un corso di idee, che pur spontanea si nutra di una poetica interna, di una – pur al livello della privata esperienza di vita – sua filosofia. E la difficoltà sicuramente dovrà nascere da certe complicatezze psicologiche che è necessario far proprie, dando loro poetico risalto, tutte si rifanno a quella condizione « segreta » (segreta per il poeta stesso) della fonte prima dell'ispirazione poetica vera. E non saranno dunque mai oscurità o difficoltà pretestuose, dovute a gioco o ad elegante annebbiamento: saranno sempre intensi, e precisi punti di sutura, la meditazione sui quali, l'approfondimento dei quali, porterà sempre ad un sicuro arricchimento, ad una certa conclusione interpretativa.*

La nuova musica gli nasce dal deserto: « Ho udito, ora ci penso, questa malinconia dolcissima espressa nella cantilena del beduino. Il beduino ha un canto che si mescola a gridi fuggitivi di bestie partite da molteplici e indeterminabili luoghi, ai silenzi della luna altissima, a voli di lunghe ombre sul nuvolo solare, dopo il crepuscolo ondeggiante come per sem-

pre sulla sabbia: è cantilena fatta d'una sola parola, iterata all'infinito: "Dove?, dove?, dove?" ».

E ancora: « *Se l'Arabo torna dal deserto, ah, nelle vene gli latrano i mastini. Ecco perché il nomade, è inguaribile, il deserto è un vino, ed è una droga, e accende un'ira che non si sfoga se non nel sangue, o in lentissimi amori. Fra tanti sensi di morte che la sua vita millenaria gli ha impastato nelle vene, l'Egiziano ha ricevuto dall'Arabo il senso più triste: che il desiderio del piacere sia una sete estrema, la sofferenza che non si calma se non nella pazzia. Questo senso: che la pazzia sia come un accrescimento dell'anima, che il premio per l'anima sia la liberazione nel piacere mortale dei sensi* ».

Della poesia araba dirà di rifiutarne ogni « *colore* », *ogni* « *pittoresco dei* bazar » – *è incantato invece dall'*« *infinito dei grandi spazi in cui nasce* »; *dalla musicalità notturna che emana; dalla monotonia musicale del canto popolare, che si modifica appena per piccole variazioni tonali.*

La sua poesia nasce con una sentenziosità netta e forte, con radici profonde nella terra, senza, tuttavia, alcun carattere didascalico, ma con un riferimento panico, anche se parta da un elemento di diretta esperienza, da un frammento di conoscenza baluginante o di vita. Gli accade senza sforzo intellettuale: gli accade d'impeto. Scrive in trincea, sdraiato sul fango, ha un lapis tra le dita e segna gli appunti, i versi già finiti, in un quadernetto che ha con sé: « *Un'intera nottata / buttato vicino / a un compagno / massacrato / con la sua bocca / digrignata / volta al plenilunio / con la congestione / delle sue mani / penetrata / nel mio silenzio / ho scritto / lettere piene d'amore // Non sono mai stato / tanto / attaccato alla vita* »: *è da* « *Cima Quattro* », *al fronte, il 23 dicembre del 1915.*

S'è potuto credere che il « *versicolo* », *che la metri-*

ca spezzata, fosse stata pensata e proposta in modo polemico, per reagire proprio all'accademia (ridotta a far uso d'una metrica di sciatta imitazione di vicini modelli), o all'oratoria dannunziana, o alle smorfie, ai « tic » dei crepuscolari – e, certo, accademia e manie furon spazzate via come da un vento di tempesta dal solitario soffio ungarettiano, ma c'è da credere che nessuna volontaria intenzione polemica muovesse il suo esordio: Ungaretti si muoveva soltanto – come sempre è stato in lui – per quel « dettato » che sentiva dentro, misteriosamente, senza, forse, neppur saperne coscientemente il perché.

Conosco Ungaretti come un allievo un Maestro, da 25 anni, e l'ho visto in tante diverse situazioni di vita, ed anche al lavoro, scrivere, correggere, prendere appunti, tradurre: ma tante volte, in casa, o in tram (la « circolare » dall'Università a casa dopo le sue lezioni: facendo magari due volte di seguito l'intero percorso di tutta la cerchia della città, perché, perso il senso del tempo e delle persone – della fermata giusta, lì all'Aventino, ai piedi di San Saba, non s'accorgeva), o in viaggio, m'è parso di sentire che qualcosa all'improvviso l'afferrava, entrava dentro di lui: come dicevano gli antichi, veramente lo « possedeva ». Era la subitanea insorgenza dell'ispirazione, e allora, a smaniare, a muoversi, a sussurrare, ma anche a gridare, non importa chi ci fosse accanto, come in un parto sempre lacerante per sforzo e per dolore, fino ad afferrare il verso, a segnarlo, o a dirlo a voce, in tanti toni diversi: nasce così in lui la prima struttura del verso, sulla quale poi, egualmente tormentosa, si scatenerà per quel suo cammino di progressivo avvicinamento al modello, la serie delle correzioni e delle varianti. E so, dai suoi stessi racconti o da quelli dei suoi cari, che talvolta, dopo una quieta sera, coricatosi con calma (magari dopo la partita a « canasta » che per un lungo periodo giocava con la sua cara signora Jeanne) se d'improvviso, il misterioso demone della poesia si impossessava di lui, ma che più sonno, che più quiete!: agitazione frenetica; via dalle lenzuola, a camminare, a smaniare la notte per casa, fino ad avere carta e penna, a cominciare a scrivere, a segnare. Credo che la maggior parte delle poesie di Ungaretti in questo mezzo secolo di sua vera presenza, sia nata così. E di egual stampo, « unico » fu il suo inizio.

Certo la scelta della parola poetica secondo il vocabolario letterario corrente in quegli anni fu capovolta, perché le sue eran tutte parole sentite a misura umana. Certo la metrica, distrutta nei versicoli (anche se per enjambement, *già mirabilmente risorgeva, in quinari, novenari, endecasillabi, come il De Robertis splendidamente mostrò, nel saggio del '43 sulla « formazione » della sua poesia) pareva proporre un tipo di discorso poetico, quasi del tutto nuovo, a dimensione diretta, colloquiale, popolare: ed era, invece, in quella drammatica situazione umana, in quella guerra dei fanti, misura eroica. Certo gli eroi dei suoi versi, dopo averli perduti per tanto tempo, erano proprio gli uomini, i fanti, la gente del popolo, smarrita e forte: « Di che reggimento siete / fratelli? ». Era l'unica strada per tornare a proporre nella tradizione poetica italiana, per il suo stesso lavoro dell'immediato domani, e, un po', per il lavoro degli altri nostri poeti di questo secolo, il canto, la ripresa del canto.*

Deserto e, subito, Terra Promessa: la poesia che chiude il Taccuino del Vecchio *(il coro 24), alla fine di un ciclo intero di poesia, prima dell'improvviso risveglio delle liriche d'amore di* Dialogo, *tornava al deserto: « Poi mostrerà il beduino, / Dalla sabbia scoprendolo / Frugando col bastone, / Un ossame bianchissimo » – e riprendeva un frammento bellissimo di*

Diginn Rull: *« inciampo nello scheletro d'un mehari che farà musica stanotte quando il vento marino gli passerà tra le costole; a quell'ora esso sarà come un erpice della luna; allora lo Uaiad-Ali per sorprendermi col suo bastone scaverà la sabbia e mostrerà con un inchino la testa del mehari che s'è mummificata; poi, senza toccarla, facendo cadere la sabbia col piede, la ricoprirà con cura ». Ma il deserto in cui si muove, s'agita da bimbo e da ragazzo, dove colloca i suoi primi fantasmi, è un deserto – si veda, di continuo, nel suo lessico – pieno di « miraggi » e di «oasi »: al deserto, per miraggio, per oasi, si contrappone l'altro paesaggio, quello ricco di vegetazione, e di segni dell'arte, dove la presenza innovatrice e civile dell'uomo, in una possibilità di storica ricostruzione perennemente offertaci, dà di continuo l'impronta, ed è, intanto, il paesaggio italico, la Terra Promessa. Ungaretti nasce in Egitto, ma in una famiglia venuta adulta dalla Lucchesia, contadini di razza: il padre emigrato per lavorare al canale di Suez, e ben presto morto per malattia contratta sul lavoro, ed il piccolo Ungaretti di due anni resta accanto alla figura leggendaria come ci appare, caritatevole e forte, della madre. (Nella serie del* Sentimento, *intitolata – appunto –* Leggende, *la poesia su* La madre *del '30: « ...In ginocchio, decisa, / Sarai una statua davanti all'Eterno, / Come già ti vedeva / Quando eri ancora in vita... ».) Nell'*Allegria, Lucca, *incomincia: « A casa mia, in Egitto, dopo cena, recitato il rosario, mia madre ci parlava di questi posti. / La mia infanzia ne fu tutta meravigliata ».*

La progressione della ricerca poetica ungarettiana è delimitata sicuramente entro questi stupendi confini: dal deserto l'immaginazione continua verso il paesaggio della propria terra, della Terra Promessa – poi, via, via, inserito nel nuovo paesaggio, la mutata emozione, la diversa esperienza dell'età, sentimenti, e canto che s'adeguano, si fondono, proprio, appunto, al paesaggio nuovo finalmente conquistato – allontanato il deserto – fino al delirio barocco del soggiorno brasiliano, alla disumana misura di quel paesaggio, ed alla riscoperta del balenare di Roma barocca, ripensato Michelangelo o Shakespeare, e Góngora e l'orrore del vuoto – poi, dichiaratamente, nella Terra Promessa *collocatosi, con l'avanzare dell'età, narrando dell'autunno della carne, col pensiero fisso alla nostra terra toccata appena da orma umana, con lo sbarco di Enea ecco, via via, nella meditazione che cresce, tornare a farsi presente uno spazio, che alla natura lussureggiante e ricco d'acque e d'amore, ricolloca accanto via via sempre di più, di nuovo, il deserto – fino a chiudere, sia pur provvisoriamente, l'idea di tutto il proprio sentire e comprendere, soffrire ed amare, proprio, di nuovo (come sarà nei « cori » che proseguono dalla* Terra Promessa *al* Taccuino del Vecchio*), nel deserto, e sarà ora un deserto senza neanche più il senso del miraggio, la speranza giovanile dell'oasi.*

*Ma si veda, come, per l'esperienza dell'*Allegria*, il passaggio dal deserto egiziano, al nuovo scenario del Carso, della trincea, delle doline dove Ungaretti dovrà fare esperienza della vita cui aggrapparsi, e della morte, pronta in un continuo agguato – non lasci all'allucinante poeta di miraggi e di oasi, per la vicina presa di contatto con il proprio paesaggio, altro che barlumi, altro che laceranti immagini « promesse »; proprio perché continuata e coerente sarà nel Carso sperimentato (in un dramma umano cresciuto in intensità travolgente) la distesa del deserto, ed eguale l'ottica riproposta.*

Ricordate i versicoli di Soldati *sui quali per tanto tempo, tanti sciocchi hanno ironizzato: « Si sta come / d'autunno / sugli alberi / le foglie »? Son datati « Bosco di Courton luglio 1918 ». Spostato con il suo reggimento a combattere in Francia, Ungaretti si trovò a sopportare entro il fitto d'un bosco, un prolungato, estenuante e micidiale cannoneggiamento tedesco; cadevano tronchi e alberi interi, e vite umane, insieme – e la vita d'ogni uomo, pur a contatto finalmente con paesaggi sognati, così legata a un filo, appunto: come una foglia d'autunno in attesa di cadere accartocciata, secca, morta. « Si sta come / d'autunno / sugli alberi / le foglie ».*

La presa di coscienza, la libertà piena nel nuovo paesaggio proposto alla vita, avverrà appena finita la guerra, già con il '19, già con le Prime *che chiudono l'*Allegria*; con lo scoppio di una nuova vitalità del* Sentimento del Tempo*: « Dall'ampia ansia dell'alba / Svelata alberatura... » poesia del '19 anch'essa, del resto.*

« Il ricordo di quegli anarchici, di quei socialisti » mi ha detto Ungaretti « e il ricordo dei miei giovani compagni che furono suicidi, sono ricordi che mi rimarranno sempre nella mente tra gli stimoli più commoventi del mio animo. Anarchici, evasi dal domicilio coatto, ne conobbi fino da bambino. Frequentavano casa nostra essendo della stessa regione della mia famiglia e spesso conoscenti dei miei da ogni tempo. La nostra casa era certo una casa dove la tradizione si rispettava, una casa di gente rigorosamente religiosa; ma una casa dove non si respingeva chi forse era un illuso; ma per la sua fede pativa in esilio. I suicidi miei coetanei, si tolsero la vita per ragioni profonde, perché si sentivano lontani dalla loro civiltà, senza potersene interamente staccare e senza potere interamente appartenere ad un'altra. Altri furono suicidi per quella disperazione di chi, nato e cresciuto all'Estero, si senta sradicato dalla sua terra, e senta che in essa difficilmente potrebbe rimettere radici, e che in nessun'altra terra potrà mai mettere radici. È angoscia della quale non è immune la mia poesia. Sono cose che a capirle bisognerebbe riportarci a quegli anni lonta-

ni e sapere ciò che fu fino al '14 da un lato la certezza che la terra fosse per tornare un Eden, e d'altro lato, il sogno di Patria che turbava, per definirsi, ogni sangue. Sentimenti contrastanti; ma si viveva in quegli anni sotto il segno del dramma, e già sotto un segno tragico. »

Si lega di grande amicizia a Moammed Sceab, il compagno che per disposizione di chiarezza amava piuttosto Baudelaire e Nietzsche, che non come Ungaretti, Mallarmé e Leopardi. Sceab incapace di metter radici sulla terra, in esilio in Egitto, in esilio in Francia – suicida per non esser riuscito a conciliare in sé le due contraddizioni del vivere e del pensare – e per non aver superato l'angoscia nel canto, nella invenzione: « E non sapeva / sciogliere / il canto / del suo abbandono ». A dimostrazione, dirà Ungaretti, che « la poesia non è un esercizio di retorica, né un esercizio puramente estetico, ma che la funzione della poesia è più profonda ed ha il carattere di una espressione veramente di salvezza ». Anche Ungaretti vivrà in pratica da esule tutta la sua vita: « In nessuna / parte / di terra / mi posso / accasare // A ogni / nuovo / clima / che incontro / mi trovo / languente / che / una volta / già gli ero stato / assuefatto // E me ne stacco sempre / straniero // ...Cerco un paese / innocente » e subito il suo canto nasce attorno alla riflessione sulla morte, sullo spazio infinito, sulla dilatazione del concetto di tempo (ascolterà poi Bergson far lezione alla Sorbona: « credo che la mia poesia abbia un gran debito verso di lui ») – di fronte all'eguale mistero della umana miseria.

Conoscerà anche Pea: accanto a lui anarchico, alla « Baracca rossa » a sentir di aiuti da dare, di attentati da preparare, di segni di coraggio, insieme di un individualismo esasperato e di una solidale coscienza umana delle cose, subito Ungaretti si identifica in quel-

lo che sarà poi sempre il suo modo di partecipazione alla vita: buttarsi dentro nelle cose, con entusiasmo, con amore, con coraggio; pronto sempre a soffrire, a pagar di persona. Per i suoi ottant'anni, lo disse pubblicamente: « Non so che poeta io sia stato in tutti questi anni. Ma so di essere stato un uomo: perché ho molto amato, ho molto sofferto, ho anche errato cercando poi di riparare al mio errore, come potevo, e non ho odiato mai. Proprio quello che un uomo deve fare: amare molto, anche errare, molto soffrire, e non odiare mai ».

L'immagine di una umanità sofferente, da avvicinare con intenti soccorrevoli che gli si fa subito chiara nella mente, da casa sua, dalla « Baracca », dalla grande umanità (e pietà, e insieme scaltra conoscenza del mondo) di Pea, si rinsalda subito in Ungaretti con l'esperienza immediata della guerra e della trincea, e non l'abbandonerà più. Come non sarà mai abbandonato dai suoi modi, insieme signorilissimi e raffinati, ma popolari, strettamente legati ai sapori sani, ai gusti forti.

Della religione che vedeva praticata in Egitto (ed era stato da bimbo educato con intensità alla religione cattolica da una madre, così pia, ed insieme così tollerante), Ungaretti fu subito colpito dai « precetti che aderivano alla sensualità », ben conoscendo come nel mondo cristiano per l'uomo in ben altro modo e drammaticamente si pongano quei termini, in un totale rovesciamento di quella stessa pratica.

« Nato in un paese maomettano, trascorsa l'infanzia in una zona a quei tempi ancora deserta, colla tenda del beduino a quattro passi da casa nostra, so quanto sia facilmente virile, la pratica d'una religione i cui precetti aderiscono alla sensualità. Per un popolo cristiano, ciò che d'impuro ha la guerra, le viene dal

nostro giusto modo d'identificare a "cupidigia", male, colpa.»

Nella religione maomettana da vicino in Egitto osservata da Ungaretti adolescente, Allah è vita di tutti: come in tante particelle, come in tante gocciole, egli si diffonde partecipando della vita di tutti. Ogni atto della vita – in una religione materialista – è goduto dal maomettano in comunanza di Allah: il dio gode con lui. Così, anche – è naturale – nella soddisfazione o nella manifestazione dei sensi. Ed è l'uomo a dar senso di partecipazione religiosa ad ogni atto della vita, la donna non essendo tenuta in conto, che come oggetto di piacere, nelle manifestazioni dei sensi.

Subito Ungaretti è dal deserto poeta d'amore, con una spinta sensuale fortissima ed indomabile – poeta d'amore resterà sempre – e sempre lo scatto dei sensi sarà in lui un segno incancellabile – ma anche, subito, Ungaretti sarà uomo di sensibilità religiosa, sia pur con una giovanile volontà di domarla. Nel paesaggio della Terra Promessa, al tempo degli Inni *e della* Pietà *– sarà più a fondo toccato, e non abbandonato mai da una sorta di rivelazione religiosa, riscoperta e capita quella dimensione stessa dell'infanzia, della sua gente, della civiltà. Ma sempre resterà, comunque, poeta d'amore: pur entrando talvolta in pieno all'interno della problematica del contrasto e del rapporto sentimento religioso-sensualità, riuscirà sempre a condurre un discorso ricco, vivo, e pieno di verità umana, nel riferirsi alle cose di fondo della pietà religiosa, ed al più vero trasporto d'amore, da far venire in mente (Egitto a parte, arabi a parte), quella capacità propria della gente di colore, di certi negri nord o sudamericani, ad esempio, di sentire in gioia, in letizia anche di carne e di sangue, lo spirito di religione: senza far propria la veste dimessa, la mortificazione, la rinuncia che può anche annullare. Ben più cosciente e vigile, e sofferente il tema nel nostro poeta; ma sempre in lui,* *senza che si creino insuperabili barriere, con una capacità d'impeto di sangue e d'amore, con una suggestione di continuo alimentata dei sensi, che pur non contraddice il suo modo d'accostarsi ai misteri della Rivelazione.*

La prima poesia pubblicata da Ungaretti su « Lacerba » il 7 febbraio del '15 era intitolata Il paesaggio d'Alessandria d'Egitto, *con il ritornello palazzeschiano, futurista: « E chi se ne frega ». Poesia rifiutata. Solo uno spunto: « Il fellà canta / gorgoglio di passione di piccione innamorato / nenia noiosa delizia » rifluirà in* Levante*: « e il mare è cenerino / trema dolce inquieto / come un piccione ». Con questa aggiunta,* Levante *deriva dalla lunga redazione di* Nebbia *che nell'edizione Vallecchi '19 era composizione di cinquanta versi, contro i ventiquattro versicoli della stupenda* Levante*: « La linea / vaporosa muore / al lontano cerchio del cielo // Picchi di tacchi picchi di mani / e il clarino ghirigori striduli / e il mare è cenerino / trema dolce inquieto / come un piccione // A poppa emigranti soriani ballano // A prua un giovane è solo // Di sabato sera a quest'ora / Ebrei / laggiù / portano via / i loro morti... », quella revisione folgorante approntata per «L'Italia Letteraria» nel '31.*

*I casi più appassionanti di intuizioni, poi riprese ed elaborate, reinventate a distanza con ardimento, riguardano, forse, in particolare, oltre a questo (*Paesaggio d'Alessandria d'Egitto, *« Lacerba » '15 -* Nebbia, *Vallecchi '19, e* Levante, *«L'Italia Letteraria» '31) quello di* Popolo *dalla stesura del '15 per « Lacerba », alla nuova apertura per Vallecchi '19, alla profonda revisione per « L'Italia Letteraria » e per l'edizione* Preda *del 1931, fino al lavoro che si fa comune, in tanti spunti, per la poesia* 1914-1915, *inserita nel* Sentimento del Tempo *e che apparve nel '33 su « Quadrivio », prima – per entrambe le composizioni – da rifacimenti* *continui in attesa della mondadoriana edizione del '43.*

Ebbene, tanto Levante, *quanto* Popolo, *nella impaginazione definitiva dell'*Allegria, *appartengono alla sezione iniziale, intitolata* Ultime. *Ed è facile vedere che* Ultime *voleva proprio significare quanto si intendeva proporre dall'esperienza della stagione poetica che precedette il* Porto Sepolto, *quella che De Robertis chiamava, appunto, « ironica, crepuscolare, palazzeschiana »: le profonde revisioni del '31, spostano, naturalmente, dal punto di vista dell'ultima redazione il discorso critico. Certo che il* Porto Sepolto *del '16, dilatato in* Allegria di Naufragi *del '19, con lo spazio dato anche alle poesie francesi de* La Guerre *e di* P-L-M 1914-1919 *(nome del treno Parigi-Lione), e poi ricomposto nelle edizioni dell'*Allegria, *tra il '31, '36 e '43 – costituisce una stagione (quella dello* choc *di superba unicità d'invenzione) restando mirabilmente fusa, fino alla sezione intitolata* Girovago *e che, non per nulla, si chiude con la poesia, già citata,* Soldati *(« Si sta come / d'autunno... ») che è ancora poesia di guerra del '18. Fin lì poesie dal fronte, o da brevi periodi di licenza, poesie del ricordo del deserto, oasi e miraggio, che vengono dal Sahara o dal Carso (non è oasi, non è miraggio, anche da Quota Centoquarantuno, il 1° agosto del 1916, quell'apertura improvvisa: « Bosco Cappuccio / ha un declivio / di velluto verde / come una dolce / poltrona // Appisolarmi là / solo / in un caffè remoto / con una luce fievole / come questa / di questa luna »?, una composizione – si badi bene – che da quella edizione del* Porto Sepolto *del '16 ad oggi, non ha subito alcuna variante, nata così di getto, e all'improvviso).*

*L'ultima sezione dell'*Allegria, *invece, intitolata* Prime, *nata tra Parigi e Milano nel 1919, appartiene già alla seconda stagione della poesia ungarettiana: l'esame di ognuna di quelle sette poesie (facendo perno su* Lucca *e su* Preghiera*: « Quando mi desterò / dal bar-*

baglio della promiscuità / in una limpida e attonita sfera... ») *ci darebbe conto, nella mutata disposizione nei confronti del paesaggio (la nebbia di Milano, l'autunno di Parigi) della posizione mentale di revisione del passato e di inserimento della esperienza del deserto in quella della età matura dell'uomo meditante; ed i tentativi di prosa ritmica a dar conto del crogiuolo dal quale stava per dipartirsi la nuova versificazione, la stagione nuova del canto aperto, pur da tanti precedenti interni, tipo* Giugno, *da tempo disponibili.*

Nessuno vuol toccare l'impaginazione cronologica di questo « Canzoniere » ungarettiano, ma è certo che con Prime *dell'*Allegria, *1919 inizia il* Sentimento del Tempo, *e del resto il* Sentimento *ha, in dichiarata analogia, la sezione iniziale, ancora denominata* Prime, *comprendente una lirica del '19, e le altre degli anni fino al '24.*

L'edizione del '23 del resto del Porto Sepolto *è prova lampante di questa interna riconnessione: si apre dopo* Sirene, *con una sezione intitolata* Elegie e madrigali *che comprende composizioni che saranno del* Sentimento, *accanto alle ultime aggiunte dell'*Allegria *(da* Le stagioni, *dunque, a* Lucca*). Riprende poi* Allegria di Naufragi *e* Il Porto Sepolto. *Tra tutte le edizioni che ci sono presenti di Ungaretti, l'unica, tipograficamente, di gusto discutibile: ci scusi il caro Ettore Serra che la curò. Di sapore decarolisiano, per i fregi di Francesco Gamba, da parere piuttosto poesia « corrente » di Gabriele, che non profetica voce di tempi futuri. E con « presentazione » di Benito Mussolini.*[1]

Sarà la stessa sorte, del resto – quella dello stretto legame tra un volume e l'altro, legami interni, precisi – che varrà per i tre libri che descrivono, passo pas-

[1] Vedi la nota dell'Autore a p. 522.

*so, l'area inventiva della meditata esperienza ungarettiana: l'*Allegria*, in quell'inizio dirompente che abbiam cercato di descrivere, che si fonde al* Sentimento del Tempo*; le ultime poesie del* Sentimento*, che si aggiungono, nella sezione* L'Amore*, dopo le edizioni Vallecchi e di Novissima del '33, già appartengono alla nuova ricerca della terza stagione, quella cominciata con gli appunti delle* Quartine dell'autunno *che risalgono appunto al '35, e finita soltanto nel '60 con gli* Ultimi cori per la Terra Promessa*, nel* Taccuino del Vecchio*; per non dire, appunto, della* Terra Promessa *e del* Taccuino *che sono lo stesso libro, che sono il terzo tempo della ricerca ungarettiana, e che in una edizione rara (Fògola 1967) avevano trovato perfino un unico titolo riassuntivo con* Morte delle Stagioni. *L'inizio poetico insomma con l'*Allegria *dal '14 al '18;* Il Sentimento del Tempo *dal '19 al '33, canto dell'età appena matura, del rigoglio dell'amore e del paesaggio, della inquietudine religiosa che non s'oppone alla esplosione dei sensi; poi dal '34 fino al '60, le ricerche attorno alla stagione dell'autunno dell'età, quando l'esperienza da sensoriale comincia anche a farsi crudelmente mentale e ci si avvia all'invecchiamento fino ad entrare nella tarda età. Questi i tre tempi. Ma l'ultima poesia stampata nel* Sentimento *è del '35; le prime che appartengono al terzo tempo (anche se subito pensato) appaiono invece in rivista solo nel '45 e sono alcuni* Cori descrittivi di stati d'animo di Didone, *in « Concilium Lithographicum », maggio-giugno del '45, e poi in « Campi Elisi », maggio '46. In mezzo* Il Dolore.

In quei dieci anni, la parentesi di quello che potrebbe chiamarsi il quarto libro di Ungaretti, forse il più ardito della maturità, quello che per immediatezza più tocca e più affonda diretto nella capacità di sentire: Il Dolore. *Nasce, fuori di ogni meditazione, d'ogni capacità di pianificazione di significato o di simbolo, per l'urgenza degli avvenimenti esterni. Prima quella specie di esilio, pur per un certo tempo felice, di Ungaretti e dei suoi in Brasile (lontano dall'Italia Ungaretti, non ha più composto, fuori che nella prima giovinezza, un verso solo: a Leopardi accadeva di non saper comporre in versi, fino alla tragica epopea napoletana, che a Recanati); poi nel '39 la morte del figlioletto, di nove anni appena; e, ancora, la guerra, il ritorno nella patria sconvolta, la resistenza, la occupazione. Avvenimenti che dall'esterno premono e urgono, e spingono il poeta, fuori della strada prefissasi, in uno slancio poetico dei più alti.*

Occorrerà che certe ferite atroci un poco si rimarginino, che il tempo stenda quel suo velo più pietoso, perché l'ispirazione torni al corso suo previsto: non posso mai stancarmi di ricordare a me stesso che l'ultimo dei frammenti dedicati al ricordo di Antonietto, del '46, e che dà la misura di come, alla vita del poeta quell'ombra si sia riaccostata, anche a soccorrere un po', a dar lenimento all'atroce dolore (« Fa dolce e forse qui vicino passi / Dicendo: "Questo sole e tanto spazio / Ti calmino. Nel puro vento udire / Puoi il tempo camminare e la mia voce. / Ho in me raccolto a poco a poco e chiuso / Lo slancio muto della tua speranza. / Sono per te l'aurora e intatto giorno" »), quest'ultimo frammento (1946) coincida, appunto, con la piena ripresa del lavoro attorno al disegno della Terra Promessa.

Con la visione, ancora di deserto anzi di deserto soltanto, in una cupa chiusura, che pur non contraddice (neanche questa volta) ad una religiosa speranza, si chiudeva questa stagione; ma dopo sette anni di quasi assoluto silenzio, vicino agli ottant'anni, ecco l'ultima stagione, di nuovo appassionata e ardente, ecco nove poesie d'amore, amor vivo, d'amore ancora, insieme, dei sensi e della mente, con Dialogo.

In un'intervista memorabile, Ungaretti stesso ha centrato il clima culturale europeo nel quale egli s'accingeva, con la ricerca del Sentimento del Tempo, *a riproporre per la nostra poesia un canto, « accordato in chiave d'oggi un antico strumento musicale che, reso così di nuovo a noi familiare, hanno in seguito, bene o male, adottato tutti ». Rinascevano così (« Leopardi e Petrarca » aveva detto Gargiulo « furon termini spontanei di riferimento »; pur avendo ragione Contini ad assegnare « unicità » d'invenzione metrica e di linguaggio anche a quella stagione poetica ungarettiana: non c'era ritorno, non c'era riscoperta d'un modulo metrico; in tal senso Leopardi, di sicuro, ma anche Petrarca poteva preesistere per Ungaretti anche all'*Allegria*: forse la riscoperta più intensa fatta a conclusione di tutta la sua vita di esperienza poetica è stata per Ungaretti, via via, Jacopone) il nuovo endecasillabo, il nuovo novenario, che s'affidavano al canto: « Amore, mio giovane emblema, / tornato a dorare la terra... / Amore, salute lucente, / Mi pesano gli anni venturi. »; « Quando ondeggiò mattina ella si stese / E rise, e mi volò dagli occhi »; « Come allodola ondosa / Nel vento lieto sui giovani prati, / Le braccia ti sanno leggera, vieni. // Ci scorderemo di quaggiù, / E del mare e del cielo, / E del mio sangue rapido alla guerra... »; « Bel momento, ritornami vicino. // Gioventù, parlami / In quest'ora voraginosa. // O bel ricordo siediti un momento. » (È l'inizio di* Ti svelerà *del '31, e riprende una variante dello stesso anno a* Le stagioni *del '23, quando nella redazione apparsa, appunto, nel '31 sulla « Gazzetta del Popolo » – 30 settembre, – era inserito l'inciso: « O bel ricordo, siediti un momento. / Non crederà, l'illusa adolescenza, / Che il vento muta... ».) Diceva dunque Ungaretti: « Ma in quegli anni da noi non c'era chi non negasse che fosse ancora possibile, nel nostro mondo moderno, una poesia in versi. Si voleva prosa: poe-*

sia in prosa. La memoria a me pareva, invece, indicasse un'ancora di salvezza solo nel canto, e rileggevo umilmente i poeti, i poeti che cantano. Non cercavo il verso di Jacopone o quello di Dante, o quello del Cavalcanti, o quello del Leopardi: cercavo il loro canto. Non era l'endecasillabo del tale, non il novenario, non il settenario del talaltro che cercavo; era l'endecasillabo, era il novenario, era il settenario, era il canto italiano, era il canto della lingua italiana che cercavo nella sua costanza attraverso i secoli, attraverso voci così numerose e così diverse di timbro e così gelose della propria novità e così singolari ciascuna nell'esprimere pensieri e sentimenti: era il battito del mio cuore che volevo sentire in armonia con il battito del cuore dei miei maggiori di una terra disperatamente amata... » Diceva ancora, Ungaretti, in quello scritto del '30 (« Gazzetta del Popolo »): « Apollinaire scrive La Jolie Rousse e sente giunto il momento di comporre il lungo dissidio della tradizione e dell'invenzione, dell'ordine e dell'avventura. La Jeune Parque di Paul Valéry stupisce per la musica verbale che da miracoli di metrica s'innalza in pura architettura; Strawinsky incomincia a soggiogarsi l'impeto ammirando l'equilibrio formale raggiunto dai grandi compositori di musica del Sei e del Settecento. Picasso scopre Pompei, Raffaello e Ingres e si converte a classiche eleganze. Carrà, superato il futurismo e alleatosi, per un attimo, alla avventura metafisica di De Chirico, oramai ricerca in Giotto i valori della sua pittura. La "Ronda" e i "Valori Plastici" sono, in quel periodo, gli organi banditori da noi della necessità d'un ritorno nelle lettere e nelle arti a ricerche di stile che non ignorassero i modelli del passato ».

Ed il canto sboccia, finalmente a contatto con il paesaggio italico, quello laziale in specie, dei colli romani, fino al bosco di Marino; quel paesaggio di Terra Promessa, inserito nei segni perenni della ci-

vile ascesa umana, dai segni chiari nel ricordo del romanico toscano, alle stratificate dimensioni d'arte e di colore della Roma in cui viveva: « Mi ero stabilito a Roma » racconta il poeta « e da quella data appare nella mia poesia il paesaggio laziale. È un paesaggio al quale mi accosto con amore e che nel suo segreto mi diviene consueto non senza sforzo. La toscana asciuttezza nervosa della gente mia, o l'abbagliante annientamento dell'infinito Sahara della mia infanzia, o le pungentissime cuspidi e i delicati grigi di Francia, o sul Carso, il senso della pietra, il senso della nemica e indifferente e refrattaria pietrosa natura, o il senso dell'abbandono docile nell'universale armonia, tutte queste immagini della memoria si sostituiscono l'una all'altra o si compenetrano l'una nell'altra a costituire la durata di uno stato d'animo che si riflette in un paesaggio sontuoso, sebbene s'arricchisca a spese di rovine e trovi unità e solenne perfezione sognando sulle rovine ».

Sono anche gli anni (nel '28 Ungaretti compie quarant'anni) della più accesa fantasia d'amore, con la più forte carica dei sensi: in una fusione intera, che verrebbe da dir panica, se non fosse sempre vigile in lui quello stretto legame alla scarna verità essenziale, lontano da intenzioni o disposizioni di sogno romantico. Certo che la carica d'amore e di sensi, pare perfettamente fusa di nuovo, in questa diversa « ottica » che nasce a contatto con il paesaggio antico, rinnovato, e lussureggiante: l'ottica del deserto era definita in quel frammento intitolato Tappeto: *« Ogni colore si espande e si adagia / negli altri colori // Per essere più solo se lo guardi ». (Interessante una citazione ungarettiana a questo fine: « Si arriva in Maremma. Curioso è ora come un sentirmi muovere, entrato falciante dal finestrino, un pipistrello sul rovescio delle palpebre, se chiuse da un principio di sonno. Da bimbo, mi viene in mente, il tracoma mi tappò per mesi gli occhi... Non si sa mai come nascono certe associazioni d'idee. Sarà forse la comune idea di desolazione che destano Maremma e guerra; sarà la sensazione visiva, che somiglia ad altre provate in notti di trincea, con il mare invisibile che s'avvicina, e occhi semiaperti di morti tra l'oscillare di brindelli di vapore stagnante, trafitto qua e là da bagliori: il fatto sta che ora penso alla guerra ».) L'ottica del* Sentimento *si rivela da quelle poesie tutte nate tra Tivoli, il lago d'Albano, il bosco di Marino, sulle rovine in notti di plenilunio, tra secolari platani, ontani, olivi, mimose, ed ha una naturale disposizione scenografica: colloca gli elementi nel canto, nello sfondo, perpetuamente musicale, del paesaggio.*

Ma all'interno del Sentimento, *il 1928 segna una data a sé, nascono gli* Inni, *e più tardi, nel '32 i sei* Canti *della* Morte meditata: *« Nel 1928 » ricorda il poeta « dal Monastero di Subiaco dove avevo trascorso ospite una settimana, di ritorno da Marino, d'improvviso seppi che la parola dell'anno liturgico mi si era fatta vicina nell'anima: in quei tempi mi sarebbero nati gli* Inni ». *Aveva anche detto che la sua poesia « stava per non accorgersi più di paesaggi, stava per accorgersi invece con estrema inquietudine, perplessità, angoscia, spavento, della sorte dell'uomo ». La parentesi d'appagamento dei sensi e dei colori, dell'ebbrezza del paesaggio stava per chiudersi, per riflessione, per esperienza. Leggeva in quegli anni Pascal; di Leopardi s'era accorto che era « un cristiano che vede ovunque la traccia della colpa, inesplicabile perché la fede nella Resurrezione s'è fatta muta per lui, e ha invece eloquenza la vista della progressiva corruzione d'ogni cosa, corruzione interrotta per poco ogni tanto da incursioni di barbarie che rinnovano le illusioni ». « In lui non c'è più che sentimento infinito di pietà. » Nel momento del disteso canto d'amore, prima della ripresa di tono alto, e tutto cantato, pur sommessamente o per gridi, del* Dolore, *pur in diversa disposizione narrativa,* La pietà *riprende per sé un carattere di frammento; torna ad essere epigrafe, ed indicazione, interrogativo e messaggio. Ed il collegamento a certi temi già enunciati nell'*Allegria *è immediato, come immediato sarà il collegamento, ad esempio, tra il paragrafo 4 della* Pietà *e gli ultimi « cori » della ricerca ungarettiana.*

Ricordate Dannazione, *del '16?*

Chiuso fra cose mortali

(Anche il cielo stellato finirà)

Perché bramo Dio?

E l'interrogativo di Risvegli, *scritto negli stessi giorni:*

Ma Dio cos'è?

Dalla Pietà*:*

Dio, coloro che t'implorano
Non ti conoscono più che di nome?
. . . .
Dio, guarda la nostra debolezza.

Vorremmo una certezza.

Di noi nemmeno più ridi?

E compiangici dunque, crudeltà

Non ne posso più di stare murato

Nel desiderio senza amore.

Una traccia mostraci di giustizia.

La tua legge qual è?

Fulmina le mie povere emozioni,
Liberami dall'inquietudine.

Sono stanco di urlare senza voce.

Ma di diverso dal frammento iniziale della sua ricerca, di diverso dalla stagione che chiude, fin qui, il cammino della poesia ungarettiana, c'è, appagamento o interrogativo o preghiera, angoscia o felicità o spavento, una dichiaratività diretta; in questo tempo del canto e del paesaggio, manca (è in conclusivo agguato) quella enigmaticità dello scambio continuo tra quel che è e che potrebbe essere, da quel deserto che sperimenta a quella Terra Promessa che si potrebbe raggiungere.

Nel suo paesaggio storico, civile, Ungaretti per sé e per gli altri sperimenta, dopo la stagione breve d'amore, la larga diffusione del dolore: « non c'è casa che non sia visitata dal dolore ». E già nella Pietà *anticipa sentenze che paiono farsi attuali, oggi all'interno dei problemi veri della società dei consumi.*

Fra il paragrafo 4:

L'uomo, monotono universo,
Crede allargarsi i beni
E dalle sue mani febbrili
Non escono senza fine che limiti.

Attaccato sul vuoto
Al suo filo di ragno,
Non teme e non seduce
Se non il proprio grido.

e tanti «Cori» della Terra Promessa *e del* Taccuino, *si trova una terribile continuità di discorso, fino all'ultimo frammento dell'*Apocalissi, *che inizia:*

La verità, per crescita di buio...

Bisognerebbe vedere, ad esempio, l'importanza rispetto alla nuova tematica che Ungaretti appronta, di un breve scritto come quello del poeta ad introduzione di un volumetto che raccoglieva Tre prose di Pascal, *tradotte dal Locatelli: è uno scritto del 1924: «dovrebbe toccar il cuore della gente» scriveva a proposito della* Preghiera per chiedere a Dio il buon uso della malattia *«di questo secolo, nel quale non c'è casa che non sia stata visitata dal dolore di questi nostri tempi, nei quali, in mezzo alla cupidigia, e in modo che, a memoria d'uomo, per numero di moltitudini compromesse e accavallarsi di rivolgimenti, non ha riscontro, si son fatti largo l'egoismo e la rassegnazione, di questi anni, nei quali son così visibili la fralezza e la maestà dell'uomo».*

Cent'anni avanti, nel 1828, Leopardi dava inizio al momento più alto della sua grande stagione poetica: un secolo più tardi ecco la proposta de La pietà. *Eppure, quanto già s'anticipava, e cioè lo sprofondarsi a meditare, a sentire profeticamente verso quale sorte l'uomo e la società si avviassero; il tono di preghiera quasi sfidante, non soffocano in Ungaretti lo slancio dei sensi o dell'amore:* Giunone *è del '31: «Tonda quel tanto che mi dà tormento, / La tua coscia distacca di sull'altra... // Dilati la tua furia un'acre notte!»*

«La prima idea della Terra Promessa*» narra Ungaretti «la ebbi nel 1935, subito dopo la composizione di* Auguri per il proprio compleanno, *che possono leggersi nel* Sentimento del Tempo. *In quella*

poesia, nell'ultima strofa è detto: "Veloce gioventù dei sensi / Che nell'oscuro mi tieni di me stesso / E consenti le immagini all'eterno, // Non mi lasciare, resta, sofferenza!". Ancora nel 1942, quando Mondadori iniziò la pubblicazione di tutta la mia opera, La Terra Promessa *era annunziata dai volantini editoriali con il nome di* Penultima Stagione. *Era l'autunno che intendevo cantare nel mio poema, un autunno inoltrato, dal quale si distacchi per sempre l'ultimo segno di giovinezza, di giovinezza terrena, l'ultimo appetito carnale.*

« *La* Canzone, *che giustifica l'incompiuto poema, parte da questo distacco e dà come primo momento strofico un dissolversi lentissimo, quasi inavvertibile, un lentissimo smemoramento in un'ebrietà lucida. Poi è il rinascere ad altro grado della realtà: è per reminiscenza il nascere della realtà di secondo grado, è, esaurita l'esperienza sensuale, il varcare la soglia di un'altra esperienza, è l'inoltrarsi nella nuova esperienza, illusoriamente e non illusoriamente originaria – è il conoscersi essere dal non essere, essere dal nulla, è il conoscersi pascalaniamente essere dal nulla. Orrida conoscenza. La sua odissea sempre ha per punto di partenza il passato, sempre torna a conchiudersi nel passato, sempre riparte dalla medesima aurora mentale, sempre nella medesima aurora della mente si conchiude.*

« *La* Canzone *s'è formata, a seguito di trasferimento dei motivi d'ispirazione dalla sfera della realtà dei sensi alla sfera della realtà intellettiva. Non che fra l'una e l'altra sfera, a dire il vero, ci sia una parete che non sia fluida, e non che l'una e l'altra sfera non si compenetrino. Ad una certa epoca dell'esistere, uno può avere avuto la sensazione che la mentale in lui escludesse ogni altra attività: il limite dell'età è limite. Non sia limite poiché poesia non si fa mai senza opera anche dei sensi, specie una poesia di stretta e infinita qualità musicale come pretende di essere questa.»*

Su questi temi era nato il lavoro alle Quartine dell'autunno*: da queste «quartine» s'arriva alla* Canzone *(si veda il testo delle lezioni tenute da Ungaretti alla Columbia University a New York nel 1964 a commento della* Canzone*: in questo volume a p. 241. E si veda anche a p. 427 il mio saggio del '49, condotto principalmente sulle varianti manoscritte della stessa* Canzone*) come una composizione a chiave per intendere la forza di questa nuova stagione ungarettiana: il disegno dell'opera è per un momento concepito scenicamente: lo sbarco di Enea in Italia, visioni della memoria che in forma di «Coro» lo riportino alla vicenda di Didone, alla morte nel sonno – per fedeltà alle immagini – di Palinuro, via via, fino ad altre scene ed abbozzi che non si sarebbero mai più compiuti. Per i primi Cori il binomio Tasso-Monteverdi viene come spontaneo termine di riferimento. Quasi un libretto da suscitare in un ardito compositore l'idea di musicarlo: del resto Luigi Nono si è ispirato ai* Cori di Didone*, in un accostamento che è pieno di significato grande. Infatti dai Cori, e specialmente dagli ultimi Cori, dal* Taccuino*, nasce una nuova qualità musicale, un raro ardimento: siamo su schemi di musica d'avanguardia; gli schemi metrici paiono prevalere sulla libera rievocazione degli oggetti, ed in verità gli oggetti in questo loro adeguarsi all'ordine e alla misura acquistano un massimo di verità e di evidenza, riappaiono completamente inventati senza alcun indugio descrittivo, naturalmente assolvono alla loro funzione di simbolo e d'analogia. La rigorosa adeguazione metrica sarà la loro nuova sostanza, la loro luce. Così Ungaretti riesce nel miracolo di affidare ad una assoluta qualità astratta (lo schema, la metrica, la tecnica mirabile), l'insorgere vitale dei sensi, lo sfondo, ancora sensuale in una fusione rara verso un'ampia costruzione mentale di signifi-*

cati, così come, da Leopardi in poi, era forse accaduto soltanto a Mallarmé o a Valéry.

Rosa segreta, sbocci sugli abissi
Solo ch'io trasalisca rammentando
Come improvvisa odori
Mentre si alza il lamento.

L'evocato miracolo mi fonde
La notte allora nella notte dove
Per smarrirti e riprenderti inseguivi,
Da libertà di più
In più fatti roventi,
L'abbaglio e l'addentare.

E verrebbe spontaneo di dire che l'ultima ricerca espressiva di Ungaretti va, per propria ispirazione, di conserva con il lavoro che, appunto, Varèse, Nono, altri hanno fatto nel campo della musica – e, più, Fautrier o Burri in quello delle arti figurative; così, come il suo lavoro poetico degli anni '15-'35 si accordava via via, a scelte ed a chiavi unisone, nel lavoro di Picasso o di Braque, di Carrà o di Scipione o di Rosai – e nella nuova proposta musicale di Strawinsky o di Bartok.

Ma, con le date '37-'46, appare intanto la raccolta Il Dolore, *e non s'incontrano certo più le linee ispiratrici della « canzone », nel ritmo serrato, straziante di quel grido, che pur si riapre alla cristiana speranza, e che, chiudendosi con* Terra *scioglie al paesaggio italico l'inno di più ampia forza felice – anche se prima ha guardato, minuto per minuto, negli occhi, la morte, quella del fratello, quella del bimbo, quella dei segni « schiantati » della civiltà, quella delle popolazioni perseguitate e straziate: non ci sono certo in quei versi le tracce del disegno di « trasferire », fatalmente, « i mo-*

tivi di ispirazione dalla sfera della realtà dei sensi alla sfera della realtà intellettiva ». Quell'angosciato grido esistenziale degli Auguri: *« Non mi lasciare, resta, sofferenza! » (variante successiva al '43 – perché dal '35 al '43 la chiusa suonava: « Non mi lasciare ancora sofferenza! »), non poteva storicamente essere di più preso in parola.*

E si veda in quali sezioni Il Dolore *si formi: le poesie del '37 sono due soltanto, ed una per la morte del fratello; dal '40 al '46 la serie di* Giorno per giorno, *per il figlioletto morto; dal '40 al '45 le tre grandi liriche dove il ricordo del bimbo si innesta nella rievocazione del paesaggio brasiliano (*Il tempo è muto*); il breve frammento del '43* Incontro a un pino, *della ripresa di contatto con il paesaggio romano, dopo il ritorno dal Brasile –* Roma occupata *del '43-'44:* I ricordi, *del '42-'46, con il duro monito: « Cessate d'uccidere i morti, / Non gridate più, non gridate... »*

Dopo I fiumi, *del '16, epica eppur spoglia rimeditazione dell'esperienza fino ad allora vissuta e confrontata nella guerra; dopo la* Pietà *del '28 ad anticipare le sorti verso cui il mondo s'avviava,* Roma occupata *del '43-'44 è ancora un'alta ricapitolazione di una terribile, quanto grande, esperienza storica toccata all'umanità. Non so che cosa sia dall'ultimo conflitto uscito di più alto nel canto, sulla « maestà » ed insieme sulla « fralezza » dell'uomo.*

Ed anche tutta la poesia del Dolore *è da ritenersi poesia intrisa nel paesaggio vero, in un collocamento diretto, che in parte dimentica, in parte ritarda, l'alternativa deserto-oasi, senso di acclimatamento ed impossibilità di mettere radici. E nel* Dolore *si complica e prende dimensioni imprevedibili il rapporto con il paesaggio perché due nuove dimensioni prendono stabilmente piede: il paesaggio, anche nel* Sentimento *già avvertito nella sua dimensione storica, è ora veduto prorio in questo continuo, quasi ossessionante e ossessio-*

*nato stato d'animo per la minaccia della guerra, della distruzione delle antiche opere della civiltà e dell'ingegno (« Ora che scorre notte già straziata, / Che ogni attimo spariscono di schianto / O temono l'offesa tanti segni / Giunti, quasi divine forme, a splendere / Per ascensione di millenni umani... »); e si fa posto la visione insolita, nelle sue gigantesche proporzioni, del Brasile, per gli anni passati laggiù (e sono anni – niente succede per caso – verso i quali Ungaretti andava già per suo conto meditando sul Barocco e su Michelangelo, su Góngora, su Shakespeare e su Racine, sull'*horror vacui*, per incontrarsi nel delirio barocco brasiliano di Ouro Preto, dell'Aleijadinho). Tenta allora, in composizioni di raro ardimento, l'accostamento tra un paesaggio e l'altro, tra la pietra densa di storia e di arte, tra la consumata civiltà, e le « favolose testuggini » delle profondità marine sulla costa brasiliana di Santos: così in una delle poesie più alte che Ungaretti abbia lasciato alla pura capacità d'invenzione per fantasia e per strazio di commozione, pur controllato e fermo, in* Il tempo è muto, *ecco i « cavalli dei Dioscuri » del Quirinale, legati alle acque, alle piante del Brasile – filo e legame, dolcissimo, tenue e terribilmente doloroso, il bimbo:*

Oppure in un meriggio d'un ottobre
Dagli armoniosi colli
In mezzo a dense discendenti nuvole
I cavalli dei Dioscuri,
Alle cui zampe estatico
S'era fermato un bimbo,
Sopra i flutti spiccavano
(Per un amaro accordo dei ricordi
Verso ombre di banani
E di giganti erranti
Tartarughe entro blocchi
D'enormi acque impassibili:

Sotto altro ordine d'astri
Tra insoliti gabbiani)
. . . .

Altrove, in Gridasti: Soffoco..., *ricordando il bimbo:*

Come ora, era di notte,
E mi davi la mano, fine mano...
Spaventato tra me e me m'ascoltavo:
È troppo azzurro questo cielo australe,
Troppi astri lo gremiscono,
Troppi e, per noi, non uno familiare...

(Cielo sordo, che scende senza un soffio,
Sordo che udrò continuamente opprimere
Mani tese a scansarlo...)

Fino allo slancio, tenero movimento di canto, nel dolore, ricordo dolce che pare sciogliere per un attimo solo il tormento:

Alzavi le tue braccia come ali
E ridavi nascita al vento
Correndo nel pẹso dell'aria immota.

Nessuno mai vide posare
Il tuo lieve piede di danza.

Che mi ricorda sempre, nella serie Giorno per giorno *(1940-1946) di 17 frammenti, dedicati al bimbo, i passaggi dal proprio strazio inarrestabile, dagli altri provocato (« e la premurosa / Carità d'una voce mi consuma...»), al rimorso (« Rievocherò senza rimorso sempre / Un'incantevole agonia dei sensi? »), all'abbandono senza più forza (« Non più furori reca a me l'estate... »), alla speranza d'arrivare presto alla morte (« Passa la rondine e con essa estate, / E anch'io, mi dico, passerò... »; « In cielo cerco il tuo felice volto, / Ed i miei occhi in me null'altro vedano / Quando anch'essi vorrà chiudere Iddio... »), al grido che non può placarsi, alla rassegnazione che non s'accampa (« E t'amo, e t'amo, ed è continuo schianto!... »), al rimpianto accorato (« Mai, non saprete mai come m'illumina / L'ombra che mi si pone a lato, timida, / Quando non spero più... »; « Mi porteranno gli anni / Chissà quali altri orrori, / Ma ti sentivo accanto, / M'avresti consolato... »); dopo tutti questi stati d'animo di profonda disperazione provata, proprio nell'ultimo frammento, il 17°, composto già a distanza d'anni dal penultimo, subentra – e s'è detto – come un'improvvisa quiete, una luminosità forte del ricordo, un sostegno per gli anni da vivere ancora.*

Fa dolce e forse qui vicino passi...

A un effetto addirittura di canto aperto, solenne, corale porta nel Dolore *il tema della guerra. Il poemetto* Roma occupata *ha andamento di composizione sinfonica, ha i suoi tempi musicali, il suo coronamento. Ed il canto del dolore cocente, ancora è diffuso nel paesaggio: « Fa, nel librato paesaggio, ch'io possa / Risillabare le parole ingenue ». Ed è la « pietra », son quei « segni », « quasi divine forme » entro cui si svolge, in contemporaneità di tempo, con l'ispirazione del poeta, la vicenda che non si può fare a meno di cantare, fino alla preghiera, alla preghiera più alta, finalmente liberatrice:*

Cristo, pensoso palpito,
Astro incarnato nell'umane tenebre,
Fratello che t'immoli
Perennemente per riedificare
Umanamente l'uomo,
Santo, Santo che soffri,

Maestro e fratello e Dio che ci sai deboli,
Santo, Santo che soffri
Per liberare dalla morte i morti
E sorreggere noi infelici vivi,
D'un pianto solo mio non piango più,
Ecco, Ti chiamo, Santo,
Santo, Santo che soffri.

Nel 1954 esce un'altra raccolta di versi intitolata Un Grido e Paesaggi, *poesie tra il '39 ed il '52.* Un Grido, *la poesia* Gridasti: Soffoco..., *rientra in pieno nella serie* Giorno per giorno *del* Dolore, *ed è un resoconto vibrante, senza darsi tregua, senza risparmiarsi strazio profondo, della morte del bambino, potente raffigurazione; il « paesaggio » principale è una poesia d'occasione,* Monologhetto, *composta negli ultimi giorni del 1951, « su richiesta della RAI e destinato alla trasmissione di Capodanno ». A poeti e scrittori s'era chiesto di occuparsi ciascuno di un mese, ed Ungaretti si prese il suo mese, febbraio, e tornò a descrivere, a narrare, a svagare, inventivo, di un suo viaggio in Corsica d'anni lontani. Ne uscì un poemetto di più di 200 versi, e certo non giunse a rimorchio, ma anticipò, la fioritura, a dire il vero, poi assai ampia, della poesia narrativa, del pubblico discorso in versi, del poemetto. Una grande prova di un Ungaretti – come dire – forse minore, ma con aperture immediate e di grandissimo tono: « Poeti, poeti, ci siamo messe / Tutte le maschere; / Ma uno non è che la propria persona ».*

Con Terra Promessa *e* Taccuino del Vecchio *verso l'ultima sua stagione, in un rapporto anche più stretto ai tempi accaniti che si son vissuti e che si possono prevedere, Ungaretti, passati i settantacinque anni, torna al frammento, riprende per sé, il paesaggio del deserto e delle scabre pietre, nemmeno più del Carso, ma addirittura forse della luna o degli astri.*

Ma nulla delle varie esperienze è andato perduto; tutto confluisce, ed è graduale ogni acquisto successivo e spiegato, e quasi reso naturale o fatale dai precedenti, tanto nella tecnica, nella metrica, nella scelta del vocabolario poetico, quanto nell'impegno e nella scoperta dovuta alla meditazione continua su se stesso, e sulle cose che ci circondano. Dal deserto originario, dunque, da quella luce, dall'ottica che essa impone e che dà stupore ad ogni oggetto evocato in sé, passata ogni capacità di stupore, ad una stessa luce che, a ritroso, cade su tutti i fatti della vita, sui dolori e le vicende sentimentali, sulle previsioni di colpa dei tempi che verranno.

Ma i tempi non mutano: è il passare del tempo che muove i suoi versi, è l'amore ora così come può sperimentarsi nella vecchiezza, è l'assiduo incalzare della memoria, ma ora meno aspra, più conscia della responsabilità storica che la muove, è il pensiero della morte, sono i cari morti, tornati nel ricordo a fargli compagnia.

Ma è l'epoca in cui gli astronauti solcano i cieli fino a violare i più segreti spazi; ma è il tempo in cui volare da un continente all'altro in un lampo è da tutti. Tanto più forte, in lui, l'emozione, quanto più distaccata dalla cronaca, valida sempre. Sono presenti e scandite le antiche riflessioni sul passare del tempo, ma ora è tutto il passato che gli dà forza, e pare tolga alla passione quanto aggiunge a pietà, e quasi direi, a rassegnazione, una rassegnazione nella quale si sente permanere tuttavia una rivolta a stento frenata.

La verità, per crescita di buio
Più a volarle vicino s'alza l'uomo,
Si va facendo la frattura fonda.

*È il quarto frammento dell'*Apocalissi. *Fra gli ultimi versi fin qui offertici da Ungaretti: e potevano davvero porsi come un'epigrafe dettata dal suo lungo impe-*

gno, dalla sua continua ricerca, ancora con una grande carica profetica che d'un baleno lo leghi a quella che fu la promessa del suo esordio folgorante. Il problema di sempre, della vita e della riflessione d'ogni giorno, e quello del rapporto tra gli uomini e la verità, è il problema di come i tempi, e il loro modificarsi per le acquisizioni continue della scienza e della ricerca filosofica, mutino senza tregua tale rapporto. Ma è un rapporto, suggerisce il poeta, che va variando, se mai, proprio perché ci si allontana sempre più dal sentimento della verità per affidarci sempre più alle illusioni momentanee. All'uomo pare di volare più vicino alla verità perché pone in orbita i suoi satelliti, va superando altissimi cieli, è sbarcato sulla luna, possiede già il mezzo di abolire nelle macerie la mente umana; ma il buio cresce più che mai intorno a noi, il sentimento del sacro sempre più va attenuandosi in noi, la frattura abissale aperta tra noi e la conoscenza della verità, per lo squilibrio del temerario pensiero umano, si va facendo sempre più un inferno fondo.

Come ai tempi dell'*Allegria* (1914-1919), Ungaretti in questa sua impresa sceglie il frammento. Detta formule che hanno forza di profezia, che sono dall'interno guidate dal suo spirito cristiano, che non riesce però mai ad uguagliarsi alla fede totale che tutto rischiara; anzi, con accettazione malinconica, la misura che guida queste ultime esplorazioni poetiche, è la dimensione del dubbio, nella quale del resto vive e medita la maggioranza degli uomini di ogni tempo che siano veramente aperti all'esperienza e alla vita, e che spendano il loro impegno a meditare, giorno per giorno, su quanto hanno sperimentato e sofferto per identificare nel corso delle vicende la causa che nel progressivo incremento dei mezzi materiali determina l'oblio crescente della voce dell'anima.

Per sempre, *a chiusura del* Taccuino *era stata scritta nel '59. Poi, del '61, solo i quattro brevi frammenti dell'*Apocalissi, *di cui s'è da poco citato il quarto. Poi il silenzio, rotto appena, cinque anni più tardi, nel '66 da quel* Proverbio *scritto « a letto, dormicchiando »: « S'incomincia per cantare / E si canta per finire ».*

1958-1968: l'ispirazione in Ungaretti, nei suoi anni tra i settanta e gli ottanta, sempre più rarefatta, non più la lunga e cara abitudine di scrivere almeno pochi versi ogni anno dopo la mezzanotte del 1º gennaio; verso la conclusione di una ricca, sorprendente e continuamente rinnovata e rivelatrice carriera poetica durata mezzo secolo. La parola fine – forse – alla sua ricerca iniziata con spirito di rivoluzione vera, di profetico sentimento (mai traditi) cinquant'anni avanti.

Ma d'un tratto, ecco soltanto in pochi mesi, del '66, nove poesie sgorgate di getto, una stagione intera, nuova, fermentante, tutta di nuovo inventiva, con esplosione di canto, subitamente domata, per forza della riflessione, per considerazione della durata, per tragica meditazione sull'età: un nuovissimo tempo della poesia e (come sempre fu in lui) della vita di Ungaretti. Nove poesie d'amore, una conclusiva stagione di poesia d'amore, proponendosi a noi tra i segni più alti di tutto il suo lavoro. (Si vedrà, ad esempio, una composizione stupenda ma anche disperata, e felice e drammatica e quieta insieme, in una accettazione serena, eppure ancora in contrasto vitale, come quella intitolata La conchiglia*: non so se Ungaretti sia arrivato mai a tanta altezza inventiva, in una così semplice e pura proposta di risoluzione formale! Si veda il procedimento nuovo, e rivelatore, della variazione del tema, proposta come seconda redazione della poesia, ma autonoma, eppure che prende forza e crescita di sangue e di senso, proprio per il fatto di rinascere dalla compiutezza di una prima forma già raggiunta automaticamente: e non è più questione di correzioni o di va-*

rianti, è il procedimento vero della nuova variazione inventiva, a sé stante, com'è della musica, del medesimo tema d'amore, di riflessione, di morte. Con il senso poi, proprio, antico, di giusta calibratura umanistica, del linguaggio, della scelta delle parole, che nel loro potere di penetrazione odierna, non scordano i magici, i primi sensi... ed « oracolo », « scrutare », saranno bene indicazioni sintomatiche, e semplici, eppur da riportare al loro significato vero.) Poesie d'amore, avviandosi il poeta ai suoi ottant'anni! E solo una forte emozione, una scossa profonda dei sentimenti, potevano far succedere al lungo silenzio, alla messa a tacere della ispirazione e del canto, una ripresa poetica così ricca e vitale.

I versicoli, le nuove poesie del Porto Sepolto *e dell'*Allegria *(quanta ironia al loro apparire, quante incomprensioni – con pochi spiriti e ingegni pronti ad intendere subito – trascinatesi dietro fino a tardivi epigoni di quella antica accademia pur in anni vicini) sono oggi divenuti un patrimonio comune, a disposizione della cronaca, sembrano aver trovato il loro spazio a comun denominatore in questi tempi, cinquant'anni dopo. E così, del resto, va avanti la ricerca dell'arte: al chiuso di qualche necessario laboratorio c'è chi, per ispirazione, o per genio, per applicazione o per scienza, sperimenta, mandando avanti la propria ricerca, molto avanti rispetto alla media comune disponibilità di intendere: se la strada che si compie è quella vera, più tardi, anni o decenni dopo, ecco che anche quella media disponibilità si spinge avanti, a capire, a sentire in modo diretto e familiare. Chi compiace in tutto il suo tempo lascia fermo, allo stesso punto, il lavoro di ricerca nell'arte; e Ungaretti non ha mai compiaciuto il suo tempo.*

*Certo, dopo l'*Allegria, *altre cose si son potute sentire più direttamente, in modo più immediato e pieno,* *fin dal* Sentimento, *con il collocarsi profetico degli* Inni, *e certo di più, assai di più, con* Il Dolore. *Ma lo spazio dell'ultima ricerca ungarettiana: il segreto dei « Cori » e dei « Nuovi Cori », la musicalità nuova, il tono dell'ispirazione ultima d'amore in cui detta accenti poetici tra i suoi più grandi (Ungaretti è di quella razza di artisti veri ai quali l'avanzare degli anni aggiunge respiro a respiro, conoscenze a conoscenze, senso, via via, del tempo, al tempo nuovo, con totale apertura e disponibilità per le nuove motivate ricerche, che possono costituire sia nella poesia, che nelle arti figurative gli elementi del linguaggio, non solo di oggi, ma di domani; non è di quell'altra razza, pur esistente, pur talvolta di pregio, che però con l'invecchiare si rinchiude in sé, si fa avara, e non si allontana da idee, ed anche da moduli creativi, già prima sperimentati); lo spazio – dicevo – della capacità corale d'intendere questa poesia nuova, si troverà forse in pieno anch'esso più tardi. Il poeta tornerà forse in quei frammenti ad essere alla gente familiare, come ora, appunto familiare è il tono dell'*Allegria, *passato il tempo necessario, a far entrare nello spirito e nella carne dei più, quello che in questo tempo per lo spirito dell'uomo in una dimensione futura si va preparando: ciò che Ungaretti sentiva, ciò che, quando si fa « vate », sente.*

Diceva, tempo fa il poeta in una intervista: « Io credo che nelle poesie della vecchiaia non ci sia più la freschezza, l'illusione della gioventù, ma credo ci sia una somma tale d'esperienza che se si arriva – e non s'arriva sempre – a trovare la parola necessaria ad esprimerla – sia la poesia più alta da lasciare ».

Una impressione soltanto a chiudere queste note. Da quando, sui banchi delle ultime classi ginnasiali, per l'intelligenza di professori aperti, e per una cert'aria di famiglia, trent'anni fa, dunque, presi contatto con la poesia di Ungaretti, essa non mi ha deluso mai:

in ogni tempo, in ogni clima è stata lettura di conforto e di meditazione. E non è stata certo la sola a farmi da compagna e da guida, tra la poesia del nostro tempo. Ma di una cosa certa mi sono accorto, su di me, e su tanti altri lettori più di me capaci di intendere: quando il corso delle cose della storia e dei tempi, o delle private vicende scorre in un normale equilibrio, in una prevedibile alternativa, a più voci ti puoi accostare e da molte potrai trarre convincimento; ma quando i tempi che ti capita di vivere portano ad un impegno di fondo rispetto alla coscienza o alla storia, oppure di fronte alle scelte vitali che la tua responsabilità di uomo non può far attendere né rimandare, allora – mi pare – è il tempo in cui la voce poetica e profetica di Ungaretti si staglia sulle altre. La sua vocazione pare legata ad una perpetua poesia maggiore; ed è davvero poesia maggiore quella che esce dall'arco intero della sua esperienza.

Leone Piccioni

CRONOLOGIA

1888

Il 10 febbraio Giuseppe Ungaretti nasce ad Alessandria d'Egitto da Antonio e da Maria Lunardini, entrambi del circondario di Lucca (di San Concordio il padre, la madre di Sant'Alessio). L'unico suo fratello, Costantino, era nato nel 1880.
Ad Alessandria, gli Ungaretti abitavano nel quartiere periferico di Moharrem Bey e vi avevano aperto un forno di pane, che la madre del poeta continuò a gestire anche dopo la morte del marito, avvenuta nel 1890, in seguito a un infortunio riportato durante lo scavo del Canale di Suez dove lavorava come operaio.

1906

Fino al 1905 frequenta l'École Suisse Jacot, una delle più rinomate d'Alessandria. Nel 1906 conosce Enrico Pea, anche lui emigrato in Alessandria, e frequenta la « Baracca rossa », una casa di legno a due piani, ricoperta di lamiera e dipinta di rosso, che serviva a Pea da abitazione, da magazzino per il suo commercio di marmi e di legname, e da luogo di ritrovo di sovversivi e fuorusciti.
Durante gli anni di scuola si lega d'amicizia con Moammed Sceab e comincia a scrivere i primi versi. Fa le prime scoperte letterarie: Leopardi e Baudelaire, Mallarmé e Nietzsche. Finiti gli studi, sempre più si precisa il suo interesse per la poesia. Legge e discute, segue le riviste letterarie più avanzate di Francia e d'Italia, frequenta i caffè d'Alessandria dove si danno ritrovo letterati ed artisti, entra in contatto epistolare con Prezzolini, che dirige « La Voce ».
Guadagna intanto qualche soldo tenendo la corrispondenza francese per conto di un importatore di merci dall'Europa, certo Seeger. Quando sua madre, venduto il forno, gli affida parte del ricavato, investe il denaro in affari sballati e in breve tempo il piccolo capitale va in fumo.

1912

Nell'autunno lascia l'Egitto. Durante il viaggio diretto a Parigi, conosce per la prima volta l'Italia. Nella capitale francese segue i corsi di Bergson, di Bédier, di Lanson, di Strowski e di altri illustri docenti al Collège de France e alla Sorbona. Contemporaneamente entra in contatto con Apollinaire e con i maggiori esponenti dei movimenti artistici d'avanguardia. Conosce Picasso, Braque, Léger, De Chirico, Cendrars, Jacob, Modigliani, Salmon, ecc. Nell'estate del 1913, Moammed Sceab, che abita con lui nello stesso albergo in rue des Carmes, si suicida.

1914

Conosce a Parigi, in occasione della Mostra futurista da Bernheim Jeune, Papini, Soffici e Palazzeschi, che lo invitano a collaborare a « Lacerba ». Allo scoppio della guerra, si trasferisce a Milano, dove stringe amicizia con Carlo Carrà.

1915

Pubblica le sue due prime poesie su « Lacerba » (numero del 7 febbraio).
In seguito all'entrata in guerra dell'Italia, è chiamato alle armi, e viene mandato sul Carso, soldato semplice del 19º Reggimento di Fanteria.

1916

In dicembre, esce a Udine il suo primo volume di versi, *Il Porto Sepolto*, in edizione numerata di ottanta copie. A stamparglielo è un giovane ufficiale del Commissariato, Ettore Serra.

1918

In primavera, il reggimento di Ungaretti viene trasferito in Francia, sul fronte della Champagne.
Alla fine della guerra, si stabilisce a Parigi, in rue Campagne Première.

1919

Pubblica a Parigi, presso l'Établissement Lux, la tipografia che stampava il settimanale « Sempre Avanti! » per conto del Corpo di spedizione italiano in Francia, un volumetto di versi in francese, intitolato *La Guerre*. Nel febbraio è incaricato della corrispondenza da Parigi da « Il Popolo d'Italia ». Verso la fine dell'anno esce a Firenze, presso l'editore Vallecchi, *Allegria di Naufragi*.

1920

Lasciato « Il Popolo d'Italia », s'occupa dello spoglio dei gior-

nali e dei periodici francesi presso l'Ufficio stampa dell'Ambasciata d'Italia a Parigi.
Il 3 giugno sposa Jeanne Dupoix.

1921

Si trasferisce a Roma. Per vivere, accetta di collaborare alla redazione degli estratti dei giornali stranieri per il Bollettino settimanale pubblicato dall'ufficio stampa del Ministero degli esteri.

1925

Il 17 febbraio, nasce a Roma la figlia Ninon.

1926

Compie un giro di conferenze in Francia e nel Belgio.

1929

Compone la poesia *La madre* destinata al *Sentimento del Tempo.*

1930

Il 9 febbraio, nasce a Marino (Roma) il figlio Antonietto.

1931

Inviato speciale della « Gazzetta del Popolo » di Torino, compie, nel giro di quattro anni, una serie di viaggi: in Egitto, che rivede dopo quasi vent'anni, in Corsica, in Olanda, in varie regioni d'Italia.

1932

Gli viene conferito, a Venezia, il Premio del Gondoliere. È il primo riconoscimento pubblico dato alla sua poesia.

1933

Compie un giro di conferenze sulla letteratura italiana contemporanea in Spagna, Francia, Belgio, Olanda, Cecoslovacchia, Svizzera.
Esce a Firenze, presso l'editore Vallecchi, e contemporaneamente a Roma, presso Novissima, il *Sentimento del Tempo.*

1934

Esce a Praga un volume di sue poesie tradotte in cecoslovacco, *Pohrbeny Pristav.*

1936

Pubblica, presso Novissima, un volume di *Traduzioni* (da Saint-John Perse, Blake, Góngora, Essenin, Paulhan).
È invitato dal governo argentino a partecipare al congresso del Pen Club. Durante il soggiorno nel Sud America, gli viene offerta dall'Università di San Paolo del Brasile la cattedra di Lingua e letteratura italiana.
Si stabilisce con la famiglia a San Paolo, dove vive fino al 1942. Nel 1937 perde il fratello. Due anni dopo, in seguito a un'appendicite mal curata, gli muore il figlio Antonietto.

1942

Rientrato in patria verso la fine dell'anno, è eletto Accademico d'Italia e nominato professore di Letteratura italiana contemporanea all'Università di Roma « per chiara fama ».
L'editore Mondadori inizia la pubblicazione di tutte le sue opere, con il titolo generale di *Vita d'un Uomo*.

1944

Pubblica la traduzione, presso l'editore Documento, di *XXII sonetti di Shakespeare*.

1945

Escono, presso l'editore Mondadori, le *Poesie disperse*, con uno studio di Giuseppe De Robertis e l'apparato critico delle varianti dell'*Allegria* e del *Sentimento del Tempo*.

1947

Esce *Il Dolore*.

1948

Esce il volume di traduzioni *Da Góngora e da Mallarmé*.

1949

Pubblica, presso le edizioni della Meridiana, *Il Povero nella Città*, sua prima raccolta di prose.
Nel corso di una solenne cerimonia in Campidoglio, riceve dalle mani del Presidente del Consiglio il Premio Roma per la poesia.

1950

Esce *La Terra Promessa*, con un saggio critico e l'apparato delle varianti a cura di Leone Piccioni.
Esce la traduzione della *Fedra* di Jean Racine.

1952

L'editore Schwarz pubblica *Un Grido e Paesaggi* in edizione di lusso illustrata da Giorgio Morandi.

1956

Riceve insieme a Juan-Ramón Jimenez e a W. H. Auden il premio Biennale Internationale de Poésie a Knokke-Le-Zoute.

1958

La rivista « Letteratura » dedica un numero di 370 pagine all'opera di Ungaretti, in occasione del suo settantesimo compleanno.
Muore a Roma la moglie Jeanne.

1960

Esce *Il Taccuino del Vecchio*, comprendente le poesie scritte dopo il 1952, e una serie di testimonianze di amici e scrittori d'ogni parte del mondo.
Compie un viaggio in Giappone.
Gli viene conferito il Premio Montefeltro all'Università di Urbino.

1961

Esce *Il Deserto e dopo*, in cui sono riuniti gli scritti di viaggio usciti nella « Gazzetta del Popolo » di Torino, traduzioni di poeti brasiliani e note varie.

1962

È eletto all'unanimità presidente della Comunità Europea degli Scrittori.
Nasce la nipote Annina.

1964

Tiene un ciclo di lezioni alla Columbia University di New York.

1965

Esce il volume di traduzioni *Visioni di William Blake.*

1966

Riceve il Premio internazionale di poesia Etna-Taormina.

1968

In occasione degli ottant'anni, gli vengono tributate solenni onoranze in Campidoglio da parte del Governo Italiano. La rivista « Galleria » gli dedica un numero unico.
Compie un viaggio in Brasile e in Perù per ricevere le lauree *honoris causa* conferitegli dalle Università di San Paolo e di Lima.
Pubblica, in edizione numerata di 59 esemplari fuori commercio, *Dialogo* (Editore Fògola, Torino), comprendente insieme a sue, un gruppo di poesie di Bruna Bianco e una combustione di Alberto Burri.

1969

A Parigi la rivista « L'Herne » dedica un numero alla sua opera. Esce, presso l'editore Gallimard, *Innocence et Mémoire*, una raccolta di saggi critici e scritti di estetica tradotti da Philippe Jaccottet.
Compie una serie di letture in Svezia, in Germania, e in alcune città degli Stati Uniti. È invitato d'onore della Harvard University, dove è ospitato alla « Dudley House », e vi legge una scelta dei suoi testi accompagnati dalle traduzioni del giovane poeta americano Andrew Wylie, nell'aula delle grandi manifestazioni di poesia, riaperta, per l'occasione, dopo sette anni.

Ha collaborato ai più importanti periodici in Italia e all'estero fra i quali, come membro del comitato di redazione, « Commerce » e, come condirettore, « Mesures ». In « Commerce » e in « Mesures » sono per la prima volta portati alla conoscenza del pubblico internazionale i nomi di Kafka, Joyce, Musil, Pasternak e altri. Sono state, fra le due guerre, le riviste che hanno mantenuto saldi i contatti tra gli uomini delle lettere europee di quel momento e contribuito al radicale rinnovamento del linguaggio. Ha ricevuto numerosi riconoscimenti accademici (lauree *honoris causa* da università italiane e straniere; la nomina a membro di importanti Accademie, fra le quali l'Arcadia e la Bayerische Akademie di Monaco di Baviera) ed è stato insignito di vari ordini cavallereschi, fra cui la Légion d'honneur e l'Ordre du mérite de la République Française. È Cavaliere di Gran Croce al merito della Repubblica Italiana.

1970

Datata « nella notte del 31 dicembre 1969, mattina del 1º gennaio 1970 », scrive l'ultima poesia *L'impietrito e il velluto*, che si pubblica in una cartella litografica (con illustrazioni di Dorazio) il giorno dell'ottantaduesimo compleanno del poeta. Trascorre la sera del compleanno in grande vivacità ed allegria, in un ristorante romano con pochi amici (Guttuso, Manzù, Parise, Piccioni). Parte poco dopo per gli Stati Uniti per ricevere un premio internazionale di poesia dell'Università di Oklahoma. Si sottopone ad un viaggio molto lungo e faticoso: raggiunge poi New York, che trova nel più crudo gelo. Già in partenza dall'Italia si trascina una noiosa bronchite: a New York è ricoverato in clinica con una broncopolmonite bilaterale e complicazioni circolatorie. Si riprende e può rientrare in Italia. Dal mese di aprile si stabilisce a Salsomaggiore per potersi curare, ma la sua fibra fortissima è ormai stanca. È a Milano alla fine del mese di maggio per controlli medici. Muore a Milano nella notte tra il 1º ed il 2 giugno. I funerali si svolgono a Roma, nella Chiesa di San Lorenzo fuori le Mura il 4 giugno: la salma, benedetta dal Cardinal dell'Acqua, Vicario di Roma, è tumulata al Verano, accanto a quella della signora Jeanne. Ungaretti – assente del tutto l'Italia ufficiale – è accompagnato alla tomba dai familiari, da tanti amici scrittori ed artisti, da allievi, ed è salutato con ultime, bellissime parole da Carlo Bo: « Giovani della mia generazione – ha detto Bo press'a poco – in anni oscuri di totale delusione politica e sociale, sarebbero stati pronti a dare la vita per Ungaretti, e cioè per la poesia ».

RAGIONI D'UNA POESIA
di Giuseppe Ungaretti

RAGIONI D'UNA POESIA

Ho, ed è naturale, riflettuto come qualsiasi scrittore o artista, sui problemi dell'espressione poetica e dello stile; ma non vi ho riflettuto se non per le difficoltà che via via l'espressione mi opponeva esigendo d'essere posta in grado di corrispondere integralmente alla mia vita d'uomo. Qualche volta ho anche avuto occasione di registrare per iscritto le mie riflessioni e di renderle pubbliche. Mi muovevano a farlo ragioni occasionali, non essendo un filosofo, e di tali problemi non essendo uso a farmi un culto astratto.

Non sarà, credo, ozioso vedere oggi, quasi al coronamento della mia lunga carriera, come, in diversi momenti, diversi per il loro carattere storico e diversi per la mia vita interiore, ebbi a segnare l'evolversi della mia posizione polemica.

Nelle mie carte, trovo alcune mie prime annotazioni. Sono di data abbastanza lontana, posteriori all'*Allegria* e indicano come, da pensieri, quali erano quelli che ispiravano il mio libro scritto nella tragicità della trincea, pensieri di stretta essenzialità espressiva, tutta ristretta nel vocabolo, passassi a più complesse ricerche per le quali l'antecedente esperienza rimaneva però sempre viva. Alludo ad alcune mie annotazioni che uscirono sulla « Ronda » nel 1922. Trovo detto in quegli appunti:

« "Gli abissi umani sono perlustrabili", diceva in un saggio su Dostoevskij, Jacques Rivière, opponendo all'opera dello scrittore russo, l'arte francese, l'arte del romanzo francese – s'intenda addirittura il metodo occidentale d'analisi psicologica. È come quando diceva: "Si tratta d'oscurare il mondo con i mezzi più semplici" il che, per converso, sarebbe come dire: "Si tratta, all'occorrenza, di rischiare con uguali mezzi gli abissi umani, di renderli cioè perlustrabili". Ora l'errore di Rivière era di credere che l'opera di Dostoevskij potesse trasporsi in problemi di metodo, d'analisi, di psicologia e così ridotta generare un buon romanzo di tipo francese. Per Dostoevskij c'era principio – diciamo principio lirico – nel momento quando gli pareva cessasse ogni possibilità di capire, avendo capito, misteriosamente capito, troppo.

« Se il buio non è un buio materiale delle cose, non la notte passeggera, non un effetto di fumo o di nebbia, non nemmeno il buio d'un macigno – un macigno, all'occorrenza, basterebbe una caricuccia di dinamite a mandarlo all'aria – ed è invece buio dello spirito all'ultimo limite, come si farà a infrangerlo con le ridicole violenze e i lucignoli delle povere invenzioni nostre, quelle comprese della buona marca scientifica vantata da' Rivière? Se Dostoevskij fosse stato francese, sarebbe stato tutt'al più uno Zola. Sono, sebbene Rivière rifiuti Flaubert "pour avoir voulu être d'emblée et directement objectif", strade dove, mettendoci a cercare il principe Myskin, e volendo trovare gente di specie proprio analoga e frutto d'una potenza d'arte non minore, non troveremmo se non Bouvard e Pécuchet.

« Rileggiamoci Dostoevskij. V'incontriamo una turba, ma è sempre la stessa persona che gira su se stessa, e il suo moltiplicarsi è derivato dalla vertigine del suo giro. Vano a Dostoevskij, e a chiunque, qualsiasi tentativo di definire logicamente tale fantasma facendogli assumere, comunque, un atteggiamento di controllo verso le circostanze.

« Non si tratta d'un modo diverso di concepire il dramma: il dramma infurierà sempre alle origini dell'essere, da Eschilo, che voleva dimostrarci come al principio non possa esserci se non fatalmente misura facendoci sentire come la tragedia non fosse dipesa se non da eccesso o da difetto di misura, a Dostoevskij, che è d'altro parere.

« Ma noi sappiamo benissimo che, se per l'uomo tutto poggia sempre su un dato oscuro, nessuno sarà mai in grado di risolversi umanamente in tale dato senza confondersi perdersi e annullarsi; e anche sappiamo, non meno bene, che non ci saranno mai luci umane – né proustiane, né freudiane – capaci di renderci mensurabile tale dato, da rendercelo tale da vederci finalmente chiaro.

« Il mistero c'è, è in noi. Basta non dimenticarcene. Il mistero c'è, e col mistero, di pari passo, la misura; ma non la misura del mistero, cosa umanamente insensata; ma di qualche cosa che in un certo senso al mistero s'opponga, pure essendone per noi la manifestazione più alta: questo mondo terreno considerato come continua invenzione dell'uomo. Il punto d'appoggio sarà il mistero, e mistero è il soffio che circola in noi e ci anima; ma noi siamo portati a preoccuparci di quegli sviluppi che dànno situazione magari a un albero in un paesaggio; di quella trama di rapporti che non tollera spostamenti se non subendo un cambiamento di carattere. Perciò per noi l'arte avrà sempre un fondamento di predestinazione e di naturalezza; ma insieme avrà un carattere razionale, ammesse tutte le probabilità e le complicazioni del calcolo: se avessi quattro invece di tre elementi, se capovolgessi l'ordine, se soffiasse un gran vento, ecc. ... e se avessi un quinto fattore, succederebbe... il finimondo, forse; ma resteremmo sempre in un campo di precisioni inesorabili.

« Trovata la via della logica, un ciottolino può diventare un macigno o viceversa, e tenersi sul filo in bilico, e può passargli sotto per godersi l'ombra, un uomo tranquillo non più sgomento di un granellino di sabbia. Sarà, per effetto di metamorfosi nella nostra mente, un'immagine questa di deliberata sfida alla morte, ironicamente indotta dalla naturale nostra inclinazione al benessere? O, invece, immagine della morte che sempre ci minaccia legata a un nulla? Mentre noi, spinti dal vivere, inconsapevolmente la tentiamo? Sarà semplicemente la nostra possibilità di portare, dalle proprie naturali su altre dimensioni, la realtà, scoprendone così la poesia e la verità? Sarà uno di quei tanti effetti di metamorfosi che ci fanno pensare che la parola è fatta di vocali e di consonanti, di sillabe, a un modo cioè del tutto diverso dagli oggetti che evoca e che possono essere oggetti assenti, oggetti lontani nello spazio? Lontani, tramontati nel tempo. Perfino appartenenti a epoche e a terre scomparse immemorabilmente.

« È, questo, l'unico dono di magia, il sommo potere di metamorfosi che abbia l'uomo? È il dono per cui la parola ci riconduce, nella sua oscura origine e nella sua oscura portata, al mistero, lasciandolo tuttavia inconoscibile, e come essa fosse sorta, si diceva, per opporsi in un certo senso, al mistero.

« Questa è l'arte greco-latina, la nostra, l'arte mediterranea, arte di prosa e arte di poesia, secoli e millenni d'arte.

« Quest'arte può anche dirsi miracolo: miracolo d'equilibrio.

« Ho detto, e vorrei ripetere, che il mistero non può negarsi ed è in noi costante: ma vorrei dire che la logica in un'opera d'arte precede perfino la fantasia, se logica e fantasia non si generassero a vicenda: ma vorrei dire che tutto quel potere d'evocazione della realtà, quel potere magico di restituire per sempre, muovendo la fantasia, un momento della realtà, l'arte l'ottiene principalmente per la sua forza geometrica. Certo il dono degli artisti veri sarà quello di riuscire a dissimulare questa forza, come la grazia della vita nasconde lo scheletro.

« Limiti e proporzioni: ecco, per noi. E non ci sono narcotici, stimolanti, paradisi artificiali che possano liberarcene. Un uomo può gettare un ponte, semplificare i mezzi di comunicazione, non abolire le distanze, tanto meno una distanza umanamente inconoscibile come quella tra l'effimero e l'eterno.

« La nostra civiltà è fatta in questo modo.

« E perciò, da noi, tanto è difficile la via dell'arte, e la grandezza, quando è raggiunta, tanto contiene malinconica serenità. »

Così dicevo nel 1922. Nel 1930 mi avveniva, sulla « Gazzetta del Popolo » di Torino, di dovermi a quegli appunti riferire in un articoletto che li giustificava estendendone il significato. Vi si leggeva:

« Le mie preoccupazioni in quei primi anni del dopoguerra – e non mancavano circostanze a farmi premura – erano tutte tese a ritrovare un ordine, un ordine anche, essendo il mio mestiere quello della poesia, nel campo dove per vocazione mi trovo più direttamente compromesso. In quegli anni, non c'era chi non negasse che fosse ancora possibile, nel nostro mondo moderno, una poesia in versi. Non esisteva un periodico, nemmeno il meglio intenzionato, che non temesse ospitandola, di disonorarsi. Si voleva prosa: poesia in prosa. La memoria a me pareva, invece, una àncora di salvezza: io rileggevo umilmente i poeti, i poeti che cantano. Non cercavo il verso di Jacopone o quello di Dante, o quello del Petrarca, o quello di Guittone, o quello del Tasso, o quello del Cavalcanti, o quello del Leopardi: cercavo in loro il canto. Non era l'endecasillabo del tale, non il novenario, non il settenario del talaltro che cercavo: era l'endecasillabo, era il novenario, era il settenario, era il canto italiano, era il canto della lingua italiana che cercavo nella sua costanza attraverso i secoli, attraverso voci così numerose e così diverse di timbro e così gelose della propria novità e così singolari ciascuna nell'esprimere pensieri e sentimenti: era il battito del mio cuore che volevo sentire in armonia con il battito del cuore dei miei maggiori di una terra disperatamente amata. Nacquero così, dal '19 al '25, *Le Stagioni*, *La fine di Crono*, *Sirene*, *Inno alla Morte*, e altre poesie nelle quali, aiutandomi quanto più potevo coll'orecchio, e coll'anima, cercai di accordare in chiave d'oggi un antico strumento musicale che, reso così di nuovo a noi familiare, hanno in seguito, bene o male, adottato tutti.

« Pensavo alla memoria, e non potevo non essere ingiusto col sogno. In verità non era ingiustizia; ma la persuasione, che stava maturandosi in me, che la poesia italiana non fiorisce se non in uno stato di perfetta lucidità: tecnica, sensazioni, logica, sogno o fantasia e sentimento: tutte queste cose per noi non hanno senso se simultaneamente non vivano oggettivate – oggettivate per un poeta, in una parola che canti. E dunque il fatto stesso di credere molto più che in noi, nelle nostre opere, di sentirci senza rimedio modellati non dal nostro mondo interno, ma dalle nostre opere, implicherà da parte della memoria un intervento chiarificatore. Le cose, a questo solo patto, muovono la nostra fantasia, si collocano al loro vero posto, acquistano per noi la sola profondità che conti, quella del tempo, e ci meravigliamo – già così distaccate da noi, così distanti – per il loro pudore, e ci fanno, se vi pare, sognare; ma è un sognare ad occhi aperti.

« Certo commettevo un errore quando nel '22 dicevo che in Dostoevskij non c'era se non un fantasma che diventava turba per potenza allucinante dello scrittore. C'è realmente una turba, e non di fantasmi; ma di cuori doloranti – un dolore d'inferno. È una turba, e ciascuna persona è data – il senso vivo di ciascuna persona – non per quello che ha fatto o voluto fare, ma per quello che ha sognato di fare – e sognato è qui detto in senso letterale: per quello che le è come apparso in istato di sonno, e che non si sa come interpretare, e che viene raccontato come se un cieco dalla nascita raccontasse la sua visione del mondo. E se in quei romanzi si fa un gran parlare del divino e di Dio, in fondo in fondo è orrore della vita, è senso del nulla equivalente a senso del divino: è il senso d'un'umanità che si raffigura in un'orrenda mitologia e nella quale ciascun individuo non si differenzi dagli altri se non per la turba mostruosa e torturante delle proprie fissazioni. »

Ma subito dopo, e forse non erano nemmeno passati due o tre anni, l'esame di coscienza doveva prendere un carattere spasmodico. Inquietudine, perplessità, angoscia non potevano non sconvolgere allora smisuratamente l'animo d'un poeta, del poeta dell'*Inno alla Pietà*.

Non si trattava più d'intendere la misura come mezzo per chiarirsi il sentimento del mistero; ma di spalancare gli occhi spaventati davanti alla crisi d'un linguaggio, davanti all'invecchiamento d'una lingua, cioè al minacciato perire d'una civiltà – si trattava di cercare ragioni di una possibile speranza nel cuore della storia stessa: di cercarle, cioè, nel valore della parola.

Concludevo con le seguenti osservazioni, una lettura che feci in molte città italiane, e quasi dappertutto in Europa, e nella quale discutevo dello sviluppo storico della poesia italiana e europea:

« Dice Galileo: "Quello che noi ci immaginiamo, bisogna che sia o una delle cose già vedute, o un composto di cose, o di parti delle cose altre volte vedute, e tali sono le sfingi, le sirene, le chimere, i centauri..."

« È noto quale importanza fosse dall'Umanista attribuita alla memoria; ma egli, nel tempo, aveva scelto certi modelli stabili della bellezza formale. Se il Seicento ha l'idea già scientifica della memoria indicataci da Galileo, e porta una grande rivoluzione nelle forme, ed è un secolo violento d'espressione, trova appunto nell'identità fra memoria e fantasia, quell'eccesso di fantasia che gli permetterà di ricongiungere gli spezzati modelli in una forma nuova sì, ma non meno regolata dalla classicità.

« Ai primi dell'800 la memoria prende un tutt'altro senso: il Romantico è filologo, e non crede, o non vorrebbe credere, in nessun assoluto, nemmeno in quello di date forme perfette. Cerchiamo di spiegarci esattamente. Ricorderete ciò che dice Leopardi circa gli anacronismi dell'*Eneide*. Egli muove rimprovero a Virgilio d'aver attribuito qualche volta alle sue figure l'animo degli eroi omerici. È un punto molto istruttivo dello *Zibaldone*. Il Leopardi è uno dei primi a fissare la diversità di coscienza tra l'uomo dei tempi omerici e quello del secolo d'Augusto. Ma non è qui la scoperta. Egli, indicando due tappe della sensibilità, mette in moto, tra quei due stati della coscienza, una frazione di tempo come riflesso variabile, come il simbolo fluido, lo specchio della vita psicologica.

« La nozione di tempo è ormai data come storia dell'anima e d'un'anima – in quei termini cioè che svilupperà il Romanticismo.

« Col Leopardi, il tempo facendosi punto, punto mobile, di riferimento, è la relatività che entra risolutamente in campo, la relatività morale, del bene e del male, la relatività estetica, del brutto e del bello.

« Se il procedimento stilistico del Leopardi può anche chiamarsi classico, se si vuole, ed era il nome che egli stesso dava, s'egli rifugge dalla forma metaforica cara ai Predanteschi, a Dante, al Petrarca, al Seicento, più o meno a tutti i poeti italiani sino all'Ottocento, e si limita a descrivere gli oggetti valorizzandone i colori col tono del proprio sentimento, la sua poesia sarebbe anacronistica, avrebbe il difetto che gli dispiaceva di più – se quel tono del suo sentimento non fosse, com'è, romantico. Non faccio una questione oziosa d'etichette. So quale gran caso il Leopardi facesse della confidenza coi buoni autori, ed il Classicismo non è altro. Ma dico che, nella sua opera, il Leopardi prevede ed esaurisce, anche opponendovisi in un certo senso, l'esperienza romantica. Ma il Romanticismo – si guardi Leopardi – e già era così in Goethe – si distingue soprattutto per una sua guerra fra natura e memoria di cui con spavento, e lusingandosene tuttavia, ha assunto coscienza.

« Con il Romanticismo riappare una sete d'innocenza.

« Per contrasto colla civiltà meccanica? Certo scoppia l'eresia che siano i vecchi metri ormai esausti, che essi suonino ormai falsi, che l'ispirazione abbia di volta in volta da inventarsi i propri schemi. Il risultato fu che un componimento non era ancora finito di fare che già suonava falso, e che si perse la testa dietro alla forma, non volendo più dare valore se non all'ispirazione.

« E che cos'è, volendoci spiegare l'ansia romantica, questa civiltà meccanica se non l'impresa maggiore della memoria? È dunque la memoria che ha reso estrema e intollerabile l'antinomia tra individuo e società? È la memoria che produce la guerra e tutte queste crisi che si succedono? La civiltà meccanica è dialettica: bene è nata nel secolo di Hegel. Essa è la memoria ed è, contrastante, il contrario della memoria. Il male viene dalla difficoltà di rimarginare questa scissura vastissima nell'essere. In Leopardi, l'uomo avendo tolto alla realtà il mistero, osservava che la visione del vero s'era fatta orribile. Capovolgendo questo pensiero, più nulla essendo vero Nietzsche riterrà tutto lecito. La civiltà meccanica ha posto la pena umana fra questi due limiti. E ogni uomo moderno di buona volontà dovrebbe avere per affanno di riconciliare il vero col mistero.

« Il poeta d'oggi ha dunque avuto per prima preoccupazione quella della riconquista del ritmo; ma come andava riconquistato, riconoscendo l'importanza della forma. Per risvegliare l'innocenza, egli non ha negato la memoria. Ha ascoltato il verso più antico e di sempre, perché esprime la fatalità stessa d'una lingua. Questo verso non si poteva mutare senza portare la morte nel corpo d'una lingua, la cui vita non è d'un giorno, ma di secoli. Ma il poeta moderno ha portato in ogni momento del verso una tale intensità e un tale silenzio che veramente il ritmo si liberava finalmente della sua vecchia polvere. A quel modo il poeta tornava a sentire nel verso il passo, l'affrettato palpito, il trattenuto respiro: il ritmo, la natura. Che cosa sono dunque i ritmi nel verso? Sono gli spettri d'un corpo che accompagni danzando il grido d'un'anima. Così il poeta ha di nuovo imparato l'armonia poetica, che non è un'armonia imitativa, poiché è indefinibile, ma è quell'aderire nella parola, con tutto l'essere fisico e morale, a un segreto che ci dà moto.

« È quanto gli ha permesso di farsi un'idea più umana, meno romantica, della macchina e della memoria. La macchina ha richiamato la sua attenzione proprio perché racchiude in sé un ritmo: cioè lo sviluppo d'una misura che l'uomo ha tratto dal mistero della natura – che l'uomo ha tratto da quel punto dove è venuta a mancargli l'innocenza. La macchina è una materia formata, severamente logica nell'ubbidienza d'ogni minima fibra a un ordine complessivo: la macchina è il risultato di una catena millenaria di sforzi coordinati. Non è materia caotica. Cela, la sua bellezza sensibile, un passo dell'intelletto. Così, nell'uso del verso, cercando d'imparare a mettere in moto gli arti delicati, le leve immateriali d'una macchina suprema, il poeta italiano torna a riconoscere che si mette in grado di ascoltare, nel proprio ritmo, i ritmi a mezzo dei quali all'orecchio dei padri era persuasiva la musica dell'anima – la musica che porta a quel punto dal quale, sciogliendosi nel mistero, la poesia può, nelle volte rare della sua perfezione, illustrarsi d'innocenza.

« Era ritorno a un senso acuto della natura, ed era, simultaneamente, l'inderogabile ammissione, quale fattore necessario di poesia, della genesi della memoria da rintracciare e ricostituire in noi – era lo stato acuto di coscienza che s'incontra in tutta la poesia d'oggi.

« Il poeta d'oggi ha il senso acuto della natura, è poeta che ha partecipato e che partecipa a rivolgimenti fra i più tremendi della storia. Da molto vicino ha provato e prova l'orrore e la verità della morte. Ha imparato ciò che vale l'istante nel quale conta solo l'istinto.

« È uso a tale dimestichezza con la morte che senza fine la sua vita gli sembra naufragio. Non c'è oggetto che non glielo rifletta, il naufragio: è la sua vita stessa, da capo a fondo, quell'uno o quell'altro oggetto qualsiasi sul quale gli cade a caso lo sguardo. Non è, in realtà, la sua, vita più che oggettiva – non è vita che resista al caso più del primo oggetto venuto.

« È così effimero e teso il suo concentrarsi nell'attimo d'un oggetto che non saprebbe più immaginare misura. Ha avuto da costringere – questa è la sua avventura – nell'attimo d'un oggetto, l'eternità. Poi l'oggetto s'è alzato dall'inferno all'infinito d'una certezza divina.

« Difatti, se l'uomo d'oggi è costretto a trarre la sua libertà fisica da soggezioni estremamente casuali, è impossibile che il poeta d'oggi non sia portato a tendersi verso una libertà etica decisiva.

« Ecco come dal poeta è colta oggi la parola, una parola in istato di crisi – ecco come con sé la fa soffrire, come ne prova l'intensità, come nel buio l'alza, ferita di luce. Ecco un primo perché la sua poesia sanguina, è come uno schianto di nervi e delle ossa che apra il volo a fiori di fuoco, a cruda lucidità che per vertigine faccia salire l'espressione all'infinito distacco del sogno.

« Ecco perché si muove la sua parola dalla necessità di strappare la maschera al reale, di restituire dignità alla natura, di riconferire alla natura la tragica maestà.

« Ecco come un poeta d'oggi è uomo del suo tempo.

« Ecco quanto avviene alla parola d'un poeta d'oggi sul piano dell'ispirazione. E, su quello della grammatica, che ne sarà? Scusatemi di scavalcare così di frequente il continente dell'anima per ritrovare la strada della tecnica, o viceversa. Ma sono essi così diversi piani? Non sono esse, forma e sostanza, quando si tratta di vera poesia, fuse l'una nell'altra per medesima necessità? Insieme fuse, non le trasporta a commuoverci un medesimo furore?

« La poesia è forma per natura sua estremamente sintetica. Ed oggi che essa, nello sforzo di tornare a rivelarsi a se stessa, tanto si dispera a rendere visibile e a bruciare in sé in un lampo tutta la memoria umana, potrà mai essere forma così sintetica come occorrerebbe? So bene che i mezzi ai quali l'uomo ricorre sono sempre alla fine infelici e non consentiranno mai altro se non l'imitazione derisoria del soffio creativo; ma, anche se l'elenco d'un variare di mezzi rettorici da momento a momento storico, o da poeta a poeta, è dimostrazione della nostra irriducibile terrena miseria – avverrà forse senza motivo che, avendo da comunicare il senso d'una durata, il poeta d'oggi intensifichi la durata d'un elemento verbale, nei suoi modi scegliendo quello capace di concentrare il complesso più numeroso e più compromettente di mutamenti? Non vorrebbe egli annientare, così facendo, mutamenti e durata e sostituire ad essi la sua persona pura delle origini, da essi irrimediabilmente compromessa? Non vorrebbe egli arrivare a infondere il potere di averne salute, al martoriarsi che per essi subisce e che ostenta? Non vorrebbe egli che il proprio io, nel medesimo istante in cui lo eleva a simbolo di dannazione, gli offrisse la facoltà di guarire, di divenire in quell'istante medesimo innocente per l'eccesso stesso dell'autodileggio, per la umiltà eccessiva e l'orrore che è nel grado che denuncia, d'invecchiamento, di corruzione, di sfacelo raggiunto ormai dall'umana natura?

« Nella prima metà dell'Ottocento, s'otteneva l'intensificazione dei sensi tropologici, per enfasi – oggi, ridotta la parola quasi al silenzio, spezzati all'estro analogico i ceppi, s'ottiene, nell'ordine della fantasia, cercando quell'analogia atta a essere il più possibile, illuminazione favolosa; s'ottiene dando tono, nell'ordine della psicologia, a quella sfumatura propensa a parere fantasma o mito; s'ottiene scegliendo, nell'ordine visivo la combinazione di oggetti meglio evocanti una divinazione metafisica.

« Illuminazione favolosa, fantasmi e miti, divinazioni metafisiche, non sono forse illusioni di tempo domato, o meglio di tempo abolito? E inoltre, l'affaticarsi alla perfezione dell'opera, rinnovandone da capo a fondo i mezzi come ogni vero poeta d'oggi fa, non è volontà che l'opera duri? Non è volontà che l'opera duri per singolare bellezza? Che duri cioè, per la più alta qualità di durata in un'opera di poesia. Tutto ciò più che ricerca d'illusioni d'immortalità, è brama d'eterno.

« Una parola che tenda a risuonare di silenzio nel segreto dell'anima – non è parola che tenda a ricolmarsi di mistero? È parola che si protende per tornare a meravigliarsi della sua originaria purezza.

« Se il carattere dell'800 era quello di stabilire legami a furia di rotaie e di ponti e di pali e di carbone e di fumo – il poeta d'oggi cercherà dunque di mettere a contatto immagini lontane, senza fili. Dalla memoria all'innocenza, quale lontananza da varcare; ma in un baleno.

« Se tenta di mettere a contatto immagini lontane, sarà anche perché, in un paese che ha avuto tanta emigrazione, egli, nato altrove, può avere nostalgia di climi assenti?

« Quando, dal contatto d'immagini, gli nascerà luce, ci sarà poesia, e tanto maggiore poesia, per quest'uomo che vuole salire dall'inferno a Dio, quanto maggiore sarà la distanza messa a contatto. Crediamo in una logica tanto più appassionante quanto più si presenti insolubilmente ricca d'incognite.

« Dunque, forse, sarebbe il nostro un secolo di missione religiosa?

« Lo è. Potrebbe non esserlo con tanta enormità di sofferenza intorno a noi, in noi?

« Lo è. In verità, tale è sempre stata la missione della poesia.

« Ma dal Petrarca in poi, e in un modo andatosi giornalmente nei secoli aggravando, la poesia voleva darsi altri scopi, riuscendo, quando era poesia, ad essere religiosa, anche contro ogni sua intenzione.

« Oggi il poeta sa e risolutamente afferma che la poesia è testimonianza d'Iddio, anche quando è una bestemmia.

« Oggi il poeta è tornato a sapere, ad avere gli occhi per vedere, e, deliberatamente, vede e vuole vedere l'invisibile nel visibile. Oh, egli non cerca di violare il segreto dei cuori. Egli sa che spetta solo a Dio leggere infallibilmente nell'abisso dei singoli e conoscere veramente il passato, il presente e l'avvenire. Egli poi sa anche che il cuore umano non è quella buca che credono i libertini piena di lordura. Egli sa che nel cuore dell'uomo non si troverebbe che debolezza e ansia – e la paura, povero cuore, di vedersi scoperto.

« Come nel sogno di Michelangelo dove il Padre, per darle vita, toccò il dito a poca terra, il poeta nuovo vorrebbe udire nelle sue povere parole, tornata nel mondo la voce di quella grazia. Per questo ha anche gridato. Per questo ha anche pianto. »

La seconda guerra mondiale era già scoppiata, eravamo nel 1941, mi trovavo a San Paolo del Brasile dove insegnavo letteratura italiana alla Facoltà di Scienze e Lettere, e un pittore surrealista portoghese di talento, Antonio Pedro, mi aveva chiesto di inaugurare con un discorso la sua mostra. Le mie riflessioni sullo stile, o meglio sulla crisi dell'espressione poetica, avevano assunto allora la forma seguente; dicevo:

« In questo secolo che, per la seconda volta, ha spinto i suoi figli a cadere nell'inferno della guerra affinché conquistino mediante un enorme dolore la misura del loro tempo, è possibile sorprendersi se l'arte ancora è costretta e si tormenta nel rinnovamento dei suoi mezzi espressivi?

« Indefinito ancora com'è, il secolo XX cerca ancora la sua propria lingua. E intanto non esiste modello al quale l'artista d'oggi non sia ricorso: affreschi di Pompei, statue dell'Isola di Pasqua, feticci negri, precolombiani geroglifici da ceramiche o da fusaioli, simili stranamente a quelli degli scavi di Hissarlik, l'antica Ilion, virtuosismi del Barocco in disegni del corpo umano anatomicamente e prospetticamente inappuntabili anche se dediti a rappresentare assurdi movimenti in iscorci azzardati, ecc. Ma il passato e i gradi dello spazio avevano perso la loro eloquenza davanti all'umiltà e alla disperazione di chi li consultava.

« Sino a che punto dovevamo confessarci smemorati o, peggio, rinunciare alla memoria davanti a segni memorabili se, rincorrendo la ragione oscura che aveva lasciato dietro di sé la loro traccia, non arrivavamo, imitandoli fedelmente, se non a decifrare, ciascuno di noi, il proprio individuale e incomunicabile segreto?

« I gruppi equestri dei Dioscuri del Campidoglio o quelli di Piazza del Quirinale, che cosa non insegnarono a De Chirico? La pietra dei cavalli si dissolse in carne, ed ora essi si avventano contro alle onde dalla solitudine di malinconiche spiagge, inseguiti dai domatori. Il tempo? Non c'è più agio di calcolarne la profondità e di percorrerne la scala infinita di piani come una volta, collocando ciascuna cosa alla sua giusta distanza; e tutto si confonde in un unico piano, precipitandosi contro di noi. Eppure non possediamo altre parole se non quelle che ci fornisce la cultura; ma una cultura depauperata da ogni sostanza storica, divenuta prodigiosa e spaventosa come, per occhi primitivi, il sole, le stelle e la luna, e la nascita e la morte.

« Un Picasso, l'affascini il bizantinismo dell'arcaico catalano o il Greco, che sforza il rendimento plastico d'un particolare con la violenza della sua emozione; o s'incredulisca invece a assimilarsi l'estetica ercolanense d'un accademico come il Winckelmann e lo persuada la libertà calligrafica d'un David o d'un Ingres, o si distragga nel giuoco astratto di toni e di volumi d'un naturalista come Cézanne, non potrà portare ciascuna sua esperienza se non ad una riscoperta lirica del proprio singolare universo.

« Pittura pura fondata sull'impeccabilità delle relazioni di colore e sull'eleganza rigorosa dell'arabesco, come in Picasso, o pittura narrativa abbandonata all'umore, alla vena, all'estro, come in De Chirico, l'una e l'altra hanno di mostruoso che tanto più originale sarà l'opera quanto più prese a prestito saranno le parole usate, quantunque sottoposte alla sorpresa d'una radicale metamorfosi dalle esigenze dell'animo.

« Chiamo in causa Picasso e De Chirico perché sono nomi celebri che si trovano come antagonisti al sorgere d'una polemica di cui in quel momento segnavano i due poli; ma s'intenda che mi riferisco all'estremo romanticismo di tutta l'arte degli ultimi quarant'anni, quale si svolse nei tragici dibattiti di un'Europa che non intendeva e non intende morire.

« L'uomo del primo Romanticismo appariva al poeta schiacciato dalla natura, come in filosofia doveva apparire ai Presocratici; l'uomo, nel Romanticismo più recente, è alle prese con i mezzi che s'era andato foggiando per sottomettersi e disciplinare la natura: è alle prese con i progressi rivoluzionari della scienza, col monopolio dell'oro, con il caos d'una erudizione senza più una sicura radice religiosa e senza limiti.

« Umanizzata la natura, ora l'uomo si trova travolto a umanizzare il mostro nato dalla sua propria umanità. La storia non è se non una fatica di Sisifo.

« Sebbene il Romanticismo affermi l'autonomia dell'attività artistica e quindi l'esperienza di ciascun artista decreti unica e talmente non trasmissibile che nessuno mai potrà rifare un'egloga di Virgilio o un ritratto di Franz Hals: – non sarà forse l'affermazione romantica in contrasto con il malessere morale palese da quasi due secoli in tutta l'attività umana?

« Dico che possa perfettamente ammettersi che il giudizio morale e quello estetico siano, come sono, di ordine diverso, e che possa un'opera d'arte essere esteticamente riprovevole e moralmente meritoria, o viceversa; ma dico che del pari non si possa fondatamente non rilevare che un'anarchia nelle credenze non possa se non risultare di grave discapito ai doveri d'un linguaggio, paralizzandogli la funzione sociale.

« In tali casi di amnesia storica da parte del linguaggio, il poeta potrà sempre – non senza atrocemente soffrirne, e la sua poesia porterà i segni del suo dolore – limitare le sue preoccupazioni alla comunicabilità magica delle parole, delle linee, dei colori e dei suoni, la quale è indipendente da ogni valore storico e risiede nelle stesse fonti dell'atto poetico. Per questo, solo per questo, l'artista degli ultimi quarant'anni trasferiva, nell'interno dell'uomo, le foreste, i terrori, le bufere, avendo ritrovato nel suo intimo l'incitatrice previsione dell'aurora e degli splendori che fatalmente nella storia succedono sempre al sacrificio.

« Era il riconoscimento che non può esserci stile, segno generale d'un'epoca nel segno particolare d'un singolo, senza una certa unità morale e senza una certa unità di cultura raggiunte nel mondo, sia pure per negazione o per maraviglia. Poteva dunque esteriormente, il suo, comunque valere come uno sforzo anticipatore di sintesi stilistica, anche se non veniva a segnalare se non l'esplorazione d'un individuale continente infernale.

« Oso presumere che possa ora capirsi il significato che do a stile. Rappresentate le fattezze del faraone e indicandone il nome nella materia più indistruttibile che gli riuscisse di procurarsi, l'egiziano chiudeva la mummia nel cuore della terra. Scavata nella roccia, la sala era incassata in un succedersi di pareti di blocchi di granito, formando impenetrabile una vera montagna. Si stimava che tanto potesse sopravvivere uno spirito quanto potesse perdurare sulla terra ciò che era legato al suo nome. Se il tempo fosse giunto a distruggere i segni del suo nome in modo tale che non fosse sopravvissuto alcun modo umano di evocare la memoria dello scomparso, egli per sempre, solo da quel momento, sarebbe stato da considerarsi perito. Il pensiero ha alcunché di vero. Riapparirà nella reminiscenza platonica, deducendosene le forme eterne; ma quanto più cordiale. Su di esso si fonda, e mi si perdoni se, per farsene un apologo, un poeta aggiusta anche le cronache allucinandone tratti sommari presi qua e là; su di esso si fonda lo svolgimento millenario di uno Stato ieratico, sempre impegnato anche nel succedersi di radicali trasformazioni, a rendere immortali alcuni nomi di monarchi. La società non doveva avere altro principio, né altra aspirazione, né altra mira, e per aumentare incessantemente l'abilità dell'artigiano, l'esercizio d'ogni mestiere era trasmesso di padre in figlio. Era un mondo tanto tradizionale nei suoi simboli e tanto unanime nella sua ispirazione che considerava perfino la manualità come ereditaria. Nelle funzioni supreme, la successione, per mantenersi pura, doveva essere assicurata dal matrimonio tra consanguinei e, se la sorte avesse favorito la dinastia con figli maschi e femmine, dall'incesto tra fratello e sorella. Tutte le volte che mi sono trovato davanti a un monumento egiziano, mi sono sentito agghiacciare e terrificare d'orrore.

« Eppure quelle statue d'oro viste al museo del Cairo, di fanciulle che teneramente alzavano le mani trepide e delicatissime a trattenere l'ombra; eppure quei graffiti, visti se non sbaglio a Saqqara, d'uccelli in un verissimo vento di volo; eppure questi e infiniti altri oggetti di quell'arte recavano l'impronta di una così individuale emozione, recavano il segno vivo e universale che legittimerebbe e renderebbe eloquente qualsiasi stile, anche quando, come questa volta, fosse nella sua comandata implacabilità, stile sinistro e ripulsivo: essi recavano il segno che redimerebbe qualsiasi stile essendo segno che, superando ogni soffocamento, riesce a liberarsi e a provenire dal profondo d'una singola anima.

« È il punto dove il Romanticismo aveva sentito la verità. La commozione è negli affetti; ma non viene a noi, in arte, se non da un piacere puramente estetico. Caduta l'idolatria, cessò il fregio del Partenone d'essere seducente, sia pure animato dal nostro cristiano sentire?

« Nel Settecento lo stile, confinato nelle frivolità di salotto, intesse i fini fili d'una consumata educazione e d'una conversazione spiritosa a velare un'agonia condannata a brutali irritazioni erotiche.

« L'affanno mistico che guidò la mano dell'artigiano egizio o il sottile vincolo sociale, vicino a spezzarsi, che giustifica le sollecitazioni sessuali delle stampe o delle miniature del tempo di Casanova, non possono interessarci se non come indicazioni di confini estremi, fuori dei quali siamo, con il Romanticismo, caduti a vivere. Solo che il motivo della solitudine dell'uomo accompagnato dalla storia d'un universo perso nella cecità del proprio essere, e che poteva essere motivo romanzesco e umoristico in De Chirico e epigrammatico e tragico in Picasso, non esauriva né i loro né gl'interessi di qualsiasi altro artista moderno degno di tale nome. L'artista non si rassegnerà mai ad accettare che non gli venga concesso dai tempi di considerare lo stile come un fatto di unanimità sociale, ma solo come un fatto personale, ma solo come un fatto simbolico nel quale vengano a proiettarsi i tratti distintivi della propria coscienza, ma solo come l'affermazione della libertà e dell'unicità insopprimibile della persona umana. Sarà sempre una causa di somma pena per un artista doversi rassegnare a operare esclusivamente per fatto personale, anche se, per grazia di Dio, un'aura di poesia riscatterà sempre la sua fatica e sarà sempre il principio più vero di stile. All'artista d'oggi, ripetiamolo, poteva essere indifferente e esteticamente occorreva gli fosse indifferente, che i modelli, ai quali si volgeva per consiglio, appartenessero a un'epoca piuttosto che ad un'altra; ma ciò non diminuiva l'esacerbamento di non potersi volgere a modelli se non per suggerimenti tecnici, anche se di alta indole poetica, quando nel suo animo tutto invece reclamava quel confronto con un ordine collettivo di vita che poteva inavvertitamente stabilire, per esempio, l'architetto d'una cattedrale gotica. Ma poteva nelle figurazioni, oltre il racconto, la maggior parte dei fedeli intendere allora anche la pura bellezza dell'arte? E per qualche lato, non è il Gotico odioso quanto l'Egizio? Nemmeno in quest'arte la bellezza morale, cioè il sublime, è sempre liberamente conseguita, né sempre la perfezione sensibile, che non può essere dimostrata se non da purezza metrica, in essa è priva di gravi difetti di spontaneità, né si conciliano in essa sempre puntuali l'una e l'altra condizione. Ma le credenze erano allora comuni, ma il linguaggio è oggi babelico.

« Non c'è da scoraggiarsi, e si rifletta che periodi di crisi e di transizione possono offrire ai secoli un'opera sublime come la *Divina Commedia*; si rifletta che, senza Dante, il Petrarca e il Boccaccio non avrebbero potuto dare inizio al Rinascimento. Al difetto d'un rapporto di stile che all'artista moderno permetta di stabilire contatti stretti tra l'opera sua e uno stato morale di sintesi conseguito dalla società contemporanea, sarà tuttavia non piccolo risarcimento che almeno egli possa sentirsi autorizzato a concepire chiaramente l'unità stilistica, a poco a poco conseguendola nella sua opera anche se non possa avvenirgli mai, purtroppo, di chiarirsene l'instabile concetto se non entro la mortificazione degli angusti limiti polemici indispensabili all'affermazione, sull'esclusivo terreno dell'arte, della propria personalità. »

Tali erano alcune mie riflessioni del 1941, quali ora le ricavo dal numero di primavera del 1942 della rivista « Variante » che si pubblicava a Lisbona, e che le riportava nel loro testo portoghese.

Il mio discorso m'era sorto in mente in un modo assai curioso. Mi assillava l'obiezione se alcuni tentativi dell'arte moderna non oltrepassassero i fini e i limiti dell'arte. E mi stupiva poi che quei tentativi fossero quelli della sola arte vitale e meritevole di considerazione in quel periodo. Mi rispondevo, e ve ne ho esposto le ragioni, che infinite erano le specie d'arte già fiorite, e che all'arte senza distruggerne il fine, il fine estetico – e insieme fine etico e patetico – non poteva farsi sopportare accademiche determinazioni di specie. Se l'arte era, in quel dato momento, di quella specie, era segno che il genio umano avendo da identificare e esprimere il segreto dei suoi tempi, lo avrebbe dentro di sé trovato in quei termini e non in altri. Né il genio è determinato dai tempi, se possiede la libertà di poterne scoprire il senso e il valore. E m'era accaduto, mentre riflettevo, di aprire a caso un libro e di trovarmi sotto gli occhi la pastorella di Don Denis:

Unha pastor ben talhada
Cuidava en sue amigo
E estava, bem vos digo,
Per quant'eu vi, mui coitada.

(Si lamentava la giovine di bel taglio, dell'amico che la trascurava, e:)

Ela trazia na mão
Un papagai mui fremoso,
Cantando mui saboroso,
Ca entrava o verão...

(Ella recava in mano un pappagallo molto agitato e che cantava con molto gusto, perché s'entrava in estate.)

E diss « Ai Santa Maria!
Que sera de mim agora? »
E o papagai dizia:
« Bem, per quant'eu sei, Senhora ».

(E disse lei – « Ahi, che sarà di me? » E il pappagallo – « Se devo giudicare da quello che provo io: – bene sarà bene, signora ».)

Alcune curiose associazioni d'idee provocava in me l'arguta pastorella.

Mi dicevo: non ho incontrato nella poesia provenzale, madre della lusitana, né in quella araba di cui nei cantari di questo tipo la provenzale è figlia, se non falconi, falconi parlanti. Potrà darsi che un filologo possa dimostrare domani la mia ignoranza su questo punto, ma le cose rimarrebbero nella sostanza allo stesso punto. Mi dicevo: di quanta verità non si arricchì d'improvviso il favoleggiare da quando un'audacia poetica portoghese del secolo XIV, sostituì al falcone il pappagallo che è, difatti, mostruosamente, un animale parlante. Oggi ci troviamo di fronte a mostruosità più sorprendenti e, oggi, può parlare un disco. C'era anche l'immagine dell'estate che mi colpiva: « Non disperarti, signora: l'amico verrà, l'estate è in vista ».

Ecco l'arte, mi dicevo ancora, l'arte spinta a sorprendere, spinta a darsi per fine « la maraviglia », e che tuttavia riesce ad avere accenti, nella meravigliosa sua stranezza scopritrice di verità, caldi di promessa umana.

Un'altra prova la recherà proprio una seconda comparsa del volatile mostruoso, in un verso della *Gerusalemme*. E da quale altra mai parte mi sarebbe potuto venire un poeta in aiuto, con un'audacia pari a quella di Don Denis?

Tra gl'incanti del giardino d'Armida, è descritta « la music'ora » che accompagna

Vezzosi augelli infra le verdi fronde...
Vola fra gli altri, un che le piume ha sparte
Di color vari, ed ha purpureo il rostro,
E lingua snoda in guisa larga, e parte
La voce sì, ch'assembra il sermon nostro.
Questo ivi allor continovò con arte
Tanta il parlar, che fu mirabil mostro.
Tacquero gli altri ad ascoltarlo intenti;
E fermaro i sussurri in aria i venti.

Galileo, al quale il Tasso faceva venire l'itterizia, brontola: « Pedanteschissima è questa descrizione di quest'uccello dal purpureo rostro e dalla lingua larga e che parte la voce, che son tutte pennellate da pittori di sgabello ».

Strano che l'illustre uomo dell'« eppur si muove » non si fosse accorto che anche la parola s'era messa a girare. Già prima del Camões la parola tassiana si colma d'umori d'avventura, apre le vele a un atlantico vento. Diciamo però la verità: salvo l'ultimo verso:

E fermaro i sussurri in aria i venti,

l'ottava è piuttosto bruttina. La segue però subito una ottava stupenda e dove chiunque senta poesia verrà sempre trattenuto dalla verbale maraviglia ch'era giusto chiamare « mirabil mostro »:

Deh mira, egli cantò, spuntar la rosa
Dal verde suo modesta e verginella;
Che mezzo aperta ancora, e mezzo ascosa,
Quanto si mostra men, tanto è più bella.

Ecco poi nudo il sen già baldanzosa
Dispiega: ecco poi langue, e non par quella,
Quella non par, che desïata avanti
Fu da mille donzelle e mille amanti.

Il « mirabil mostro » mi portava quella mattina a riflettere anche al Barocco, se riflettevo al Tasso, e a collegarlo, quasi peccato, felice peccato d'origine, alle moderne ricerche. La poesia europea s'era difatti in quel momento colmata d'un colore tanto inverosimile, festoso e remoto, quantunque reale, che la sorpresa, « il mirabil mostro », ne diventava in qualche modo la legge segreta. Sentiva bene il Tasso l'atroce amarezza dalla quale doveva snodarsi l'esperienza cui il suo secolo si volgeva, e sapeva bene che, come ogni esperienza umana, si sarebbe estinta in una successiva novità:

... ecco poi langue, e non par quella,
Quella non par, che desïata avanti
Fu da mille donzelle e mille amanti.

Ma, comunque, non rinvenendo dalla sorpresa della novità d'affetti che, per un lungo tratto di tempo, stava per spargere la sua poesia nel mondo, il Barocco nel mondo, mostro chiamerà l'alata maraviglia, ma restituendo è vero alla parola quasi il suo senso latino di portento, di segnale sprigionato dalla virtù misteriosa delle cose, per risvegliare l'attenzione o gli affetti degli uomini, e recare in luce una verità, asserendola e dandone testimonianza nel medesimo tempo. A causa d'un analogo valore etimologico, ed anche perché tanto Laura l'aveva fatto soffrire, il Petrarca la chiamava:

Altero e raro mostro delle donne!

Una terza associazione m'era sopraggiunta in mente a legarmi quella mattina, il filo delle idee.

Una volta m'era avvenuto di trovarmi nella landa argentina, dalle parti di Santiago dell'Estéro, tra il Rio Dulce e il Salado occupati incessantemente a mutare di letto, via via che il limo da essi trainato, facendosi troppo alto, li rovesciava da un lato obbligandoli a cercarsi di nuovo l'alvo. Attraversò in quel momento la pista di corsa, un cobai spaurito: « Aspetti », mi disse l'etnologo Wagner che mi accompagnava, « ora arriva il serpente che l'animalino sta fuggendo ». E soggiunse: « Sbucano i serpenti, s'annunziano le piogge ». Ci fermammo un po' più oltre e in quella desolazione mi fu offerto uno spettacolo degno di ricordo. Un uomo, un poveretto che non aveva che i suoi calzoni di tela lacera, uscì dalla sua tana, fatta di tronchi e qualche latta di scatole e qualche straccio applicati alla meglio: uscì sostenendo nelle braccia un'anfora funeraria. Conteneva uno scheletro; e chi sa come in un recipiente tanto stretto sarà stato possibile introdurre il cadavere che, disincarnato com'era, era ridotto a parere una lisca di pesce. Esaminando l'anfora, scorsi un ornato dal quale era facile dedurre che la greca è la stilizzazione di due mani che si stringono. Strano, strano che la greca sia andata poi a finire sui berretti dei generali.

L'uomo m'indicò sparsi per terra altri vasi che in quella necropoli d'antichi Indi aveva dissotterrato e vidi così una mano con un occhio nel palmo per significare che il primo segno poetico dell'umanità sarà stato, suppongo, l'immagine grafica, antecedendo anche il segno orale; oppure per significare che la mano ubbidiva con rapidità a un occhio sicuro e che il defunto era forse un abile arciere. Altri ornati combinavano in unità d'effige umana la testa del serpente e ali, l'orma dei rettili o il brillare del raggio, lacrime di donna o la rigatura delle gocce di pioggia e forse volevano fissare un momento determinato della stagione, e mi tornava in mente l'osservazione di Wagner quando il cobai scappava inquieto; o volevano prolungare lo stupore a una reminiscenza vaga dell'evoluzione delle specie riaffiorata nella mente dalla notte dei tempi; o più probabilmente fare allusione a un rito nuziale; o chi sa che...

C'erano lì nel polverone, alcune euforbie e pochi fichidindi, e un albero maestoso tra i cui rami era sospeso uno spropositato falansterio. Preso da curiosità, lo feci, imprudente, con una spinta del dito dondolare, e dai venti nidi fuggirono gridando come ossessi, cento pappagalli svaporando in alto come una mostruosa nuvola di bandiere.

Ecco, secondo le diverse epoche e le personalità diverse, l'artista ha sempre espresso gli istinti comuni dei viventi, la fame e la libidine, gli immutabili istinti di conservazione e purtroppo insieme di distruzione, ma ha espresso anche un suo bisogno religioso di conoscere le ragioni casuali e le ragioni finali del vivere, ma ha anche espresso un suo bisogno di sentirsi unito a tutti i suoi morti, e a tutti gli scomparsi e a tutta la realtà dell'universo oltre la notte dei tempi; ma ha anche espresso il maraviglioso piacere che anche una natura desolata è in grado d'offrire. E mi inchinavo tra questi pensieri verso il diseredato scavatore di anfore.

Una società di caste chiuse, come quella egiziana, non è più possibile, l'umanità avanza. Se dunque tanti millenni di sofferenza hanno portato alla rivelazione del Vangelo che fa tutti gli uomini uguali nella dignità umana, fondando i rapporti sulla libera affermazione dell'umanità, sarà possibile che tanti altri secoli di sofferenza non conducano gli uomini a instaurare finalmente nella loro società quella tranquillità economica che a ciascuno garantisca la libera affermazione dell'umana dignità? Se il lavoro fosse oggi nel mondo ragionevolmente organizzato, tutti gli abitanti della terra potrebbero già oggi godere d'una vita agiata. Il piacere estetico è un privilegio come tanti altri oggi perché tutti gli uomini non sono ancora ammessi, per difetto di mezzi materiali e d'educazione, a parteciparvi. Non è l'arte, non è la scienza, non è la cultura che devono arrestarsi nelle loro ricerche rivolte ad arricchire il patrimonio umano: è la società che deve conseguire un assetto più umano. Nessuno sente più dell'artista, se si tratta d'un vero artista, la pena che la sua parola rimanga indecifrabile a tanta parte degli uomini, come se la sua arte fosse opera straordinaria per la sua specie: la sua arte stessa porta la ferita sanguinante d'un'impotenza così ingiusta.

Consideravo – dopo il '19, ma l'*Allegria* s'era formata nei cinque anni precedenti – consideravo quasi – dico quasi perché temevo, a francamente confessarlo, d'essere sacrilego – consideravo che il mistero abbia umanamente inizio da razionalità intesa come termine necessario, meccanico, d'opposizione, ed ero così forse meno lontano dal cartesianesimo di Pascal che non lo fosse Jacques Rivière. In tali vedute volevo riconoscermi opposto anche a un altro modo d'intendere la realtà, ossia a quello secondo cui essa esigerebbe si ammetta, per essere sentita nella sua suprema vitalità, nel suo mistero, che essa non possa in alcun modo tollerare misura, ma che sia anzi chiusa assolutamente alla ragione, avendo la verità sede di là dalla misura. Non la realtà, ma il mistero non è mensurabile. Sulle prime, tali mie convinzioni procedevano parallele ad altre, di altri che vi erano avviati da ricerche neoclassiche nella loro tecnica espressiva, quali il clima letterario italiano e europeo del momento suggeriva, quali soprattutto sembrava naturale dovessero conseguire all'esserci noi allora riaccostati ai maggiori poeti dell'Ottocento: al Foscolo, al Leopardi.

Era certo un renderci conto da ignoranti della posizione del Leopardi, e subito dovetti accorgermene, e se n'era bene accorta a suo tempo l'*Allegria*. Non fu che smarrimento brevissimo, del resto, come dicevamo, storicamente inevitabile date alcune difficoltà di mestiere che allora era fatale si presentassero al poeta e che egli non poteva non dedicarsi a sciogliere. Tutto sommato fu una grave prova, e il *Sentimento*, forse perché risolutivo nei suoi risultati, ne uscì quasi illeso.

M'accorsi subito di quanto fosse pericoloso quel prefiggersi di rispettare canoni che dal Vaugelas e dal Cartesio e, peggio che mai, dal Voltaire in poi, mettevano la poesia francese a rischio d'isterilirsi nell'accademico – e invece la rinnovavano e la salvavano sempre; ma per miracolo.

Passai a altre ricerche; ma mi rimase impresso che in arte, sì, contavano la pazienza, la tradizione – e contava in realtà, solo il miracolo. C'è chi dà più peso alla natura, e per indole c'è chi invece preferisce avvalorare l'intelletto, e in fondo non era ciò che premeva. Meno ancora premeva rilevare che la prima era una corrente che nei secoli sembrava volgersi a Oriente, mentre pareva l'altra usa piuttosto a eleggersi a punto cardinale, l'Ovest. Ciò che premeva e che imparavo, è che in ogni caso non ci potesse mai essere poesia senza miracolo.

Così fui mosso, conducendo a termine il *Sentimento*, e meglio più tardi, a sentire e a capire come la parola avesse un valore sacro proveniente dalle stesse difficoltà tecniche che, conducendo a termine il *Sentimento*, aveva da superare per esprimersi un poeta del nostro tempo.

E furono le difficoltà, le difficoltà tecniche, difficoltà divenute sotto un certo aspetto davvero apocalittiche, a farmi verso l'ultimo, dubitare se oggi non fossero gli uomini tormentati da un folle problema di disintegrazione del linguaggio, anziché assorbito nel conseguimento della perenne unità poetica della parola.

Mi fu facile ritornare in me, riprendendo a commentare il Leopardi. Il sentimento dell'*Allegria*, che l'atto poetico è, qualunque ne sia il prezzo, atto di liberazione, che solo nella libertà è poesia, era ritornato vivo e chiaro in me, con la conferma in me che non si ha nozione di libertà se non per l'atto poetico che ci dà nozione di Dio.

Il linguaggio di cui l'uomo si serve durante la sua fase terrena può contenere una rivelazione, intendo dire può oltrepassare i termini dell'esperienza storica? È un problema che Vico s'era posto elaborando la sua teoria dei cicli e dei ricorsi storici, e quando dichiarava che non può conoscersi che ciò che si fa.
A distanza di più d'un secolo, il problema torna in Leopardi, ed è il gran problema del momento. Ma a Leopardi non si pone negli stessi termini che s'era posto ai Romantici tedeschi: non è appello al caos, non è nemmeno ansia d'una forma che abbia da scaturire dal caos. Leopardi si rende tuttavia conto, ed è il solo Italiano a rendersene conto con chiarezza sino all'avvento della poesia contemporanea, che una frattura era avvenuta nella mente dell'uomo. L'accettazione della condizione umana nei suoi limiti di tempo e di spazio, vale a dire nei suoi limiti materiali e logici, ormai è ritenuta come formante antinomia con l'aspirazione innata dell'uomo alla libertà e alla poesia.

È noto, in seguito alle reazioni ed anche alle illuminazioni che aveva prodotto, nel modo di sentire e di pensare del Leopardi, la polemica degli scrittori Romantici del « Conciliatore » e soprattutto di Ludovico di Breme, quale predominio assumesse il valore di durata nelle *Canzoni*, vale a dire sino dal Leopardi esordiente. È la durata quale Vico l'intendeva nella sua interpretazione del tempo storico e quale, due secoli dopo Vico, Bergson l'intenderà ricorrendo alla sua interpretazione del tempo psicologico. Leopardi si chiede se non saremmo ridotti – più non essendo il passato se non tempo consumato, tempo defunto – a non più essere in grado di evocare la realtà del nostro essere, a non più potere, salvo che per effetti di memoria, metterla in moto. La realtà nostra, a noi civiltà, a noi lingua, sarebbe dunque cosa giunta a un punto tanto estremo che avremmo ormai agio di racchiuderla nei suoi limiti: nascita, morte? Sarebbe forse già essa polvere, niente? Stesa inerte sarebbe già essa, fredda, in una bara? Più non potremmo noi conoscerne il flusso energico? Più non sarebbe essa mossa che da evocazioni della memoria o da congetture dell'immaginazione e per ricorso a eleganza di linguaggio?

Tale angoscia è quella che si riflette nel linguaggio poetico di Leopardi, non senza variazioni di aspetti. Mi limiterò a citare alcuni esempi. La durata la fa valere nelle immagini, per antitesi: un tempo di vigore opposto a un tempo d'agonia; il marchio lacerante d'uno slancio opposto al silenzio arido. Le antitesi si succedono e s'intrecciano segnando un progresso nell'allontanamento del rapporto, tra di esse, delle immagini evocate. La durata la fa valere persino nel vocabolo, facendogli assumere, nell'economia del canto, una rosa di significati moltiplicati. Il significato dell'uso, corrente, e quello etimologico d'un medesimo vocabolo essendo, in quei casi, generalmente in contrasto, ne risulta necessariamente un significato ironico. La *Canzone ad Angelo Mai* è forse il primo canto dove ricorre agli effetti accennati, e dove più numerosi li accatasta, quasi ad ogni parola. Per non indugiare troppo, sceglierò altrove i miei esempi. Come sottotitolo alla *Canzone alla Primavera*, Leopardi pone *O delle Favole Antiche*. Impiega *Antiche* nel senso di punto cardinale di mezzogiorno: *O delle Favole Antiche: O delle Favole di Mezzo-*

giorno, come se dicesse « demone meridiano »; ma *Antiche* serba anche il suo significato usuale di « immemorabile vetustà »: *O delle Favole Antiche*. L'ironia è evidente, quantunque i critici sino ad oggi non l'abbiano rilevata, avendo letto distrattamente le annotazioni che Leopardi aveva avuto premura di porre a seguito del suo canto. Leopardi canterà le favole della primavera, le favole dell'ora antica, dell'ora che sente salire in sé la linfa della felicità delirante; ma non le può cantare che nel momento dove quelle favole non sono più che remotissime; non le può cantare che nel momento di gelo quando più non sono che favole antiche.

Ma là dove l'ironia del poeta giunge sino al suo punto di *humour* nero estremo, è nel canto *L'Infinito*. L'infinito non può essere noto all'uomo, essere finito, che a mezzo di oggetti finiti: cose la cui vista ci è esclusa non foss'altro che da una semplice siepe, possono diventare « interminati spazi »; similmente l'eterno, il tempo abolito, non potrà concepirsi che a seguito d'uno stormire di foglie in corso di smarrirsi dentro uno spazio, divenuto per causa di quel chiasso smarrito, senza più fine: chiasso che darà vita all'immagine del nostro pensiero fermatosi ad inseguire, a perdita di vista, gli innumeri secoli morti precedenti il nostro, ecc...

Il vocabolo suggeriva fortunato anche altre vedute all'occhio penetrante del Leopardi. Il vocabolo, per il significato proprio non può evocare se non oggetti condizionati dai limiti, non può, appunto, evocare oggetti se non nei loro stessi confini indicativi. È tutto? S'accorge a quel punto che quel medesimo vocabolo possiede una seconda prerogativa, ed in realtà è la sua precipua prerogativa quando è reso lirico, dilatandosi in quel momento per intervento d'ispirazione al di là d'ogni concetto di limite: in quel momento diviene soprattutto vocabolo indefinito. *Miste-*

rioso è l'aggettivo che s'addice meglio al vocabolo poesia, e che qui sarebbe stato conveniente impiegare; ma il Leopardi si lusingava che, dissimulando la sua costretta confessione del sacro sotto un vocabolo tanto razionale quanto poteva esserlo il vocabolo *infinito*, le dava lo stridore d'un pizzico di malizia volteriana. Non faceva che mettere a nudo la pietà del suo cuore.

Mentre facevo queste osservazioni sui testi del Leopardi, per un caso felice m'occupavo anche dell'opera poetica di Saint-John Perse. In tale modo, le mie osservazioni trovarono uno spazio che si estendeva dal Romanticismo ad oggi, senza che mi fosse necessario di fare ancora appello alla mia esperienza personale di poeta o a quella della poesia italiana recente. E subito mi cadeva sott'occhio la nota lettera di Perse ad Archibald MacLeish, dove dà – quando ancora non erano noti di lui che *Éloges* e *Anabase* – alcune indicazioni essenziali sulla sua poesia. Perse ci parla d'una *Esther* che ebbe una volta invito ad ascoltare in un isolotto della Polinesia. Alcune bimbe Tonga che non capivano un ette della lingua nella quale erano state scelte a declamare, avevano imparato quel testo – lungo una settimana di pazienti ripetizioni per bocca d'una vecchissima monaca francese – come un testo sacro. Racine non sembrò mai meno tradito a Perse, né « mai capito meglio il miracolo della lingua francese, il cui potere magico, il suo stesso genio per le analisi precise, spesso offusca ».

Stavo allora traducendo *Phèdre* ed ecco che un secondo caso felice mi poneva sotto gli occhi, e mi faceva avvicinare al passo della lettera di Perse, il passo d'una lettera indirizzata a Boileau da Racine, per documentarsi intorno a certi pareri di Perrault: « Tout ce traité de Denys d'Halicarnasse, dont je viens de vous parler et que je relus hier tout entier avec un grand plaisir, me fit souvenir de l'extrême impertinence de M. Perrault, qui avance que le tour des paroles ne fait rien pour l'éloquence, et qu'on ne doit regarder qu'au sens; et c'est pourquoi il prétend qu'on peut mieux juger d'un auteur par son traducteur, quelque mauvais qu'il soit, que par la lecture de l'auteur même ».

Certo, la vera poesia si presenta innanzi tutto a noi nella sua segretezza. È sempre accaduto così. Più giungiamo a trasferire la nostra emozione e la novità delle nostre visioni nei vocaboli, e più i vocaboli giungono a velarsi d'una musica che sarà la prima rivelazione della loro profondità poetica oltre ogni limite di significato.

Ma se, per Racine, tutto accadeva nell'ordine convenuto delle cose – e tuttavia una difficoltà quantunque lieve già insorgeva, e M. Perrault eccolo subito a rammentarglielo – per il Leopardi, o per ogni Romantico, le cose erano infinitamente più gravi, il vocabolo essendo stato ridotto al suo semplice valore filologico di durata, essendo stato crudelmente denudato, e non potendosi più che con eccesso drammatico ricondurlo alla sua funzione poetica, funzione che nel secondo periodo della sua attività, sarà da Leopardi, nel *Dialogo di Timandro e di Eleandro* delle *Operette Morali* nel seguente modo fissato: « Se alcun libro morale potesse giovare, io penso che gioverebbero massimamente i poetici: dico poetici, prendendo questo vocabolo largamente, cioè libri destinati a muovere l'immaginazione; e intendo non meno di prose che di versi. Ora io fo poca stima di quella poesia che, letta e meditata, non lascia al lettore nell'animo un tal sentimento nobile, che per mezz'ora, gl'impedisca di ammettere un pensier vile, e di fare un'azione indegna ». L'ispirazione era così ricondotta alla sua causa profonda, causa poetica e morale, e se dilatava i vocaboli per effetti indefinibili, per effetti estetici, quegli effetti tali non potevano essere, se non erano indotti dalla loro causa segreta, inconoscibile, a produrre una purificazione dell'anima.

Va detto questo: ciò che i poeti e gli artisti, dal Romanticismo ai giorni nostri hanno fatto e s'ostinano a fare è immenso: hanno sentito l'invecchiamento della lingua: il peso delle migliaia d'anni che portano nel loro sangue; hanno restituito alla memoria la sua misura d'angoscia e, nello stesso tempo, mediante sforzi crudeli e ostinati hanno acquisito il potere di darle la libertà di emancipare se stessa in quel medesimo grado che l'afferma.

Soltanto la poesia – l'ho imparato terribilmente, lo so – la poesia sola può recuperare l'uomo, persino quando ogni occhio s'accorge, per l'accumularsi delle disgrazie, che la natura domina la ragione e che l'uomo è molto meno regolato dalla propria opera che non sia alla mercé dell'Elemento.

Giuseppe Ungaretti

L'ALLEGRIA
1914-1919

Ultime
Milano 1914-1915

ETERNO

Tra un fiore colto e l'altro donato
l'inesprimibile nulla

NOIA

Anche questa notte passerà

Questa solitudine in giro
titubante ombra dei fili tranviari
sull'umido asfalto

Guardo le teste dei brumisti
nel mezzo sonno
tentennare

LEVANTE

La linea
vaporosa muore
al lontano cerchio del cielo

Picchi di tacchi picchi di mani
e il clarino ghirigori striduli
e il mare è cenerino
trema dolce inquieto
come un piccione

A poppa emigranti soriani ballano

A prua un giovane è solo

Di sabato sera a quest'ora
Ebrei
laggiù
portano via
i loro morti
nell'imbuto di chiocciola
tentennamenti
di vicoli
di lumi

Confusa acqua
come il chiasso di poppa che odo
dentro l'ombra
del
sonno

TAPPETO

Ogni colore si espande e si adagia
negli altri colori

Per essere più solo se lo guardi

NASCE FORSE

C'è la nebbia che ci cancella

Nasce forse un fiume quassù

Ascolto il canto delle sirene
del lago dov'era la città

AGONIA

Morire come le allodole assetate
sul miraggio

O come la quaglia
passato il mare
nei primi cespugli
perché di volare
non ha più voglia

Ma non vivere di lamento
come un cardellino accecato

RICORDO D'AFFRICA

Il sole rapisce la città

Non si vede piu

Neanche le tombe resistono molto

CASA MIA

Sorpresa
dopo tanto
d'un amore

Credevo di averlo sparpagliato
per il mondo

NOTTE DI MAGGIO

Il cielo pone in capo
ai minareti
ghirlande di lumini

IN GALLERIA

Un occhio di stelle
ci spia da quello stagno
e filtra la sua benedizione gniacciata
su quest'acquario
di sonnambula noia

CHIAROSCURO

Anche le tombe sono scomparse

Spazio nero infinito calato
da questo balcone
al cimitero

Mi è venuto a ritrovare
il mio compagno arabo
che s'è ucciso l'altra sera

Rifà giorno

Tornano le tombe
appiattate nel verde tetro
delle ultime oscurità
nel verde torbido
del primo chiaro

POPOLO

Fuggì il branco solo delle palme
e la luna
infinita su aride notti

La notte più chiusa
lugubre tartaruga
annaspa

Un colore non dura

La perla ebbra del dubbio
già sommuove l'aurora e
ai suoi piedi momentanei
la brace

Brulicano già gridi
d'un vento nuovo

Alveari nascono nei monti
di sperdute fanfare

Tornate antichi specchi
voi lembi celati d'acqua

E
mentre ormai taglienti
i virgulti dell'alta neve orlano
la vista consueta ai miei vecchi
nel chiaro calmo
s'allineano le vele

O Patria ogni tua età
s'è desta nel mio sangue

Sicura avanzi e canti
sopra un mare famelico

Il Porto Sepolto

IN MEMORIA
Locvizza il 30 settembre 1916

Si chiamava
Moammed Sceab

Discendente
di emiri di nomadi
suicida
perché non aveva più
Patria

Amò la Francia
e mutò nome

Fu Marcel
ma non era Francese
e non sapeva più
vivere
nella tenda dei suoi
dove si ascolta la cantilena
del Corano
gustando un caffè

E non sapeva
sciogliere
il canto
del suo abbandono

L'ho accompagnato
insieme alla padrona dell'albergo
dove abitavamo
a Parigi

dal numero 5 della rue des Carmes
appassito vicolo in discesa

Riposa
nel camposanto d'Ivry
sobborgo che pare
sempre
in una giornata
di una
decomposta fiera

E forse io solo
so ancora
che visse

IL PORTO SEPOLTO

Mariano il 29 giugno 1916

Vi arriva il poeta
e poi torna alla luce con i suo canti
e li disperde

Di questa poesia
mi resta
quel nulla
d'inesauribile segreto

LINDORO DI DESERTO

Cima Quattro il 22 dicembre 1915

Dondolio di ali in fumo
mozza il silenzio degli occhi

Col vento si spippola il corallo
di una sete di baci

Allibisco all'alba

Mi si travasa la vita
in un ghirigoro di nostalgie

Ora specchio i punti di mondo
che avevo compagni
e fiuto l'orientamento

Sino alla morte in balia del viaggio

Abbiamo le soste di sonno

Il sole spegne il pianto

Mi copro di un tepido manto
di lind'oro

Da questa terrazza di desolazione
in braccio mi sporgo
al buon tempo

VEGLIA

Cima Quattro il 23 dicembre 1915

Un'intera nottata
buttato vicino
a un compagno
massacrato
con la sua bocca
digrignata
volta al plenilunio
con la congestione
delle sue mani
penetrata
nel mio silenzio
ho scritto
lettere piene d'amore

Non sono mai stato
tanto
attaccato alla vita

A RIPOSO

Versa il 27 aprile 1916

Chi mi accompagnerà pei campi

Il sole si semina in diamanti
di gocciole d'acqua
sull'erba flessuosa

Resto docile
all'inclinazione
dell'universo sereno

Si dilatano le montagne
in sorsi d'ombra lilla
e vogano col cielo

Su alla volta lieve
l'incanto s'è troncato

E piombo in me

E m'oscuro in un mio nido

FASE D'ORIENTE

Versa il 27 aprile 1916

Nel molle giro di un sorriso
ci sentiamo legare da un turbine
di germogli di desiderio

Ci vendemmia il sole

Chiudiamo gli occhi
per vedere nuotare in un lago
infinite promesse

Ci rinveniamo a marcare la terra
con questo corpo
che ora troppo ci pesa

TRAMONTO

Versa il 20 maggio 1916

Il carnato del cielo
sveglia oasi
al nomade d'amore

ANNIENTAMENTO
Versa il 21 maggio 1916

Il cuore ha prodigato le lucciole
s'è acceso e spento
di verde in verde
ho compitato

Colle mie mani plasmo il suolo
diffuso di grilli
mi modulo
di
sommesso uguale
cuore

M'ama non m'ama
mi sono smaltato
di margherite
mi sono radicato
nella terra marcita
sono cresciuto
come un crespo
sullo stelo torto
mi sono colto
nel tuffo
di spinalba

Oggi
come l'Isonzo
di asfalto azzurro
mi fisso
nella cenere del greto
scoperto dal sole

e mi trasmuto
in volo di nubi

Appieno infine
sfrenato
il solito essere sgomento
non batte più il tempo col cuore
non ha tempo né luogo
è felice

Ho sulle labbra
il bacio di marmo

STASERA

Versa il 22 maggio 1916

Balaustrata di brezza
per appoggiare stasera
la mia malinconia

FASE

Mariano il 25 giugno 1916

Cammina cammina
ho ritrovato
il pozzo d'amore

Nell'occhio
di mill'una notte
ho riposato

Agli abbandonati giardini
ella approdava
come una colomba

Fra l'aria
del meriggio
ch'era uno svenimento
le ho colto
arance e gelsumini

SILENZIO

Mariano il 27 giugno 1916

Conosco una città
che ogni giorno s'empie di sole
e tutto è rapito in quel momento

Me ne sono andato una sera

Nel cuore durava il limio
delle cicale

Dal bastimento
verniciato di bianco
ho visto
la mia città sparire
lasciando
un poco
un abbraccio di lumi nell'aria torbida
sospesi

PESO

Mariano il 29 giugno 1916

Quel contadino
si affida alla medaglia
di Sant'Antonio
e va leggero

Ma ben sola e ben nuda
senza miraggio
porto la mia anima

DANNAZIONE

Mariano il 29 giugno 1916

Chiuso fra cose mortali

(Anche il cielo stellato finirà)

Perché bramo Dio?

RISVEGLI

Mariano il 29 giugno 1916

Ogni mio momento
io l'ho vissuto
un'altra volta
in un'epoca fonda
fuori di me

Sono lontano colla mia memoria
dietro a quelle vite perse

Mi desto in un bagno
di care cose consuete
sorpreso
e raddolcito

Rincorro le nuvole
che si sciolgono dolcemente
cogli occhi attenti
e mi rammento
di qualche amico
morto

Ma Dio cos'è?

E la creatura
atterrita
sbarra gli occhi
e accoglie
gocciole di stelle
e la pianura muta

E si sente
riavere

MALINCONIA

Quota Centoquarantuno il 10 luglio 1916

Calante malinconia lungo il corpo avvinto
al suo destino

Calante notturno abbandono
di corpi a pien'anima presi
nel silenzio vasto
che gli occhi non guardano
ma un'apprensione

Abbandono dolce di corpi
pesanti d'amaro
labbra rapprese
in tornitura di labbra lontane
voluttà crudele di corpi estinti
in voglie inappagabili

Mondo

Attonimento
in una gita folle
di pupille amorose

In una gita che se ne va in fumo
col sonno
e se incontra la morte
è il dormire più vero

DESTINO

Mariano il 14 luglio 1916

Volti al travaglio
come una qualsiasi
fibra creata
perché ci lamentiamo noi?

FRATELLI

Mariano il 15 luglio 1916

Di che reggimento siete
fratelli?

Parola tremante
nella notte

Foglia appena nata

Nell'aria spasimante
involontaria rivolta
dell'uomo presente alla sua
fragilità

Fratelli

C'ERA UNA VOLTA

Quota Centoquarantuno l'1 agosto 1916

Bosco Cappuccio
ha un declivio
di velluto verde
come una dolce
poltrona

Appisolarmi là
solo
in un caffè remoto
con una luce fievole
come questa
di questa luna

SONO UNA CREATURA

Valloncello di Cima Quattro il 5 agosto 1916

Come questa pietra
del S. Michele
così fredda
così dura
così prosciugata
così refrattaria
così totalmente
disanimata

Come questa pietra
è il mio pianto
che non si vede

La morte
si sconta
vivendo

IN DORMIVEGLIA

Valloncello di Cima Quattro il 6 agosto 1916

Assisto la notte violentata

L'aria è crivellata
come una trina
dalle schioppettate
degli uomini
ritratti
nelle trincee
come le lumache nel loro guscio

Mi pare
che un affannato
nugolo di scalpellini
batta il lastricato
di pietra di lava
delle mie strade
ed io l'ascolti
non vedendo
in dormiveglia

I FIUMI

Cotici il 16 agosto 1916

Mi tengo a quest'albero mutilato
abbandonato in questa dolina
che ha il languore
di un circo
prima o dopo lo spettacolo
e guardo
il passaggio quieto
delle nuvole sulla luna

Stamani mi sono disteso
in un'urna d'acqua
e come una reliquia
ho riposato

L'Isonzo scorrendo
mi levigava
come un suo sasso

Ho tirato su
le mie quattr'ossa
e me ne sono andato
come un acrobata
sull'acqua

Mi sono accoccolato
vicino ai miei panni
sudici di guerra
e come un beduino
mi sono chinato a ricevere
il sole

Questo è l'Isonzo
e qui meglio
mi sono riconosciuto
una docile fibra
dell'universo

Il mio supplizio
è quando
non mi credo
in armonia

Ma quelle occulte
mani
che m'intridono
mi regalano
la rara
felicità

Ho ripassato
le epoche
della mia vita

Questi sono
i miei fiumi

Questo è il Serchio
al quale hanno attinto
duemil'anni forse
di gente mia campagnola
e mio padre e mia madre

Questo è il Nilo
che mi ha visto
nascere e crescere
e ardere d'inconsapevolezza
nelle estese pianure

Questa è la Senna
e in quel suo torbido
mi sono rimescolato
e mi sono conosciuto

Questi sono i miei fiumi
contati nell'Isonzo

Questa è la mia nostalgia
che in ognuno
mi traspare
ora ch'è notte
che la mia vita mi pare
una corolla
di tenebre

PELLEGRINAGGIO

Valloncello dell'Albero Isolato il 16 agosto 1916

In agguato
in queste budella
di macerie
ore e ore
ho strascicato
la mia carcassa
usata dal fango
come una suola
o come un seme
di spinalba

Ungaretti
uomo di pena
ti basta un'illusione
per farti coraggio

Un riflettore
di là
mette un mare
nella nebbia

MONOTONIA

Valloncello dell'Albero Isolato il 22 agosto 1916

Fermato a due sassi
languisco
sotto questa
volta appannata
di cielo

Il groviglio dei sentieri
possiede la mia cecità

Nulla è più squallido
di questa monotonia

Una volta
non sapevo
ch'è una cosa
qualunque
perfino
la consunzione serale
del cielo

E sulla mia terra affricana
calmata
a un arpeggio
perso nell'aria
mi rinnovavo

LA NOTTE BELLA

Devetachi il 24 agosto 1916

Quale canto s'è levato stanotte
che intesse
di cristallina eco del cuore
le stelle

Quale festa sorgiva
di cuore a nozze

Sono stato
uno stagno di buio

Ora mordo
come un bambino la mammella
lo spazio

Ora sono ubriaco
d'universo

UNIVERSO
Devetachi il 24 agosto 1916

Col mare
mi sono fatto
una bara
di freschezza

SONNOLENZA

Da Devetachi al San Michele il 25 agosto 1916

Questi dossi di monti
si sono coricati
nel buio delle valli

Non c'è più niente
che un gorgoglio
di grilli che mi raggiunge

E s'accompagna
alla mia inquietudine

SAN MARTINO DEL CARSO

Valloncello dell'Albero Isolato il 27 agosto 1916

Di queste case
non è rimasto
che qualche
brandello di muro

Di tanti
che mi corrispondevano
non è rimasto
neppure tanto

Ma nel cuore
nessuna croce manca

È il mio cuore
il paese più straziato

ATTRITO

Locvizza il 23 settembre 1916

Con la mia fame di lupo
ammaino
il mio corpo di pecorella

Sono come
la misera barca
e come l'oceano libidinoso

DISTACCO

Locvizza il 24 settembre 1916

Eccovi un uomo
uniforme

Eccovi un'anima
deserta
uno specchio impassibile

M'avviene di svegliarmi
e di congiungermi
e di possedere

Il raro bene che mi nasce
così piano mi nasce

E quando ha durato
così insensibilmente s'è spento

NOSTALGIA

Locvizza il 28 settembre 1916

Quando
la notte è a svanire
poco prima di primavera
e di rado
qualcuno passa

Su Parigi s'addensa
un oscuro colore
di pianto

In un canto
di ponte
contemplo
l'illimitato silenzio
di una ragazza
tenue

Le nostre
malattie
si fondono

E come portati via
si rimane

PERCHÉ?
Carsia Giulia 1916

Ha bisogno di qualche ristoro
il mio buio cuore disperso

Negli incastri fangosi dei sassi
come un'erba di questa contrada
vuole tremare piano alla luce

Ma io non sono
nella fionda del tempo
che la scaglia dei sassi tarlati
dell'improvvisata strada
di guerra

Da quando
ha guardato nel viso
immortale del mondo
questo pazzo ha voluto sapere
cadendo nel labirinto
del suo cuore crucciato

Si è appiattito
come una rotaia
il mio cuore in ascoltazione
ma si scopriva a seguire
come una scia
una scomparsa navigazione

Guardo l'orizzonte
che si vaiola di crateri

Il mio cuore vuole illuminarsi
come questa notte
almeno di zampilli di razzi

Reggo il mio cuore
che s'incaverna
e schianta e rintrona
come un proiettile
nella pianura
ma non mi lascia
neanche un segno di volo

Il mio povero cuore
sbigottito
di non sapere

ITALIA

Locvizza l'1 ottobre 1916

Sono un poeta
un grido unanime
sono un grumo di sogni

Sono un frutto
d'innumerevoli contrasti d'innesti
maturato in una serra

Ma il tuo popolo è portato
dalla stessa terra
che mi porta
Italia

E in questa uniforme
di tuo soldato
mi riposo
come fosse la culla
di mio padre

COMMIATO

Locvizza il 2 ottobre 1916

Gentile
Ettore Serra
poesia
è il mondo l'umanità
la propria vita
fioriti dalla parola
la limpida meraviglia
di un delirante fermento

Quando trovo
in questo mio silenzio
una parola
scavata è nella mia vita
come un abisso

Naufragi

ALLEGRIA DI NAUFRAGI

Versa il 14 febbraio 1917

E subito riprende
il viaggio
come
dopo il naufragio
un superstite
lupo di mare

NATALE

Napoli il 26 dicembre 1916

Non ho voglia
di tuffarmi
in un gomitolo
di strade

Ho tanta
stanchezza
sulle spalle

Lasciatemi così
come una
cosa
posata
in un
angolo
e dimenticata

Qui
non si sente
altro
che il caldo buono

Sto
con le quattro
capriole
di fumo
del focolare

DOLINA NOTTURNA
Napoli il 26 dicembre 1916

Il volto
di stanotte
è secco
come una
pergamena

Questo nomade
adunco
morbido di neve
si lascia
come una foglia
accartocciata

L'interminabile
tempo
mi adopera
come un
fruscio

SOLITUDINE

Santa Maria La Longa il 26 gennaio 1917

Ma le mie urla
feriscono
come fulmini
la campana fioca
del cielo

Sprofondano
impaurite

MATTINA

Santa Maria La Longa il 26 gennaio 1917

M'illumino
d'immenso

DORMIRE

Santa Maria La Longa il 26 gennaio 1917

Vorrei imitare
questo paese
adagiato
nel suo camice
di neve

INIZIO DI SERA
Versa il 15 febbraio 1917

La vita si vuota
in diafana ascesa
di nuvole colme
trapunte di sole

LONTANO

Versa il 15 febbraio 1917

Lontano lontano
come un cieco
m'hanno portato per mano

TRASFIGURAZIONE

Versa il 16 febbraio 1917

Sto
addossato a un tumulo
di fieno bronzato

Un acre spasimo
scoppia e brulica
dai solchi grassi

Ben nato mi sento
di gente di terra

Mi sento negli occhi
attenti alle fasi
del cielo
dell'uomo rugato
come la scorza
dei gelsi che pota

Mi sento
nei visi infantili
come un frutto rosato
rovente
fra gli alberi spogli

Come una nuvola
mi filtro
nel sole

Mi sento diffuso
in un bacio
che mi consuma
e mi calma

GODIMENTO

Versa il 18 febbraio 1917

Mi sento la febbre
di questa
piena di luce

Accolgo questa
giornata come
il frutto che si addolcisce

Avrò
stanotte
un rimorso come un
latrato
perso nel
deserto

SEMPRE NOTTE
Vallone il 18 aprile 1917

La mia squallida
vita si estende
più spaventata di sé

In un
infinito
che mi calca e mi
preme col suo
fievole tatto

UN'ALTRA NOTTE
Vallone il 20 aprile 1917

In quest'oscuro
colle mani
gelate
distinguo
il mio viso

Mi vedo
abbandonato nell'infinito

GIUGNO

Campolongo il 5 luglio 1917

Quando
mi morirà
questa notte
e come un altro
potrò guardarla
e mi addormenterò
al fruscio
delle onde
che finiscono
di avvoltolarsi
alla cinta di gaggie
della mia casa

Quando mi risveglierò
nel tuo corpo
che si modula
come la voce dell'usignolo

Si estenua
come il colore
rilucente
del grano maturo

Nella trasparenza
dell'acqua
l'oro velino
della tua pelle
si brinerà di moro

Librata
dalle lastre
squillanti
dell'aria sarai
come una
pantera

Ai tagli
mobili
dell'ombra
ti sfoglierai

Ruggendo
muta in
quella polvere
mi soffocherai

Poi
socchiuderai le palpebre

Vedremo il nostro amore reclinarsi
come sera

Poi vedrò
rasserenato
nell'orizzonte di bitume
delle tue iridi morirmi
le pupille

Ora
il sereno è chiuso
come
a quest'ora
nel mio paese d'Affrica
i gelsumini

Ho perso il sonno

Oscillo
al canto d'una strada
come una lucciola

Mi morirà
questa notte?

SOGNO

Vallone il 17 agosto 1917

Ho sognato
stanotte
una
piana
striata
d'una
freschezza

In veli
varianti
d'azzurr'oro
alga

ROSE IN FIAMME

Vallone il 17 agosto 1917

Su un oceano
di scampanellii
repentina
galleggia un'altra mattina

VANITÀ

Vallone il 19 agosto 1917

D'improvviso
è alto
sulle macerie
il limpido
stupore
dell'immensità

E l'uomo
curvato
sull'acqua
sorpresa
dal sole
si rinviene
un'ombra

Cullata e
piano
franta

DAL VIALE DI VALLE

Pieve Santo Stefano il 31 agosto 1917

Nettezza di montagne
risalita
nel globo
del tempo
ammansito

Girovago

PRATO

Villa di Garda aprile 1918

La terra
s'è velata
di tenera
leggerezza

Come una sposa
novella
offre
allibita
alla sua creatura
il pudore
sorridente
di madre

SI PORTA

Roma fine marzo 1918

Si porta
l'infinita
stanchezza
dello sforzo
occulto
di questo principio
che ogni anno
scatena la terra

GIROVAGO
Campo di Mailly maggio 1918

In nessuna
parte
di terra
mi posso
accasare

A ogni
nuovo
clima
che incontro
mi trovo
languente
che
una volta
già gli ero stato
assuefatto

E me ne stacco sempre
straniero

Nascendo
tornato da epoche troppo
vissute

Godere un solo
minuto di vita
iniziale

Cerco un paese
innocente

SERENO

Bosco di Courton luglio 1918

Dopo tanta
nebbia
a una
a una
si svelano
le stelle

Respiro
il fresco
che mi lascia
il colore del cielo

Mi riconosco
immagine
passeggera

Presa in un giro
immortale

SOLDATI

Bosco di Courton luglio 1918

Si sta come
d'autunno
sugli alberi
le foglie

Prime
Parigi - Milano 1919

RITORNO

Trinano le cose un'estesa monotonia di assenze

Ora è un pallido involucro

L'azzurro scuro delle profondità si è franto

Ora è un arido manto

L'AFFRICANO A PARIGI

Chi trasmigrato da contrade battute dal sole dove le donne nascondono polpe ubertose e calmo come reminiscenza arriva ogni urlo,

Chi dall'esultanza di mari inabissati in cieli scenda a questa città, trova una terra opaca e una fuligine feroce.

Lo spazio è finito.

Concesso mai non mi sarà più un allarme spregiudicato né in quel sole che scatenava e accomunava felici cose, incantevoli soste?

L'uomo lunatico che ora s'incontra, per innumerevoli strade disperso deve inquietarsi a mutare stupori dall'abbaglio fatuo che lo circonda e tutte le volte gli rinveniranno nell'animo la derisione tutt'al più, e le ferite della sua impazienza.

Non saprebbe più mettergli paura, snaturato, la morte, ma senza scampo scelto a preda dall'assiduo terrore del futuro, tornerà sempre a lusingarsi di potersi conciliare l'eterno se a furia di noiosi scrupoli un giorno indovinata nel brevissimo soffio la grazia fortuita d'un istante raro, vagheggi che in mente gliene possa a volte restare un qualche emblema non offensivo.

Meno tanto puntiglio, non gli dura più nulla.

Anche il corpo alla costante misura d'un tempo avaro, s'è fatto temerario e, troppo tesa corda musicale, dilaniante...

...

Dopo tutto tendono al caos.

Ah, vivre libre ou mourir!

IRONIA

Odo la primavera nei rami neri indolenziti. Si può seguire solo a quest'ora, passando tra le case soli con i propri pensieri.

È l'ora delle finestre chiuse, ma
questa tristezza di ritorni m'ha tolto il sonno.

Un velo di verde intenerirà domattina da questi alberi, poco fa quando è sopraggiunta la notte, ancora secchi.

Iddio non si dà pace.

Solo a quest'ora è dato, a qualche raro sognatore, il martirio di seguirne l'opera.

Stanotte, benché sia d'aprile, nevica sulla città.

Nessuna violenza supera quella che ha aspetti silenziosi e freddi.

UN SOGNO SOLITO

Il Nilo ombrato
le belle brune
vestite d'acqua
burlanti il treno

Fuggiti

LUCCA

A casa mia, in Egitto, dopo cena, recitato il rosario, mia madre ci parlava di questi posti.

La mia infanzia ne fu tutta meravigliata.

La città ha un traffico timorato e fanatico.

In queste mura non ci si sta che di passaggio.

Qui la meta è partire.

Mi sono seduto al fresco sulla porta dell'osteria con della gente che mi parla di California come d'un suo podere.

Mi scopro con terrore nei connotati di queste persone.

Ora lo sento scorrere caldo nelle mie vene, il sangue dei miei morti.

Ho preso anch'io una zappa.

Nelle cosce fumanti della terra mi scopro a ridere.

Addio desideri, nostalgie.

So di passato e d'avvenire quanto un uomo può saperne.

Conosco ormai il mio destino, e la mia origine.

Non mi rimane più nulla da profanare, nulla da sognare.

Ho goduto di tutto, e sofferto.

Non mi rimane che rassegnarmi a morire.

Alleverò dunque tranquillamente una prole.

Quando un appetito maligno mi spingeva negli amori mortali, lodavo la vita.

Ora che considero, *anch'io*, l'amore come una garanzia della specie, ho in vista la morte.

SCOPERTA DELLA DONNA

Ora la donna mi apparve senza più veli, in un pudore naturale.

Da quel tempo i suoi gesti, liberi, sorgenti in una solennità feconda, mi consacrano all'unica dolcezza reale.

In tale confidenza passo senza stanchezza.

In quest'ora può farsi notte, la chiarezza lunare avrà le ombre più nude.

PREGHIERA

Quando mi desterò
dal barbaglio della promiscuità
in una limpida e attonita sfera

Quando il mio peso mi sarà leggero

Il naufragio concedimi Signore
di quel giovane giorno al primo grido

SENTIMENTO DEL TEMPO
1919-1935

Prime

O NOTTE
1919

Dall'ampia ansia dell'alba
Svelata alberatura.

Dolorosi risvegli.

Foglie, sorelle foglie,
Vi ascolto nel lamento.

Autunni,
Moribonde dolcezze.

O gioventù,
Passata è appena l'ora del distacco.

Cieli alti della gioventù,
Libero slancio.

E già sono deserto.

Perso in questa curva malinconia.

Ma la notte sperde le lontananze.

Oceanici silenzi,
Astrali nidi d'illusione,

O notte.

PAESAGGIO
1920

MATTINA

Ha una corona di freschi pensieri,
Splende nell'acqua fiorita.

MERIGGIO

Le montagne si sono ridotte a deboli fumi e l'invadente deserto formicola d'impazienze e anche il sonno turba e anche le statue si turbano.

SERA

Mentre infiammandosi s'avvede ch'è nuda, il florido carnato nel mare fattosi verde bottiglia, non è più che madreperla.
Quel moto di vergogna delle cose svela per un momento, dando ragione dell'umana malinconia, il consumarsi senza fine di tutto.

NOTTE

Tutto si è esteso, si è attenuato, si è confuso
Fischi di treni partiti.
Ecco appare, non essendoci più testimoni,
anche il mio vero viso, stanco e deluso.

LE STAGIONI

1920

1

O leggiadri e giulivi coloriti
Che la struggente calma alleva,
E addolcirà,
Dall'astro desioso adorni,
Torniti da soavità,
O seni appena germogliati,
Già sospirosi,
Colmi e trepidi alle furtive mire,
V'ho
Adocchiati.

Iridi libere
Sulla tua strada alata
L'arcano dialogo scandivano.

È mutevole il vento,
Illusa adolescenza.

2

Eccoti domita e turbata.

È già oscura e fonda
L'ora d'estate che disanima.

Già verso un'alta, lucida
Sepoltura, si salpa.

Dal notturno meriggio,
Ormai soli, oscillando stanchi,

Invocano i ricordi:

Non ordirò le tue malinconie,
Ma sul fosso lunare sull'altura
L'ombra si desterà.

E in sul declivio dell'aurora
La suprema veemenza
Dell'ardore coronerà
Più calmo, memorando e tenero,
La chioma docile e sonora
E di freschezza dorerà
La terra tormentata.

3

Indi passò sulla fronte dell'anno
Un ultimo rossore.

E lontanissimo un giovane coro
S'udì:

Nell'acqua garrula
Vidi riflesso uno stormo di tortore
Allo stellato grigiore s'unirono.

Quella fu l'ora più demente.

4

Ora anche il sogno tace.

È nuda anche la quercia,
Ma abbarbicata sempre al suo macigno.

SILENZIO IN LIGURIA
1922

Scade flessuosa la pianura d'acqua.

Nelle sue urne il sole
Ancora segreto si bagna.

Una carnagione lieve trascorre.

Ed ella apre improvvisa ai seni
La grande mitezza degli occhi.

L'ombra sommersa delle rocce muore.

Dolce sbocciata dalle anche ilari,
Il vero amore è una quiete accesa,

E la godo diffusa
Dall'ala alabastrina
D'una mattina immobile.

ALLA NOIA
1922

Quiete, quando risorse in una trama
Il corpo acerbo verso cui m'avvio.

La mano le luceva che mi porse,
Che di quanto m'avanzo s'allontana.

Eccomi perso in queste vane corse.

Quando ondeggiò mattina ella si stese
E rise, e mi volò dagli occhi.

Ancella di follia, noia,
Troppo poco fosti ebbra e dolce.

Perché non t'ha seguita la memoria?

È nuvola il tuo dono?

È mormorio, e popola
Di canti remoti i rami.

Memoria, fluido simulacro,
Malinconico scherno,
Buio del sangue...

Quale fonte timida a un'ombra
Anziana di ulivi,
Ritorni a assopirmi...

Di mattina ancora segreta,
Ancora le tue labbra brami...

Non le conosca più!

SIRENE
1923

Funesto spirito
Che accendi e turbi amore,
Affine io torni senza requie all'alto
Con impazienza le apparenze muti,
E già, prima ch'io giunga a qualche meta,
Non ancora deluso
M'avvinci ad altro sogno.
Uguale a un mare che irrequieto e blando
Da lungi porga e celi
Un'isola fatale,
Con varietà d'inganni
Accompagni chi non dispera, a morte.

RICORDO D'AFFRICA
1924

Non più ora tra la piana sterminata
E il largo mare m'apparterò, né umili
Di remote età, udrò più sciogliersi, chiari,
Nell'aria limpida, squilli; né più
Le grazie acerbe andrà nudando
E in forme favolose esalterà
Folle la fantasia,
Né dal rado palmeto Diana apparsa
In agile abito di luce,
Rincorrerò
(In un suo gelo altiera s'abbagliava,
Ma le seguiva gli occhi nel posarli
Arroventando disgraziate brame,
Per sempre
Infinito velluto).

È solo linea vaporosa il mare
Che un giorno germogliò rapace,
E nappo d'un miele, non più gustato
Per non morire di sete, mi pare
La piana, e a un seno casto, Diana vezzo
D'opali, ma nemmeno d'invisibile
Non palpita.

Ah! questa è l'ora che annuvola e smemora.

La Fine di Crono

UNA COLOMBA
1925

D'altri diluvi una colomba ascolto.

L'ISOLA
1925

A una proda ove sera era perenne
Di anziane selve assorte, scese,
E s'inoltrò
E lo richiamò rumore di penne
Ch'erasi sciolto dallo stridulo
Batticuore dell'acqua torrida,
E una larva (languiva
E rifioriva) vide;
Ritornato a salire vide
Ch'era una ninfa e dormiva
Ritta abbracciata a un olmo.

In sé da simulacro a fiamma vera
Errando, giunse a un prato ove
L'ombra negli occhi s'addensava
Delle vergini come
Sera appiè degli ulivi;
Distillavano i rami
Una pioggia pigra di dardi,
Qua pecore s'erano appisolate
Sotto il liscio tepore,
Altre brucavano
La coltre luminosa;
Le mani del pastore erano un vetro
Levigato da fioca febbre.

LAGO LUNA ALBA NOTTE
1927

Gracili arbusti, ciglia
Di celato bisbiglio...

Impallidito livore rovina...

Un uomo, solo, passa
Col suo sgomento muto...

Conca lucente,
Trasporti alla foce del sole!

Torni ricolma di riflessi, anima,
E ritrovi ridente
L'oscuro...

Tempo, fuggitivo tremito...

APOLLO
1925

Inquieto Apollo, siamo desti!

La fronte intrepida ergi, déstati!

Spira il sanguigno balzo...

L'azzurro inospite è alto!

Spaziosa calma...

INNO ALLA MORTE
1925

Amore, mio giovine emblema,
Tornato a dorare la terra,
Diffuso entro il giorno rupestre,
È l'ultima volta che miro
(Appiè del botro, d'irruenti
Acque sontuoso, d'antri
Funesto) la scia di luce
Che pari alla tortora lamentosa
Sull'erba svagata si turba.

Amore, salute lucente,
Mi pesano gli anni venturi.

Abbandonata la mazza fedele,
Scivolerò nell'acqua buia
Senza rimpianto.

Morte, arido fiume...

Immemore sorella, morte,
L'uguale mi farai del sogno
Baciandomi.

Avrò il tuo passo,
Andrò senza lasciare impronta.

Mi darai il cuore immobile
D'un iddio, sarò innocente,
Non avrò più pensieri né bontà.

Colla mente murata,
Cogli occhi caduti in oblio,
Farò da guida alla felicità.

NOTTE DI MARZO
1927

Luna impudica, al tuo improvviso lume
Torna, quell'ombra dove Apollo dorme,
A trasparenze incerte.

Il sogno riapre i suoi occhi incantevoli,
Splende a un'alta finestra.

Gli voli un desiderio,
Quando toccato avrà la terra,
Incarnerà la sofferenza.

APRILE
1925

È oggi la prima volta
Che le può aprire gli occhi,
L'adolescente.

Esiti, sole?

Con brama schiva la bendi d'affanni.

NASCITA D'AURORA

1925

Nel suo docile manto e nell'aureola,
Dal seno, fuggitiva,
Deridendo, e pare inviti,
Un fiore di pallida brace
Si toglie e getta, la nubile notte.

È l'ora che disgiunge il primo chiaro
Dall'ultimo tremore.

Del cielo all'orlo, il gorgo livida apre.

Con dita smeraldine
Ambigui moti tessono
Un lino.

E d'oro le ombre, tacitando alacri
Inconsapevoli sospiri,
I solchi mutano in labili rivi.

DI LUGLIO
1931

Quando su ci si butta lei,
Si fa d'un triste colore di rosa
Il bel fogliame.

Strugge forre, beve fiumi,
Macina scogli, splende,
È furia che s'ostina, è l'implacabile,
Sparge spazio, acceca mete,
È l'estate e nei secoli
Con i suoi occhi calcinanti
Va della terra spogliando lo scheletro.

GIUNONE
1931

Tonda quel tanto che mi dà tormento,
La tua coscia distacca di sull'altra...

Dilati la tua furia un'acre notte!

D'AGOSTO
1925

Avido lutto ronzante nei vivi,

Monotono altomare,
Ma senza solitudine,

Repressi squilli da prostrate messi,

Estate,

Sino ad orbite ombrate spolpi selci,

Risvegli ceneri nei colossei...

Quale Erebo t'urlò?

UN LEMBO D'ARIA
1925

Si muova un lembo d'aria...

Spicchi, serale come sull'abbaglio
Visciole, avida spalla...

OGNI GRIGIO
1925

Dalla spoglia di serpe
Alla pavida talpa
Ogni grigio si gingilla sui duomi...

Come una prora bionda
Di stella in stella il sole s'accomiata
E s'acciglia sotto la pergola...

Come una fronte stanca
È riapparsa là notte
Nel cavo d'una mano...

TI SVELERÀ
1931

Bel momento, ritornami vicino.

Gioventù, parlami
In quest'ora voraginosa.

O bel ricordo, siediti un momento.

Ora di luce nera nelle vene
E degli stridi muti degli specchi,
Dei precipizi falsi della sete...

E dalla polvere più fonda e cieca
L'età bella promette:

Con dolcezza di primi passi, quando
Il sole avrà toccato
La terra della notte
E in freschezza sciolto ogni fumo,
Tornando impallidito al cielo
Un corpo ilare ti svelerà.

FINE DI CRONO
1925

L'ora impaurita
In grembo al firmamento
Erra strana.

Una fuligine
Lilla corona i monti,

Fu l'ultimo grido a smarrirsi.

Penelopi innumeri, astri

Vi riabbraccia il Signore!

(Ah, cecità!
Frana delle notti...)

E riporge l'Olimpo,
Fiore eterno di sonno.

CON FUOCO
1925

Con fuoco d'occhi un nostalgico lupo
Scorre la quiete nuda.

Non trova che ombre di cielo sul ghiaccio,

Fondono serpi fatue e brevi viole.

LIDO

1925

L'anima dissuade l'aspetto
Di gracili arbusti sul ciglio
D'insidiosi bisbigli.

Conca lucente che all'anima ignara
Il muto sgomento rovini
E porti la salma vana
Alla foce dell'astro, freddo,
Anima ignara che torni dall'acqua
E ridente ritrovi
L'oscuro,

Finisce l'anno in quel tremito.

LEDA
1925

I luminosi denti spengono
L'impallidita.

E nel presago oblio sparso,
Ricolma di riflessi
La salma stringo colle braccia fredde,
Calda ancora,
Che già tutta vacilla
In un ascoso ripullulamento
D'onde.

FINE
1925

In sé crede e nel vero chi dispera?

PARI A SÉ
1925

Va la nave, sola
Nella quiete della sera.

Qualche luce appare
Di lontano, dalle case.

Nell'estrema notte
Va in fumo a fondo il mare.

Resta solo, pari a sé,
Uno scroscio che si perde...

Si rinnova...

Sogni e Accordi

ECO
1927

Scalza varcando da sabbie lunari,
Aurora, amore festoso, d'un'eco
Popoli l'esule universo e lasci
Nella carne dei giorni,
Perenne scia, una piaga velata.

ULTIMO QUARTO

1927

Luna,
Piuma di cielo,
Così velina,
Arida,
Trasporti il murmure d'anime spoglie?

E alla pallida che diranno mai
Pipistrelli dai ruderi del teatro,
In sogno quelle capre,
E fra arse foglie come in fermo fumo
Con tutto il suo sgolarsi di cristallo
Un usignuolo?

STATUA
1927

Gioventù impietrita,
O statua, o statua dell'abisso umano...

Il gran tumulto dopo tanto viaggio
Corrode uno scoglio
A fiore di labbra.

OMBRA

1927

Uomo che speri senza pace,
Stanca ombra nella luce polverosa,
L'ultimo caldo se ne andrà a momenti
E vagherai indistinto...

AURA

1927

Udendo il cielo
Spada mattutina,
E il monte che gli sale in grembo,
Torno all'usato accordo.

Ai piedi stringe la salita
Un albereto stanco.

Dalla grata dei rami
Rivedo voli nascere...

STELLE
1927

Tornano in alto ad ardere le favole.

Cadranno colle foglie al primo vento

Ma venga un altro soffio,
Ritornerà scintillamento nuovo.

SOGNO
1927

Rotto l'indugio sotto l'onda
Torna a rapirsi aurora.

Con un volare argenteo
Ad ogni fumo insinua guance in fiamma.

Ai pagliai toccano clamori.

Ma intorno al lago già l'ontano
Mostra la scorza, è giorno.

Da sonno a veglia fu
Il sogno in un baleno.

FONTE
1927

Il cielo ha troppo già languito
E torna a splendere
E di pupille semina la fonte.

Risorta vipera,
Idolo snello, fiume giovinetto,
Anima, estate tornata di notte,
Il cielo sogna.

Prega, amo udirti,
Tomba mutevole.

DUE NOTE
1927

Inanella erbe un rivolo,

Un lago torvo il cielo glauco offende.

DI SERA
1928

Nelle onde sospirose del tuo nudo
Il mistero rapisci. Sorridendo,

Nulla, sospeso il respiro, più dolce
Che udirti consumarmi
Nel sole moribondo
L'ultimo fiammeggiare d'ombra, terra!

ROSSO E AZZURRO

1928

Ho atteso che vi alzaste,
Colori dell'amore,
E ora svelate un'infanzia di cielo.

Porge la rosa più bella sognata.

GRIDO
1928

Giunta la sera
Riposavo sopra l'erba monotona,
E presi gusto
A quella brama senza fine,
Grido torbido e alato
Che la luce quando muore trattiene.

QUIETE
1929

L'uva è matura, il campo arato,

Si stacca il monte dalle nuvole.

Sui polverosi specchi dell'estate
Caduta è l'ombra,

Tra le dita incerte
Il loro lume è chiaro,
E lontano.

Colle rondini fugge
L'ultimo strazio.

SERENO
1929

Arso tutto ha l'estate.

Ma torni un dito d'ombra,
Ritrova il rosolaccio sangue,
E di luna, la voce che si sgrana
I canneti propaga.

Muore il timore e la pietà.

SERA

1929

Appiè dei passi della sera
Va un'acqua chiara
Colore dell'uliva,

E giunge al breve fuoco smemorato.

Nel fumo ora odo grilli e rane,

Dove tenere tremano erbe.

Leggende

IL CAPITANO
1929

Fuì pronto a tutte le partenze.

Quando hai segreti, notte hai pietà.

Se bimbo mi svegliavo
Di soprassalto, mi calmavo udendo
Urlanti nell'assente via,
Cani randagi. Mi parevano
Più del lumino alla Madonna
Che ardeva sempre in quella stanza,
Mistica compagnia.

E non ad un rincorrere
Echi d'innanzi nascita,
Mi sorpresi con cuore, uomo?

Ma quando, notte, il tuo viso fu nudo
E buttato sul sasso
Non fui che fibra d'elementi,
Pazza, palese in ogni oggetto,
Era schiacciante l'umiltà.

Il Capitano era sereno.

(Venne in cielo la luna)

Era alto e mai non si chinava.

(Andava su una nube)

Nessuno lo vide cadere,
Nessuno l'udì rantolare,
Riapparve adagiato in un solco,
Teneva le mani sul petto.

Gli chiusi gli occhi.

(La luna è un velo)

Parve di piume.

PRIMO AMORE

1929

Era una notte urbana,
Rosea e sulfurea era la poca luce
Dove, come da un muoversi dell'ombra,
Pareva salisse la forma.

Era una notte afosa
Quando improvvise vidi zanne viola
In un'ascella che fingeva pace.

Da quella notte nuova ed infelice
E dal fondo del mio sangue straniato
Schiavo loro mi fecero segreti.

LA MADRE
1930

E il cuore quando d'un ultimo battito
Avrà fatto cadere il muro d'ombra,
Per condurmi, Madre, sino al Signore,
Come una volta mi darai la mano.

In ginocchio, decisa,
Sarai una statua davanti all'Eterno,
Come già ti vedeva
Quando eri ancora in vita.

Alzerai tremante le vecchie braccia,
Come quando spirasti
Dicendo: Mio Dio, eccomi.

E solo quando m'avrà perdonato,
Ti verrà desiderio di guardarmi.

Ricorderai d'avermi atteso tanto,
E avrai negli occhi un rapido sospiro.

DOVE LA LUCE
1930

Come allodola ondosa
Nel vento lieto sui giovani prati,
Le braccia ti sanno leggera, vieni.

Ci scorderemo di quaggiù,
E del male e del cielo,
E del mio sangue rapido alla guerra,
Di passi d'ombre memori
Entro rossori di mattine nuove.

Dove non muove foglia più la luce,
Sogni e crucci passati ad altre rive,
Dov'è posata sera,
Vieni ti porterò
Alle colline d'oro.

L'ora costante, liberi d'età,
Nel suo perduto nimbo
Sarà nostro lenzuolo.

MEMORIA D'OFELIA D'ALBA

1932

Da voi, pensosi innanzi tempo,
Troppo presto
Tutta la luce vana fu bevuta,
Begli occhi sazi nelle chiuse palpebre
Ormai prive di peso,
E in voi immortali
Le cose che tra dubbi prematuri
Seguiste ardendo del loro mutare,
Cercano pace,
E a fondo in breve del vostro silenzio
Si fermeranno,
Cose consumate:
Emblemi eterni, nomi,
Evocazioni pure...

1914-1915

1932

Ti vidi, Alessandria,
Friabile sulle tue basi spettrali
Diventarmi ricordo
In un abbraccio sospeso di lumi.

Da poco eri fuggita e non rimpiansi
L'alga che blando vomita il tuo mare,
Che ai sessi smanie d'inferno tramanda.
Né l'infinito e sordo plenilunio
Delle aride sere che t'assediano,
Né, in mezzo ai cani urlanti,
Sotto una cupa tenda
Amori e sonni lunghi sui tappeti.

Sono d'un altro sangue e non ti persi,
Ma in quella solitudine di nave
Più dell'usato tornò malinconica
La delusione che tu sia, straniera,
La mia città natale.

A quei tempi, come eri strana, Italia,
E mi sembrasti una notte più cieca
Delle lasciate giornate accecanti.

Ma il dubbio, ebbro colore di perla,
Come avviene nelle ore di tempesta
Spuntò adagio ai limiti,
E s'era appena messo a serpeggiare
Che aurora già soffiava sulla brace.

Chiara Italia, parlasti finalmente
Al figlio d'emigranti.

Vedeva per la prima volta i monti
Consueti agli occhi e ai sogni
Di tutti i suoi defunti;
Sciamare udiva voci appassionate
Nelle gole granitiche;
Gli scoprivi boschiva la tua notte;
Guizzi d'acque pudiche,
Specchi tornavano di fiere origini;
Neve vedeva per la prima volta,
In ultimi virgulti ormai taglienti
Che orlavano la luce delle vette
E ne legavano gli ampi discorsi
Tra viti, qualche cipresso, gli ulivi,
I fumi delle casipole sparse,
Per la calma dei campi seminati
Giù giù sino agli orizzonti d'oceani
Assopiti in pescatori alle vele,
Spiegate, pronte in un leggiadro seno.

Mi destavi nel sangue ogni tua età,
M'apparivi tenace, umana, libera
E sulla terra il vivere più bello.

Colla grazia fatale dei millenni
Riprendendo a parlare ad ogni senso,
Patria fruttuosa, rinascevi prode,
Degna che uno per te muoia d'amore.

EPIGRAFE
PER UN CADUTO DELLA RIVOLUZIONE
1935

Ho sognato, ho creduto, ho tanto amato
Che non sono più di quaggiù.

Ma la bella mano che pronta
Mi sorregge il passo già inerme,
Mentre disanimandosi
Mi pesa il braccio che ebbe volontà
Per mille,
È la mano materna della Patria.

Forte, in ansia, ispirata,
Premendosi al mio petto,
Il mio giovane cuore in sé immortala.

Inni

DANNI CON FANTASIA
1928

Perché le apparenze non durano?

Se ti tocco, leggiadra, geli orrenda,
Nudi l'idea e, molto più crudele,
Nello stesso momento
Mi leghi non deluso ad altra pena.

Perché crei, mente, corrompendo?

Perché t'ascolto?

Quale segreto eterno
Mi farà sempre gola in te?

T'inseguo, ti ricerco,
Rinnovo la salita, non riposo,
E ancora, non mai stanca, in tempesta
O a illanguidire scogli,
Danni con fantasia.

Silenzi trepidi, infiniti slanci,
Corsa, gelose arsure, titubanze,
E strazi, risa, inquiete labbra, fremito,
E delirio clamante
E abbandono schiumante
E gloria intollerante
E numerosa solitudine,

La vostra, lo so, non è vera luce,

Ma avremmo vita senza il tuo variare,
Felice colpa?

LA PIETÀ

1928

1

Sono un uomo ferito.

E me ne vorrei andare
E finalmente giungere,
Pietà, dove si ascolta
L'uomo che è solo con sé.

Non ho che superbia e bontà.

E mi sento esiliato in mezzo agli uomini.

Ma per essi sto in pena.
Non sarei degno di tornare in me?

Ho popolato di nomi il silenzio.

Ho fatto a pezzi cuore e mente
Per cadere in servitù di parole?

Regno sopra fantasmi.

O foglie secche,
Anima portata qua e là...

No, odio il vento e la sua voce
Di bestia immemorabile.

Dio, coloro che t'implorano
Non ti conoscono più che di nome?

M'hai discacciato dalla vita.

Mi discaccerai dalla morte?

Forse l'uomo è anche indegno di sperare.

Anche la fonte del rimorso è secca?

Il peccato che importa,
Se alla purezza non conduce più.

La carne si ricorda appena
Che una volta fu forte.

È folle e usata, l'anima.

Dio, guarda la nostra debolezza.

Vorremmo una certezza.

Di noi nemmeno più ridi?

E compiangici dunque, crudeltà.

Non ne posso più di stare murato
Nel desiderio senza amore.

Una traccia mostraci di giustizia.

La tua legge qual è?

Fulmina le mie povere emozioni,
Liberami dall'inquietudine.

Sono stanco di urlare senza voce.

2

Malinconiosa carne
Dove una volta pullulò la gioia,
Occhi socchiusi del risveglio stanco,
Tu vedi, anima troppo matura,
Quel che sarò, caduto nella terra?

È nei vivi la strada dei defunti,

Siamo noi la fiumana d'ombre,

Sono esse il grano che ci scoppia in sogno,

Loro è la lontananza che ci resta,

E loro è l'ombra che dà peso ai nomi.

La speranza d'un mucchio d'ombra
E null'altro è la nostra sorte?

E tu non saresti che un sogno, Dio?

Almeno un sogno, temerari,
Vogliamo ti somigli.

È parto della demenza più chiara.

Non trema in nuvole di rami
Come passeri di mattina
Al filo delle palpebre.

In noi sta e langue, piaga misteriosa.

3

La luce che ci punge
È un filo sempre più sottile.

Più non abbagli tu, se non uccidi?

Dammi questa gioia suprema.

4

L'uomo, monotono universo,
Crede allargarsi i beni
E dalle sue mani febbrili
Non escono senza fine che limiti.

Attaccato sul vuoto
Al suo filo di ragno,
Non teme e non seduce
Se non il proprio grido.

Ripara il logorio alzando tombe,
E per pensarti, Eterno,
Non ha che le bestemmie.

CAINO
1928

Corre sopra le sabbie favolose
E il suo piede è leggero.

O pastore di lupi,
Hai i denti della luce breve
Che punge i nostri giorni.

Terrori, slanci,
Rantolo di foreste, quella mano
Che spezza come nulla vecchie querci,
Sei fatto a immagine del cuore.

E quando è l'ora molto buia,
Il corpo allegro
Sei tu fra gli alberi incantati?

E mentre scoppio di brama,
Cambia il tempo, t'aggiri ombroso,
Col mio passo mi fuggi.

Come una fonte nell'ombra, dormire!

Quando la mattina è ancora segreta,
Saresti accolta, anima,
Da un'onda riposata.

Anima, non saprò mai calmarti?

Mai non vedrò nella notte del sangue?

Figlia indiscreta della noia,
Memoria, memoria incessante,
Le nuvole della tua polvere,
Non c'è vento che se le porti via?

Gli occhi mi tornerebbero innocenti,
Vedrei la primavera eterna

E, finalmente nuova,
O memoria, saresti onesta.

LA PREGHIERA
1928

Come dolce prima dell'uomo
Doveva andare il mondo.

L'uomo ne cavò beffe di demòni,
La sua lussuria disse cielo,
La sua illusione decretò creatrice,
Suppose immortale il momento.

La vita gli è di peso enorme
Come liggiù quell'ale d'ape morta
Alla formicola che la trascina.

Da ciò che dura a ciò che passa,
Signore, sogno fermo,
Fa' che torni a correre un patto.

Oh! rasserena questi figli.

Fa' che l'uomo torni a sentire
Che, uomo, fino a te salisti
Per l'infinita sofferenza.

Sii la misura, sii il mistero.

Purificante amore,
Fa' ancora che sia scala di riscatto
La carne ingannatrice.

Vorrei di nuovo udirti dire
Che in te finalmente annullate

Le anime s'uniranno
E lassù formeranno,
Eterna umanità,
Il tuo sonno felice.

DANNAZIONE
1931

Come il sasso aspro del vulcano,
Come il logoro sasso del torrente,
Come la notte sola e nuda,
Anima da fionda e da terrori
Perché non ti raccatta
La mano ferma del Signore?

Quest'anima
Che sa le vanità del cuore
E perfide ne sa le tentazioni
E del mondo conosce la misura
E i piani della nostra mente
Giudica tracotanza,

Perché non può soffrire
Se non rapimenti terreni?

Tu non mi guardi più, Signore..

E non cerco se non oblio
Nella cecità della carne.

LA PIETÀ ROMANA

a Rafaele Contu

1932

In mezzo ai forsennati insorse calma
Ciascuno richiamando a voce dura,
E in giorni schietti cambiò tristi fati.

Nella casa provata
Portò la palma,
Rinfrancò i piangenti.

Come Roma la volle,
Formando senza tregua l'indomani,
È la pietà che rammentando i padri,
Ha la sorte dei figli nel pensiero.

Negli opifici libera speranze,
Le si dorano spighe nelle mani
E porta il proprio altare nel suo cuore.

SENTIMENTO DEL TEMPO

1931

E per la luce giusta,
Cadendo solo un'ombra viola
Sopra il giogo meno alto,
La lontananza aperta alla misura,
Ogni mio palpito, come usa il cuore,
Ma ora l'ascolto,
T'affretta, tempo, a pormi sulle labbra
Le tue labbra ultime.

La morte meditata

CANTO PRIMO
1932

O sorella dell'ombra,
Notturna quanto più la luce ha forza,
M'insegui, morte.

In un giardino puro
Alla luce ti diè l'ingenua brama
E la pace fu persa,
Pensosa morte,
Sulla tua bocca.

Da quel momento
Ti odo nel fluire della mente
Approfondire lontananze,
Emula sofferente dell'eterno.

Madre velenosa degli evi
Nella paura del palpito
E della solitudine,

Bellezza punita e ridente,

Nell'assopirsi della carne
Sognatrice fuggente,

Atleta senza sonno
Della nostra grandezza,

Quando m'avrai domato, dimmi:

Nella malinconia dei vivi
Volerà a lungo la mia ombra?

CANTO SECONDO
1932

Scava le intime vite
Della nostra infelice maschera
(Clausura d'infinito)
Con blandizia fanatica
La buia veglia dei padri.

Morte, muta parola,
Sabbia deposta come un letto
Dal sangue,
Ti odo cantare come una cicala
Nella rosa abbrunata dei riflessi.

CANTO TERZO

1932

Incide le rughe segrete
Della nostra infelice maschera
La beffa infinita dei padri.

Tu, nella luce fonda,
O confuso silenzio,
Insisti come le cicale irose.

CANTO QUARTO
1932

Mi presero per mano nuvole.

Brucio sul colle spazio e tempo,
Come un tuo messaggero,
Come il sogno, divina morte.

CANTO QUINTO
1932

Hai chiuso gli occhi.

Nasce una notte
Piena di finte buche,
Di suoni morti
Come di sugheri
Di reti calate nell'acqua.

Le tue mani si fanno come un soffio
D'inviolabili lontananze,
Inafferrabili come le idee,

E l'equivoco della luna
E il dondolio, dolcissimi,
Se vuoi posarmele sugli occhi,
Toccano l'anima.

Sei la donna che passa
Come una foglia

E lasci agli alberi un fuoco d'autunno.

CANTO SESTO
1932

O bella preda,
Voce notturna,
Le tue movenze
Fomentano la febbre.

Solo tu, memoria demente,
La libertà potevi catturare.

Sulla tua carne inafferrabile
E vacillante dentro specchi torbidi,
Quali delitti, sogno,
Non m'insegnasti a consumare?

Con voi, fantasmi, non ho mai ritegno,

E dei vostri rimorsi ho pieno il cuore
Quando fa giorno.

L'Amore

CANTO BEDUINO
1932

Una donna s'alza e canta
La segue il vento e l'incanta
E sulla terra la stende
E il sogno vero la prende.

Questa terra è nuda
Questa donna è druda
Questo vento è forte
Questo sogno è morte.

CANTO
1932

Rivedo la tua bocca lenta
(Il mare le va incontro delle notti)
E la cavalla delle reni
In agonia caderti
Nelle mie braccia che cantavano,
E riportarti un sonno
Al colorito e a nuove morti.

E la crudele solitudine
Che in sé ciascuno scopre, se ama,
Ora tomba infinita,
Da te mi divide per sempre.

Cara, lontana come in uno specchio...

. . .

1932

Quando ogni luce è spenta
E non vedo che i miei pensieri,

Un'Eva mi mette sugli occhi
La tela dei paradisi perduti.

PRELUDIO

1934

Magica luna, tanto sei consunta
Che, rompendo il silenzio,
Poggi sui vecchi lecci dell'altura,
Un velo lubrico.

QUALE GRIDO
1934

Nelle sere d'estate,
Spargendoti sorpresa,
Lenta luna, fantasma quotidiano
Del triste, estremo sole,
Quale grido ridesti?

Luna allusiva, vai turbando incauta
Nel bel sonno, la terra,
Che all'assente s'è volta con delirio
Sotto la tua carezza malinconica,
E piange, essendo madre,
Che di lui e di sé non resti un giorno
Neanche un mantello labile di luna.

AUGURI PER IL PROPRIO COMPLEANNO

a Berto Ricci

1935

Dolce declina il sole.
Dal giorno si distacca
Un cielo troppo chiaro.
Dirama solitudine

Come da gran distanza
Un muoversi di voci.
Offesa se lusinga,
Quest'ora ha l'arte strana.

Non è primo apparire
Dell'autunno già libero?
Con non altro mistero

Corre infatti a dorarsi
Il bel tempo che toglie
Il dono di follia.

Eppure, eppure griderei:
Veloce gioventù dei sensi
Che all'oscuro mi tieni di me stesso
E consenti le immagini all'eterno,

Non mi lasciare, resta, sofferenza!

SENZA PIÙ PESO

a Ottone Rosai

1934

Per un Iddio che rida come un bimbo,
Tanti gridi di passeri,
Tante danze nei rami,

Un'anima si fa senza più peso,
I prati hanno una tale tenerezza,
Tale pudore negli occhi rivive,

Le mani come foglie
S'incantano nell'aria...

Chi teme più, chi giudica?

SILENZIO STELLATO

1932

E gli alberi e la notte
Non si muovono più
Se non da nidi.

IL DOLORE
1937-1946

Tutto ho perduto
1937

TUTTO HO PERDUTO

Tutto ho perduto dell'infanzia
E non potrò mai più
Smemorarmi in un grido.

L'infanzia ho sotterrato
Nel fondo delle notti
E ora, spada invisibile,
Mi separa da tutto.

Di me rammento che esultavo amandoti,
Ed eccomi perduto
In infinito delle notti.

Disperazione che incessante aumenta
La vita non mi è più,
Arrestata in fondo alla gola,
Che una roccia di gridi.

SE TU MIO FRATELLO

Se tu mi rivenissi incontro vivo,
Con la mano tesa,
Ancora potrei,
Di nuovo in uno slancio d'oblio, stringere,
Fratello, una mano.

Ma di te, di te più non mi circondano
Che sogni, barlumi,
I fuochi senza fuoco del passato.

La memoria non svolge che le immagini
E a me stesso io stesso
Non sono già più
Che l'annientante nulla del pensiero.

Giorno per giorno
1940-1946

1

« Nessuno, mamma, ha mai sofferto tanto... »
E il volto già scomparso
Ma gli occhi ancora vivi
Dal guanciale volgeva alla finestra,
E riempivano passeri la stanza
Verso le briciole dal babbo sparse
Per distrarre il suo bimbo...

2

Ora potrò baciare solo in sogno
Le fiduciose mani...
E discorro, lavoro,
Sono appena mutato, temo, fumo...
Come si può ch'io regga a tanta notte?...

3

Mi porteranno gli anni
Chissà quali altri orrori,
Ma ti sentivo accanto,
M'avresti consolato...

4

Mai, non saprete mai come m'illumina
L'ombra che mi si pone a lato, timida,
Quando non spero più...

5

Ora dov'è, dov'è l'ingenua voce
Che in corsa risuonando per le stanze
Sollevava dai crucci un uomo stanco?...
La terra l'ha disfatta, la protegge
Un passato di favola...

6

Ogni altra voce è un'eco che si spegne
Ora che una mi chiama
Dalle vette immortali...

7

In cielo cerco il tuo felice volto,
Ed i miei occhi in me null'altro vedano
Quando anch'essi vorrà chiudere Iddio...

8

E t'amo, t'amo, ed è continuo schianto!...

9

Inferocita terra, immane mare
Mi separa dal luogo della tomba
Dove ora si disperde
Il martoriato corpo...
Non conta... Ascolto sempre più distinta
Quella voce d'anima
Che non seppi difendere quaggiù...
M'isola, sempre più festosa e amica
Di minuto in minuto,
Nel suo segreto semplice...

10

Sono tornato ai colli, ai pini amati
E del ritmo dell'aria il patrio accento
Che non riudrò con te,
Mi spezza ad ogni soffio...

11

Passa la rondine e con essa estate,
E anch'io, mi dico, passerò...
Ma resti dell'amore che mi strazia
Non solo segno un breve appannamento
Se dall'inferno arrivo a qualche quiete...

12

Sotto la scure il disilluso ramo
Cadendo si lamenta appena, meno
Che non la foglia al tocco della brezza...
E fu la furia che abbatté la tenera
Forma e la premurosa
Carità d'una voce mi consuma...

13

Non più furori reca a me l'estate,
Né primavera i suoi presentimenti;
Puoi declinare, autunno,
Con le tue stolte glorie:
Per uno spoglio desiderio, inverno
Distende la stagione più clemente!...

14

Già m'è nelle ossa scesa
L'autunnale secchezza,
Ma, protratto dalle ombre,

Sopravviene infinito
Un demente fulgore:
La tortura segreta del crepuscolo
Inabissato...

15

Rievocherò senza rimorso sempre
Un'incantevole agonia dei sensi?
Ascolta, cieco: « Un'anima è partita
Dal comune castigo ancora illesa... »

Mi abbatterà meno di non più udire
I gridi vivi della sua purezza
Che di sentire quasi estinto in me
Il fremito pauroso della colpa?

16

Agli abbagli che squillano dai vetri
Squadra un riflesso alla tovaglia l'ombra,
Tornano al lustro labile d'un orcio
Gonfie ortensie dall'aiuola, un rondone ebbro,
Il grattacielo in vampe delle nuvole,
Sull'albero, saltelli d'un bimbetto...

Inesauribile fragore di onde
Si dà che giunga allora nella stanza
E, alla fermezza inquieta d'una linea
Azzurra, ogni parete si dilegua...

17

Fa dolce e forse qui vicino passi
Dicendo: « Questo sole e tanto spazio
Ti calmino. Nel puro vento udire
Puoi il tempo camminare e la mia voce.

Ho in me raccolto a poco a poco e chiuso
Lo slancio muto della tua speranza.
Sono per te l'aurora e intatto giorno ».

Il tempo è muto
1940-1945

IL TEMPO È MUTO

Il tempo è muto fra canneti immoti...

Lungi d'approdi errava una canoa...
Stremato, inerte il rematore... I cieli
Già decaduti a baratri di fumi...

Proteso invano all'orlo dei ricordi,
Cadere forse fu mercé...

Non seppe

Ch'è la stessa illusione mondo e mente,
Che nel mistero delle proprie onde
Ogni terrena voce fa naufragio.

AMARO ACCORDO

Oppure in un meriggio d'un ottobre
Dagli armoniosi colli
In mezzo a dense discendenti nuvole
I cavalli dei Dioscuri,
Alle cui zampe estatico
S'era fermato un bimbo,
Sopra i flutti spiccavano

(Per un amaro accordo dei ricordi
Verso ombre di banani
E di giganti erranti
Tartarughe entro blocchi
D'enormi acque impassibili:
Sotto altro ordine d'astri
Tra insoliti gabbiani)

Volo sino alla piana dove il bimbo
Frugando nella sabbia,
Dalla luce dei fulmini infiammata
La trasparenza delle care dita
Bagnate dalla pioggia contro vento,
Ghermiva tutti e quattro gli elementi.

Ma la morte è incolore e senza sensi
E, ignara d'ogni legge, come sempre,
Già lo sfiorava
Coi denti impudichi.

TU TI SPEZZASTI

1

I molti, immani, sparsi, grigi sassi
Frementi ancora alle segrete fionde
Di originarie fiamme soffocate
Od ai terrori di fiumane vergini
Ruinanti in implacabili carezze,
– Sopra l'abbaglio della sabbia rigidi
In un vuoto orizzonte, non rammenti?

E la recline, che s'apriva all'unico
Raccogliersi dell'ombra nella valle,
Araucaria, anelando ingigantita,
Volta nell'ardua selce d'erme fibre
Più delle altre dannate refrattaria,
Fresca la bocca di farfalle e d'erbe
Dove dalle radici si tagliava,
– Non la rammenti delirante muta
Sopra tre palmi d'un rotondo ciottolo
In un perfetto bilico
Magicamente apparsa?

Di ramo in ramo fiorrancino lieve,
Ebbri di meraviglia gli avidi occhi
Ne conquistavi la screziata cima,
Temerario, musico bimbo,
Solo per rivedere all'imo lucido
D'un fondo e quieto baratro di mare
Favolose testuggini
Ridestarsi fra le alghe.

Della natura estrema la tensione
E le subacquee pompe,
Funebri moniti.

2

Alzavi le braccia come ali
E ridavi nascita al vento
Correndo nel peso dell'aria immota.

Nessuno mai vide posare
Il tuo lieve piede di danza.

3

Grazia, felice,
Non avresti potuto non spezzarti
In una cecità tanto indurita
Tu semplice soffio e cristallo,

Troppo umano lampo per l'empio,
Selvoso, accanito, ronzante
Ruggito d'un sole ignudo.

Incontro a un pino

1943

INCONTRO A UN PINO

E quando all'ebbra spuma le onde punse
Clamore di crepuscolo abbagliandole,
In Patria mi rinvenni
Dalla foce del fiume mossi i passi
(D'ombre mutava il tempo,
D'arco in arco poggiate
Le vibratili ciglia malinconico)
Verso un pino aereo attorto per i fuochi
D'ultimi raggi supplici
Che, ospite ambito di pietrami memori,
Invitto macerandosi protrasse.

Roma occupata
1943-1944

FOLLI I MIEI PASSI

Le usate strade
– Folli i miei passi come d'un automa –
Che una volta d'incanto si muovevano
Con la mia corsa,
Ora più svolgersi non sanno in grazie
Piene di tempo
Svelando, a ogni mio umore rimutate,
I segni vani che le fanno vive
Se ci misurano.

E quando squillano al tramonto i vetri,
– Ma le case più non ne hanno allegria –
Per abitudine se alfine sosto
Disilluso cercando almeno quiete,
Nelle penombre caute
Delle stanze raccolte
Quantunque ne sia tenera la voce
Non uno dei presenti sparsi oggetti,
Invecchiato con me,
O a residui d'immagini legato
Di una qualche vicenda che mi occorse,
Può inatteso tornare a circondarmi
Sciogliendomi dal cuore le parole.

Appresero così le braccia offerte
– I carnali occhi
Disfatti da dissimulate lacrime,
L'orecchio assurdo, –
Quell'umile speranza
Che travolgeva il teso Michelangelo

A murare ogni spazio in un baleno
Non concedendo all'anima
Nemmeno la risorsa di spezzarsi.

Per desolato fremito ale dava
A un'urbe come una semenza, arcana,
Perpetuava in sé il certo cielo, cupola
Febbrilmente superstite.

NELLE VENE

Nelle vene già quasi vuote tombe
L'ancora galoppante brama,
Nelle mie ossa che si gelano il sasso,
Nell'anima il rimpianto sordo,
L'indomabile nequizia, dissolvi;

Dal rimorso, latrato sterminato,
Nel buio inenarrabile
Terribile clausura,
Riscattami, e le tue ciglia pietose
Dal lungo tuo sonno, sommuovi;

Il roseo improvviso tuo segno,
Genitrice mente, risalga
E riprenda a sorprendermi;
Insperata risùscitati,
Misura incredibile, pace;

Fa, nel librato paesaggio, ch'io possa
Risillabare le parole ingenue.

DEFUNTI SU MONTAGNE

Poche cose mi restano visibili
E, per sempre, l'aprile
Trascinante la nuvola insolubile,
Ma d'improvviso splendido:
Pallore, al Colosseo
Su estremi fumi emerso,
Col precipizio alle orbite
D'un azzurro che sorte più non eccita
Né turba.

Come nelle distanze
Le apparizioni incerte trascorrenti
Il chiarore impegnando
A limiti d'inganni,
Da pochi passi apparsi
I passanti alla base di quel muro
Perdevano statura
Dilatando il deserto dell'altezza,
E la sorpresa se, ombre, parlavano.

Agli echi fondi attento
Dello strano tamburo,
A quale ansia suprema rispondevo
Di volontà, bruciante
Quanto appariva esausta?
Non, da remoti eventi sobbalzando,
M'allettavano, ancora familiari
Nel ricordo, i pensieri dell'orgoglio:
Non era nostalgia, né delirio;
Non invidia di quiete inalterabile.

Allora fu che, entrato in San Clemente,
Dalla crocefissione di Masaccio
M'accolsero, d'un alito staccati
Mentre l'equestre rabbia
Convertita giù in roccia ammutoliva,
Desti dietro il biancore
Delle tombe abolite,
Defunti, su montagne
Sbocciate lievi da leggere nuvole.

Da pertinaci fumi risalito
Fu allora che intravvidi
Perché m'accende ancora la speranza.

MIO FIUME ANCHE TU

1

Mio fiume anche tu, Tevere fatale,
Ora che notte già turbata scorre;
Ora che persistente
E come a stento erotto dalla pietra
Un gemito d'agnelli si propaga
Smarrito per le strade esterrefatte;
Che di male l'attesa senza requie,
Il peggiore dei mali,
Che l'attesa di male imprevedibile
Intralcia animo e passi;
Che singhiozzi infiniti, a lungo rantoli
Agghiacciano le case tane incerte;
Ora che scorre notte già straziata,
Che ogni attimo spariscono di schianto
O temono l'offesa tanti segni
Giunti, quasi divine forme, a splendere
Per ascensione di millenni umani;
Ora che già sconvolta scorre notte,
E quanto un uomo può patire imparo;
Ora ora, mentre schiavo
Il mondo d'abissale pena soffoca;
Ora che insopportabile il tormento
Si sfrena tra i fratelli in ira a morte;
Ora che osano dire
Le mie blasfeme labbra:
« Cristo, pensoso palpito,
Perché la Tua bontà
S'è tanto allontanata? »

2

Ora che pecorelle cogli agnelli
Si sbandano stupite e, per le strade
Che già furono urbane, si desolano;
Ora che prova un popolo
Dopo gli strappi dell'emigrazione,
La stolta iniquità
Delle deportazioni;
Ora che nelle fosse
Con fantasia ritorta
E mani spudorate
Dalle fattezze umane l'uomo lacera
L'immagine divina
E pietà in grido si contrae di pietra;
Ora che l'innocenza
Reclama almeno un'eco,
E geme anche nel cuore più indurito;
Ora che sono vani gli altri gridi;
Vedo ora chiaro nella notte triste.

Vedo ora nella notte triste, imparo,
So che l'inferno s'apre sulla terra
Su misura di quanto
L'uomo si sottrae, folle,
Alla purezza della Tua passione.

3

Fa piaga nel Tuo cuore
La somma del dolore
Che va spargendo sulla terra l'uomo;
Il Tuo cuore è la sede appassionata
Dell'amore non vano.

Cristo, pensoso palpito,
Astro incarnato nell'umane tenebre,
Fratello che t'immoli

Perennemente per riedificare
Umanamente l'uomo,
Santo, Santo che soffri,
Maestro e fratello e Dio che ci sai deboli,
Santo, Santo che soffri
Per liberare dalla morte i morti
E sorreggere noi infelici vivi,
D'un pianto solo mio non piango più,
Ecco, Ti chiamo, Santo,
Santo, Santo che soffri.

ACCADRÀ?

Tesa sempre in angoscia
E al limite di morte:
Terribile ventura;
Ma, anelante di grazia,
In tanta Tua agonia
Ritornavi a scoprire,
Senza darti mai pace,
Che, nel principio e nei sospiri sommi
Da una stessa speranza consolati,
Gli uomini sono uguali,
Figli d'un solo, d'un eterno Soffio.

Tragica Patria, l'insegnasti prodiga
A ogni favella libera,
E ne ebbero purezza dell'origine
Le immagini remote,
Le nuove, immemorabile radice.

Ma nella mente ora avverrà dei popoli
Che non più torni fertile
La parola ispirata,
E che Tu nel Tuo cuore,
Più generosa quanto più patisci,
Non la ritrovi ancora, più incantevole
Quanto più ascosa bruci?

Da venti secoli T'uccide l'uomo
Che incessante vivifichi rinata,
Umile interprete del Dio di tutti.

Patria stanca delle anime,
Succederà, universale fonte,
Che tu non più rifulga?

Sogno, grido, miracolo spezzante,
Seme d'amore nell'umana notte,
Speranza, fiore, canto,
Ora accadrà che cenere prevalga?

I ricordi
1942-1946

L'ANGELO DEL POVERO

Ora che invade le oscurate menti
Più aspra pietà del sangue e della terra,
Ora che ci misura ad ogni palpito
Il silenzio di tante ingiuste morti,

Ora si svegli l'angelo del povero,
Gentilezza superstite dell'anima...

Col gesto inestinguibile dei secoli
Discenda a capo del suo vecchio popolo,
In mezzo alle ombre...

NON GRIDATE PIÙ

Cessate d'uccidere i morti,
Non gridate più, non gridate
Se li volete ancora udire,
Se sperate di non perire.

Hanno l'impercettibile sussurro,
Non fanno più rumore
Del crescere dell'erba,
Lieta dove non passa l'uomo.

I RICORDI

I ricordi, un inutile infinito,
Ma soli e uniti contro il mare, intatto
In mezzo a rantoli infiniti...

Il mare,
Voce d'una grandezza libera,
Ma innocenza nemica nei ricordi,
Rapido a cancellare le orme dolci
D'un pensiero fedele...

Il mare, le sue blandizie accidiose
Quanto feroci e quanto, quanto attese,
E alla loro agonia,
Presente sempre, rinnovata sempre,
Nel vigile pensiero l'agonia...

I ricordi,
Il riversarsi vano
Di sabbia che si muove
Senza pesare sulla sabbia,
Echi brevi protratti,
Senza voce echi degli addii
A minuti che parvero felici...

TERRA

Potrebbe esserci sulla falce
Una lucentezza, e il rumore
Tornare e smarrirsi per gradi
Dalle grotte, e il vento potrebbe
D'altro sale gli occhi arrossare...

Potresti la chiglia sommersa
Dislocarsi udire nel largo,
O un gabbiano irarsi a beccare,
Sfuggita la preda, lo specchio...

Del grano di notti e di giorni
Ricolme mostrasti le mani,
Degli avi tirreni delfini
Dipinti vedesti a segreti
Muri immateriali, poi, dietro
Alle navi, vivi volare,
E terra sei ancora di ceneri
D'inventori senza riposo.

Cauto ripotrebbe assopenti farfalle
Stormire agli ulivi da un attimo all'altro
Destare,
Veglie inspirate resterai di estinti,
Insonni interventi di assenti,
La forza di ceneri – ombre
Nel ratto oscillamento degli argenti.

Il vento continui a scrosciare,
Da palme ad abeti lo strepito
Per sempre desoli, silente
Il grido dei morti è più forte.

LA TERRA PROMESSA
Frammenti 1935-1953
a Giuseppe De Robertis

CANZONE

descrive lo stato d'animo del poeta

Nude, le braccia di segreti sazie,
A nuoto hanno del Lete svolto il fondo,
Adagio sciolto le veementi grazie
E le stanchezze onde luce fu il mondo.

Nulla è muto più della strana strada
Dove foglia non nasce o cade o sverna,
Dove nessuna cosa pena o aggrada,
Dove la veglia mai, mai il sonno alterna.

Tutto si sporse poi, entro trasparenze,
Nell'ora credula, quando, la quiete
Stanca, da dissepolte arborescenze
Riestesasi misura delle mete,
Estenuandosi in iridi echi, amore
Dall'aereo greto trasalì sorpreso
Roseo facendo il buio e, in quel colore,
Più d'ogni vita un arco, il sonno, teso.

Preda dell'impalpabile propagine
Di muri, eterni dei minuti eredi,
Sempre ci esclude più, la prima immagine
Ma, a lampi, rompe il gelo e riconquide.

Più sfugga vera, l'ossessiva mira,
E sia bella, più tocca a nudo calma
E, germe, appena schietta idea, d'ira,
Rifreme, avversa al nulla, in breve salma.

Rivi indovina, suscita la palma:
Dita dedale svela, se sospira.

Prepari gli attimi con cruda lama,
Devasti, carceri, con vaga lama,
Desoli gli animi con sorda lama,
Non distrarrò da lei mai l'occhio fisso
Sebbene, orribile da spoglio abisso,
Non si conosca forma che da fama.

E se, tuttora fuoco d'avventura,
Tornati gli attimi da angoscia a brama,
D'Itaca varco le fuggenti mura,
So, ultima metamorfosi all'aurora,
Oramai so che il filo della trama
Umana, pare rompersi in quell'ora.

Nulla più nuovo parve della strada
Dove lo spazio mai non si degrada
Per la luce o per tenebra, o altro tempo.

DI PERSONA MORTA DIVENUTAMI CARA SENTENDONE PARLARE

Si dilegui la morte
Dal muto nostro sguardo
E la violenza della nostra pena
S'acqueti per un attimo,
Nella stanza calma riapparso
Il tuo felice incedere.

Oh bellezza flessuosa, è Aprile
E lo splendore giovane degli anni
Tu riconduci,
Con la tua mitezza,
Dove più è acre l'attesa malinconica.

Di nuovo
Dall'assorta fronte,
I tuoi pensieri che ritrovi
Fra i famigliari oggetti,
Incantano,
Ma, carezzevole, la tua parola
Rivivere già fa,
Più a fondo,
Il brevemente dolore assopito
Di chi t'amò e perdutamente
A solo amarti nel ricordo
È ora punito.

CORI DESCRITTIVI DI STATI D'ANIMO DI DIDONE

I

Dileguandosi l'ombra,

In lontananza d'anni,

Quando non laceravano gli affanni,

L'allora, odi, puerile
Petto ergersi bramato
E l'occhio tuo allarmato
Fuoco incauto svelare dell'Aprile
Da un'odorosa gota.

Scherno, spettro solerte
Che rendi il tempo inerte
E lungamente la sua furia nota:

Il cuore roso, sgombra!

Ma potrà, mute lotte
Sopite, dileguarsi da età, notte?

II

La sera si prolunga
Per un sospeso fuoco
E un fremito nell'erbe a poco a poco
Pare infinito a sorte ricongiunga.

Lunare allora inavvertita nacque

Eco, e si fuse al brivido dell'acque.
Non so chi fu più vivo,
Il sussurrio sino all'ebbro rivo
O l'attenta che tenera si tacque.

III

Ora il vento s'è fatto silenzioso
E silenzioso il mare;
Tutto tace; ma grido
Il grido, sola, del mio cuore,
Grido d'amore, grido di vergogna
Del mio cuore che brucia
Da quando ti mirai e m'hai guardata
E più non sono che un oggetto debole.

Grido e brucia il mio cuore senza pace
Da quando più non sono
Se non cosa in rovina e abbandonata.

IV

Solo ho nell'anima coperti schianti,
Equatori selvosi, su paduli
Brumali grumi di vapori dove
Delira il desiderio,
Nel sonno, di non essere mai nati.

V

Non divezzati ancora, ma pupilli
Cui troppo in fretta crescano impazienze,
L'ansia ci trasportava lungo il sonno
Verso quale altro altrove?
Si colorì e l'aroma prese a spargere
Così quella primizia
Che, per tenere astuzie

Schiudendosi sorpresa nella luce,
Offrì solo la vera succulenza
Più tardi, già accaniti noi alle veglie.

VI

Tutti gl'inganni suoi perso ha il mistero,
A vita lunga solita corona,
E, in se stesso mutato,
Concede il fiele dei rimorsi a gocce.

VII

Nella tenebra, muta
Cammini in campi vuoti d'ogni grano:
Altero al lato tuo più niuno aspetti.

VIII

Viene dal mio al tuo viso il tuo segreto;
Replica il mio le care tue fattezze;
Nulla contengono di più i nostri occhi
E, disperato, il nostro amore effimero
Eterno freme in vele d'un indugio.

IX

Non più m'attraggono i paesaggi erranti
Del mare, né dell'alba il lacerante
Pallore sopra queste o quelle foglie;
Nemmeno più contrasto col macigno,
Antica notte che sugli occhi porto.

Le immagini a che prò
Per me dimenticata?

X

Non odi del platano,
Foglia non odi a un tratto scricchiolare
Che cade lungo il fiume sulle selci?

Il mio declino abbellirò, stasera;
A foglie secche si vedrà congiunto
Un bagliore roseo.

XI

E senza darsi quiete
Poiché lo spazio loro fuga d'una
Nuvola offriva ai nostri intimi fuochi,
Covandosi a vicenda
Le ingenue anime nostre
Gemelle si svegliarono, già in corsa.

XII

A bufera s'è aperto, al buio, un porto
Che dissero sicuro.

Fu golfo constellato
E pareva immutabile il suo cielo;
Ma ora, com'è mutato!

XIII

Sceso dall'incantevole sua cuspide,
Se ancora sorgere dovesse
Il suo amore, impassibile farebbe
Numerare le innumere sue spine
Spargendosi nelle ore, nei minuti.

XIV

Per patirne la luce,
Gli sguardi tuoi, che si accigliavano
Smarriti ai cupidi, agl'intrepidi
Suoi occhi che a te non si soffermerebbe:
Mai più, ormai mai più.

Per patirne l'estraneo, il folle
Orgoglio che tuttora adori,
A tuoi torti con vana implorazione
La sorte imputerebbero
Gli ormai tuoi occhi opachi, secchi;
Ma grazia alcuna più non troverebbero,
Nemmeno da sprizzarne un solo raggio,
Od una sola lacrima,
Gli occhi tuoi opachi, secchi,

Opachi, senza raggi.

XV

Non vedresti che torti tuoi, deserta,
Senza più un fumo che alla soglia avvii
Del sonno, sommessamente.

XVI

Non sfocerebbero ombre da verdure
Come nel tempo ch'eri agguato roseo
E tornava a distendersi la notte
Con i sospiri di sfumare in prato,
E a prime dorature ti sfrangiavi,
Incerte, furtiva, in dormiveglia.

XVII

Trarresti dal crepuscolo
Un'ala interminabile.

Con le sue piume più fugaci
A distratte strie ombreggiando,
Senza fine la sabbia
Forse ravviveresti.

XVIII

Lasciò i campi alle spighe l'ira avversi,
E la città, poco più tardi,
Anche le sue macerie perse.

Ardee errare cineree solo vedo
Tra paludi e cespugli,
Terrorizzate urlanti presso i nidi
E gli escrementi dei voraci figli
Anche se appaia solo una cornacchia.

Per fetori s'estende
La fama che ti resta,
Ed altro segno più di te non mostri
Se non le paralitiche
Forme della viltà
Se ai tuoi sgradevoli gridi ti guardo.

XIX

Deposto hai la superbia negli orrori,
Nei desolati errori.

RECITATIVO DI PALINURO

Per l'uragano all'apice di furia
Vicino non intesi farsi il sonno;
Olio fu dilagante a smanie d'onde,
Aperto campo a libertà di pace,
Di effusione infinita il finto emblema
Dalla nuca prostrandomi mortale.

Avversità del corpo ebbi mortale
Ai sogni sceso dell'incerta furia
Che annebbiava sprofondi nel suo emblema
Ed, astuta amnesia, afono sonno,
Da echi remoti inviperiva pace
Solo accordando a sfinitezze onde.

Non posero a risposta tregua le onde,
Non mai accanite a gara più mortale,
Quanto credendo pausa ai sensi, pace;
Raddrizzandosi a danno l'altra furia,
Non seppi più chi, l'uragano o il sonno,
Mi logorava a suo deserto emblema.

D'àugure sciolse l'occhio allora emblema
Dando fuoco di me a sideree onde;
Fu, per arti virginee, angelo in sonno;
Di scienza accrebbe l'ansietà mortale;
Fu, al bacio, in cuore ancora tarlo in furia.
Senza più dubbi caddi né più pace.

Tale per sempre mi fuggì la pace;
Per strenua fedeltà decaddi a emblema

Di disperanza e, preda d'ogni furia,
Riscosso via via a insulti freddi d'onde,
Ingigantivo d'impeto mortale,
Più folle d'esse, folle sfida al sonno.

Erto più su più mi legava il sonno,
Dietro allo scafo a pezzi della pace
Struggeva gli occhi crudeltà mortale;
Piloto vinto d'un disperso emblema,
Vanità per riaverlo emulai d'onde;
Ma nelle vene già impietriva furia

Crescente d'ultimo e più arcano sonno,
E più su d'onde e emblema della pace
Così divenni furia non mortale.

VARIAZIONI SU NULLA

Quel nonnulla di sabbia che trascorre
Dalla clessidra muto e va posandosi,
E, fugaci, le impronte sul carnato,
Sul carnato che muore, d'una nube...

Poi mano che rovescia la clessidra,
Il ritorno per muoversi, di sabbia,
Il farsi argentea tacito di nube
Ai primi brevi lividi dell'alba...

La mano in ombra la clessidra volse,
E, di sabbia, il nonnulla che trascorre
Silente, è unica cosa che ormai s'oda
E, essendo udita, in buio non scompaia.

SEGRETO DEL POETA

Solo ho amica la notte.
Sempre potrò trascorrere con essa
D'attimo in attimo, non ore vane;
Ma tempo cui il mio palpito trasmetto
Come m'aggrada, senza mai distrarmene.

Avviene quando sento,
Mentre riprende a distaccarsi da ombre,
La speranza immutabile
In me che fuoco nuovamente scova
E nel silenzio restituendo va,
A gesti tuoi terreni
Talmente amati che immortali parvero,
Luce.

FINALE

Più non muggisce, non sussurra il mare,
Il mare.

Senza i sogni, incolore campo è il mare,
Il mare.

Fa pietà anche il mare,
Il mare.

Muovono nuvole irriflesse il mare,
Il mare.

A fumi tristi cedé il letto il mare,
Il mare.

Morto è anche lui, vedi, il mare,
Il mare.

UN GRIDO E PAESAGGI
1939-1952

a Jean Paulhan

MONOLOGHETTO

Sotto le scorze, e come per un vuoto,
Di già gli umori si risentono,
Si snodano, delirando di gemme:
Conturbato, l'inverno nel suo sonno,
Motivo dando d'essere
Corto al Febbraio, e lunatico,
Più non è, nel segreto, squallido;
Come di sopra a un biblico disastro,
Nelle apparenze, il velario si leva
Lungo un lido, che da quell'attimo
Si scruta per ripopolarsi:
Di tanto in tanto riemergenti brusche
Si susseguono torri;
Erra, di nuovo in cerca d'Ararat,
Con solitudini salpata l'arca;
Ai colombai risale l'imbianchino.
Sopra i ceppi del roveto dimoia
Per la Maremma
E
Qua e là spargersi s'ode,
Di volatili in cova,
Bisbigli, pigolii;
Da Foggia la vettura
A Lucera correndo
Con i suoi fari inquieta
I redi negli stabbi;
Dentro i monti còrsi, a Vivario,
Uomini intorno al caldo a veglia
Chiusi sotto il lume a petrolio nella stanza,
Con i bianchi barboni sparsi

Sulle mani poggiate sui bastoni,
Morsicando lenti la pipa
Ors'Antone che canta ascoltano,
Accompagnato dal sussurro della rivergola
Vibrante di tra i denti
Del ragazzo Ghiuvanni:

Tantu lieta è la sua sorte
Quantu torbida è la mia.

Di fuori infittisce uno scalpiccìo
Frammischiato a urla e gorgoglio
Di suini che portano a scannare, scannano,
Principiando domani Carnevale,
E con immoto vento ancora nevica.
Lasciate dietro tre pievi minuscole
Sul pendio scaglionate
Con i tetti rossi di tegole
Le case più recenti
E,
Coperte di lavagna,
Le più vecchie quasi invisibili
Nella confusione dell'alba,
L'aromatica selva
Di Vizzavona si attraversa
Senza mai scorgerne dai finestrini
I larici se non ai tronchi,
E per brandelli,
E
Da Levante si passa poi dei monti,
E l'autista anche a voce il serpeggìo:

Sulìa, umbrìa, umbrìa,

Segue, se lo ripete
E, o a Levante o a Ponente, sempre in monti,
Torna il nodo a alternarsi e, peggio,

La clausura distesa:
Non ne dovrà la noia mai finire?
E,
A più di mille metri
D'altezza, la macchina infila
Una strada ottenuta nel costone,
Stretta, ghiacciata,
Sporta sul baratro.
Il cielo è un cielo di zaffiro
E ha quel colore lucido
Che di questo mese gli spetta,
Colore di Febbraio,
Colore di speranza.
Giù, giù, arriva fino
A Ajaccio, un tale cielo,
Che intirizzisce, ma non perché freddo,
Perché è sibillino;
Giù, arriva giù, un tale
Cielo, fino a attorniare un mare buio
Che nelle viscere si soffoca
Il mugghiare continuo,
Ed incede il Neptunia.
A Pernambuco attracca
E,
Tra le barchette in dondolo,
E titubanti chiattole
Sul lustro elastico dell'acqua,
Nel breve porto impone, nero,
L'ingombro svelto del suo netto taglio.
Ovunque, per la scala della nave,
Per le strade gremite,
Sui predellini del tramvai,
Non c'è più nulla che non balli,
Sia cosa, sia bestia, sia gente,
Giorno e notte, e notte
E giorno, essendo Carnevale.
Ma meglio di notte si balla,

Quando, uggiosi alle tenebre,
Dalla girandola dei fuochi, fiori,
Complici della notte,
Moltiplicandone gli equivoci,
Tra cielo e terra grandinano
Screziando la marina livida.
Si soffoca dal caldo:
L'equatore è a due passi.
Non penò poco l'Europeo a assuefarsi
Alle stagioni alla rovescia,
E, più che mai, facendosi
Il suo sangue meticcio:
Non è Febbraio il mese degli innesti?
E ancora più penò,
Il suo sangue, facendosi mulatto
Nel maledetto aggiogamento
D'anime umane a lavoro di schiavi;
Ma, nella terra australe,
Giunse alla fine a mettere a un solleone,
La propria più inattesa maschera.
Non smetterà più di sedurre
Questo Febbraio falso
E,
Fradici di sudore e lezzo,
Stralunati si balli senza posa
Cantando di continuo, raucamente,
Con l'ossessiva ingenuità qui d'uso:

Ironia, ironia
Era só o que dizia.

Il ricordare è di vecchiaia il segno,
Ed oggi alcune soste ho ricordate
Del mio lungo soggiorno sulla terra,
Successe di Febbraio,
Perché sto, di Febbraio, alla vicenda
Più che negli altri mesi vigile.

Gli sono più che alla mia stessa vita
Attaccato per una nascita
Ed una dipartita;
Ma di questo, non è momento di parlare.
E anch'io di questo mese nacqui.
Era burrasca, pioveva a dirotto
A Alessandria d'Egitto in quella notte,
E festa gli Sciiti
Facevano laggiù
Alla luna detta degli amuleti:
Galoppa un bimbo sul cavallo bianco
E a lui dintorno in ressa il popolo
S'avvince al cerchio dei presagi.
Adamo ed Eva rammemorano
Nella terrena sorte istupiditi:
È tempo che s'aguzzi
L'orecchio a indovinare,
E una delle Arabe accalcate, scatta,
Fulmine che una roccia graffia
Indica e, con schiumante bocca, attesta:

Un mahdi, ancora informe nel granito,
Delinea le sue braccia spaventose;

Ma mia madre, Lucchese,
A quella uscita ride
Ed un proverbio cita:

Se di Febbraio corrono i viottoli,
Empie di vino e olio tutti i ciottoli.

Poeti, poeti, ci siamo messi
Tutte le maschere;
Ma uno non è che la propria persona.
Per atroce impazienza
In quel vuoto che per natura
Ogni anno accade di Febbraio

Sul lunario fissandosi per termini:
Il giorno della Candelora
Con il riapparso da penombra
Fioco tremore di fiammelle
Di sull'ardore
Di poca cera vergine,
E il giorno, dopo qualche settimana,
Del *Sei polvere e ritornerai in polvere*;
Nel vuoto, e per impazienza d'uscirne,
Ognuno, e noi vecchi compresi
Con i nostri rimpianti,
E non sa senza propria prova niuno
Quanto strozzi illusione
Che di solo rimpianto viva;
Impaziente, nel vuoto, ognuno smania,
S'affanna, futile,
A reincarnarsi in qualche fantasia
Che anch'essa sarà vana,
E ne è sgomento,
Troppo in fretta svariando nei suoi inganni
Il tempo, per potersene ammonire.
Solo ai fanciulli i sogni s'addirebbero:
Posseggono la grazia del candore
Che da ogni guasto sana, se rinnova
O se le voci in sé, svaria d'un soffio.
Ma perché fanciullezza
È subito ricordo?
Non c'è, altro non c'è su questa terra
Che un barlume di vero
E il nulla della polvere,
Anche se, matto incorreggibile,
Incontro al lampo dei miraggi
Nell'intimo e nei gesti, il vivo
Tendersi sembra sempre.

GRIDASTI: SOFFOCO

Non potevi dormire, non dormivi...
Gridasti: Soffoco...
Nel viso tuo scomparso già nel teschio,
Gli occhi, che erano ancora luminosi
Solo un attimo fa,
Gli occhi si dilatarono... Si persero...
Sempre ero stato timido,
Ribelle, torbido; ma puro, libero,
Felice rinascevo nel tuo sguardo...
Poi la bocca, la bocca
Che una volta pareva, lungo i giorni,
Lampo di grazia e gioia,
La bocca si contorse in lotta muta...
Un bimbo è morto...

Nove anni, chiuso cerchio,
Nove anni cui né giorni, né minuti
Mai più s'aggiungeranno:
In essi s'alimenta
L'unico fuoco della mia speranza.
Posso cercarti, posso ritrovarti,
Posso andare, continuamente vado
A rivederti crescere
Da un punto all'altro
Dei tuoi nove anni.
Io di continuo posso,
Distintamente posso
Sentirti le mani nelle mie mani:
Le mani tue di pargolo
Che afferrano le mie senza conoscerle;

Le tue mani che si fanno sensibili,
Sempre più consapevoli
Abbandonandosi nelle mie mani;
Le tue mani che diventano secche
E, sole – pallidissime –
Sole nell'ombra sostano...
La settimana scorsa eri fiorente...

Ti vado a prendere il vestito a casa,
Poi nella cassa ti verranno a chiudere
Per sempre. No, per sempre
Sei animo della mia anima, e la liberi.
Ora meglio la liberi
Che non sapesse il tuo sorriso vivo:
Provala ancora, accrescile la forza,
Se vuoi – sino a te, caro! – che m'innalzi
Dove il vivere è calma, è senza morte.

Sconto, sopravvivendoti, l'orrore
Degli anni che t'usurpo,
E che ai tuoi anni aggiungo,
Demente di rimorso,
Come se, ancora tra di noi mortale,
Tu continuassi a crescere;
Ma cresce solo, vuota,
La mia vecchiaia odiosa...

Come ora, era di notte,
E mi davi la mano, fine mano...
Spaventato tra me e me m'ascoltavo:
È troppo azzurro questo cielo australe,
Troppi astri lo gremiscono,
Troppi e, per noi, non uno familiare...

(Cielo sordo, che scende senza un soffio,
Sordo che udrò continuamente opprimere
Mani tese a scansarlo...)

SVAGHI

1

L'altra mattina, le mie dita si sorpresero a sfogliare il registro dove conservo i ritagli dei miei vecchi articoli alla « Gazzetta del Popolo », e mi attirò una descrizione della Primavera. Stagione bellissima, bella; ma crudele nel manifestarsi. Mi misi a rilavorare quel passo, tornai a meditare su quel tema. Certamente fu uno svago, e ci rimasi ancora impigliato quando, nel sogno a occhi aperti, la fila dei ragazzi in bicicletta già essendo davanti all'Aia e accelerando la corsa verso la Reggia, mi trattenni a riaspettare che ricalasse la notte olandese, e, affaccendata nel silenzio, la riudissi.

VOLARONO
Amsterdam, Marzo 1933

Di sopra dune in branco pavoncelle
Volarono e, quella sera, troppo vitrea,
Si ruppe con metallici riflessi
A lampi verdi, turchini, porporini.
Pavoncelle calate qui,
In Sardegna svernato, l'altro giorno.
Le odo, mentre camminano non viste,
Che, frugando se capiti un lombrico,
Per non smarrirsi, di già è buio, stridono.
Tornate al nido, all'alba domattina,
Lo troveranno vuoto,
E la prima dozzina degli ovetti
Scovati (« Zitti! » « Piano! ») dai monelli,

Si porta in bicicletta a Guglielmina,
È Primavera.

È DIETRO
Amsterdam, Marzo 1933

È dietro le casipole il porticciuolo
Con i burchielli pronti a scivolare
Dentro strette lunghissime di specchi,
E una vela, farfalla colossale,
Ha raso l'erba e, dietro le casipole,
Va gente, con le vetrici s'intreccia,
Nelle nasse si schiudono occhi, va...

2

Una ciliegia, s'usa dire, tira l'altra, e nella memoria – nella memoria e nel sogno a occhi aperti – una seconda Primavera accorse.

Fu a Ravenna, sul finire dello scorso Marzo. Nel Mausoleo di Galla Placidia, l'azzurro intenso fino alla disperazione, può, per l'intimo furore del fuoco, fondersi e polverizzarsi in raggi; può, fuori, sbiadirsi l'azzurro, essere il cielo celeste, azzurro quasi bianco, diafano, assetante, come in perenne senza macchia, persino come intollerante che a placarlo avvenga s'azzardi il posarsi carezzevole d'un nonnulla di nube; l'azzurro può persino guastarsi, riflettendosi alla lastra d'acqua impaziente di già d'affiorare, lucida, sull'erba, o, nel Sepolcro di Teodorico, glauca, inviscidendo il muro, acqua ricordo corrotto, ricordo, sterile più che mai, dell'azzurro, oppure, secondo i momenti, livida, acqua in crescente annebbiamento per assenza, per l'approfondirsi dello smarrimento per l'assenza dell'azzurro, lastra d'acqua colore occhi morti; può esserci attorno tutto questo vario azzurro d'inarrivabile bellezza, ma l'amore quando insorge nei giovani è indifferente a tutto fuorché a sé stesso, ed ha ragione. Ci si accorge dell'azzurro – è verità – quando l'amore non può essere che malinconia, quando ogni luogo pare non ospitare più se non malinconia.

Ah, dimenticavo: i colombi qui non vogliono essere che giovani colombi: per colore cangiante e per gesta, fremano essi dai sassolini dei mosaici o corrano pei campi o sui lastrici, sono animali veri, proprio animali – vi stupisce? – nel senso ornitologico della parola anche se – si somigliano nella brama fisica tutti gli animali – arrivino a parermi antropomorfi, se fantastico.

SALTELLANO
Ravenna, Marzo 1952

Saltellano coi loro passettini
E mai non veglieranno, castamente:
Essi sono colombi. Né l'azzurro
(Che da ori evade e minii,
Si posa su erbe, avviva
Orme come di chiocciola,
Viola stana, protrae)
S'incanti tutto solo,
O strisci, brancoli, persista cupo,
Può giungere a distorli
Dal mutuo folle loro dichiararsi.

3

Mi soffermai poi a guardare Pleiadi, *la recente raccolta di frammenti di lirica greca apparsa in Roma con l'ottimo commento di Filippo Maria Pontani, e, sempre per svagarmi, mi provai a indovinare per eventuali miei versi qualche nuova combinazione metrica.*

Mi resi alla fine conto che una strofa formata d'endecasillabi e d'ottonari che trovassero la massima energia alla settima sillaba, e gli altri accenti alla prima, alla quarta e alla decima, poteva contenere uno sviluppo ritmico di straordinaria gravità. Fu questo movimento ritmico divenutomi ossessivo nell'udito, che l'animo alla fine dovette esigere articolasse le parole che fra poco udrete. Esercizio metrico nel senso tecnico, esso è, e non solo. Mi vuole di più rammentare la misura che all'uomo è il suo corpo provvisorio. Indispensabile misura essendo il corpo lo strumento con il quale l'uomo si foggia la sua realtà immortale; ma, a sorte definita di quell'umana persona cui appartiene, cui segna il tempo, il corpo va in nulla. E se, anche a un vecchio, è terrorizzante l'ora della scissura, un vecchio è già tanto staccato dal corpo, lo sente tanto già come un peso che può succedergli di sognare la liberazione da quel peso, di sospirare il riposo finalmente per il corpo, l'acquisto per l'anima d'un'infinita leggerezza.

ESERCIZIO DI METRICA

Roma, il 15 Luglio 1952

Temi perché di in te udire,
Senza più illuderti, avvisi
Della rodente invadente
Terra? La culla tua solo era immagine
Di sepoltura, e credesti, gran frivolo,
Te moscerino alla fiamma uguagliasse.
L'urto patito che scinde,
Sorte ripresati Eterno, se, già
Fetida, l'alvo reclami che
È orrido a ingenui, la spoglia tua,
Giù essa sarà, dal suo mistero esule,
Sparsa nel sonno, non sozza, vera.

SEMANTICA

Come dovunque in Amazzonia, qua
L'angìco abbonda, e già scoprirsi vedi
Alcuni piedi di sapindo,
Il libarò dei Guaranì;
E, di rado, di qui o di là,
I cautsciò si adunano in boschetti,
Riposo all'ombra sospirata d'alberi
Di fusto dritto ed alto,
Di scorza come d'angue,
Cari ai Cambebba.
Di lontano li scorgi
Mentre più torrido t'opprime il chiaro
E più ti lega il tedio
E gira moltitudine famelica
Di moschine invisibili,
Quando, di fitte foglie a tre per tre,
Con luccichio ti svelano verdissimo
D'un subito le cupole e la stanza,
Tremuli fino al suolo.
Sai che vi dondola per te un'amaca.
I tronchi ne feriscono e, col succo,
Zufoli ed otri plasmano quegli Indi;
Oggetti il cui destino conviviale
Nel Settecento nominare fa
A Portoghesi lepidi
Seringueira, l'appiccicosa pianta,
E dirne la sostanza,
Arcadi cocciuti, seringa,
Chi la va raccogliendo, seringueiro,
L'irrequieto boschetto, seringal,
Con suoni ormai solo da clinica,

IL TACCUINO DEL VECCHIO
1952-1960

ULTIMI CORI PER LA TERRA PROMESSA

Roma, 1952-1960

1

Agglutinati all'oggi
I giorni del passato
E gli altri che verranno.

Per anni e lungo secoli
Ogni attimo sorpresa
Nel sapere che ancora siamo in vita,
Che scorre sempre come sempre il vivere,
Dono e pena inattesi
Nel turbinìo continuo
Dei vani mutamenti.

Tale per nostra sorte
Il viaggio che proseguo,
In un battibaleno
Esumando, inventando
Da capo a fondo il tempo,
Profugo come gli altri
Che furono, che sono, che saranno.

2

Se nell'incastro d'un giorno nei giorni
Ancora intento mi rinvengo a cogliermi
E scelgo quel momento,
Mi tornerà nell'animo per sempre.

La persona, l'oggetto o la vicenda
O gl'inconsueti luoghi o i non insoliti

Che mossero il delirio, o quell'angoscia,
O il fatuo rapimento
Od un affetto saldo,
Sono, immutabili, me divenuti.

Ma alla mia vita, ad altro non più dedita
Che ad impaurirsi cresca,
Aumentandone il vuoto, ressa di ombre
Rimaste a darle estremi
Desideri di palpito,
Accadrà di vedere
Espandersi il deserto
Sino a farle mancare
Anche la carità feroce del ricordo?

3

Quando un giorno ti lascia,
Pensi all'altro che spunta.

È sempre pieno di promesse il nascere
Sebbene sia straziante
E l'esperienza d'ogni giorno insegni
Che nel legarsi, sciogliersi o durare
Non sono i giorni se non vago fumo.

4

Verso meta si fugge:
Chi la conoscerà?

Non d'Itaca si sogna
Smarriti in vario mare,
Ma va la mira al Sinai sopra sabbie
Che novera monotone giornate.

5

Si percorre il deserto con residui
Di qualche immagine di prima in mente,

Della Terra Promessa
Nient'altro un vivo sa.

6

All'infinito se durasse il viaggio,
Non durerebbe un attimo, e la morte
È già qui, poco prima.

Un attimo interrotto,
Oltre non dura un vivere terreno:

Se s'interrompe sulla cima a un Sinai,
La legge a chi rimane si rinnova,
Riprende a incrudelire l'illusione.

7

Se una tua mano schiva la sventura,
Con l'altra mano scopri
Che non è il tutto se non di macerie.

È sopravvivere alla morte, vivere?

Si oppone alla tua sorte una tua mano,
Ma l'altra, vedi, subito t'accerta
Che solo puoi afferrare
Bricioli di ricordi.

8

Sovente mi domando
Come eri ed ero prima.

Vagammo forse vittime del sonno?

Gli atti nostri eseguiti
Furono da sonnambuli, in quei tempi?

Siamo lontani, in quell'alone d'echi,
E mentre in me riemergi, nel brusìo
Mi ascolto che da un sonno ti sollevi
Che ci previde a lungo.

9

Ogni anno, mentre scopro che Febbraio
È sensitivo e, per pudore, torbido,
Con minuto fiorire, gialla irrompe
La mimosa. S'inquadra alla finestra
Di quella mia dimora d'una volta,
Di questa dove passo gli anni vecchi.

Mentre arrivo vicino al gran silenzio,
Segno sarà che niuna cosa muore
Se ne ritorna sempre l'apparenza?

O saprò finalmente che la morte
Regno non ha che sopra l'apparenza?

10

Le ansie, che mi hai nascoste dentro gli occhi,
Per cui non vedo che irrequiete muoversi
Nel tuo notturno riposare sola,
Le tue memori membra,
Tenebra aggiungono al mio buio solito,
Mi fanno più non essere che notte,
Nell'urlo muto, notte.

11

È nebbia, acceca vaga, la tua assenza,
È speranza che logora speranza,

Da te lontano più non odo ai rami
I bisbigli che prodigano foglie
Con ugole novizie
Quando primaverili arsure provochi
Nelle mie fibre squallide.

12

L'Ovest all'incupita spalla sente
Macchie di sangue che si fanno larghe,
Che, dal fondo di notti di memoria,
Recuperate, in vuoto
S'isoleranno presto,
Sole sanguineranno.

13

Rosa segreta, sbocci sugli abissi
Solo ch'io trasalisca rammentando
Come improvvisa odori
Mentre si alza il lamento.

L'evocato miracolo mi fonde
La notte allora nella notte dove
Per smarrirti e riprenderti inseguivi,
Da libertà di più
In più fatti roventi,
L'abbaglio e l'addentare.

14

Somiglia a luce in crescita,
Od al colmo, l'amore.

Se solo d'un momento
Essa dal Sud si parte,
Già puoi chiamarla morte.

15

Se voluttà li cinge,
In cerca disperandosi di chiaro
Egli in nube la vede
Che insaziabile taglia
A accavallarsi d'uragani, freni.

16

Da quella stella all'altra
Si carcera la notte
In turbinante vuota dismisura,

Da quella solitudine di stella
A quella solitudine di stella.

17

Rilucere inveduto d'abbagliati
Spazi ove immemorabile
Vita passano gli astri
Dal peso pazzi della solitudine.

18

Per sopportare il chiaro, la sua sferza,
Se il chiaro apparirà,

Per sopportare il chiaro, per fissarlo
Senza battere ciglio,
Al patire ti addestro,
Espìo la tua colpa,

Per sopportare il chiaro
La sferza gli contrasto
E ne traggo presagio che, terribile,
La nostra diverrà sublime gioia!

19

Veglia e sonno finiscano, si assenti
Dalla mia carne stanca,
D'un tuo ristoro, senza tregua spasimo.

20

Se fossi d'ore ancora un'altra volta ignaro,
Forse succederà che di quel fremito
Rifrema che in un lampo ti faceva
Felice, priva d'anima?

21

Darsi potrà che torni
Senza malizia, bimbo?

Con occhi che non vedano
Altro se non, nel mentre a luce guizza,
Casta l'irrequietezza della fonte?

22

È senza fiato, sera, irrespirabile,
Se voi, miei morti, e i pochi vivi che amo,
Non mi venite in mente
Bene a portarmi quando
Per solitudine, capisco, a sera.

23

In questo secolo della pazienza
E di fretta angosciosa,
Al cielo volto, che si doppia giù
E più, formando guscio, ci fa minimi
In sua balìa, privi d'ogni limite,
Nel volo dall'altezza
Di dodici chilometri vedere
Puoi il tempo che s'imbianca e che diventa
Una dolce mattina,
Puoi, non riferimento
Dall'attorniante spazio
Venendo a rammentarti
Che alla velocità ti catapultano
Di mille miglia all'ora,
L'irrefrenabile curiosità
E il volere fatale
Scordandoti dell'uomo
Che non saprà mai smettere di crescere
E cresce già in misura disumana,
Puoi imparare come avvenga si assenti
Uno, senza mai fretta né pazienza
Sotto veli guardando
Fino all'incendio della terra a sera.

24

Mi afferri nelle grinfie azzurre il nibbio
E, all'apice del sole,
Mi lasci sulla sabbia
Cadere in pasto ai corvi.

Non porterò più sulle spalle il fango,
Mondo mi avranno il fuoco,
I rostri crocidanti
L'azzannare afroroso di sciacalli.

Poi mostrerà il beduino,
Dalla sabbia scoprendolo
Frugando col bastone,
Un ossame bianchissimo.

25

Calava a Siracusa senza luna
La notte e l'acqua plumbea
E ferma nel suo fosso riappariva,

Soli andavamo dentro la rovina,

Un cordaro si mosse dal remoto.

26

Soffocata da rantoli scompare,
Torna, ritorna, fuori di sé torna,
E sempre l'odo più addentro di me
Farsi sempre più viva,
Chiara, affettuosa, più amata, terribile,
La tua parola spenta.

27

L'amore più non è quella tempesta
Che nel notturno abbaglio
Ancora mi avvinceva poco fa
Tra l'insonnia e le smanie,

Balugina da un faro
Verso cui va tranquillo
Il vecchio capitano.

CANTETTO SENZA PAROLE

Roma, Ottobre 1957

1

A colomba il sole
Cedette la luce...

Tubando verrà,
Se dormi, nel sogno...

La luce verrà,
In segreto vivrà...

Si saprà signora
D'un grande mare
Al primo tuo sospiro...

Già va rilucendo
Mosso, quel mare,
Aperto per chi sogna...

2

Non ha solo incanti
La luce che carceri..

Ti parve domestica,
Ad altro mirava...

Dismisura sùbito,
Volle quel mare abisso...

Titubasti, il volo

In te smarrì,
Per eco si cercò...

L'ira in quel chiamare
Ti sciupa l'anima,
La luce torna al giorno...

CANTO A DUE VOCI

Roma, Domenica-Giovedì 10-14 Maggio 1959

PRIMA VOCE

Il cuore mi è crudele:

Ama né altrove troveresti fuoco

Nel rinnovargli strazi tanto vigile:

Lontano dal tuo amore

Soffocato da tenebra si avventa

E quando, per guardare nel suo baratro,

Arretri smemorandoti

In te gli occhi e l'agguanti,

Lo fulmina la brama,

L'unica luce sua che dal segreto

Suo incendio può guizzare.

ALTRA VOCE

Più nulla gli si può nel cuore smuovere,

Più nel suo cuore nulla

Se non acri sorprese del ricordo

In una carne logora?

PER SEMPRE

Roma, il 24 Maggio 1959

Senza niuna impazienza sognerò,
Mi piegherò al lavoro
Che non può mai finire,
E a poco a poco in cima
Alle braccia rinate
Si riapriranno mani soccorrevoli,
Nelle cavità loro
Riapparsi gli occhi, ridaranno luce,
E, d'improvviso intatta
Sarai risorta, mi farà da guida
Di nuovo la tua voce,
Per sempre ti rivedo.

APOCALISSI
Roma, 3 gennaio-23 giugno 1961

1

Da una finestra trapelando, luce
Il fastigio dell'albero segnala
Privo di foglie.

2

Se unico subitaneo l'urlo squarcia [1]
L'alba, riapparso il nostro specchio solito,
Sarà perché del vivere trascorse
Un'altra notte all'uomo
Che d'ignorarlo supplica
Mentre l'addenta di saperlo l'ansia?

3

Di continuo ti muovono pensieri,
Palpito, cui, struggendoli, dai moto.

4

La verità, per crescita di buio
Più a volarle vicino s'alza l'uomo,
Si va facendo la frattura fonda.

[1] *o a scelta*:
Se d'improvviso l'urlo squarcia unico

PROVERBI
Roma, 1966-1969

UNO

Roma, a letto, dormicchiando,
nella notte tra il 27 e il 28 giugno 1966

S'incomincia per cantare
E si canta per finire

DUE

È nato per cantare
Chi dall'amore muore.

È nato per amare
Chi dal cantare muore.

TRE

Chi è nato per cantare
Anche morendo canta.

QUATTRO

Chi nasce per amare
D'amore morirà.

CINQUE

Nascendo non sai nulla,
Vivendo impari poco,
Ma forse nel morire ti parrà

Che l'unica dottrina
Sia quella che si affina
Se in amore si segrega.

SEI

Potremmo seguitare.

DIALOGO
1966-1968

Ungà

12 SETTEMBRE 1966

Sei comparsa al portone
In un vestito rosso
Per dirmi che sei fuoco
Che consuma e riaccende.

Una spina mi ha punto
Delle tue rose rosse
Perché succhiassi al dito,
Come già tuo, il mio sangue.

Percorremmo la strada
Che lacera il rigoglio
Della selvaggia altura,
Ma già da molto tempo
Sapevo che soffrendo con temeraria fede,
L'età per vincere non conta.

Era di lunedì,
Per stringerci le mani
E parlare felici
Non si trovò rifugio
Che in un giardino triste
Della città convulsa.

STELLA

Stella, mia unica stella,
Nella povertà della notte, sola,
Per me, solo, rifulgi,
Nella mia solitudine rifulgi;
Ma, per me, stella
Che mai non finirai d'illuminare,
Un tempo ti è concesso troppo breve,
Mi elargisci una luce
Che la disperazione in me
Non fa che acuire.

È ORA FAMELICA

È ora famelica, l'ora tua, matto.

Strappati il cuore.

Sa il suo sangue di sale
E sa d'agro, è dolciastro essendo sangue.

Lo fanno, tanti pianti,
Sempre di più saporito, il tuo cuore.

Frutto di tanti pianti, quel tuo cuore,
Strappatelo, mangiatelo, saziati.

DONO

Ora dormi, cuore inquieto,
Ora dormi, su, dormi.

Dormi, inverno
Ti ha invaso, ti minaccia,
Grida: « T'ucciderò
E non avrai più sonno ».

La mia bocca al tuo cuore, stai dicendo,
Offre la pace,
Su, dormi, dormi in pace,
Ascolta, su, l'innamorata tua,
Per vincere la morte, cuore inquieto.

HAI VISTO SPEGNERSI

A solitudine orrenda tu presti
Il potere di corse dentro l'Eden,
Amata donatrice.

Hai visto spegnersi negli occhi miei
L'accumularsi di tanti ricordi,
Ogni giorno di più distruggitori,
E un unico ricordo

Formarsi d'improvviso.
L'anima tua l'ha chiuso nel mio cuore
E ne sono rinato.

A solitudine che fa spavento
Offri il miracolo di giorni liberi.

Redimi dall'età, piccola generosa.

LA CONCHIGLIA

1

A conchiglia del buio
Se tu, carissima, accostassi
Orecchio d'indovina,
Per forza ti dovresti domandare:
« Tra disperdersi d'echi,
Da quale dove a noi quel chiasso arriva? »

D'un tremito il tuo cuore ammutirebbe
Se poi quel chiasso,
Dagli echi generato, tu scrutassi
Insieme al tuo spavento nell'udirlo.

Dice la sua risposta a chi l'interroga:
« Insopportabile quel chiasso arriva
Dal racconto d'amore d'un demente;
Ormai è unicamente percettibile
Nell'ora degli spettri ».

2

Su conchiglia del buio
Se tu, carissima, premessi orecchio
D'indovina: « Da dove – mi domanderesti –
Si fa strada quel chiasso
Che, tra voci incantevoli,
D'un tremito improvviso agghiaccia il cuore? ».

Se tu quella paura,
Se tu la scruti bene,

Mia timorosa amata,
Narreresti soffrendo
D'un amore demente
Ormai solo evocabile
Nell'ora degli spettri.

Soffriresti di più
Se al pensiero ti dovesse apparire
Oracolo, quel soffio di conchiglia,
Che annunzia il rammemorarsi di me
Già divenuto spettro
In un non lontano futuro.

LA TUA LUCE

Scompare a poco a poco, amore, il sole
Ora che sopraggiunge lunga sera.

Con uguale lentezza dello strazio
Farsi lontana vidi la tua luce
Per un non breve nostro separarci.

IL LAMPO DELLA BOCCA

Migliaia d'uomini prima di me,
Ed anche più di me carichi d'anni,
Mortalmente ferì
Il lampo d'una bocca.

Questo non è motivo
Che attenuerà il soffrire.

Ma se mi guardi con pietà,
E mi parli, si diffonde una musica,
Dimentico che brucia la ferita.

SUPERSTITE INFANZIA

1

Un abbandono mi afferra alla gola
Dove mi è ancora rimasta l'infanzia.

Segno della sventura da placare.

Quel chiamare paziente
Da un accanito soffrire strozzato
È la sorte dell'esule.

2

Ancora mi rimane qualche infanzia.

Di abbandonarmi ad essa è il modo mio
Quel fuori di me correre
Stretto alla gola.

Sorte sarà dell'esule?

È per la mia sventura da placare
Il correre da cieco,
L'irrompente chiamarti di continuo
Strozzato dal soffrire.

Repliche di Bruna

13 SETTEMBRE 1966

Le mani con un tremito
Del telefono stringevano il filo;
Mi aveva poco prima
Recato la tua voce
Che mi diceva addio.

Un vagante raggio ebbe la luce,
Tenue filo dell'anima
Del mio bacio donato
Solo dal desiderio.

Ma dall'esilio ci libererà
L'ostinato mio amore.

SÃO PAULO

Drusiaca città, celandoti notturna,
Amorevole accogli l'inquieto mio vagare.

Con la fuggita luce, morirono i colori
E più non appartiene il vivere
Che a rincorse di spettri.

Il pensiero nei ricordi s'affoga
E il passo mi accompagna solo l'ombra.

VARIAZIONI SUL TEMA DELLA ROSA

1

Gioventù,
Eco bugiarda,
Violenta e breve,
Desiderio, poi subito
Solo ricordi.

Rompi l'ironica parete,
Lascia al cuore la scelta del destino.

Non temere,
Possiedi già un sostegno,
Quel suo vecchio bastone
Sul quale si appoggiava,
Donato con le rose.

2

Mi aspettavi paziente
Predestinato amore,
T'inseguivo sperduta
Dal primo mio dolore.

Nel rincorrere l'immagine sognata
Mille cadute.

Mi vestiva le membra solo il sangue,
Si spegnevano gli occhi,
Le mani consumate
Si chiudevano invano,

Periva il cuore.
La tenace tua carezza
Allontanò le tenebre,
Le lacrime frenate a lungo
Sgorgarono felici.

Il tuo amore fece germogliare
Sulle spine domate un fiore rosso
Che affido alle tue mani.

Ma già dall'orizzonte accenni addio
Con la tua mano tutta insanguinata.
L'ha punta la rosa donata
Che nutrendo si va di pianto.

Inguantata di sangue
Saluta la tua mano.

3

Dolorosa rincorsa
Dell'immagine amata.

Mattutino risveglio
Nella realtà del sogno
Di un cuore che moriva
In torturante attesa.

Dolce è rinascere
Tra innamorate braccia
Dopo il vagare inquieto.

Fuggì la luce,
Morirono i colori.
Il vivere ora spetta
Solo ai ricordi.

Macerano il pensiero.

4

Predestinata attesa
D'un inseguito sogno,
Alla sete assetata
Ascesa di Calvario.

Per palpiti di protettore amore
Poi, all'orizzonte brullo rinverdito,
Da tanta tenera carezza attratto
Un cuore morto ha ritrovato il battito.

5

Dolorosa rincorsa
Dell'immagine amata.

Mattutino risveglio
In realtà di sogno
D'un cuore agonizzante nell'attesa.

Dolce il rinascere
Tra braccia d'amore.

Ma quella mano che riaccese un cuore
Spegne ora il sogno
Accennando addio.

Mano bagnata da gocce di sangue.
Sangue che è solo di spina di rosa,
Rosa punta dalla stessa spina
Se piange d'amore.

SOLITUDINE

Di giorno mi protegge solitudine
E quando è notte mi fa scudo angoscia.

Nell'ombra mia sigillo il tuo pensiero
Ed è il suo scrigno un'anima fanciulla.

Del primo incontro l'attimo passò
E, breve, il tuo ritorno l'indomani
Mi ha chiuso come in tumulo di secoli.

COLORE D'OMBRA

1

Del colore dell'ombra
Si dipinge la sera
Interminabile per me
Da te lontana.

Occhi, cuore, anima pungolano
Quell'insistente desiderio
Che vuole che ti chiami.

2

D'un colore d'ombra si velano
Cuore, anima e occhi
Persi nella sera
D'attesa interminabile.

3

Ombra è il colore
Del cuore, degli occhi, dell'anima,
In un'attesa senza fine, persi.

4

Cuore, anima e occhi,
Ombre nell'inoltrata notte, aspettano.

NUOVE
1968-1970

PER I MORTI DELLA RESISTENZA

Qui
Vivono per sempre
Gli occhi che furono chiusi alla luce
Perché tutti
Li avessero aperti
Per sempre
Alla luce

SOLILOQUIO

Gennaio-Febbraio 1969

I

Cercata in me ti ho a lungo,
Non ti trovavo mai,
Poi universo e vivere
In te mi si svelarono.

Quel giorno fui felice,
Ma il giubilo del cuore
Trepido mi avvertiva
Che non ne ero mai sazio.

Fu uno smarrirmi breve,
Già dita tue di sonno,
Apice di pietà,
Mi accarezzano agli occhi.

Davi allora sollecita
Quella quiete infinita
Che dopo amare assale
Chi ne godé la furia.

II

Rifulge il sole in te
Con l'alba che è risorta.
Può ripiegarmi a credere
Un mare tanto lieto?

Oggi è il carnale inganno
Che va sciupando un cuore

Logoro dal delirio.

Lo delude ogni mira,
Non torna più che finto
Il miracolo, acceca.

III

Il mio amore per te
Fa miracoli, Amore,
E, quando credi d'essermi sfuggita,
Ti scopro che t'inganni, Amore mio,
A illuminarmi gli occhi
Tornando la purezza.

CROAZIA SEGRETA

Roma, Harvard, Parigi, Roma, dal 12 aprile al 16 luglio 1969

LE BOCCHE DI CATTARO

Quando persi mio padre, nel 1890, e avevo solo due anni, mia madre accolse in casa nostra, come una sorella maggiore, una vecchia donna, e fu la mia tenerissima, espertissima fata.

Era venuta tanti anni prima in Egitto dalle Bocche di Cattaro dove risiedeva, ma era per nascita più croata, se possibile, che non sia la gente delle Bocche.

Lo stupore che ci raggiunge dai sogni, m'insegnò lei a indovinarlo. Nessuno mai si rammenterà quanto se ne rammentava lei, di avventure incredibili, né meglio di lei le saprà raccontare per invadere la mente e il cuore d'un bambino con un segreto inviolabile che ancora oggi rimane fonte inesauribile di grazia e di miracoli, oggi che quel bimbo è ancora e sempre bimbo, ma bimbo di ottant'anni.

Ho ritrovato Dunja l'altro giorno, ma senza più le grinze d'un secolo d'anni che velandoli le sciupavano gli occhi rimpiccioliti, ma con il ritorno scoperto degli occhioni notturni, scrigni di abissi di luce.

Di continuo ora la vedo bellissima giovane, Dunja, nell'oasi apparire, e non potrà più attorno a me desolarmi il deserto, dove da tanto erravo.

Non ne dubito, prima induce a smarrimento di miraggi, Dunja, ma subito il bimbo credulo assurge a bimbo di fede, per le liberazioni che sempre frutterà la verità di Dunja.

Dunja, mi dice il nomade, *da noi, significa universo.* Rinnova occhi d'universo, Dunja.

DUNJA

Si volge verso l'est l'ultimo amore,
Mi abbuia da là il sangue
Con tenebra degli occhi della cerva
Che se alla propria bocca lei li volga
Fanno più martoriante
Vellutandola, l'ardere mio chiuso.

Arrotondìo d'occhi della cerva
Stupita che gli umori suoi volubili
Di avvincere con passi le comandino
Irrefrenabili di slancio.

D'un balzo, gonfi d'ira
Gli strappi, va snodandosi
Dal garbo della schiena
La cerva che diviene
Una leoparda ombrosa.

O, nuovissimo sogno, non saresti
Per immutabile innocenza innata
Pecorella d'insolita avventura?

L'ultimo amore più degli altri strazia,
Certo lo va nutrendo
Crudele il ricordare.

Sei qui. Non mi rechi l'oblio te
Che come la puledra ora vacilli,
Trepida Gambe Lunghe?

D'oltre l'oblio rechi
D'oltre il ricordo i lampi.

Capricciosa croata notte lucida
Di me vai facendo
Uno schiavo ed un re.

Un re? Più non saresti l'indomabile?

L'IMPIETRITO E IL VELLUTO

Roma, notte del 31 dicembre 1969 - mattina del 1° gennaio 1970

Ho scoperto le barche che molleggiano
Sole, e le osservo non so dove, solo.

Non accadrà le accosti anima viva.

Impalpabile dito di macigno
Ne mostra di nascosto al sorteggiato
Gli scabri messi emersi dall'abisso
Che recano, dondolo del vuoto,
Verso l'alambiccare
Del vecchissimo ossesso
La eco di strazio dello spento flutto
Durato appena un attimo
Sparito con le sue sinistre barche.

Mentre si avvicendavano
L'uno sull'altro addosso
I branchi annichiliti
Dei cavalloni del nitrire ignari,

Il velluto croato
Dello sguardo di Dunja,
Che sa come arretrarla di millenni,
Come assentarla, pietra
Dopo l'aggirarsi solito
Da uno smarrirsi all'altro,
Zingara in tenda di Asie,

Il velluto dello sguardo di Dunja
Fulmineo torna presente pietà.

DERNIERS JOURS
1919

La Guerre

POUR GUILLAUME APOLLINAIRE

en souvenir de la mort que nous avons accompagnée

en nous elle bondit hurle
et retombe

en souvenir des fleurs enterrées

NOCTURNE

volubilité des lumières au parcours
de ce flâneur

le ciel est perdu sous un air
de langueurs

or aux rameaux noirs pousse le printemps

à cette heure seul le poète l'entend

et le poète se soulève sous
le même effort d'éclat et de
communion

il passe discret parmi les immeubles clos

car son heure de veillée est de silence partout

il neige sur sa ville quittée

il regarde la candeur des campagnes se perdre
en langueurs

aucune violence ne dépasse celle qui prend un aspect
de froid et de mystère

seul au poète est accordé le martyre de s'a-
percevoir de l'ironie de Dieu

MÉLANCOLIE

un lointain vertige paludéen nous veillons

HIVER

comme une graine mon âme aussi a besoin du labour caché de cette saison

PRÉLUDE

un nom j'avais gravé sur cette poussière qu'on nomme mon cœur

un vent a passé sur ce désert qu'on nomme ma vie

et la poussière s'est éparpillée en nuée

PRAIRIE

la terre s'est voilée de tendres légèretés

comme une épouse offre étonnée à sa créature la pudeur souriante d'être mère

LA ROSÉE ILLUMINÉE

la terre se soulève de plaisir sous un soleil de violences gentilles

VOYAGE

je ne peux m'établir

à chaque nouveau climat je me retrouve une âme d'antan

en étranger je m'en détache

revenu en naissant d'époques trop vécues

jouir une seule minute de vie initiale

je cherche un pays innocent

VIE

corruption qui se pare d'illusions

LA SERÉNITÉ DE CE SOIR

après tant de nuages une à une se dévoilent les étoiles

je respire la fraîcheur que me laisse sur les lèvres la couleur attendrie du ciel

je m'aperçois avec douce tristesse une image qui passe

pris en un tour éternel

MILITAIRES

nous sommes tels qu'en automne sur l'arbre la feuille

NOSTALGIE

quand la nuit est au point de s'épanouir

peu avant le printemps

et rarement quelqu'un passe

sur Paris se blottit cette couleur de pleur qui nous défait les édifices et nous laisse la Seine sous un faix de reflets

en un coin de pont je contemple le silence illimité d'une enfant frêle

et je vis de sa maladie

et comme emportés nous sommes restés

HORIZON

cercle trouble où se mêle ciel à terre

de toute chose détaché comme pierre lancée

homme de chaque route ne possédais maison ni avenir ne possédais souvenir

loin du masque uniforme dit humanité seuls dans l'occulte mes yeux perdus

ne possédais que vagues roulant

dans un berceau d'air aux océans m'endormais comme innocent

ne possède que vestiges d'abîmes

la nuit s'écroulant n'apparaît plus
que monceaux de métal
hors mon silence

flottante enceinte de nuages ma vie qu'aucun amour ne délie

retour apparaît de soleil mourant

faut à ce poète quitter sa guitoune de rouille faut à ce poète se tracer par fauve terre gluant

ne plus attendre sans but

comme terre sous terre m'étendre

faut néant léger descendu aux yeux de ce poète

amour cri du sang que plus ce poète n'entend

mon sang coule comme eau d'étang
lourd

DE L'AUBE ET NOCTURNE

paisible étendue

succession d'îles dépeuplées

silence mélodieux

étouffant troupeau de prunelles fourmillant une ondulée lucidité

FIN MARS

nous portons une fatigue infinie

naturelle de l'effort occulte de ce commencement qui chaque année revient à la terre

NUIT D'ÉTÉ

la vase et le roc éclatent et s'élancent en fusées et cratères

le soleil ne met de fleurs qu'aux violences

au camp de la passion jaillit et vole un baiser

l'azur se nacre de luxure

un frais sourire m'unit au ciel étoilé

ÉBLOUISSEMENT

les gîtes et les êtres la verdure et les nuages le sable et les ruisseaux les métaux et les pierres la boue

et les volutes de la route qui râcle le mont et dans un précipice de vallées s'interrompt
mes yeux

tout se délie en gerbes d'arcs-en-ciel

CONCLUSION

une montagne de ténèbres sépare le temps d'avant du temps d'après

aussitôt qu'un de mes instants s'est écoulé j'en suis éloigné de mille et mille ans

partout me guette un réveil de regrets d'ancêtres

cette poésie a été mise en français

à Vauquois en juin
au Bois de Courton en juillet 1918
à Paris en janvier 1919

P-L-M
1914-1919

PERFECTIONS DU NOIR

à André Breton
pour le Mont de Piété

des échos
de bruits
nous arrivent
parfois
nous sommes si loin
de tout

des pigeons se promènent
confiants
sur le pavé
que la lune étend

sur tes mains
qui troublent
des antilopes ont appuyé leurs reins
et s'envolent

il ne reste qu'un nuage
qui se délie

le ciel se fait aride
comme l'acier

des maisons surgissent
et voguent
on les a perdues de vue
aucun ne sait l'itinéraire

l'albâtre des minarets
laisse à l'air
un roucoulement
de jasmins

un troupeau
d'hommes
débarqué
ronfle
parmi d'autres colis
une forte odeur
de cordages

quelqu'un est étendu
dans un fauteuil
d'air damasquiné

sur une corne de la lune
un corbeau
perché

ce n'est que l'effet
d'un bout
de nuage

leurs corps s'écoulaient
comme une huile
ils laissent leurs formes
à des caveaux de verre

avec mes dents
j'ai déchiré
tes artères

nous avons tant bu
et tant ri

le ciel se couvrait
de corbeaux

l'air a des coins
de gazon

frais

et le désert sonnait
comme l'airain

il ne reste
d'immobile
que des rangées de lumières
au fond du gouffre
et des sifflements
qui reviennent

sans maison
sans famille
sans famille
sans amours
sans amis
sans souvenirs
sans espoir
que vient-il faire ici

il est nu
comme la nuit
comme une pierre
au lit d'un fleuve
polie
comme une pierre
de volcan

où suis-je tombé

rongée
quelqu'un l'a cueillie
dans sa fronde

mettez donc de côté
cet objet
perdu

Ah je voudrais m'éteindre
comme un réverbère
à la première lueur
du matin

ROMAN CINÉMA

à Blaise Cendrars

I

Paris

le temps de partir

le temps de compter le temps passé

de se dire
il ne reste que des souvenirs

on a tout allumé pour rire

il fallait s'y attendre

il s'est éteint comme un réverbère
à la première lueur du matin

II

cette fleur à la tige fine
chétif enfant blanc
qui s'est balancé au vent
tandis que vous étiez inquiet
qui s'est balancé au vent

III

désormais tu t'y connais
en perfections de noir

IV

quand il te fallait
t'envoler
et ton souffle répandait
les antilopes joyeuses
les mille yeux revenants
l'albâtre et la soie
ta fièvre frileuse
ô nuit nue

V

il était étendu dans son lit
tout habillé
sa cigarette tombée
de sa bouche
quelques secondes avant
seulement le temps
de se dire
va-t-en
éteinte
bien éteinte maintenant
était là
posée doucement
près d'un peu de cendre
quelques gouttes de sang
à la tempe

un fil de sang
à la bouche

c'était un roi du désert
il ne pouvait pas vivre
en Occident

il avait perdu
ses domaines

tout à coup
il est rentré chez lui

il souriait
à qui voulait le voir

pour retenir une pareille paix au sourire
il faut bien être un mort

VI

et mille et mille sphères
rugissent
soudainement
et le navire aride
comme une colombe s'apprivoise
aux jasmins
de ses jardins
qu'un scaphandrier
par ta bouche avide
m'a ramenés

Paris le 11 mars 1914

CALUMET

à André Salmon

Je connais un pays
où le soleil engourdit
même les scorpions

seul là s'est endormi
cet agneauloup

seul ne serait étranger
au climat
de la mort
cet agneauloup
en exil
partout

C'EST ICI QUE L'ON PREND LE BATEAU

POESIE DISPERSE

IL PAESAGGIO
D'ALESSANDRIA D'EGITTO

La verdura estenuata dal sole.

Il bove bendato prosegue il suo giro
Accompagna il congegno tondo stridente.
Si ferma alle pause regolari.

L'acqua mesciuta si distende barcollante.
Si risotterra durante il viaggio.

Le gocciole attimo di gioia trattenuto
brillano sulla verdura rasserenata.

Il fellà è accoccolato nell'antro
del sicomoro ritto sulle proboscidi
che escono di terra come vermi mostruosi
col moto uguale di anelli in su e giù
stese verso terra come le braccia di Gesù.
Il fellà canta
gorgoglio di passione di piccione innamorato
nenia noiosa delizia
– Anatra vieni.
– E chi se ne frega.
– Al letto di seta colore di sfumature di poesia.
– E chi se ne frega.
– T'insegnerò la frescura di tramonto delle astuzie.
– E chi se ne frega.
– Lo possiedo duro grande e grosso.
– E chi se ne frega.

Il mio silenzio di vagabondo indolente.

CRESIMA

Mi consigliano di mettere un po' di giudizio,
per fare fortuna.
Presentatevi, gente di giudizio.

Rischiamo.
(Da quando rammento
mio unico consueto divertimento)

V'ho preso le misure
v'ho preso i connotati
v'ho catalogato fotografati
stereotipati.
Siete come le mosche siete come le zanzare
ma non sapete volare.

Gente provate a metri a miglia
a calcolare questo buonaniente
ogni giorno ridonato a quel che pare il suo farniente.

Inseguitemi. Correte. Correte.
Pigliatemi.

Marameo!

Mi lancio nei precipizi.
Mi alleno ai capitomboli e ai saltimortali
dei senzagiudizio.
Sor Bartolomeo.

INEFFABILE

Casa a tentoni
da una parte troppo mare
troppo deserto dall'altra
Troppe stelle visibili

Tira avanti Thuile
i pippoli d'ambra
della sua corona

VISO

Screpolato
La patria acquistato
dei muri di recinto
di certi giardini smarriti
A un alito si turbava
Non mi rispecchia più.

VIAREGGIO

Viani
sarà bella la pineta
ma come ci si fa a dormire
con tanti moscerini e tante cacate

BISBIGLI DI SINGHIOZZI
Sagrado il 27 novembre 1916

Mi tornano
transitando
per i canneti titubanti
lungo la strada
scorticata
sul dorso della solitudine
le parole
delle anime perse

e finiscono di smorzarsi
in quelle ondate
di masso
alleggerito dal buio
che accovacciato
all'orlo del cielo
viscido
come una maiolica
incide
una bocca affilata
di baratro.

POESIA

Sagrado il 28 novembre 1916

I giorni e le notti
suonano
in questi miei nervi
di arpa

vivo di questa gioia
malata di universo
e soffro
di non saperla
accendere
nelle mie
parole.

L'ILLUMINATA RUGIADA

La terra tremola
di piacere
sotto un sole
di violenze
gentili

MATTUTINO
E NOTTURNO

Placida
vastità

Avvicendarsi
di isole
spopolate

Melodioso
silenzio

Afa
di una folla
dannata
di pupille
formicolanti
ondulate
lucidità
di malie

CONVALESCENZA IN GITA IN LEGNO

Damaschi
di verde
passeggero
sgranati
dagli occhi
pigri

MELODIA DELLE GOLE DELL'ORCO

Feline
arcate
d'angioli
circolanti
nella conchiglia
dei monti

TEPIDA VAGA MATTINA

Bulciano il 22 agosto 1917

Abbarbagliati
risvegli
sfiorenti
in vetrato
cupolio

ALBA

Versa il 15 febbraio 1917

Zampilli
di matasse radiose
spioventi
in masse sinuose
di perle

. . .

Napoli il 26 dicembre 1916

Sotto questa tenda
di cielo imporrito
la terra
sloga
in un grande arco teso

e brilla poi
dissetata

SONO MALATO

Vallone il 20 aprile 1917

La malinconia
mi macera

Il corpo dissanguato
mi dissangua
la poesia

MANDOLINATA

Mi levigo
come un marmo
di passione

MUGHETTO

Mughetto fiore piccino
calice di enorme candore
sullo stelo esile
innocenza di bimbi gracile
sull'altalena del cielo

BABELE

Uno sciame si copula nel sangue

IMBONIMENTO

Ha un cesto di rugiada
il ciarlatano del cielo

NOIA

A chi regalare
un gocciolo di pianto
d'infingarda umanità

Alla mercé della vita

Le case si schivano
per non disturbarmi

Filo d'afa al collo

Occhi
di odalische a zonzo coll'ombrellino

Com'è immobile l'aria

La litania ai numeri degli usci serrati
che seguo per accompagnarmi

Anche questa notte passerà

Questa vita in giro
titubante ombra dei fili tramviari
sull'umido asfalto

Guardo i faccioni dei brumisti tentennare

Il sonno arriva
così prudente
a portarmi un po' via

NEBBIA

Tranquillità

Un lieve sprofondo di flutti
al lontano ingombro del cielo

A poppa
gli emigranti soriani
ballavano

a un suono
di piffero

Faceva freddo

Il bindolo sosta
Compiti gli anni della servitù
Tatuaggio mi scavo nel cuore di questo momento
che l'orologio ha segnato d'un battito dolce
Come un baco nascosto nel bozzolo
quando gli spuntano le ali
s'inizia al bacio e si logora le sue tenebre
Ora mondato come un vino dagli anni
Rinvenute le strade del mio segreto
m'intride un mio uragano d'incandescenza
Cristallo di rocca trasparenza dell'essere mio
al mio esclusivo e perenne apparire e svanire
Fluire nella più sottile e intima arteria della poesia

Vivo

Se tutto il mio tempo non fosse stato perduto
nel breve raggiro degli anni
sarei passato e non avrei amato

Conto a sorsi la bontà del tempo

Di sabato sera
a quest'ora
gli ebrei di levante
portano via
i loro morti
e nell'imbuto
dei vicoli
non si vede
che il tentennamento
delle luci
coperte di crespo

E abbiamo finalmente smarrito l'itinerario della città

E procedo col cielo addosso

Ora assopirsi alle carezze del tempo buono
Ora ristoro

Raggrumato sotto piano d'oceano
il mio fortunale
piano come le mani materne

Ma le strade percorse ora riprincipiare non più

Balia sudanese che m'ha allevato
il sole che l'aveva bruciata le ho succhiato

O mio paese caldo ho avuto stanotte nostalgia
[del tuo sole
o sudanese snella tutta evanescente in grigio azzurro

TRAME LUNARI
Roma il 29 giugno 1922

il suono attutito di perse
memorie riverbera

affiorano brividi d'ombra

da uno spiraglio repentino è desto
un corso d'acqua calmo e chiaro

svela ammutoliti giardini

e questo crucciato profugo è
riflesso in quel vago balocco

o gote rosee o tempie azzurrine
o dolcezza d'occhi senza pensieri

SOGNO

O navicella accesa,
corolla celestiale
che popoli d'un'eco
il vuoto universale...

ALTRE POESIE RITROVATE

Ecco Lucca, calda, crudele, serrata, e verde.

Mi sento qui nella carne di ogni persona che incontro.

Esamino i connotati come se chi passa portasse via, nei suoi panni, il mio corpo. È la mia terra, è il mio sangue. Ne ho un tormento e un desiderio come chi si scostasse da un incesto; – ma non può dominare la fatalità dei suoi sensi!

Queste giornate, in questi luoghi, mi fanno soffrire, e mi coprono di voluttà, e mi tengono limitato come in una bara.

Riprenderò la via del mondo. Andrò dove sono forestiero. Dove non è peccato, sacrilegio, essere curiosi di sé nelle cose che godi.

Qui finirei col riprendere la zappa, col rimescolarmi ai contadini, col dimenticare le acredini e i miracoli delle lettere, col lodare, al sole, l'alto grano d'oro, mentre si falcia, e le coscie delle donne sorprese a fecondarsi di te in una gran perdizione di sguardi e di morsi bestiali; e non sai più se è una pesca o labbra quella forma che hai divorato, se non fosse l'odor forte della donna; e poi al sole che ti dà un abbandono, un abbandono così esteso, che accogli il sonno come una pace vera di morte.

VIAVAI

a Prezzolini memoria

Le fiammette imperversavano
al roseo far capolino
d'un angioletto
sul presepio
e qualcuno suonava la trombetta
e qualcuno batteva il tamburino
e qualcuno batteva le manine

Ogni novità incettata
all'emporio
di aver avuto cinqu'anni d'età
rasento al volo le fate

Il sereno
scalata d'infinito
prolunga la quiete
nella navata di platani

Ma se mi miro
in quel cielo
con il mio cuor d'oggi mi scopro
ripulso
il torbido mi frana nel cuore
il pianto mi si gela nel cuore

M'impianto nel mondo
proteso a dannare
ogni giorno
di più
il mio cuor d'uomo.

SOLDATO

Sono impoverito
la povertà dei sassi
sui quali mi butto
quando viene il momento
d'aspettare.

Non ho più nulla
da dare
che questa durezza
di vita battuta
come una strada
di guerra.

NOTTE

Il ragazzo
che nelle vene ha i fiumi
di tante umanità diverse
è scappato
dalle cornici dove
adornava
il suo dolce tempo perduto
e nell'ora uniforme
smarrisce
la sua ombra tra l'altre.

Pensavo oggi, guardando questo cielo piovigginoso, che se, per un'improbabile grazia, si fosse d'improvviso alzato l'azzurro, non sarei stato colto né da stupore, né da speranza. Anche la nostalgia ha finito di persuadermi. Ho varcato tutti gli stadi dove l'uomo può ancora trovarsi una ragione di vivere.

Gli alti cieli delle notti chiare, se mai ancora dovessero scoprirsi per me, avrebbero un significato di commiato.

Non sai – e chi saprà? – quest'infelicità di sentirsi abbandonato.

Abbandonato anche dalle cose; anche dalla terra, anche dal mistero delle stagioni.

Non aver prossimo; si potrebbe popolare il mondo di confidenti immaginari; ma non essere cresciuto in nessuna terra; ma non portare in nessun luogo l'aria famigliare dell'origine; ma vagare sempre in esilio.

Mi sono creato un paese di cristallo, perché fatalmente dovessi accorgermi, da qualsiasi punto, che non era naturale.

E non si può vivere a lungo di quest'allucinazioni ideali.

La vita è una dura disputa mossa da guai concreti, e ci vuole un terreno nel quale attecchire, e ci vuole il caldo che maturi e odori, e ci vuole la sera che inondi di malinconia e la mattina che rinfreschi e rasserreni.

Non ho che strade, strade, e strade: il grigio perfido di questo cammino senza conclusione.

PRIMAVERA

Anche quest'anno ti posso salutare, Primavera.

Questa strada, è la prima di Parigi a svegliare il grigio dei suoi caseggiati con una fresca fascia di foglie.

Ma un'ombra mi è rimasta, e mi accompagna lieve come il volo di una nuvola, e quando, come le nobili forme danzanti dell'antilope nella vastità soffocante dell'aria d'oro, mi ha rasserenato, ancora mi tenta:

— Solo la morte è seria.

— Giovine moderno, guardati intorno... Anche la vita è seria.

PREDA SUA

per Mario Diacono, poeta, amico
e trovatore di vecchie carte
Taranto, Luglio 1933

Questo sole vuole che si sappia bene che il lungo giorno è tutto preda sua.

Di buon'ora s'è messo a rosolargli le ultime erbe.
Alla vecchia croce sulla pietra ulcerata non si stancherà mai di cedere un bagliore alleggerendole fra le braccia di ferro martello e lancia, chiodi e tenaglia.

Ha fulminato una rondine.

Ma il suo spadroneggiare sino alle 7 e verso le 19 è discreto, ore ancora accoglienti.
Smeriglia con dolcezza il loro spazio.
Le ombre che vi chiude e che s'aggirano trascolorando da un bianco violaceo al roseo, non possono essere se non i pensieri di un giovane passante innamorato.

Passate le 7, è deserto pieno, meno l'errare d'una bestia trafelata.
Senza trovare ristoro, essa, ogni tanto, al primo fumo venuto, tuffa il muso invano.
Lo rialza rimanendo credula.

Non disperando arriva allo zenit.
Si trova sotto un macigno d'aria che cade lento, senza peso né fine come si cade in sogno.

Sono le 14, finalmente.
Il luogo brullo diventa una buca nel calcare dove la bestia trafelata impazzisce.

Si moltiplica.
È un branco di capre che fuggono o ballano.
Non si sa.

Il sole ha toccato terra colle gambe lugubri delle tarantole.

QUATTRO STUDI SULL'AUTORE

Nota. I quattro studi qui riuniti sono tratti da precedenti edizioni mondadoriane. Lo studio di De Robertis apparve come introduzione al volume delle *Poesie disperse* (1945); quello di Gargiulo, ripreso dalle edizioni precedenti (Vallecchi 1933, Novissima 1933 e 1936), come premessa critica al *Sentimento del Tempo* (1943). Gli scritti di Piccioni e Bigongiari figuravano in appendice, rispettivamente, alla *Terra Promessa* (1950), e a *Un Grido e Paesaggi* (1954).

Giuseppe De Robertis

SULLA FORMAZIONE DELLA POESIA DI UNGARETTI

Chi lo crederebbe? Anche Ungaretti, poeta così assoluto, così essenziale, così incognito, patì del mal del secolo: anche lui soffrì quella crisi del verso che prima aveva portato il verso a dorare, inutilmente, tanta non-poesia dell'ultima grande stagione, poi, per reazione, lo portò ad avvilirsi a una quasi-prosa. Fu dunque, anche lui, prosatore in verso, secondo il gusto dei crepuscolari e degli ironisti: e questo, nel solo giro d'un anno (anzi di meno d'un anno). In « Lacerba », tra il febbraio e il maggio del '15, egli pubblicò quattro poesie piuttosto diffuse, diffuse perché prosastiche (*Il paesaggio d'Alessandria d'Egitto*, *Cresima*, *Le suppliche*, *Sbadiglio*), che farebbero pensare a un Palazzeschi ora più timido ora più sfrenato; e nel tempo stesso portano gli avvisi d'un Ungaretti maturo. Lasciamo addietro *Cresima*, e diamola tutta, vorrei dire, restituiamola a Palazzeschi:

Inseguitemi. Correte. Correte.
Pigliatemi.

Marameo!

Mi lancio nei precipizi.
Mi alleno ai capitomboli e ai saltimortali
dei senzagiudizio.
Sor Bartolomeo.

Ma nel *Paesaggio d'Alessandria d'Egitto*, ecco Palazzeschi ancora:

– *Anatra vieni.*
– *E chi se ne frega.*
– *Al letto di seta colore di sfumature di poesia.*
– *E chi se ne frega.*
– *T'insegnerò la frescura di tramonto delle astuzie.*
– *E chi se ne frega.*
– *Lo possiedo duro grande e grosso.*
– *E chi se ne frega.*

ed ecco Ungaretti, sia pure un Ungaretti estenuato:

Le gocciole attimo di gioia trattenuto
brillano sulla verdura rasserenata

di cui sarebbero da suggerire trascrizioni diverse, secondo il gusto dell'*Allegria*, provando e riprovando la resistenza di certe parole, specie dell'ultima, « rasserenata » (che fa di quella verdura uno specchio di cielo).

E per *Le suppliche* e per *Sbadiglio* (in *Allegria di Naufragi*, Vallecchi '19: *Nebbia*, *Noia*), stesso divario tra prosa (sebbene altra prosa, con marezzature impressionistiche e futuriste, slogature sintattiche un poco meccaniche, su un grigio fondo narrativo, e una cangiante sommessa dimessa elegia), tra prosa, dico, e poesia; e stessa indubbia scelta. Già per *Sbadiglio* la scelta la fece lui stesso, Ungaretti, salvando un frammento, rinettandolo d'una cadenza crepuscolare, e dandolo all'*Allegria* (« Anche questa notte passerà ecc. »). Ma questa chiusa!

Mi comprimo in me
mi abbandono
il sonno arriva
così prudente
a portarmi un po' via...

E per *Le suppliche* non ricorderò che l'attacco:

Tranquillità

Un lieve sprofondo di flutti
al lontano ingombro del cielo

e la chiusa:

Ora accucciato in me
Ora dormire

Perché mi gravi

Tranquillità

Per dir tutto, estendere le prove, e sempre stando a quel febbraio-maggio del '15 e a « Lacerba », ecco *Diluvio*, *Eternità*, *Epifania*, *Viareggio*. *Diluvio* diventò poi *Nasce forse* di *Allegria*, con pochissime varianti nella trascrizione metrica, tolto un verso ch'era un inutile commento, e impediva velocità a un trapasso (« Non distinguo più »), e tolto il principio, legato a un'occasione e a un limite (« Mamma mia! quanto hai pianto! »); e *Eternità* diventò *Eterno*, ad apertura dell'*Allegria*, mutato « vanità » in « nulla », che nega tanto più, voce senz'accento e senza peso, e tolta la cadenza (« Fiore doppio / nato in grembo alla madonna / della gioia »), ch'era un immiserimento, un richiamo all'elegiaco e al piccolo, di parole illanguidite. Ma ridiamo a chi di dovere le ultime due poesiole: a un anonimo crepuscolare *Epifania*:

Mughetto fiore piccino
calice di enorme candore
sullo stelo esile

innocenza di bimbi gracile
sull'altalena del cielo

a Palazzeschi, e a nessun altro, *Viareggio*:

Viani
sarà bella la pineta
ma come ci si fa a dormire
con tanti moscerini e tante cacate.

Sono i due estremi tra cui, stranamente, si divideva e svagava il primo Ungaretti.

Dell'ironista poi non rimase più nulla; del crepuscolare, sì, nelle varie stampe, e non oltre la prima edizione dell'*Allegria*. A cominciare, sempre, da una lontanissima lezione di *Chiaroscuro* che è in « Lacerba », stesso anno '15:

Le annate dopo le annate
trovatelle a passeggio
in uniforme
accompagnate da suore di carità.

giù) giù fino a *Paesaggio* (in Preda '31 – Mondadori '43 *Monotonia*), com'è in « La Diana » '16:

... sulla mia terra africana
calmata
a un arpeggio
perso nell'aria
di Colombina

Perfino *San Martino del Carso* (in Stab. Tip. Friulano '16 e Vallecchi '19) ha questa strascicatura:

Ma nel cuore
nessuna croce manca

Innalzata
di sentinella
a che!

Sono morti
cuore malato.

e *Nostalgia* (in « La Diana » '16 e Stab. Tip. Friulano '16) ha

... una bimba
tenue e opaca
come un fiore d'alpe
nato dal cuore
di un mughetto
e dal sorriso
di una tepida salma
di canerino

e *Malinconia* (in « La Diana » '16 e Vallecchi '19) ha

ma un'apprensione
di quest'orologio
ch'è il cuore...

estenuazioni sentimentali e stilistiche, quasi segno di un malessere, e resti prosastici... Potremmo spigolare ancora ma, ripeto, non s'andrebbe oltre l'edizione Vallecchi e oltre il '19.

Nella edizione di Spezia, che seguì nel '23, c'è, se mai, una inclinazione opposta, una volontà di dividere, d'una poesia facendone due (*A riposo*, *Vanità*, *O notte*), di ridurre (*In memoria*, *Nostalgia*), uno sforzo fin troppo scoperto di velocità e rapidità, che poi, spesso, nelle edizioni successive sarà temperato, addolcito (*A riposo*, *Fase d'oriente*, *In dormiveglia*, *Monotonia*, *Inizio di sera*, *Trasfigurazione*, *Go-*

dimento, *Un'altra notte*, *Giugno*, *Girovago*). È, per così dire, la maniera stretta di Ungaretti, una maniera di testa. Ha una sua curiosa storia, e merita vi si accenni.

Hanno parlato in proposito di futurismo. Nel fondo prosastico di certe prime poesie, ve l'abbiamo trovato anche noi: quelle marezzature, quei colori, quegli slogamenti sintattici, quelle piccole libertà. Una realtà bruta trasferita sulla pagina. Ma già in Ungaretti abbiamo subito trovato certe riuscite quasi perfette, quelle inebriate espansioni d'anima, che sarebbero invece il giusto contrapposto del futurismo, sarebbero il salutare ricupero d'una realtà poetica e lirica, da non lasciare adito a nessun dubbio. Ancora in queste *Poesie disperse*, contro *Mattutino e Notturno* (l'ultima strofa), *Melodia delle gole dell'orco*, *Tepida vaga mattina*, *Alba*, stanno *Poesia*, *Sono malato*, *Mandolinata*. Si tratterebbe dunque, più che di futurismo, d'una esasperazione di quella sua volontà di riduzione e concentrazione che già ai primi anni fruttò a Ungaretti acquisti originali. Solo che, perché questi non restassero un dono gratuito, un portato del semplice istinto, egli diè allora principio alla sua fatica vera, lavorando, si può dire lui solo, per tutta una generazione. Distrusse il verso per poi ricomporlo, e cercò i ritmi per poi costruirne i metri. Tutta la musica della poesia ungarettiana, nelle sue infinite modulazioni, si sprigiona da questo suo farsi graduale, da quest'ascoltazione sempre più all'unisono col proprio animo, di cui le varianti e rielaborazioni sono la storia illustre. Nel distruggere il verso, nel cercare i nuovi ritmi, prima di tutto mirò alla ricerca dell'essenzialità della parola, alla sua vita segreta; e, com'era necessario, a liberare la parola da ogni incrostazione sia letteraria sia fisica. Da troppi mali essa fu insidiata, sul principio: quel crepuscolarismo, quel realismo minuto e scadente, quel colore narrativo e prosastico, quei lezii. Via dunque le cadenze crepuscolari e i modi discorsivi e prosastici (« Mi è venuto a ritrovare il mio compagno arabo / che si è suicidato / che quando m'incontrava negli occhi / parlandomi con quelle sue frasi pure e frastagliate / era un cupo navigare nel mansueto blu / È stato sotterrato a Ivry / con gli splendidi suoi sogni / e ne porto l'ombra » = « Mi è venuto a ritrovare / il mio compagno arabo / che s'è ucciso l'altra sera », *Chiaroscuro*; o ancora: « su Parigi s'addensa / quell'oscuro colore / di pianto / che ci disfa gli edifizi / e ci dà / lo specchio / di una Senna accidiosa / con quel suo / indosso / persistente fastidio / di riflessi di lumi » = « Su Parigi s'addensa / un oscuro colore / di pianto », *Nostalgia*); via i legamenti che impigliavano il linguaggio analogico (« e il clarino coi ghirigori striduli » = « e il clarino ghirigori striduli », *Levante*; « Sono come / la timida barca / per l'oceano libidinoso » = « Sono come / la misera barca / e come l'oceano libidinoso », *Attrito*, dov'è un bell'esempio di endiadi, e cioè d'una delle più antiche forme di linguaggio analogico; « tremante parola / nella notte / come una fogliolina / appena nata » = « Parola tremante / nella notte / Foglia appena nata », *Fratelli*; « eccovi una lastra / di deserto / dove il mondo / si specchia » = « Eccovi un'anima / deserta / uno specchio impassibile », *Distacco*); via le immagini tarde che toglievano verità e slancio all'aggettivo (« e il mare è dolce / trema un po' come gli inquieti piccioni / è cenerino come il loro petto / gonfio d'onda amorosa » = « e il mare è cenerino / trema dolce inquieto / come un piccione », *Levante*); via le mille determinazioni che impedivano il vago dell'espressione (« e nell'imbuto / dei vicoli / non si vede / che il tentennamento / delle luci / coperte di crespo » = « nell'imbuto di chiocciola / tentennamenti / di vicoli / di lumi », *Levante*; « con in cuore un estremo limio di cicala / strappata all'albero della sua scalmana » = « Nel cuore durava il limio / delle cicale », *Silenzio*); via tutti gli impacci, per sempre toccare una sintassi fulminea, con una fulminea potenza d'invenzione.

Nella trasparenza
dell'acqua
l'oro velino
della tua pelle
si brinerà di moro

Sono i versi 21-25 di *Giugno*; e attenti a quell'« oro velino » preparato attraverso due serie di passaggi, che prima daranno « velino » poi daranno « oro »:

E nella trasparenza
dell'acqua
la tua pelle d'europea
gentile come le ali delle farfalle
si brinerà di moro

poi ancora:

E nella trasparenza
dell'acqua
la tua pelle di gentile
come le ali
fine
delle farfalle
si brinerà di moro

e ancora:

E nella trasparenza
dell'acqua
l'oro della tua pelle
di farfalla
si brinerà di moro

dov'è, un momento, per quell'« oro », dimenticato « gentile » « fine », e non rimane che l'immagine sola di « farfalle »; ma poi ecco resistere quell'« oro », ecco scomparire per sempre « farfalle » e nascere all'improvviso l'aggettivo « velino », con effetto ritardato, « l'oro della tua pelle velina »

[*E nella trasparenza*
dell'acqua
l'oro della tua pelle velina
si brinerà di moro]

che darà poi finalmente « l'oro velino / della tua pelle »: qualcosa d'impalpabile e di lucente che il nome e l'aggettivo si passano e rimandano.

Ma lo studio delle varianti e rielaborazioni, oltre a offrire la prova d'un'acuta, inquieta e, alla fine, vittoriosa ricerca dell'espressione, in una infinita scala di gradazioni; oltre a far quasi toccar con mano il graduale alleggerimento, fino a sparire, del mezzo dell'espressione; presta più memorabili esempi: dico che ci fa assistere al nascere della parola poetica. Non solo. Ma dalla parola poetica, così cercata e riconquistata, così nuda, così sola, si vede generarsi il ritmo; e una lettura il più possibile vicina, aderente, senza ritardi, diventa la figura di quel ritmo. Dall'esame delle varianti vedrà il lettore che cosa costò a Ungaretti questa fatica, e apprezzerà il valore d'una tal fatica. Che fu, direi, un modo di chiarire, prima a sé che ad altri, il nascere delle nuove armonie. Egli si diceva quelle parole (e pare non avesse altro scopo), secondo una metrica interna variante da lettura a lettura; e la lettura variava secondo l'animo e l'estro (basti ricordare: « Si sta / come d'autunno / sugli alberi / le foglie », corretto poi in « Si sta come / d'autunno ecc. », a precipitare quella illusiva idea di stabilità nella rapina della similitudine). Sul principio si trattò, con una dizione più spiccata, di riconoscere, nel tessuto narrativo e un poco arruffato delle prime poesie, veri e propri versi regolari, e su quella traccia alquanto esteriore riconoscere la validità di certi acquisti (come in *Tappeto*: « Ogni colore si espande e si adagia negli altri colori / per essere più solo se lo guardi » = « Ogni colore si espande e si adagia / negli altri colori / per essere più solo se lo guardi »; o ancora, come in *Nasce forse*: « Ascolto il canto delle sirene del lago/ dov'era la città » = « Ascolto il canto delle sirene / del lago dov'era la città »; o ancora, come in *Chiaroscuro*: « appiattate nel verde tetro delle ultime oscurità / nel verde torbido del primo chiaro » = « appiattate nel verde tetro / delle ultime oscurità / nel verde torbido / del primo chiaro »). Rompeva insomma la narrazione, scoprendo un disegno metrico, sottolineando le impressioni; ed era un tentar di vincere il realismo narrativo o descrittivo con puri modi sonori. Venne poi l'altra riscoperta, che fu insieme d'invenzione e di suono, cioè di essenziali ritmi. Quella era come la preistoria della poesia di Ungaretti, questa è la storia. Lì c'era sempre il narrare e descrivere, qui un'originaria potenza d'inventare lirico, se pure consumato e bruciato in brevissimo.

Sorpresa d'un amore
che riscopro
dopo tanto
a visitarmi

Sono i primi versi di *Casa mia*, nella lezione di Vallecchi '19 e Preda '31. E sulla fortissima parola « sorpresa », gravavano quelle determinazioni stracche (« che riscopro » « a visitarmi »), commentandola, ritardandola. Tolti quel commento e quel ritardo, ecco nella sua nudità essenziale il valore segreto dell'inizio

(« sorpresa »), ecco misurato il tempo (« dopo tanto »), ecco dato un senso a quell'inizio (« d'un amore »), con la forza aggiunta del tempo; nient'altro:

Sorpresa
dopo tanto
d'un amore

ma ecco anche, cosa nuova, nascere, da quell'essenzialità riguadagnata, un regolarissimo verso, un endecasillabo intimamente pausato e perfetto:

Sorpresa dopo tanto d'un amore.

Ora, se per Ungaretti in principio era il verso, avvertito per così dire dall'esterno, appreso dalla tradizione, non ancora ricostituito dal suo interno; distrugge poi il verso, lo distrugge, dico, per ricomporlo dalla polvere. E volendo creare per sé e per il lettore una libertà nella legge, un poco alla volta riobbedisce a quella legge. I versi tradizionali, allora, fatalmente gli rinascono come entità intatte: il quinario, il settenario, l'endecasillabo, il novenario arieggiante l'endecasillabo (e cioè un endecasillabo troncato in cima), e il quaternario, il senario, l'ottonario. Ecco il quinario (« come un / fruscio », « sciogliere / il canto », « offre / allibita »); il settenario (« ora / il sereno è chiuso », « dentro l'ombra / del / sonno », « nel tuffo / di spinalba », « fra l'aria / del meriggio », « come / dopo il naufragio », « in un canto / di ponte », « ch'è una cosa / qualunque », « cullata e / piano / franta », « m'illumino / d'immenso », « ho sognato / stanotte / una / piana / striata », « che mi calca e mi / preme col suo / fievole tatto », « si sta come / d'autunno / sugli alberi / le foglie »); l'endecasillabo (« il cielo pone in capo / ai minareti », « ora son ubriaco / d'universo », « nel verde torbido / del primo chiaro », « e come una reliquia / ho riposato », « è il mio cuore / il paese più straziato », « come una / cosa / posata / in un / angolo »), il novenario (« nel mezzo sonno / tentennare », « oscillo / al canto d'una strada », « la linea / vaporosa muore », « quando / la notte è a svanire », « e subito riprende / il viaggio »). Il lettore cercherà da sé il resto: quei quaternari, quei senari, quegli ottonari. E troverà, anche qui, nella libertà la legge.

Facile dirlo: che questo è un arbitrio, arbitrio nostro, e del nostro orecchio magistrale, o abitudinario; e che s'offende così ciò che è inerente alla poesia di Ungaretti, la solitudine e l'innocenza della parola, si turba e mescola la verginità dei ritmi nativi. Ma quante volte Ungaretti stesso unifica dove prima aveva diviso (« mi sono chinato / a ricevere » = « mi sono chinato a ricevere »; « duemil'anni / forse » = « duemil'anni forse »; « di gente mia / campagnola » = « di gente mia campagnola »; « di grilli / che mi raggiunge » = « di grilli che mi raggiunge »; « la mia squallida / vita / si estende / più spaventata / di sé » = « la mia squallida / vita si estende / più spaventata di sé »). E l'esempio forse più splendido ci è offerto da *Preghiera*, che chiude l'*Allegria* (chiude l'*Allegria* e anticipa il *Sentimento*), di quella *Preghiera* ritrascritta tutta secondo il gusto del *Sentimento*, con quei folgoranti annunci di nuove armonie, con quegli endecasillabi come diamanti, di qualità pura. È che, trovato una volta l'accordo tra idea e ritmo, misurata idealmente la durata delle pause, a Ungaretti non ripugnò più allora una trascrizione, se pur sempre netta, più unita. O le pause e gli spazi si creano naturalmente, per sé, o son nulla (e saranno capriccio ambizioso della poetica e della mistica). E anche qui ci soccorre Ungaretti stesso con esempi. *Destino*, nelle ultime redazioni, ci appare senza più spazi bianchi, e così *Tramonto*. Si potrebbe pensare a un Ungaretti minore a sé, a un Ungaretti critico di sé, che fraintende a volte la sua poesia, e la tradisce. Concedo. Ma leggete *Soldati* di seguito, così : « Si sta come d'autunno sugli alberi le foglie »: le pause prendono sensibile e, direi, visibile figura. E leggete *Preghiera*: « Quando mi desterò dal barbaglio della promiscuità in una limpida e attonita sfera quando il mio peso mi sarà leggero il naufragio concedimi Signore di quel giovane giorno al primo grido »: dove gli intervalli sono come tempi gittati tra strofa e strofa.

Poiché, dunque, Ungaretti, ebbe creata quest'abitudine di lettura, e poiché egli stesso ne fu prima certo, nel *Sentimento* tenne altra trascrizione, con ripensamento più sottile. Ma, dalle correzioni delle edizioni e delle stampe, è chiaro che la tentò, gradatamente, anche per l'*Allegria*, spesso sotto una uguale luce. Diremo allora che tra l'*Allegria* e il *Sentimento*, più che un passaggio da un ritmica a una metrica, c'è il passaggio, con approssimazioni infinite, da una metrica elementare a una metrica complessa. Solo in un punto Ungaretti mostra di precipitare quei passaggi, di scavalcare quelle approssimazioni: mostra una certa fretta. E fu nelle poche liriche poste ad apertura del *Sentimento* (*Alla noia*, *Sirene*, *Ricordo d'Affrica*), apparse la prima volta nel *Porto Sepolto*, ediz. di Spezia del '23. Quella composizione, in quasi tutti endecasillabi, gli riuscì impacciata, pesante, prosastica (sebbene d'una prosasticità diversa dai primi esperimenti crepuscolari e ironistici), gli riuscì infarcita (il genio di Ungaretti è in una strofìcità più mobile, varia, inquieta); e allora trascrisse e di colpo, frantumando, dividendo, quasi distruggendo, per ritrascrivere ancora, nei modi nuovi, nei modi suoi.

Ma non è solo nella costituzione d'una metrica complessa che sta il valore del *Sentimento*, nella versificazione tradizionale con scrittura tradizionale (quinari, settenari, endecasillabi, i bei novenari arieggianti l'endecasillabo): sta in qualcos'altro. Una pagina preposta al volume delle traduzioni (di solito trascurate da quanti scrissero di Ungaretti) aiuterà a capire questo nuovo gusto, e la diversità sollecitante di temi e di ispirazione. « Affrontai i *Canti d'innocenza*, di William Blake, l'"ispirato" se mai ce ne fu uno, per reagire a me stesso in un periodo nel quale mi pareva d'essermi troppo ingolfato in problemi di tecnica. Era ingenuità. In arte il sentimento non saprà mai separarsi dall'intelligenza, e anche il tradurre, che, come tutti sanno, è per uno scrittore che voglia farsi la mano, impareggiabile esercizio – anche il tradurre canti di Blake fu per me fonte di nuove difficoltà tecniche da superare ». Quei problemi di tecnica, dunque, si riproponevano col forte appoggio di interessi nuovi, temi nuovi; e sempre quel « sentimento », badate, mai scompagnato dall'« intelligenza ». Per restare vicini a questa ispirazione, ecco poi i canti popolari dell'« Africa » (« la terra della mia infanzia e della mia adolescenza »), che « stanno a dimostrare la *sua* nostalgia ». E in una sfera opposta ecco Góngora, alla cui traduzione fu indotto da studi cui si dedicava « sul Petrarca, il Petrarchismo, il Barocco..., studi esposti in seguito in scritti e discorsi » (e recentemente, nei suoi fittissimi appunti sul Petrarca, un Petrarca, a dir vero, passato a traverso Mallarmé, di forte sapore simbolista). Due correnti, dunque, a dividerlo e a sommuovergli l'animo: « la corrente di scuola o petrarchista, e la corrente di vena e d'estro », come dice in una sua lettera. Nel *Sentimento*, con l'arte cresciuta, che or si dimostra or si dissimula, com'è nella storia di tutti i poeti, con quest'arte fattasi adulta, due toni e modi diversi. La corrente letteraria e di scuola, da quella parentesi dell'*Inno alla Morte*, di parole pese, fonde, indovinate dal latino di Virgilio (« Appiè del botro, d'irruenti / Acque sontuoso, d'antri / Funesto »), alla lineatura del verso fortemente rilevata e spiccata (« Tonda quel tanto che mi dà tormento, / La tua coscia distacca di sull'altra... // Dilati la tua furia un'acre notte! »), fino a quell'unica canzone uscita dalla penna di Ungaretti, che porta il titolo *1914-1915*, dico specialmente la terzultima strofa, così ben sostenuta sui suoi diciotto versi, e pur così libera nella sua struttura, così respirante (« Vedeva per la prima volta i monti / Consueti agli occhi e ai sogni / Di tutti i suoi defunti ecc. »). E la corrente di vena e d'estro, da quella ben accordata *Quiete* (« L'uva è matura, il campo arato, / Si stacca il monte dalle nuvole. / Sui polverosi specchi dell'estate / Caduta è l'ombra »), al *Canto beduino* (« Una donna s'alza e canta / La segue il vento e l'incanta »). Seguire i due modi, ciascuno nelle sue stesse modulazioni e perfezioni, e idealmente poi ricongiungerli e vederli superati in una scoperta di linguaggio primordiale, porta a capire quella somma assoluta, quella novità suprema che sono gl'*Inni* (*Danni con fantasia*, *La pietà*, *Caino*, *La preghiera*, *Dannazione*): non più estrosa, non più arte sola, ma furiosa di creatività e d'invenzione, proprio « delirio clamante », dove qualcosa è rapito all'irripetibile irruenza del linguaggio biblico (quella nota o quelle note medesimamente alte, tese, gridanti). E su questo punto estremo poggia l'ultima differenza che contraddistingue il *Sentimento* dall'*Allegria*: lo contraddistingue e nel tempo stesso, l'avvicina. Ché l'uno e l'altro libro portano uno stesso segno, sebbene in grado diverso, di primordialità, elementare o complessa, monodica o corale.

Che se cercate un dato stilistico, come riprova di questa nuova potenza, dite pure che esso sta in un riacceso gusto del parlar metaforico, e che, di conseguenza, sta nella forza e quasi *éclat* affidato all'aggettivo, sta nella « carica » dell'aggettivo. Già nell'*Allegria*, più le forme acquistavano, si espandevano, e prendevano campo, più l'aggettivo faceva centro, irradiava come un flusso, e pareva fosse un raddoppio del sostantivo, certe volte fino a soverchiarlo. Così, se la poesia di Ungaretti prima era un *parlare tacendo* (« la voix humaine... prise au plus près de sa source »), e dava l'impressione d'un dono fin troppo felice, l'altra *grida tacendo*, arde, consuma; e lascia ogni tanto qualcosa di inespresso, la cui storia si cercherà utilmente nelle varianti e rielaborazioni. Dietro quel grido, si direbbe, è da indovinare spesso tutto un discorso a posta taciuto (donde il valore e la pienezza delle pause). Si direbbe... Ma leggete *Apollo*: son soli cinque versi; e risultano da undici altri versi, nelle due differenti redazioni di « Commerce » e della « Fiera Letteraria », di cui sono il fiore costoso. Sempre, nella poesia di Ungaretti, c'è questo graduale balzo da uno stato di travaglio protratto, quasi di patimento (anche qui « uomo di pena ») a uno stato di salute (« salute lucente », per dirla con le parole sue stesse).

Quante volte, scrivendo queste righe, rivolgendo questi pensieri, ci è venuto in mente il Foscolo. Il nome del Foscolo non torna nelle pagine critiche di Ungaretti, come del resto non torna nelle pagine degli altri poeti nuovi, che pure, spesso, ebbero avvisi di consanguineità, e dietro quelli fecero così felici scoperte. (La scoperta del Foscolo, del Foscolo delle *Grazie*, sarà tutta dunque della critica recente?) Ora, Ungaretti, e per il suo lavoro di accostamenti alla poesia, e per la sua bruciata brevità, più d'una volta fa pensare al Foscolo; e così fa pensare al Foscolo nelle risoluzioni intatte del linguaggio; nell'armonizzare senza residui, ma corto; nel classicismo fragrante, più d'essenza che di colori; nella qualità del verso sparente, del verso dissolto, ultima bellezza dell'arte imparata dai classici, dal Foscolo, dal Leopardi, dal Petrarca.

Ma fu la furia che abbatté la tenera
Forma, e la premurosa
Carità d'una voce, mi consuma...

È il XXXI del *Diario*, e prosegue e ravvalora la fatica di Ungaretti dall'*Allegria* al *Sentimento.* Ma ripensate un momento agl'*Inni*, che sono il potenziamento all'infinito della poesia di Ungaretti, la impetuosa fatale conclusione della sua vita d'artista; essi non patirono influenze, e non li seppe contraffare la folta schiera degli imitatori. In questa solitudine sta il doppio emblema del loro valore.

Giuseppe De Robertis

Alfredo Gargiulo
PREMESSA AL « SENTIMENTO DEL TEMPO »

Mi piace ancora, innanzi al presente volume che testimonia la maturità dell'artista, ricordare il consenso ottenuto dalla poesia di Ungaretti ai suoi inizi. Stava nelle profonde aspirazioni una poesia di una immediatezza nuova; ed ecco, subito la si riconosce realizzata in modo sorprendente da questo giovane non prima noto. Immediatezza, aderenza alla vita: nessuno avrebbe saputo chiederne più di quanta ne rivelava la nuda umanità dell'« uomo di pena ». Senonché per immediatezza lirica non altro poi s'intendeva che essenzialità lirica; e solo questa, – respinti in un piano inferiore i punti dove l'aderenza alla vita resta cruda, – viene infine esplicitamente salutata nella poesia del primo Ungaretti. Si ha dunque il senso come di una primitività lirica riconquistata.

Ma non rimontano a quel tempo anche i varî accenni al grado di concentrazione? Si dice: « ineffabilità », « stato di grazia », « incanto ». Meno propri, ma registriamoli egualmente, i termini « prodigio », « magia ». E allora non meraviglia l'attenzione, davvero insolita, con cui nel nuovo canto si guardò alle particolarità espressive. La concentrazione sino all'« ineffabile » giustificava gli sviluppi esteriori pur brevissimi. Sembra restituita alla parola un'originaria verginità. Entrano in questione i valori ritmici, della pausa, e più ancora, forse, i valori fonici « evocativi ». A significare l'intensità di questi ultimi, qualcuno parla senz'altro di « figura nascente dal suono ».

Poiché gli svolgimenti del poeta li confermarono ad ogni passo, son dati, questi, che nella critica posteriore ritroviamo in funzione di premesse sempre valide. Per di più è ovvio: un discorso, quando sia tutto legato, implica un approfondimento delle sue medesime premesse. O possiamo ben dire, con altre parole, che ognuno di quei primi rilievi costituì come un germe destinato a svilupparsi via via. Non v'è lavoro critico su Ungaretti, che si discosti da questa linea.

In ispecie le poesie che, nella produzione recente dell'autore, rappresentano momenti svincolati da ogni « occasione », cioè effusioni dirette, han dato luogo a un'idea più precisa della immediatezza-essenzialità notata dal principio. Valgano tipicamente ad esempio, in questo volume, gli *Inni*. Ungaretti aveva scritto: « Quando trovo / in questo mio silenzio / una parola / scavata è nella mia vita / come un abisso ». Ed anche qui, a definire, concorsero varî termini: « confessioni », « presenza della persona », « voce vivente ». Che sono appunto altrettanti modi di indicare l'immediatezza propria della lirica autentica: quella soggettività che si risolve tutta, a ragione della sua stessa purezza, in « attualità vitale ».

Da un altro lato la poesia di Ungaretti si svolge, invece, decisamente verso trasposizioni « oggettive » od « analogiche » (vedi sopratutto le prime parti del volume). E poiché a queste corrisposero, in genere, forme metriche ampie e complesse, – ecco dominante, l'endecasillabo, – accade che l'attenzione ora si concentri, più che mai, sulle qualità del « mezzo ». Appare in tutta chiarezza quale profondo rinnovamento dei metri tradizionali segnassero, con l'accentuazione della pausa e dei valori sillabici (sia di tono sia di durata), i cosiddetti versicoli del primo tempo. Si rende agevole, – qui dove l'« ineffabile » assume talvolta contorni d'una mirabile grazia plastica, – una più intima considerazione dei valori fonici « evocativi ».

E pertanto si son venuti anche nettamente delineando, nei riguardi di Ungaretti, quei rapporti che determinano alla fine la « situazione » di un artista. Non occorre rilevare la rispondenza che trovano nel nostro spirito l'« uomo di pena », l'anima nuda in cospetto del mistero (ultime « confessioni ») e, se mi è lecito il forte traslato, i « paesaggi » delle liriche « analogiche ». Fu ben osservata l'estrema consapevolezza in cui Ungaretti si decide all'espressione; e s'intenda quella stessa coscienza critica che negli ultimi decenni ha accompagnato la formazione della nostra prosa più significativa. Di alcune aperture di canto, in Ungaretti, si poté dire che ci affidiamo ad esse con l'impressione di respirare, a tale altezza insolita, quasi col nostro respiro normale.

In una sfera più vasta, non si scorge dove né da chi sia stata realizzata, quanto in Italia da Ungaretti, quella condizione di natività e purezza che è indubbiamente la suprema aspirazione della lirica moderna. E quanto al rapporto con la tradizione, sta lì a dir tutto quel radicale rinnovamento delle forme: Leopardi e Petrarca furon termini spontanei di riferimento.

Alfredo Gargiulo

Leone Piccioni
LE ORIGINI DELLA « TERRA PROMESSA »

Nel 1948, in una rivistina romana (« Alfabeto » 15-31 luglio), Ungaretti pubblicò quattro quartine, e avvertiva: « Sono quartine scritte intorno al 1935, dopo la canzoncina *Auguri per il Proprio Compleanno* che uscì nel *Sentimento*. In tutto il periodo passato in Brasile non riuscii ad andare più in là di questi pochi versi ». Ma le quartine erano il frutto di molto lavoro: tentativi diversi, le prove più varie, abbozzi con commenti e stesure in prosa. Con grande gentilezza il poeta ci mise in possesso di tutti quegli appunti, e noi s'ebbe tempo di riordinarli, ricomponendo tutti i versi e i vari tentativi (che spesso contenevano – è inutile dirlo – poesia raggiunta). Così in quella stessa rivista si poterono pubblicare i risultati della nostra ricerca condotta solo con spirito documentario. Non ebbe forse la pubblicazione altro merito che quello di invogliare di nuovo il poeta al lavoro rimettendogli sotto gli occhi interi frammenti che non avevano trovato spazio nelle quattro quartine, e che erano felicissimi spunti poetici. Di lì a poco, infatti, Ungaretti riprese il lavoro e nacque la canzone *Trionfo della Fama* apparsa sulla « Rassegna d'Italia » (anno IV, n. 3), e poi la definitiva stesura della *Canzone*. E si salta all'estate del 1949, quando per l'edizione originale del libro stampato nel 1950 presso Mondadori, Ungaretti raccolse tutti i frammenti della *Terra Promessa*, e ci chiese di rivedere e rendere attuale il nostro primo studio.

Nostro scopo fu (ed oggi è) solo quello di offrire un materiale nuovo ed importante agli studiosi della poesia di Ungaretti, e a quanti si appassionano ai fenomeni del divenire della poesia, del suo percorso, della sua tecnica, e dei suoi infiniti e continui progressi interni.

Ogni nuova raccolta di poesie di Ungaretti porta in sé un altro messaggio, un diverso atteggiamento umano, sebbene si manifesti su una linea di sviluppo di costante coerenza morale. È la forza di questo nostro poeta mai quieto in formule o perso dietro a qualche suggestivo divertimento, ma ardito a cogliere i significati più alti di una vita sofferta. Ungaretti vive un problema di stile che di volta in volta affronta e risolve, in una sua graduale ascesa verso una forma sempre maggiormente vera.

L'ispirazione che appare da questa raccolta frammentaria della *Terra Promessa* prese a dettare il suo canto tanti anni fa, quando il *Sentimento del Tempo* non pareva ancora finito.

Il *Sentimento*, infatti, si conclude, come stagione poetica, nel 1932. Quell'anno coincise con gli scritti che danno relazione d'un ritorno di Ungaretti in Egitto, e, durante il percorso lungo la via Appia da Roma a Brindisi, del suo soffermarsi sui luoghi virgiliani da Cuma a Palinuro. Molti di tali scritti sono riapparsi nel volume *Il Povero nella Città* (La Meridiana). Fino al 1934-1935 non si hanno nuovi versi e quelli del 1934-1935, sebbene inclusi nel *Sentimento*, già appartengono ad una diversa esperienza. Subito dopo Ungaretti inizierà la prima stesura delle *Quartine dell'Autunno*, nucleo originale della *Terra Promessa*.

A interrogare il poeta su questa fase del suo sviluppo, la sua risposta confidenziale può press'a poco racchiudersi nei termini seguenti:

« Gli scritti di prosa del 1931-1932 e le poesie di quel periodo: *Ti Svelerà*, *1914-1915*, *Sentimento del Tempo*, *La Morte Meditata*, *Silenzio Stellato*, e poi le poesie del 1934-1935: *Senza più Peso*, *Auguri per il Proprio Compleanno*, indicano bene come mi sia avviato alla *Terra Promessa*. Tutta la mia attività poetica, dal 1919, si svolgeva in quel senso: un senso più obbiettivo che non fosse quello dell'*Allegria*, e cioè una proiezione e una contemplazione dei sentimenti negli oggetti, un tentare di elevare a idee e miti la propria esperienza biografica. Particolarmente *Auguri per il Proprio Compleanno* [1] indica, anche nella precisazione del tema, il passaggio.

« E se da un lato il poeta (come farà il Palinuro della *Terra Promessa*) dichiarava in *Auguri* la sua disperata fedeltà alle immagini, anche se esse non sono se non "illusione dei nostri sensi", d'altro lato, nell'immagine d'un riso di bimbo [2] salutava la perenne bellezza della vita, anche se essa, senza mai cessare d'essere, non possa se non fuggitivamente illuminare, e solo per atto più o meno effimero, quantunque l'universo ne sia reso luminoso. La bellezza perenne (ma inesorabilmente legata al perire, alle immagini, alle vicende terrene, alla storia, e quindi solo *illusoriamente* perenne – e lo dirà Palinuro) prese nella mia mente aspetto di Enea. Enea è bellezza, giovinezza, ingenuità in cerca sempre di Terra Promessa, ove fa sorridere

[1] *Dolce declina il sole. / Dal giorno si distacca / Un cielo troppo chiaro. / Dirama solitudine / Come da gran distanza / Un muoversi di voci. / Offesa se lusinga, / Quest'ora ha un'arte strana. / Non è primo apparire / Dell'autunno già libero? / Con non altro mistero / Corre infatti a dorarsi / Il bel tempo che toglie / Il dono di follia. / Eppure, eppure griderei: / Veloce gioventù dei sensi / che all'oscuro mi tieni di me stesso / E consenti le immagini all'eterno. / Non mi lasciare, resta, sofferenza!*
[2] *Per un Iddio che rida come un bimbo, / Tanti gridi di passeri, / Tante danze nei rami, / Un'anima si fa senza più peso, / I prati hanno una tale tenerezza / Tale pudore negli occhi rivive, / Le mani come foglie / S'incantano nell'aria... / Chi teme più, chi giudica? (Senza più Peso).* Ed anche la metrica dà avviso, qui e in *Auguri*, del nuovo orientamento.

Si noti che l'ultimo verso per *Auguri* differisce da quello costante nelle edizioni del *Sentimento*. La poesia terminava prima così: *Non mi lasciare ancora sofferenza!*

e incantare nella bellezza contemplata e fuggente, la propria. Ma non è il mito di Narciso: è unione animatrice di vita della memoria, della fantasia e della speculazione: di vita della mente; è unione feconda anche di vita carnale nel lungo susseguirsi delle generazioni.

« Didone veniva a rappresentare l'esperienza di chi, nel tardo autunno, stia per varcarlo; l'ora in cui il vivere stia per farsi deserto: l'ora della persona dalla quale stia per separarsi, tremendo, orribile, l'ultimo fremito della gioventù. Didone è l'esperienza della natura di contro a quella morale (Palinuro).

« Molti fatti della mia vita e di quella della mia Nazione, sono andati necessariamente ampliando nella stesura il progetto primitivo della *Terra Promessa.* Esso, in ogni caso, anche oggi, dovrebbe svolgersi al punto in cui, toccata Enea la Terra Promessa, le raffigurazioni della precedente sua esperienza si desterebbero ad attestargli, nella memoria, di come andrebbe a finire l'attuale, e via di seguito tutte, sino a quando non sia dato agli umani, consumati i secoli, di conoscere la Terra Promessa vera. »

Così, da quel lontano 1932 ad oggi, si sviluppò il disegno di questa raccolta: dalle *Quartine dell'Autunno* – dove l'unica stagione del *Sentimento* (l'estate) si tramutava nella nuova stagione – al *Palinuro*, alla *Terra Promessa.* Ma come si pone, in questo puntuale percorso, la poesia del *Dolore*?

Nei primi anni trascorsi in Brasile, Ungaretti già custodiva l'idea centrale della *Terra Promessa*; ma sopraggiunsero crudeli avvenimenti per il poeta: la morte del suo bambino, la guerra, la distruzione d'affetti e di segni mirabili della civiltà. *Il Dolore* nacque tra il 1937 e il 1944, con l'immediatezza di quell'alta cronaca che penetra ed interpreta un'epoca. Resta così come una vittoriosa sosta nell'altra ispirazione, che tuttavia si riaffacciava con *I Ricordi* e soprattutto con *Tu ti Spezzasti*, con *Terra* e con *Il Tempo è Muto* (scritti, per lo più, dopo il 1944 e intesi ad una interpretazione umana del paesaggio: una sua metamorfosi leggendaria). Ora essa riprende a dominare, legando al ciclo delle stagioni, il decadere della bellezza e delle ere, il flusso delle civiltà che sorgono, si avvicendano, invecchiano, tornano.

La successione delle opere di Ungaretti, e sarà successione che diremmo fatale, tanto riflette un'intima coerenza dell'ispirazione, risulta dunque così: *L'Allegria*; *Sentimento del Tempo* fino al 1932, poi *La Terra Promessa* fino ad oggi, inframmezzata dall'esperienza terribile del *Dolore*.

Il nostro lavoro sulle varianti dei manoscritti della *Canzone* procede basandosi su tre date fisse (ed il lettore ci badi): quelle delle edizioni a stampa. La prima, partita dalle origini del 1935-1937, fino alla pubblicazione su « Alfabeto » (15-31 luglio 1948). La seconda, da quella data al marzo 1949, quando la poesia appare rielaborata nella « Rassegna d'Italia » richiamandoci di nuovo ai manoscritti del 1935-1937. La terza, per le ultime varianti, tra quella stampa e l'edizione del '49, ora confermata. *Date fisse tra le quali si stende la trama fittissima delle varianti manoscritte.*

Il nostro apparato, quello condotto sulle edizioni e quello condotto sui manoscritti, avrebbe potuto prendere ben altro corpo se ci fossimo fermati a motivare i passaggi, ad inquadrarli verso un discorso dimostrativo (ricerca di costanti, eccetera). Ma ci eravamo fissati un limite preciso.

L'idea centrale della *Canzone* risale al 1935; ripresa poi, rielaborata e tormentatamente corretta nel periodo che Ungaretti trascorse in Brasile, vide la luce per la prima volta (su « Alfabeto » nel luglio 1948) in forma di quartine, col titolo *Frammenti*:

FRAMMENTI

1

Le nude braccia di segreti sazie
Del Lete a nuoto hanno composto il fondo,
Disciolto adagio le veementi grazie
E le stanchezze onde fu luce il mondo.

2

Nulla è più vuoto della muta strada
Dove niuno è fugace né governa,
Né pena cosa, né a sé o ad altri aggrada,
Dove veglia mai il sonno non alterna.

3

Tutto risorse, sotto a trasparenze,
Nell'ora credula, persa la quiete,
Che dalle dissepolte arborescenze
La misura s'offerse delle mete.

4

Ogni sussurro che vibrasse amore
Dall'aereo greto trasalì sorpreso,
Si fece notte vaga in quel colore
E fu, più d'ogni vita, sonno acceso.

5

Preda dell'impalpabile propagine
Di muri, eterni dei minuti eredi,
Sempre più esclusa è l'iniziale immagine;
Ma da quel gelo, a lampi, riconquide.

Questi versi risultavano da un lungo e lento lavoro varianti, che è tra i più impegnati di quanti possano conoscersi del nostro poeta. Un'elaborazione durata tredici anni, che rivela in modo chiarissimo il suo metodo di lavoro. Si noti, infatti, che, per la prima volta, è stato possibile condurre un esame sui manoscritti di Ungaretti, senza attenersi alle sole varianti delle edizioni o delle stampe.

I manoscritti che precedono queste quartine assommano ad alcune decine di pagine e sono caratterizzati in ordine di tempo da quattro diverse fasi: la prima si svolge nel tentativo di ottenere quartine rimate divise in frammenti; la seconda, nell'elaborazione della quartina non rimata; la terza è di rinuncia alla quartina ed al frammento per legare i vari momenti in un solo discorso poetico (un tentativo di *Canzone* divisa in strofe, che poi avrà la meglio nell'ultima stesura); infine, il ritorno alla quartina rimata. Manca la fase iniziale, e cioè quella tentata in Italia nel 1935. Le quattro fasi successive sono: del 1937 in Brasile (le prime tre); la quarta, del 1948 in Italia (la *Canzone* si delineerà in modo definitivo nei tentativi dell'anno dopo). Ci sono nei manoscritti quartine corrette con vario tormento, esse rimandano a versioni che si presentano come riportate *in bella copia*, le quali a loro volta recano segnate in margine nuove proposte di intere quartine o strofe che rifluiranno in nuove redazioni; ma le varie redazioni risultano sempre stabilite da un bilancio in armonico accordo con le precedenti scoperte e rinunce. Per tale caratteristica è possibile tentare, con qualche risultato, un ordinamento dei vari fogli manoscritti (del resto, una ragione della successione da noi proposta abbiamo dato nello studio pubblicato in « Alfabeto », 15-31 luglio 1948, poi raccolto nell'opuscolo: *Due saggi sulla poesia di Ungaretti*).

In alcune pagine dei manoscritti, accanto ai versi o a piè di pagina, note in prosa sulle ragioni e gli scopi che la composizione si prefigge. Infine, intere pagine di citazioni classiche: sono tutte di versi del Petrarca, indicate per stabilire, più che rapporti o suggerimenti di linguaggio, le ragioni e gli scopi sopraddetti, e vanno quindi considerate come fonti di indirizzo del sentimento poetico.

Seguiamo fedelmente i passaggi della prima quartina, ripetendo che le primissime stesure ci mancano, e che si parte da una forma già parzialmente conclusiva e controllata dal poeta su precedenti lavori di correzione, per noi senza storia:

Le care braccia di segreti sazie
Del Lete odioso sommuovendo il fondo
Composto hanno le loro acerbe grazie
E le stanchezze onde ci ammalia il mondo.

Ma nello stesso foglio manoscritto, tentando un rovesciamento: *Composto hanno le loro brevi grazie – e le stanchezze ond'è sì vago il mondo – le lievi braccia* (*membra*) *di segreti sazie* (*d'ogni incanto sazie*) – *d'un* Lete *nuovo* (*strano*) *sommuovendo* (*rischiarando*) *il fondo*. E poi ancora: *braccia sazie di memorie – Lete muto, chiaro Lete*. In questi punti già affermati seguita il gioco delle varianti alla ricerca di espressioni più vive:

Le care braccia di segreti sazie
Del Lete odioso hanno sommosso il fondo
Composto adagio loro acerbe grazie
E le stanchezze onde ammaliava (*lusinga, convince, persuade*) *il mondo*

Le altre proposte, nell'ambito della quartina rimata sono: *del Lete triste, d'un tristo Lete – adagiate le loro acerbe grazie – e le stanchezze ond'è insinuante il mondo*: nessun tentativo, cioè, di scomposizione o di distruzione dei precedenti, ma fedeltà alla primissima idea, nello sforzo di avvicinare il linguaggio ad un più strenuo rapporto al senso di smarrimento, di annullamento che presiede ai primi versi del *Palinuro.*

Maggiore complesso di varianti c'era da aspettarsi, invece, nella quartina non rimata: la struttura lasciava maggiore libertà inventiva alla ricerca di nuovi temi da inserire. Ed ecco:

Le care braccia di segreti sazie
Del fiume vano hanno segnato il fondo
E posano le loro antiche grazie,
Esuli le stanchezze al mondo fiamma.
(*e le stanchezze, onde il tempo s'infiamma – persuade*)

Attraverso passaggi: *coperte* (*esauste*) *di segreti – del fiume sordo* (*eguale, chiaro*) *hanno toccato il fondo* (*tentato l'acqua*) – *poggiando* (*posando, poggiata*) *la loro grazia antica – al tempo fiamma*, fino all'ultima più libera invenzione:

Le care braccia prodighe
Tentano l'acqua nel suo cuore sordo
E, poggiando, la loro grazia antica
Esula da stanchezze ai tempi fiamma.

Di qui il passaggio alla strofe: inizialmente non ci si stacca dall'ultima versione o solo per tentare scomposizioni di versi:

Le care braccia esauste di segreti
Tentano l'acqua nel suo cuore sordo
E, poggiando,
La loro grazia antica
Esula da stanchezze
Fiamma ai tempi (*ai tempi fiamma – ardore*).

In diverso rapporto e collegamento ai precedenti, ecco un'altra stesura con uno slancio nuovo, escluso, per ora, dalle ultime realizzazioni:

Le care braccia esauste di segreti
Tentano l'acqua nel suo cuore sordo:
Come solleva lieve all'infinito
Il bell'arco, il minuto fuggitivo...

E siamo a nuovi, magici ritocchi: si torna alla quartina rimata ed a quella prima fissità di struttura. Si registra un più intenso intervento, per precisare la durata di certe voci e rapporti (1948), orientato ad una nuova drammaticità:

Le nude braccia di segreti sazie
Del Lete a nuoto hanno composto il fondo,
Disciolto adagio le veementi grazie
E le stanchezze onde fu luce il mondo.

A questa redazione si arriva attraverso un'ultima serie di correzioni tutte intese a realizzare questo movimento: *braccia nude*, *belle*, *care*, del *vuoto Lete*, *hanno abbracciato*, *stretto*, *composto*, *tracciato*, *disteso, disciolto le veementi grazie, le svanite, le furenti* – *onde ebbe luce*, *onde fu luce*. Fino a (*Canzone* vv. 1-4):

Nude, le braccia di segreti sazie,
A nuoto hanno del Lete svolto il fondo,
Adagio sciolto le veementi grazie
E le stanchezze onde luce fu il mondo.

portando ancora a maggiore rilievo *nude*, addensando in *svolto* il senso della violazione e penetrazione di un mito (*stretto*, *avvolto*, *svolto*), rompendo la cadenza strofica con quella preoccupazione terminale di togliere ogni sospetto di ritornello (*onde fu luce* mutato in *onde luce fu*).

Nude braccia per dare il senso d'annullamento nel trapasso, *nude*, senza difesa e senza ornamento, non *care* o *lievi* per alterazione da affetto, *nude* se anche cariche di segreti: non valgono più a nulla se non ad affrettare l'annientamento. Il fondo del Lete (e da solo vale il fiume dell'oblio, senza aggettivi che lo scoloriscano) è ora svelato: quelle braccia vi si sono smarrite, sepolte (e con l'*a nuoto* c'è questa idea del varco lentamente apertosi tra pesanti acque, vicine allo smarrimento, sempre più immemori quanto più si procedeva) vi si sono tolte cure e rovelli e impulsi e svaghi. Le *veementi grazie*, che energiche hanno agitato e sommosso l'esistenza, eccole *sciolte*. In questo far giuocare termini di proiezione e durata diversi (*sciolto-veementi*), ecco la scelta del vocabolo s'impone per una più immediata drammaticità, allontanando *acerbe*, *brevi*, *antiche*, *svanite*. Con le grazie dileguano anche le stanchezze *onde luce fu il mondo*. Quest'idea conclusiva risulterà subito procedere dalle stesure non rimate della quartina, e poi della strofa: *esuli le stanchezze, al mondo fiamma*.

Più brevemente vediamo le altre quartine, raggruppate ora diversamente (in una strofa di due quartine, un'ottava, e una quartina).

> *Tutto è caduto in basso a trasparenze*
> *Dall'infantile giorno senza quiete.*
> *Quando da balenanti arborescenze*
> *Conoscesti misura alle tue mete.*

Aveva un inizio contraddittorio rispetto alle ultime stesure. Le varianti stanno sempre sulla stessa linea della scelta verbale. *Tutto si fuse* (*s'è fuso*) – *dall'infantile dì che persi* (*perse*) *quiete; dall'infantile gior-*

no senza quiete (*morto a quiete*) – *da dissepolte arborescenze – riconobbi misura alle mie mete*. Uscendo dalla rima, i soliti cambiamenti sostanziali che avviano alla soluzione della strofa:

Tutto è caduto in fondo a trasparenze (*è sepolto*)
Dal giorno strano che; perduta quiete (*quando persi*)
(*Dal giorno strano che la quiete persi*)
Ad una forma salva dalla morte
(*E a quella dissepolta e eterna forma*)
Volsi la temeraria e irrisa mira
(*Riconobbi misura alle mie mete*)

Di nuovo variazioni su questo schema: *tutto è giacente, calato, riposa, posa tutto in fondo a – verso una forma salva dalla morte – irriso e temerario spiro* (*alludo*) *inquieto*. Redazioni che si facevano più svelate di sensi e di necessità meno concluse ed armoniche. Ma nella ripresa, ecco un nuovo senso all'apertura:

Tutto risorse, sotto a trasparenze,
Nell'ora credula, persa la quiete,
Che dalle dissepolte arborescenze
La misura s'offerse delle mete.

Ora, a contatto di tale esistenza (*forma salva dalla morte*) tutto, in un campo di memoria (*in basso a trasparenze*) risorge. E anche lavoro di approssimazione: *risorse tutto – dal giorno credulo, ingenuo, libero – da quiete, già senza quiete, silente, sdegnante, morto, distolto a quiete – quando dalle dissepolte*.

Ogni sussurro che vibrasse amore ha una partenza lirica che subisce continui spostamenti: *ogni sussurro e battito d'amore, ogni sussurro che acconsenta amore, ad ogni moto che vibrasse amore, ogni sospiro che cercasse amore, ogni sospiro che l'amore strappa*. Anche qui, le varianti di maggior rilievo stanno fuori dello schema rimato. Da:

Ogni sussurro e battito d'amore
Da quella pietra risalì sorpreso,
Ogni notte fu vaga a quel colore
E in sonno di più vita fosti acceso

(con spostamenti che risalgono a mutamenti di persona: *e fosti in sonno, e fui nel sonno - da quella pietra risalii offeso*), allo schema non rimato, naturalmente aperto a più audaci soluzioni:

Ogni sospiro che cercasse amore
(*Ogni sussurro che vibrasse amore*)
Si sorprese rivolto a quella pietra
(*Da quella pietra risalì sorpreso*)
Ogni notte fu vaga a quel colore (*carnato*)
Sognato in sonno e atteso (*acceso*) *ad occhi aperti.*

Anche qui, trascurando delle redazioni anteriori quanto indurrebbe a complicanza di rapporti meno netti, ecco, nella ripresa:

Ogni sussurro che vibrasse amore
Dall'aereo greto trasalì sorpreso,
Si fece vaga notte in quel colore
E fu, più d'ogni vita, sonno acceso.

Questo senso trepido di ansia, individuato d'un colpo: *dall'aereo greto trasalì sorpreso*, con l'introduzione di quel verbo che dà vibrazione al paesaggio. E ancora:

E, in scandire sussurri, tenue, amore
Dall'aereo greto trasalì sorpreso
Vaga facendo notte e, in quel colore,
Più di qualsiasi vita, il sonno, acceso.

E si guardi alla serie che conduce alla nuova proposta iniziale: *ogni sussurro che vibrasse amore; ogni sussurro per scandire amore; e per scandire amore ogni sussurro; e per scandire ogni sussurro, amore; ed a scandire ogni sussurro, amore; e a scandire sussurri tenui, amore; e in scandire sussurri, tenue, amore; e, in sussurri scandire, tenue, amore; e, in scandire sussurri, tenue, amore.*

Così il passaggio da un esistere ad un altro forse più vivo (*sonno acceso*, *afono*: fedeltà alle immagini, vita della mente): vi presiedono – e maggior forza acquisteranno poi nell'ottava – echi e richiami, smarrimenti, un dolce colore di notte che avvolge, prende e si rischiara.

L'ottava risultante da queste due quartine apparve per la prima volta nella « Rassegna d'Italia », del marzo 1949, ed in verità non era allora che la diversa stesura tipografica delle due quartine scritte di seguito, senza una interna unità ed un lavoro di sutura e di penetrazione. Apparve così:

Risorse tutto, poi, per trasparenze,
Nell'ora credula, quando la quiete
Persa, da dissepolte arborescenze
Si delineò misura delle mete
E, in scandire sussurri, tenue, amore
Dall'aereo greto trasalì sorpreso
Vaga facendo notte e, in quel colore,
Più di qualsiasi vita il sonno acceso.

Ma quella pubblicazione non segnò che l'inizio di un nuovo lavoro di elaborazione, per farne davvero un'ottava (analogo lavoro occorse alla sestina di *Palinuro*), protrattosi per mesi, con invenzioni continue, senza riposo, sino a (*Canzone*, versi 9-16):

Tutto si sporse poi, entro trasparenze,
Nell'ora credula, quando, la quiete
Stanca, da dissepolte arborescenze
Riestesasi misura delle mete,
Estenuandosi in iridi echi, amore
Dall'aereo greto trasalì sorpreso,
Roseo facendo il buio e, in quel colore,
Più d'ogni vita un arco, il sonno, teso.

Ed ecco i passaggi dei versi che hanno subìto modifiche: *Risorse tutto, poi, per* (*entro*) *trasparenze*; *vacilla tutto poi; tutto risorse poi; tutto si sporse poi; la quiete – Persa; la quiete – Stanca; si delineò misura delle mete; misura delineatasi* (*delineandosi*) *di mete; misura riapparendo delle mete; riestesasi misura delle mete*. Siamo all'inizio della seconda quartina, quello da cui dipese l'esito dell'ottava, il suo impasto e la sua novità (e lo seguiamo, come merita, puntualmente):

E, in scandire sussurri, tenue, amore
E, scandendosi echeggi, tenue, amore
E, granivano echeggi, tenue, amore
E granendosi echeggi, tenue, amore
E gli echeggi granitisi, l'amore
Tenue, echeggi granivano, l'amore
Tenue, ed eco graniva, solo, amore
Tenue, e eco sorteggiava, solo amore
Tenue, e eco logorò iridi, l'amore
Tenue, e eco si smarrì in iridi, l'amore
In echi iri estenuandosi, l'amore
Echi a iridi estenuandosi, l'amore
A iridi echi estenuandosi, l'amore
Estenuandosi in iridi echi, amore,

con gli ultimi passaggi: *vaga* (*rosea*) *facendo notte; facendo roseo il buio; roseo facendo il buio*, e da *più di qualsiasi vita il sonno acceso* (*teso*) a *più d'ogni vita un arco, il sonno, teso.*

Assai più complicate le varianti, nell'ambito della quartina, di *Nulla è più muto della strana strada* e *Preda dell'impalpabile propagine* (strofe 2 e 4 della *Canzone*). Qui entriamo in pieno nella fase dei collegamenti tra strofa e strofa, tra idea e idea, tra risoluzione verbale e risoluzione verbale. Nella fase della quartina rimata si avrà, infatti, una sola sede nella quale le due quartine appaiono insieme. Nelle altre dove è l'una, l'altra è esclusa. Invece nelle fasi non rimate compaiono talora insieme e sono sempre presenti nella redazione strofica. Ecco come risultano dai manoscritti principali:

Nulla è più chiuso della muta strada
Dove il sonno la veglia non alterna,
Dove cosa non pena né s'aggrada
E nulla fugge e nulla ci governa.

Già le arde l'impalpabile propagine
Che accumula le mura ad ogni calma.
Nulla è più disumano dell'immagine
Dove non soffre cosa e cresce calma.
(*Dove nulla ha più pena né s'aggrada*)
(*Dove cosa non pena né s'aggrada*)

E ancora:

Nulla è più disumano dell'immagine
Chiusa, in che veglia sonno non alterna,
Dove cosa non pena né s'aggrada
E nulla fugge e nulla ci governa.

Nelle altre sedi rimate, con una sola presenza, le due quartine si sviluppano secondo queste direttive:

Nulla è più disumano della strada - nulla è più disumano dell'immagine. Sarà il nuovo schema non rimato a proporre, per la seconda quartina, l'idea che gli darà poi sviluppo indipendente:

Preda dell'impalpabile propagine
Di mura figlie dei minuti in fuga,
Sempre più mi separo dall'immagine,
Che sprofonda, non soffre e a un modo ride.

Dopo altri tentativi di fusione operati nella stesura della *Canzone*, ecco la ripresa tornare a determinazione di temi dando unità e armonia al tutto con l'introduzione di un più vivo linguaggio poetico: *Sempre più esclusa è l'iniziale immagine - ma da quel gelo, a lampi, riconquide.* Fino alla redazione del marzo 1949:

Nulla è strano più della muta strada
Dove niuno decade né governa,
Né cosa pena, né a sé, né a altri aggrada,
Dove la veglia, mai, mai il sonno alterna.

Preda dell'impalpabile propagine
Di muri eterni dei minuti eredi,
Sarà sempre più esclusa l'iniziale immagine;
Ma dal suo gelo a lampi riconquide.

Il lavoro delle varianti non è tuttavia terminato: ricomincia, anzi, in questa fase, con rara perfezione di risultati: da *nulla è strano più della muta strada* al più suggestivo *nulla è muto più della strana strada*, con – subito dopo – un nuovo movimento che porta a *dove foglia non cade, squilla o sverna* (tre veloci indicazioni di stati diversi) fino a *dove foglia non nasce o cade o sverna*, attraverso questi passaggi:

Dove niuno decade né governa
Dove foglia non cade mai o sverna
Dove non una foglia cade o sverna
Dove la foglia non decade o sverna
Dove foglia non cade mai né sverna
Dove foglia non cade, nasce o sverna
Dove foglia non cade, è mossa, o sverna
Dove foglia non cade, adorna, o sverna
Dove foglia non cade, squilla, o sverna
Dove non nasce o cade foglia o sverna
Dove foglia non nasce o cade o sverna,

Così per il verso 7:

Né pena cosa, né a sé né a altri aggrada
Né pena alcuna cosa o vana aggrada
Né alcuna cosa vana pena o aggrada
E niuna cosa vana pena o aggrada
E niuna vana cosa pena o aggrada
Né patisce altra vana cosa o aggrada
Né altra vana cosa pena o aggrada
Od altra cosa vana pena o aggrada
Dove nessuna cosa pena o aggrada,

e per l'ultimo verso della quartina, con una più forte scansione: *dove la veglia mai, mai il sonno alterna* (*dove mai, mai la veglia il sonno alterna*).

Nell'altra quartina (strofa 4 della *Canzone*), invece, si modificano sostanzialmente i due ultimi versi:

Ad ogni ora ci reclude più l'immagine

Da sé ci esclude sempre più l'immagine
Prima, ma lampi riconquide,

Sempre più ci reclude (ma anche, a lampi,
Riconquide) l'immagine iniziale.

Sempre più esclude l'iniziale immagine
Ma, dal suo gelo, a lampi riconquide

Ci priva sempre più la prima immagine
(Sempre ci priva più la prima immagine)

(Più esclude sempre, l'iniziale immagine)
Di sé, ma a lampi, a volte, riconquide

Sempre ci esclude più la vana immagine
Ma rompe il gelo a lampı e riconquide

Sempre ci esclude più, la prima immagine,
Ma, a lampi, rompe il gelo e riconquide.

Nelle successioni della redazione strofica, troviamo due motivi principali per i quali è possibile determinare un ordinamento. Ecco un esempio (del 1937), alla sua forma più elaborata:

NEMICA GLORIA

Le care braccia esauste di segreti
Tentano l'acqua nel suo cuore sordo,
E, poggiando, la loro grazia antica
Esula da stanchezze ai tempi fiamma.

Un seguito di volte all'infinito,
Figlie illusorie dei minuti in fuga,
A gradi mi separa dall'immagine
Che va a fondo,
non soffre e non ha voce.

Da ineffabile moto dissepolta
Nulla è più chiuso della strada muta
Dove la veglia e il sonno sono uguali
E non arriva il vento, niuno guida
E voluttà non nasce,
né la pena.

Più s'allontana nell'abisso calma
Meglio ne vedo la nemica gloria,
La notte si redime al suo colore
Sognato in sonno e atteso ad occhi aperti.

L'avido sguardo da lei non distraggo,
Ogni sospiro che l'amore strappa
Si sorprende rivolto a quella pietra.
Riposa tutto in fondo a trasparenze
Da quando alludo furibondo e irriso,
Inquieto,
a una forma senza morte.

Enumero illusioni nel rimorso.

L'ultimo verso sostituisce il precedente *passo i minuti in furibonda angoscia*, a proposito del quale si veda più avanti dove si parla delle quartine non rielaborate prima del 1949 (complesso manoscritti 1935-1937). Il mantenimento di *enumero illusioni nel rimorso* insieme al verso *l'avido sguardo da lei non distraggo*, delinea il tema introdotto a caratterizzare qui i tentativi strofici. I quali si seguono chiaramente nel consueto rapporto di proposte marginali, loro accoglimento e trascrizione in bella copia. Valga ad esempio: *la propagine* (*un seguito*) *di mura all'infinito* a *un seguito di mura* (*di volte*) *all'infinito* a *un seguito di volte all'infinito*; oppure *nulla è più chiuso della strada muta* con una proposta in seconda sede per un'altra apertura; *da infallibile moto disse-*

polta a (in bella copia) *da ineffabile moto dissepolta - nulla è più chiuso...* Varianti anche di struttura: la terzina *Riposa tutto*, seconda nella successione della redazione iniziale, passa alla conclusione nelle altre due.

Ma qual è la ragione della strofa, del suo tentativo, della sua disposizione? Come si vede all'esempio, abolita la rima restano pur sempre endecasillabi completi, senza neppure tentativi di scomposizione. È dettata piuttosto da identità tematica e di ispirazione, quella stessa identità che già nelle stesure delle quartine aveva realizzato mescolanze di concetti e di idee, con continue incertezze su esclusioni e presenze (*nulla è più disumano dell'immagine*).

Ecco, infatti, nelle strofe stesse, la ragione della successione: si dà inizialmente un senso di smarrimento, legato allo scorrere dei minuti, al tempo oggettivo, un senso che già si perde: è un farsi lontano dell'immagine, un nostro perdere conoscenza: un senso di distacco dalla natura, e, in noi, di divenire di indifferenza. Finalmente è raggiunta la sede dove veglia e sonno sono eguali, dove non nasce *voluttà né pena.* Ma risorge intanto la vita, al suo secondo grado, si rinnova l'illusione; si compie il sogno *sognato in sonno e atteso ad occhi aperti.* Ecco qui fermo il dramma della scomparsa (ma fisso, affondato, lo sguardo, nell'immagine), il decadere della natura, verso una quiete radicata *a una forma senza morte.* Non resta che *enumerare illusioni nel rimorso*: la fedeltà della mente alla supremazia dell'immagine, nel continuo rinnovarsi del tempo.

Non era che una prima redazione: *Nemica gloria* segnava un nuovo tema in varianti marginali: *Come solleva lieve all'infinito - il bell'arco...* Idea subito rielaborata in una successiva stesura di tale raggruppamento strofico:

IL BELL'ARCO

Le care braccia esauste di segreti
Tentano l'acqua nel suo cuore sordo
E, poggiando,
La loro grazia antica,
Esula da stanchezze
Fiamma ai tempi.

Come solleva lieve all'infinito
Il bell'arco
Spegnendosi il minuto,
E come taglia a gradi
Dall'immagine che s'inoltra,
Non soffre e non ha voce.

Nulla è più chiuso
Della strada muta da infallibile moto
Dissepolta,
Dove la veglia e il sonno
Sono uguali,
Nessun guida,
Non arriva il vento né voluttà rinasce,
Né la pena.
Più nell'abisso calma
S'allontana,
Meglio ne vedo la nemica gloria.
Mai non mi stancherò di tanto abbaglio.

Si redime la notte a quel colore
Sognato in sonno, atteso ad occhi aperti:
Ogni sospiro che l'amore strappa
Si sorprende rivolto a quella pietra.

Riposa in fondo a trasparenze tutto
Da quando alludo furibondo e irriso,
Inquieto,

A una forma senza morte.

Enumero illusioni nel rimorso.

La successione è identica a quella di *Nemica Gloria*; presiedono ragioni metriche, in una più marcata ascoltazione dell'endecasillabo (nella concordanza non più frammentaria) scomponendolo (il modo di Ungaretti alla ricerca del verso, della sua lettura poetica, isolando il ritmo, dando luce a parole e accenti). Da quel momento gli si delineava chiara la *Canzone*, e s'avviava ad essere coronato di successo l'ostinato suo tentativo di restituire alla poesia italiana tutte le articolazioni del canto, riscoprendo la spontaneità del suo eloquio tradizionale senza mai toglierle aderenza rigorosa a ogni necessaria novità espressiva. In tale direzione Ungaretti lavorava fino dal *Sentimento*; ma più si precisa il suo sforzo e tocca segni importantissimi con *La Terra Promessa.* Si guardi proprio nella presente raccolta, anche se tuttora frammentaria: il poeta, con i *Cori di Didone*, parte dalla musicalità dei madrigali Tasso-Monteverdi, parte cioè dal punto supremo raggiunto dal canto nella tradizione italiana; e per *Palinuro* torna alla sestina, agli effetti di potenza espressiva che possono raggiungersi con l'ossessione della parola rima; ed ora ecco la *Canzone.*

Ma si stia attenti: articolazioni restituite non significa ripristino macchinale di schemi, anche se avvenga che quello antico si ripresenti, a volte, a rispondere alle nuove necessità di misura, da sé.

È una *Canzone* che dalla grazia solenne del Petrarca, dopo essersi fermata a specchiare le sconcertanti profondità leopardiane, arriva sulle labbra d'un uomo d'oggi per spiegarne l'anima: è la poesia di tono sublime che trova di nuovo il modo di liberamente splendere.

Chi non vorrà riconoscere a Ungaretti questa sua forza d'intervenire e di modificare il gusto e gli orientamenti della poesia italiana? Quale libro se non *L'Allegria* ha spazzato via ridondanze, svenevolezze e manie riportando l'espressione ad una diretta comunione tra le cose e il sentimento del poeta? E perché ad un certo punto fu presa un'altra strada, verso obiettivi diversi, con un nuovo linguaggio? Perché Ungaretti aveva elaborato il suo endecasillabo, aveva precisato una metrica, aveva scritto il *Sentimento*: altra data culminante della storia della poesia contemporanea. Fino al *Dolore*, fino a questa *Terra Promessa*, a questo ulteriore tentativo di risolvere la tensione poetica in linguaggio assoluto.

Oggi appare, con pienezza d'effetti convincenti, come possa, nella voce del poeta, d'un uomo cioè impegnato corpo ed anima nella sofferenza dei suoi tempi, innalzarsi nuovissima poesia, purché in sé accolga la storia dei numerosi secoli della lingua e dell'arte cui essa appartenga.

Nel complesso dei manoscritti del 1935-1937 ci fu facile ritrovare un'intera quartina (e altri versi) tralasciata dal poeta nelle sue elaborazioni, fino al 1949. Eccone le redazioni principali:

Conto i minuti in furibonda brama
E da lei non distraggo l'occhio fisso:
Ma ha più luce di tanto la sua fama;
Di quanto è più lontana nell'abisso.

oppure:

Passo i minuti in furibonda angoscia,
L'avido sguardo da lei non distraggo:
Meglio ne vedo la nemica gloria
Più s'allontana calma nell'abisso.

oppure ancora:

Più nell'abisso calma s'allontana,
Ed ella appare persuasiva mira,
Meglio ne vedo la nemica gloria.

fino a:

Come solleva lieve all'infinito
Il bell'arco
Spegnendosi il minuto,
E come taglia a gradi
Dall'immagine che s'inoltra,
Non soffre e non ha voce.

Scrivevamo allora (in « Alfabeto », 15-31 luglio 1948): « Sono versi rimasti nel manoscritto; ma c'è una idea drammatica e viva poeticamente. Ungaretti non ci rinuncerà. Spiega in una nota in calce: *Il mondo: la vita è una tendenza alla fama: è la mente che dà forma* ». Aggiungevamo: « I fogli manoscritti di queste quartine ci sono stati serbati, contrariamente alle abitudini, per un motivo; i versi erano rimasti inediti, né si era voluto rinunciare per sempre ad essi. La forma instabile non concretatasi dei frammenti, suggeriva il persistere della presenza delle varie redazioni, poiché in esse poteva essere la ragione di un'ultima, stabile versione. I manoscritti non sono spariti neppure dopo questa forma pubblicata (*Frammenti*), e c'è anche qui una ragione: ci sono versi ed un'intera quartina che restano esclusi dalla presente redazione; ancora instabili e suscettibili di riprendere, dai loro stessi precedenti, vita ».

E così, infatti, a rapidissima scadenza, è avvenuto: non era difficile profezia la nostra, del resto, ed era semplice avvedersi anche dell'importanza di significato che questi versi assumevano (di qui il titolo dell'intera composizione diventò, sia pure provvisoriamente *Trionfo della Fama*).

« La Rassegna d'Italia » (marzo 1949), pubblicava:

TRIONFO DELLA FAMA

1

Nude, le braccia di segreti sazie,
A nuoto hanno del Lete svolto il fondo,
Adagio sciolto le veementi grazie,
E le stanchezze onde fu luce il mondo.

Nulla è strano più della muta strada
Dove niuno decade né governa,
Né cosa pena, né a sé né a altri aggrada,
Dove la veglia mai, mai il sonno alterna.

2

Risorse tutto, poi, per trasparenze,
Nell'ora credula, quando, la quiete
Persa, da dissepolte arborescenze
Si delineò misura delle mete
E, in scandire sussurri, tenue amore
Dall'aereo greto trasalì sorpreso
Vaga facendo notte e, in quel colore,
Più di qualsiasi vita il sonno, acceso.

3

Preda dell'impalpabile propagine
Di muri, eterni dei minuti eredi,
Sarà sempre più esclusa l'iniziale immagine;
Ma, dal suo gelo, a lampi riconquide.

4

Ride più rosea l'ossessiva mira
Più si spoglia e più tocca a nudo calma;
Ma, germe, quando schietta idea, d'ira,
Tale al deserto avversa, il rivo inventa e la palma.

5

Devasti gli attimi con sorda calma
Desoli gli attimi con sorda calma,[1]
Non distrarrò da lei mai l'occhio fisso,
Benché più sia lontana nell'abisso,
Meglio orrenda si sveli forma, fama.

6

In angoscia i minuti passo e in brama,
Ma se tuttora incontro all'avventura,
D'Itaca varco le fuggenti mura,
So, ultima metamorfosi all'aurora,
Oramai so che il filo della trama
Umana, pare rompersi, in quell'ora.

Siano esaminate le ultime tre strofe: si vedrà subito come nella quartina tralasciata vi fossero già i tre temi che le costituiscono, temi ora (nell'ultimo testo della *Canzone*) ampliati. La loro origine, non solo d'ispirazione ma di movimento stilistico, era dunque a quel lontano 1935-1937. Il procedimento è già chiaro all'inizio: *Ride più bella l'ossessiva mira - più si spoglia e più a nudo tocca calma*, riproduceva *Più nell'abisso calmo s'allontana - ed ella appare persuasiva mira*: attraverso questi passaggi fondamentali: *più nell'abisso giunge a spenta calma (s'allontana in cal-*

[1] *calma* è un errore di stampa o un « lapsus calami » per la voce *lama* già allora adottata.

ma); *più giunge spenta all'abissale calma; più si spoglia e d'abisso giunge a calma; più si spoglia e più a fondo giunge calma; più si spoglia e più a nudo tocca calma*; ed il tema (la voce stessa) dell'*abisso* e della *fama e gloria* (diceva nel 1937: *ma ha più luce di tanto la sua fama – di quanto è più lontana nell'abisso*: oppure *meglio ne vedo la nemica gloria – più s'allontana calma nell'abisso*) è trasferito alla strofa seguente: *benché più sia lontana nell'abisso – meglio orrenda si sveli forma, fama.*

Si veda ora il verso iniziale dell'ultima strofa:

In angoscia i minuti passo e in brama

proviene chiaramente da *conto i minuti in furibonda brama*, oppure *passo i minuti in furibonda angoscia.* In una serie di varianti, quando la seconda quartina non era ancora prevista, riagganciandosi a questa apertura, ecco le proposte: *passo i minuti sotto fiera brama* (*lama*)*; mi acumina i minuti in sorda lama; rincorro gli attimi con sorda lama; sbriciola gli attimi, dispolpa; spolpa; martoria; devasta; desola* (e quante di queste proposte saranno riprese nell'attuale, ultima stesura!).

Nuovi e ricchi di sensi e conclusioni, restano gli ultimi versi della prima di queste strofe ed i cinque finali. Parrà invece ancora escluso quel felice inizio:

Come solleva lieve all'infinito
Il bell'arco
Spegnendosi il minuto...

Ma si veda un po' cos'è diventato, ora, l'ultimo verso dell'ottava:

Più d'ogni vita un arco, il sonno, teso.

Com'era arrivato ai versi del marzo 1949? Era partito da due strofe:

Passo i minuti in angosciosa brama
E da lei non distraggo l'occhio fisso,
Ma quanto più è lontana nell'abisso
Meglio si svela orrenda: è forma, è fama.

Più giunge all'abissale spenta calma
Più mi apparisce persuasiva mira
E, intima e spersa, dando incendio all'ira.
Struggendo è gloria che prepara a fama.

Scoprì poi i motivi da addensare ad un'altra strofa: inventò gli altri versi. Ecco il complesso delle varianti, dalle ultime redazioni del 1937 a quella del marzo 1949, tralasciando il verso *più si spoglia e più nudo tocca calma* i cui passaggi sono già stati indicati:

Ride più rosea l'ossessiva mira
(*Più mi apparisce persuasiva mira*)
(*Ed ella appare persuasiva mira*)
(*Più mi persuade quell'occulta mira*)
(*Più mi persuade già ossessiva mira*)
(*Più rise bella – più bella rise l'ossessiva mira*)

...

Ma germe quando schietta idea, d'ira (*se già schietta*)
(*E persa e occulta, se dà incendio all'ira*)
(*E, intima e spersa, dando incendio all'ira*)
(*E, intima e spersa, più fa luce – lume all'ira*)
(*E, intima e spersa, dando seme – germe all'ira*)
(*E, intima e spersa, oppure colma d'ira*)
(*Ma, così intima e spersa! germe d'ira*)
(*Ma, germe, anche se solo – schietta idea, d'ira*)

Tale al deserto avversa, il rivo inventa e la palma
(Struggendo è gloria che prepara a fama)
(Ed è nemica gloria, ambita avversa – orrenda palma)
(Offre struggendo, la sublime – certa palma)
(Offre al deserto la sublime palma – e luce e palma)
(Ravvisa del deserto nuova palma)
(Nemica offre al deserto il rivo – sera e palma)
(Nemica al nulla, i rivi inventa e palma)
(Dà al deserto, nemica, rivi e palma)
(Nemica al nulla, tale il rivo inventa e la palma).

Così i passaggi per: *Benché più sia lontana nell'abisso – meglio orrenda si sveli, forma, fama – ma quanto è più lontana, più è remota, distante, s'allontana, s'annulla, la perdo, si segrega in abisso – meglio si svela forma, orrore, è fama – meglio si svela orrenda: è forma, è fama.*

In angoscia i minuti passo e in brama
(Passo i minuti in furibonda – angosciosa brama)
(Passo i minuti nell'angoscia e brama)
Ma se tuttora incontro all'avventura
(E quando ancora incontro all'avventura)
(E quando d'avventura in avventura)
(E quando verso l'ultima avventura)
D'Itaca varco le fuggenti mura
(D'Itaca approdo alle fuggenti – finali – sognate mura).
So, ultima metamorfosi all'aurora,
(Nell'illusione – nelle lusinghe – di segreta aurora)
Oramai so che il filo della trama
(So che il filo di ragno della trama),
(So che di ragno il filo della trama)
(Sarà di ragnatela la mia trama?)
(Spezzo di ragnatela il filo a trama)
Umana pare rompersi, in quell'ora.
(Per spezzarsi sta – che si spezza so – in quell'ora)
(So che poco m'importa d'ora in ora)

Era la redazione che nei manoscritti ebbe successivamente per titolo (prima della pubblicazione sulla « Rassegna d'Italia ») *Aurora*, *Dell'aurora o trionfo della fama*.

Ma non s'era ancora a punto. Si vedano i mirabili acquisti della definitiva redazione, per la quale il poeta ha titubato se darle il titolo scelto, o invece chiamarla *Prologo*.

CANZONE

descrive lo stato d'animo del poeta

Nude, le braccia di segreti sazie,
A nuoto hanno del Lete svolto il fondo,
Adagio sciolto le veementi grazie
E le stanchezze onde luce fu il mondo.

5 *Nulla è muto più della strana strada*
Dove foglia non nasce o cade o sverna,
Dove nessuna cosa pena o aggrada,
Dove la veglia mai, mai il sonno alterna.

Tutto si sporse poi, entro trasparenze,
10 *Nell'ora credula, quando, la quiete*
Stanca, da dissepolte arborescenze
Riestesasi misura delle mete,
Estenuandosi in iridi echi, amore
Dall'aereo greto trasalì sorpreso
15 *Roseo facendo il buio e, in quel colore,*
Più d'ogni vita un arco, il sonno, teso.

Preda dell'impalpabile propagine
Di muri, eterni dei minuti eredi,
Sempre ci esclude più, la prima immagine,
20 *Ma, a lampi, rompe il gelo e riconquide.*

Più sfugga vera, l'ossessiva mira,
E sia bella, più tocca a nudo calma
E, germe, appena schietta idea, d'ira,
Rifreme, avversa al nulla, in breve salma.

25 *Rivi indovina, suscita la palma:*
Dita dedale svela, se sospira.

Prepari gli attimi con cruda lama,
Devasti, carceri, con vaga lama,
Desoli gli animi con sorda lama,
30 *Non distrarrò da lei mai l'occhio fisso*
Sebbene, orribile da spoglio abisso,
Non si conosca forma che da fama.

E se, tuttora fuoco d'avventura,
Tornati gli attimi da angoscia a brama,
35 *D'Itaca varco le fuggenti mura,*
So, ultima metamorfosi all'aurora,
Oramai so che il filo della trama
Umana, pare rompersi in quell'ora.

Nulla più nuovo parve della strada
40 *Dove lo spazio mai non si degrada*
Per la luce o per tenebra, o altro tempo.

Vediamo ancora, dalla quinta strofa alla fine (versi 21-41), i passaggi principali che risultano dai manoscritti: *ride più rosea; sfugge più vera; più reale sfugge; più reale sfugga; più sfugga vera – più si spoglia e più tocca; più si spoglia più tocca; più si fa bella e tocca; e più sia bella, più tocca; e bella sia; e sia bella, più tocca – ma; e; quando; appena – schietta idea, idea schietta. Tale al deserto avversa il rivo inventa e la palma* rifluirà in due nuovi versi, sostituito qui da *Rifreme, avversa al nulla,* (*lieve – breve salma*) *in breve salma.*

I due nuovi versi (25-26) costituiscono, forse, l'invenzione poetica più alta. Partì da *E foriera, in labirinti gira – il rivo insinua, suscita la palma; E dedala, foriera, se sospira*...; poi, in un rovesciamento, *E il rivo insinua, suscita la palma – per dedala fatica, se sospira; è dedala una scherma (pazienza, auspicio, tenacia, puntura, fortuna, destrezza, acutezza) se sospira.* E ancora: *Distana il rivo* (*il rivo stana*) (*e*) *suscita la palma; rintraccia i rivi; rivi indovina, suscita la palma; dedala scherma svela; svela dedale dita; dita dedale svela, se sospira.*

La strofa 5 partiva con un'ossessiva ripetizione. La prima scoperta fu di variare il verbo ripetuto (*devasti, devasti* in *prepari, devasti, desoli*), aumentando di un verso, mutando anche l'aggettivazione, verso un più penetrante martellamento. Si ebbe così:

Prepari gli attimi con cruda lama,
Devasti, carceri, con vaga lama,
Desoli gli animi con sorda lama,

(con un solo tentativo di rovesciamento, poi scartato: *con cruda lama gli attimi prepari – con vaga lama*...). Per riprendere il nostro discorso sul rapporto di durata fra le parole nella poesia di Ungaretti, si veda qui: *vaga* preparazione di attimi con *cruda* lama; *cruda* devastazione, carcerazione con *vaga lama*; desolazione con *sorda* lama (quindi lama implacabile essendo impassibile ai propri effetti da essa non udibili, effetti anche nello strazio fisico del paziente, sordi, essendo allora effetti dissimulati nel profondo).

Più laboriosi sono i due ultimi versi di questa strofa 5 da *benché, più sia lontana nell'abisso – meglio orrenda si sveli forma, fama* a *sebbene, orribile da spoglio abisso – non si conosca forma che da fama*, dove risalta subito la potenza del primo verso che fu totale ed immediata invenzione come risulta dai passaggi del manoscritto: *benché orrenda arretrandosi* (*spogliandosi*) *in abisso; benché, più arretri più orrida in abisso; giacché, più sia lontana nell'abisso; sebbene, orribile da spoglio abisso.*

L'altro verso segue questo percorso: *È, sempre meglio orrenda, forma, fama; non corpo a forma ammette che per fama; sia forma e non si vegga che per fama; indichi (tolleri) a corpo forma solo in fama; forma non si conosca che per fama; non si conosca forma che da fama.*

Nella strofa 6 solo un rovesciamento nei primi versi, dando più respiro al discorso poetico con la nuova apertura (*E se...*) con queste varianti:

In angoscia i minuti passo e in brama,
(Gli attimi passo dall'angoscia a brama)
(Trascorro gli attimi da angoscia in brama)
Ma se tuttora incontro all'avventura,

E se tuttora preda d'avventura
Da angoscia gli attimi tornati a brama,

E se, tuttora fuoco d'avventura,
Tornati gli attimi da angoscia a brama,

Infine, la strofa 7, completamente nuova: l'epilogo, il completamento della *Canzone*, e riprende infatti uno dei temi iniziali (*Nulla è più muto della strana strada*), scostandosi anzi quanto più possibile da quella stessa formula, secondo questi passaggi principali:

Nulla è muto più della strana strada
Dove la veglia mai, mai il sonno alterna
(Dove mai nulla il sonno mai dirada)

Nulla i giorni più inganna della strada
(Nulla i giorni più illude della strada)

Dove lo spazio mai non si dirada
Per la luce o per tenebra

Nulla s'apre più nuovo della strada
Dove lo spazio mai non si dirada
(Lo spazio non alterna né dirada?)
Per la luce o per tenebra o altro tempo

Riapparve, e nulla è mai più nuovo, strada
(Più nuovo nulla parve della strada)
Che mai nel tempo a spazio si degrada
Per la luce o per tenebra o altro tempo

fino a:

(Nulla parve più nuovo della strada)
Nulla più nuovo parve della strada
Dove lo spazio mai non si degrada
Per la luce o per tenebra, o altro tempo.

Il personaggio della *Canzone* è lo stesso poeta, è il poeta con la sua fedeltà, come Palinuro, all'illusione delle immagini: alla fantasia, ed al ricordo. Sceso nel Lete, sceso all'apparente oblìo, ha lasciato disciogliersi dolori e gioie della sua vita, ha raggiunto un regno dove veglia e sonno più non hanno tempo. Ma l'immagine del passato, la memoria del mondo risorge, ciò che pareva scomparso per sempre, resiste, si fa unica realtà, realtà pensata, la più vera di ogni vita. E, diverso da Palinuro coinvolto nelle tentazioni drammatiche dell'azione, il poeta è in grado di ricapitolare tutte le esperienze, le morali (Palinuro), le carnali (Didone), e tutte superarle, sebbene rivivendole, nello speculare mentale. È poesia che si identifica a fama (*il mondo, la vita è una tendenza alla fama*) e dona il più vigile incanto e l'amarezza più disperata. Devastato ogni attimo dell'esistenza, essa inventa le rare felicità; e ogni inquietudine concessa, essa torna misura di tutto. Sono ultime avventure dell'ispirazione e del discorso. Ed essendo ultime più che mai in esse si fa vivo il senso della precarietà della terrena vita e il senso dell'illusorietà dell'immortalità terrena dell'uomo; e tutto, difatti, potrebbe d'un tratto cadere e sparire, anche il miracolo dell'uomo: l'umana mente, l'umana storia.

Così nelle sparse note manoscritte velocemente segnate ai piedi delle prime stesure della poesia, si legge: *sapere che ogni atto moriva e perché era morto viveva spavento; astrae dal presente. Bello in quanto è passato, in quanto la morte ha ricordato la cosa;... cose prese dalla furia del tempo... violentate, corrose; le schianta, le distrugge, le sconvolge. Distolte dal tempo, portare ad esse una fermezza, dare loro spiritualità; c'è il senso della morte, ma c'è la mente che la riscatta... conoscermi momento per momento... e sentirmi impietrito in questa morte... Morte; riflessioni del decadere, riflessioni del risorgere... La logica: non ci pare bella che quella cosa che arrivi ad un ordine: ciò che è stato, è stato per sempre, è divenuto patrimonio della mente.*

E le più vive conferme si hanno guardando le citazioni petrarchesche che Ungaretti segna frettolosamente, sempre per battere l'accento sull'idea di morte (*Tornami a mente, anzi v'è dentro quella – Ch'indi per Lete esser non po' sbandita*) e di sorpresa (amorosa paura) (*Vidi fra mille donne una già tale – Ch'amorosa paura il cor m'assalse*) e del rapido trapasso (*Dolci durezze e placide repulse... Or me n'accorgo*) e di luce (*Piacesti sì ch'n te sua luce ascose*; / *Lasciato hai Morte senza sole il mondo... – Non la conobbe il mondo mentre l'ebbe – Conobbil'io che a pianger qui rimasi*) e sul suo motto programmatico (*E m'è rimasa nel pensier la luce*), e sulla progressiva durata di certi temi (la caducità terrena nella

Canzone della Vergine) e sulla memoria e le mutate prospettive del suo attuarsi (*Non po' far Morte il dolce viso amaro; Questo nostro caduco e fragil bene*; *Fu forse un tempo dolce cosa amore*). Definizioni, insomma, di quel sentimento del perire dove trova forza la più alta vena del Petrarca.

Tale sentimento Ungaretti isola nei suoi testi più cari per dargli libero sfogo, e mostrare a se stesso come il Petrarca lo avesse per primo forse appieno enunciato. È il sentimento del perire che colora ogni esistenza e le offre con la misura della durata i segni evocativi delle figure; è sentirsi perire che muove la memoria ed il suo recupero, che protrae affetti, che muove disperanza a previsioni. Nella poesia della *Terra Promessa* si addita tale limite tra amore, memoria, radicamento, dramma e, di contro, tra dolore, illusione, perdita, solitudine. Ogni attimo diviene ragione e arbitrio: non indifferente o motore del tempo per aggiunzione, ma in sé radice di distruzione o di annullamento o di nuova esistenza. Accade, così, di improvviso: non si sente il farsi vicino: Palinuro è colto da un subitaneo sonno mortale: già la bellezza di Didone è appassita.

Solo a porre poeticamente le cose sotto la loro luce d'una imminenza mortale (la bellezza non contemplata in sé ma legata al tempo con la riflessione del suo certo decadere; l'esistenza colorita e, nella sua ombra, in agguato l'ombra della morte; l'amore e il sospetto, l'inquietudine, lo spasimo che l'oggetto amato possa dileguarsi d'un tratto; l'autunnale minaccia alla splendida estate): solo così si dà intrepida esistenza al sentimento: in tali cadenze, raffronti, riflessioni, sgomenti. Di qui viene il sentimento del tempo, del volgere dell'ora, delle meraviglie del cielo e delle sue notti, di qui l'amore trepido per le persone, di qui l'educarsi, malinconicamente sebbene quasi senza rassegnazione, a prendere commiato da quanto dette ragione all'esistenza. Così si dà proiezione drammatica al sentimento.

Ungaretti si mantiene a mostrare il simbolo del perire: non il dolore della morte, ma piuttosto la religione che è in essa: il miracolo della morte, quel transito fatale, la sua forza e presenza in ogni vita (una vita su cui stende le sue più vive ombre, l'« assenza », quell'« assenza » che il Petrarca immaginò fonte del delirare poetico).

Leone Piccioni

Piero Bigongiari

SUGLI AUTOGRAFI DEL « MONOLOGHETTO »

I

Il *Monologhetto*, nato come una prosa, e nato in prosa, perde via via, nel giro della mente spogliandosi della sua primitiva intenzione, le sue cadenze prosastiche, ma non quel senso di lunghezza mentale che anche nella sua ultima stesura è visibile. La traccia più evidente, la sua nascita l'ha lasciata nel senso di lassa narrativa che accompagna il balzare delle immagini unite intenzionalmente in un tempo prima effettuale che lirico. Quello che al poeta è accaduto nel ritorno di questo tempo, viene a sgranarsi, per una sorta di convergenza data da una essenziale ricapitolazione della propria vita, lungo una linea che, in sé, è solo pratica, da una linea di comodo diremmo. Questo tempo, il Febbraio, è visto superstiziosamente come il *punctum dolens* del tempo (« sto, di Febbraio, alla vicenda / Più che negli altri mesi vigile »): di un tempo personale, preannunciato fin dalla nascita (« E anch'io di questo mese nacqui »): ebbene, i grani di questo rosario temporale sono le « soste » « Del mio lungo soggiorno sulla terra »: il ritorno del tempo in questa convenzione superstiziosa, dà al poeta la possibilità di vedere questo tempo abitato da se stesso, di vedere dunque se stesso defilato lungo questa linea di scandaglio, fino a perdersi in una sorta di capogiro tragicamente festivo che viene a identificarsi col Carnevale brasiliano. Questo è il punto da stabilire per capire una tal poesia che in un certo senso esce fuori dal corso stabilito della lirica ungarettiana: l'occasionalità dell'origine ne ha determinato il ritmo e la struttura. Finché il poeta non è riuscito a superare questa occasionalità iniziale, la poesia, pur materiata delle sue successive immagini, non poteva nascere. E qui Ungaretti è risalito in qualche modo *à rebours* nel corso della sua vena poetica. Il « tempo » di cui nel suo libro centrale ci ha dato il « sentimento », qui non esiste più, proprio perché è un tempo prestabilito; e allora, ecco che di questo tempo pratico egli ha l'idea come di un « vuoto » (« In quel vuoto che per natura, / Ogni anno accade di Febbraio »): e il « vuoto », questa buca d'aria del tempo, questo gorgo che cerca il suo fondo vorticosamente, dà attraverso successive, specchianti immagini – è la memoria sollecitata a fare centro non in se stessa, puramente staccata dalle immagini, ma proprio nelle immagini che si riordinano – il « vuoto » dà, implicita prima che esplicata, l'idea del Carnevale brasiliano, e della maschera, anzi di « tutte le maschere ». (« Poeti, poeti, ci siamo messi / Tutte le maschere ».) È un tempo illusorio che di solo rimpianto vive, a cui il poeta si è abbandonato per impazienza di uscire dal vuoto: e il vuoto più si accalca intorno a questo nucleo d'illusione: la poesia vortica nelle sue immagini successive che non la fermano perché non la concludono, lustre, tese, ma più schiumando ne fanno intravedere il fondo: il tempo concreto risalito fino alle sue origini. Dopo che i presagi e « la luna degli amuleti » hanno dato un barlume edenico (« Adamo ed Eva rammemorano / Nella terrena sorte istupiditi »), il tentativo magico fallisce. Ritorna la terra con tutto il suo peso, ricuperata in Egitto, dinanzi alle parole che la « schiumante bocca » dell'Araba pronuncia; ritorna la storia nel pieno dell'illusione superstiziosa; ritorna la madre, ad attestare l'infinità della terra che non può essere vinta per forma di magia. E la madre, in questo tempo « vuoto » che stava generando i mostri attestati dalla superstizione, riporta e riapre « fanciullezza ». E la « qualche fantasia »

« vana », trova nei sogni dei fanciulli riposo. Il poeta è giunto a intravedere il fondo del vortice. Lì questo ultimissimo Ungaretti, cosciente, riscopre l'Ungaretti del *Sentimento del Tempo*:

Ma perché fanciullezza
È subito ricordo?

E nel « lampo dei miraggi » il tempo del calendario si annulla: torna ad essere, ricuperato, sentito, il Tempo imposto al tempo. Prima che nel « vuoto » (« come per un vuoto ») si scarichi turbinando il tempo cronologico, e in definitiva il « racconto » di questa poesia, le attestazioni temporali, cronologiche, erano ancora inconsciamente soggette alle precisazioni della prosa narrativo-gnomica; l'imperfetto storico manteneva, durante l'elaborazione della poesia, in una durata, e in uno sfondo, temporali le proporzioni dei vari momenti che si andavano precisando: momenti che si faranno visioni « come per un vuoto » che li assorbe e li lancia in una proporzione illusoria, nella loro autentica misura. Così per esempio, in un foglio intermedio dei vari in cui è stato lavorato il motivo « Sotto le scorze », si notino, oltre agli imperfetti, le dizioni « in quel mentre », « un anno prima » (che in una stesura immediatamente successiva, per approssimazione a quella simultaneità ideale cercata, diverrà « alla stess'ora »), « Fu allora che », ecc.:

Sotto le scorze tutti gli uomini si risentono e premono alle punte delirando già di gemme; l'inverno s'è turbato nel suo sonno, e, motivo dando d'essere corto al Febbraio, e lunatico – non è più squallido, nel suo segreto almeno. Sui ceppi, in quel mentre, del

pruneto, per la Maremma dimoiava e, qua e là spar-
s'udiva
gersi udivi di volatili in cova, bisbigli. Oppure, da

Manfredonia a Foggia correndo, l'auto *con i suoi fari*

l'auto svegliava negli stabbi, i redi. Sui monti corsi un
a Vivario chiusi *nella stanza, gli uomini*
anno prima, V *sotto il lume a petrolio* a Vivario chiu-
morsicando la
si *a veglia vicino al fuoco,* gli uomini fumando a pipa,

con le barbe bianche sulle *sopra le mani appoggiate sui*
tanti *morsicando la pipa morsicando la pipa ascoltavano*
bastoni, ascoltavano *Ors'Antone* V *cantare, accompa-*

gnato dalla rivergola, vibrante d'un suono carezzevo-
ragazzo
le e *remoto tra i denti del* giovine *Ghiuvanni;*

Tantu lieta è la sua sorte

Quantu torbida è la mia.
s'infittì
Fu allora che di fuori crebbe *uno scalpiccio frammi-*
a e gorgogli *portati*
schiato [1] e *urla* V *di maiali* che portavano *a scannare*,
che *scannati;*

si era di carnevale.
tre *scaglionati*
Lasciati dietro i *minuscoli paesi,* scendevano sul de-
declivio *sul declivio*
clivio a scala, *in tetti rossi di tegole case più recenti*

[1] La parola è aggiunta dopo.

le più vec *e, le più vecchie, grige, coperte di lavagna,*
e grigi *di lavagna le più vecchie attraverso la foresta di*

Vizzavona, senza vederne dei *dei larici che i tronchi,*

a più di [mille metri?] d'altezza si sta per passare

dall'altra parte dei monti l'autista ripete: Sulia Umbria, banda di qua, banda di là, parte del sole, parte

dell'ombra, e la macchina andava su due metri di stra-
a
da, ghiacciata, su due c *strapiombo sul precipizio. Il*

cielo era di zaffiro puro, il colore di questo mese, il

colore della speranza. S'intirizziva, ma il mare d'Ajaccio quando fu in vista, buio, tratteneva chissà quale

ruggito.

E in un altro foglio questo ruggito trattenuto del mare si trasforma in un mugghiare da ventriloquo. Sul margine destro del foglio, subito accanto alle prime righe, troviamo, una sull'altra, tre velocissime parole: « smanie – sortilegi – pronostici », messe lì quasi a tener desta la mente che non si tratta, anche nel primo tratteggio del turbamento di quel sonno, di un ingenuo risveglio, ma del risveglio di un segreto, che porta a un tempo, nel suo impennarsi, corto e lunatico. Parole, paiono, suggerite dai « bisbigli » « di volatili in cova », dal dimoiare, ecc., da tutto un segreto sussurro accosto al mistero del nascere: che quasi ci riporta quel « rincorrere Echi d'innanzi nascita » della « leggenda » del

Capitano nel *Sentimento*; hanno, quelle voci, l'ambiguità occulta dei pronostici, dei sortilegi, delle smanie: è un nascere al tempo, un nascere all'inganno. Dunque nel *Monologhetto*, se posso semplificare, un Ungaretti in cerca di un reviviscente *Sentimento del Tempo* è andato incontro a un visionario Ungaretti dell'*Allegria*, ma senza quella dolorosa gioia immediata: la tesi e l'antitesi non si sono fuse lampeggiando in una sintesi immediata (la voce del *Dolore*, la voce spezzata del diario lirico): il poeta ha voluto raggiungere i dati della sintesi per via analitica, visitando i « momenti » del *Dolore* con animo inizialmente di storico di se stesso. Qui, insomma, vi è distanza dal tempo chiuso nel suo marcescente furore. Si è qui trasformata, pur nell'empito ritrovato, la vocalità dell'*Allegria*, quella che era, sì, analisi, nelle sue membrature ritmiche, dell'endecasillabo, ma soprattutto affannato appoggiarsi della voce nell'illuminante scoperta dell'immagine, sua stillante conquista: un far proprio il mondo, un impadronirsene che era di quel propagarsi dell'« allegria ». Qui, sui sensi « allegri » è passata la memoria: il « sentimento del tempo » ha portato a dimensione temporale quella dimensione spaziale in cui si propagava il sentire del primo Ungaretti. Lo spazio, insomma il paesaggio, non è che la proiezione del tempo su un piano che possa percorrere l'« allegria » ormai tragica del poeta: una patetica equazione. Snudata dai « gridi » del *Dolore*, la voce s'incarna nelle dimensioni stesse della fantasia: ha strappi, riprese, ma in definitiva penetra calma e lungimirante, con la sua volontà di far storia, nei « paesaggi » che restano sorvegliati e come turbati, percossi da quel grido: ultimo, tragico, umano grido, che per la creatura rapita lancia alla morte predatrice il poeta, seppure con la voce del figlio: nell'economia rigorosamente poetica del libro, par l'eco stessa del ratto atroce; scorre sui « paesaggi » e li illumina come una meteora. Umanissimo strazio, per quello che nel *Monologhetto* non fu potuto dire (« di questo, non è momento di parlare »), par rifiorire e diffondersi da questo « momento » taciuto, su tutto il *Monologhetto*, quel grido, ora unico (« un grido »), perché spettrale, fuso col tempo, elemento anch'esso ormai di quei paesaggi che hanno un quattrocentesco vigore d'impianto, un quattrocentesco nitore d'atmosfera. Quanto lontano questo Ungaretti, pur nell'impeto, dal barocco dei grandi inni del *Dolore*. Il quale, fuori della sua pura essenza, ha scosso come un terremoto anche il terreno linguistico ungarettiano. L'impeto barocco viene a rifluire con le sue volute proprio dove « il tempo è muto »: ecco che allora la vita si manifesta come « una roccia di gridi »: ed ecco che esorbita e delira in un « mezzo » non resistente e quindi percepibile la fantasia. È di qui certo, cioè da questa mancanza di resistenza del « mezzo », che si è drammatizzata la fantasia ungarettiana, di per sé oggettiva: ed è qui la prima radice della *Terra Promessa*, in questo terreno sconvolto e fattosi soggettivo, quindi inconsciamente portato verso figure in cui ricuperare una pur drammatica oggettività. Come, sul piano linguistico, il linguaggio, sottoposto a una tensione non compensata, subisce la sua massima slogatura barocca, negli inni del *Dolore* appunto, che si sbracciano in un tempo dolorosamente muto, non rispondente. Al confronto i grandi inni del *Sentimento* hanno una compostezza classica, non rappresentano che una fase attiva del tempo: è il tempo salito a mitica testimonianza di peccato e di riscatto: le « labbra ultime » del tempo incarnano una figura senza volto ma assolutamente non metaforica, anzi di una concretezza che non ammette alcuna duplicazione linguistica. Di qua dal *Dolore*, oltre l'incompiuta *Terra Promessa*, che è una terra della mente, e di una costruzione mentale, drammatica, Ungaretti ha ritrovato la terra, la terra della sua propria storia, dove corre visionario il mito di se stesso: terra saldata a quel « giorno per giorno » del *Dolore*: prosecuzione calmata nello spazio temporale, di quel tempo delirante.

Abbiamo visto a che cosa involontariamente mirava questa « storia » ungarettiana: a quale *effacement* di immagini rivissute per metterle in pericolo dentro il tempo corposo che le nutre e le ammarcisce col suo stesso imputridire. Qui, l'illusione vivente di solo rimpianto, pare liberarsi del rimpianto non più per la forza stessa dell'illusione creatrice, come in *Sentimento del Tempo*, ma per l'altezza e la caparbietà e la confessione distesa del rimpianto. Questa poesia, pur così – inizialmente – occasionale, noi crediamo che porterà nella vena del *Dolore* un cupo medicamento. Non per nulla « una nascita / Ed una dipartita » qui sono soltanto sfiorate: e là nel *Dolore* queste avevano campeggiato.

In *Segreto del poeta* (ora nella *Terra Promessa*) la cui stesura va dal dicembre '52 al gennaio '54, le nostre previsioni si avverano: quando « la speranza immutabile », che « da ombre riprende a farsi chiara », « pietosa restituisce » « luce » a quei « gesti terreni ». Rigorosissimo punto di passaggio, questi versi, per quello che avrà in serbo il futuro, ed ennesima riprova che quest'ultima « allegria » ha stretto un patto inscindibile col « dolore ». Vediamo da lontano che quella che fu « allegria » e quello che fu « dolore », i due piatti della bilancia sostenuti e divisi dal « sentimento del tempo », ora hanno confuso il loro empito, né più saranno soli a pesare avvenire e passato in un presente che ormai è « avvenire » per quanto è « passato ». Pietoso dono dell'amore, il « presente »: ed ecco che quei gesti terreni parvero, e sono, immortali perché « talmente amati »: ecco che l'eternità del sentire umano viene ad affermarsi in mezzo all'oggettivo cadere dei sogni e delle fantasie. Cadono sogni e fantasie con lo stesso fuoco sopito e soffocato con cui cade nella

Terra Promessa l'intento drammatico nello strato lirico che lo accoglie alla fine della parabola. Diceva *Il Capitano* in *Sentimento del Tempo*: « Quando hai segreti, notte hai pietà »: adesso, dopo il *Dolore* intendo, per un affermarsi convinto della poetica della passione, è il poeta, il suo pathos stesso a inventare e trasmettere quest'ultimo, straordinario « tempo » alla notte amica. Non più la notte ha segreti, ma l'anima del poeta, e ormai ineffabili, da confidarne al tempo. Ed ecco che la speranza, pietosa, restituisce luce. Questa la novità altissima dell'ultimo Ungaretti: per cui insomma la fase del *Sentimento del Tempo* viene a risultare quasi una fase oggettiva, mitologica, e se così posso esprimermi, « scientifica »; ora, dopo il tempo drammatico inventato con la *Terra Promessa*, il poeta ha a disposizione un nuovo sentimento del tempo, un sentimento traslato: del tempo, intendo, soggettivo in cui egli campisce il *secretum* del colloquio con se stesso. Il *Sentimento del Tempo* risulta al confronto una fase attiva: « Brucio sul colle spazio e tempo », e quindi leggendaria; dinanzi alla quale le parole ultime sono del tutto arrese, scorporate: pretesti, apparizioni pure, fiamme che lambono appena ciò che le tiene accese. Salita la leggenda a dramma nella *Terra Promessa*, e in tal modo purificatasi, è rimasta ora una unica leggenda: quella di se stesso; nella quale tempo e spazio vengono a qualificarsi portando e scambiando i loro attributi, senza scorie perché evoluiscono come riflessi nell'interno stesso dell'anima: la toccano con la loro luce solo a provarne l'infinito esistere, l'infinita possibilità.

Per tornare al caso nostro, questa occasionalità punto per punto sconfitta del *Monologhetto*, libera il poeta da un abbandono al tempo vinto dei ricordi (« Il ricordare è di vecchiaia il segno »): il fanciullo rimpianto ma riconquistato con amara distanza al termine del lungo monologo, è il segno sgomento di un ritorno irriconoscibile, ma riconosciuto, su se stessi attraverso « qualche fantasia / Che anch'essa sarà vana ». Vanità del ritorno, ma necessità del ritorno. E nella pura dizione di una legge universale pare, la poesia di Ungaretti, acquistare un corpo mentale che dà alle parole, e a ogni loro movenza, una grazia fisica e una disperazione, nel fisico, affermata metafisica. La poesia è riportata a un diario essenziale che superato l'incanto straziante del suo *Giorno per giorno*, tende non più a un'identità momentanea, ma all'amaro disteso disincanto della propria storia. Ai paesaggi devastati, emergenti dall'intimo per brandelli e a specchi improvvisi (è quel « murare ogni spazio in un baleno » di *Folli i miei passi*: dove, nel « murare », è il segno del contrasto tra la fatica durata e il suo esito aleatorio, quel nulla del baleno), del *Dolore*, dilavati, urtati, coperti dal sentimento mareggiante, rotti dal tempo a ondate, e insomma ai paesaggi « simbolici » del *Dolore*, ai paesaggi « gridati », subentra una terra inclusiva di un fuoco e di un inganno che è solo suo, dinanzi a cui la poesia nasce attraverso un duro sforzo oggettivo. La terra pare placarsi, e intanto più farsi sibillina quanto più si ritira nel suo alveo: pare, allontanandosi, farsi solo visibile, udibile, « oggetto » poetico, ma insieme raggricciarsi in mostri impietriti, in braccia informi: dal suo profondo, da sotto la maschera, esplodere in fuochi che ne moltiplicano gli equivoci. « Il teso Michelangelo » è davanti ai suoi, sibillini, *Prigioni*. I « paesaggi di Febbraio », finché non sono stati visioni pure, presenti, mentre cedevano alla loro cronaca, non potevano nascere con questa libertà; ma soprattutto, non potevano significare; in altre parole: dare il « tempo » alla poesia; dico: farla nascere in verso. Dopo un primo, anticipato tentativo, sotto il segno di un *dérèglement* rimbaudiano, che non darà i versi definitivi, né le immagini, del *Monologhetto*, ma riflessioni a inflessioni in chiave di un « presente » in tumulto, il poeta infatti torna a precisare, a riprendere il motivo, ad allargarlo, in una prosa largamente ritmica, sempre più inclusiva – mentre è ricca di cronaca e mentre via via se ne spoglia in favore di una storia sempre più mitica e vivida di sortilegi – di un tempo « visto » « fermo ». Difatti, diremmo, è il *Monologhetto* piuttosto una « visione » che un « sentimento » del tempo. Le « visioni » sul passato dei « paesaggi di Febbraio » implicano un vedere netto: i contorni non sono annebbiati dalla profondità della memoria: è che il tempo si è fatto spazio, un essenziale, continuo spazio. Non per nulla il poeta ha conosciuto « il tremolar della marina », ha intravisto, dico, per forza di amore deluso, il tremante abbaglio della Terra Promessa. Questa poesia, venuta dopo la *Terra Promessa*, ha cessato di speculare nel futuro mentale della *Terra Promessa*: spazio acceso in un tempo avvenire; da ciò la nuova poesia acquista quella sua smagatissima facoltà nel disegnare i paesaggi dell'incanto e del disinganno.

A indicare questa ricuperata identità – e tutto il moto lirico vi mirava – tra il tempo effettuale e il suo archetipo umano da ricuperare, e insomma a sciogliere l'assunto nel fantasma incarnato, si veda la significantissima serie di varianti che mirano alla conclusione della poesia, dopo una prima chiusa prosasticamente simmetrica rispetto agli inizi.

Prima stesura:

Non c'è, altro non c'è su questa terra

Che un barlume di vero e il nulla della polvere,

Anche se, matto incorreggibile,

incontro a abbagli

Febbraio, a riprincipi di miraggio,

Nell'intimo e nei gesti

Tendersi sempre *sembra sempre.*

Seconda stesura:

Non c'è, altro non c'è su questa terra

Che un barlume di vero e il nulla della polvere

E il nulla della polvere,

Anche se, matto incorreggibile
al lampo dei miraggi
Febbraio incontro a abbagli

Nell'intimo e nei gesti

Tendersi sembra sempre.

Terza stesura:

Non c'è, altro non c'è su questa terra

Che un barlume di vero

E il nulla della polvere,

Anche se matto incorreggibile,
Chi vive *I*
Febbraio *incontro al lampo dei miraggi*
, il vivo
Nell'intimo e nei gesti

Tendersi sembra sempre.

Con tale stesura definitiva Febbraio matto e incorreggibile ha ceduto queste sue qualità all'uomo, al « vivo », il tempo si è disfatto della sua occasionalità, e il poeta arriva al sentimento di esso proprio laddove esso cede le sue qualifiche d'occasione a chi lo incarna e lo subisce e in qualche modo lo supera, per implicito destino. Qui anche può toccarsi con mano una delle precipue qualità della poesia ungarettiana: cioè come essa consista, nei suoi acquisti progressivi, di una fondamentale, superata instabilità iniziale; perciò l'assoluto di questa poesia è tutto il relativo vinto un po' per volta, punto per punto: una fulmineità lentamente ottenuta. La caducità non è vista nell'assoluto ma trasferita e vinta nell'assoluto. Una instabile stabilità, e perciò una vivente stabilità: ecco perché questa poesia, così assoluta, ha pure tanto impliciti il senso della carne e del caduco.

II

La stesura del *Monologhetto* durò circa una settimana, e forse meno, fino alla lettura che Ungaretti stesso ne fece alla radio, a Capodanno del 1952; poi, forse un po' più di tempo durarono i ritocchi, saltuari, fino a che egli stesso non mi consegnò, qualche giorno dopo, tutte le carte, abbozzi e stesura fin lì definitiva, per la pubblicazione in « Paragone » (n. 26, febbr. '52). E le correzioni durarono prima delle bozze e dopo le bozze, in un fitto carteggio. Né finirono con la prima pubblicazione, se qualche mese dopo, per la seconda pubblicazione sul primo numero dell'« Approdo » (genn.-marzo '52), piccoli ritocchi di punteggiatura vi furono apportati. Non è qui il caso di dare una riproduzione diplomatica di tutti gli autografi, ma vogliamo, prendendo lo spunto qua e là, trarre alcune considerazioni su questa fase del lavoro ungarettiano che, non si dimentichi, veniva dall'intellettuale rigore, dall'applicazione mitica della *Terra Promessa.* E i primi attacchi metrici di questa poesia si riconnettono a quel chiuso fuoco intellettuale: « Nel sonno coglie inverno sorda febbre »; è quel rimandarsi, in specchi affocati, di un immaginare affaticato, le cui « immagini » sono tutte fuori della poesia, al di là della sua portata. Qui i sensi si ridistendono in paesaggi non più sognati, ma anzi perseguìti nella precisione del ricordo, e il tempo che la *Terra* ha abolito, sì che esso è là solo immaginato e direi figurato, e insomma in sottordine alla « mente », qui ripullula nel pericolo del suo rimpianto. Qui dunque, dopo lo spazio interiore misurato nei frammenti della *Terra*, il tempo ritrova nello spazio dichiaratamente esteriore la sua illusoria, putrescente estensione: questa poesia, nata da un'occasione tanto esterna, presta ben presto il suo fianco al tentativo di un nuovo sentimento del tempo, di un tempo che il « diario » del *Dolore* ha spezzato e reso quotidiano: ed è qui la sua ultima importanza.

Nasce dunque, il *Monologhetto*, puramente discorsivo, in una prosa che ben presto butta via il suo involucro gnomico sotto l'urgenza delle immagini che maggiormente si rivelano ricche di potenziale lirico. Ma in un primo momento, non essendovi questo futuro poetico, che è futuro ritmico, le immagini non hanno distanza: subito appare l'indovino, e la febbre, dal radicale di Febbraio; appare quasi subito anche la madre, ma in quel punto è anche, subito, messa in ombra dalla fantasia: dovrà la sua presenza esplodere, con umana salvezza, in mezzo ad altri sortilegi che usciranno dalla memoria accesa, non più in questa fase gnomico-descrittiva: la madre allora, ridendo, salverà il fanciullo dalle « braccia spaventose » del « mahdi, ancora informe nel granito ».

Ecco il primo foglio:

M *Febbra[io]* *di sonno duro*
Febbraio è un m*ese invernale ma non* più tanto segreto,
tutti gli umori sotto le
si risentono nelle *scorze* tutti gli umori *e delirano già in*
sotto le scorze *alla punta delira*
sintomi di gemme, e s'aguzza l'orecchio dell'indovino a

capire come andrà l'anno dai capricci della febbre.

In Febbraio l'inverno non è più di sonno duro, già nel
più non essendo anche essendo *spoglio anche nel segreto. Sotto*
segreto, *non* più *spoglio.* E il tem Si ri. *Tutti gli umo-*
le scorze
ri sotto *si risentono* sotto le scorze *e* alla pu già già
già deliranti di gemme
premono V *alle punte. È tempo che l'orecchio del-*

l'indovino s'aguzzi a capire dai capire *capricci della*

febbre come l'anno andrà. Mese strano, tutto di carne-
preso
vale ogni quattr'anni e negli altri tre tra Carnevale e

Quaresima.

In un foglio dove comincia, la prosa, a risentirsi in versi, al margine sinistro è scritto:

I carri d'argento e di rame

Le prue d'acciaio e d'argento

Picchiano la schiuma

I ceppi del pruno
le carreggiate
la carraia del riflusso

i pilastri delle foreste

i fusti degli argini

Il cui angolo è urtato dai turbini di luce.

È, essenzialmente, la traduzione di *Marine*, dalle *Illuminations* di Rimbaud, che dunque è nei paraggi di questo formicolio poetico: il Rimbaud delle *Illuminations* cova questa prosa di alto ritmo ungarettiana in via di farsi verso. La prosa essenziale delle *Illuminations*, in *Marine* e in *Mouvement*, ha i suoi *introibo*, i punti di passaggio dalla poesia in versi antecedente, che qui si spoglia del ritmo del verso per trovare aderendo totalmente all'essenza dell'immagine, anche la sua durata: è l'immagine che ritma la lassa ritmica, non il verso che ritma l'immagine. Ora questo Ungaretti ultimo, partito dalla prosa, e credo che così vicina alla poesia, sia la prima volta, compie il percorso inverso nello stringere all'essenziale la fantasia: dalla prosa al verso, da una prosa formicolante e ribollente a un verso che cerca di ordinarla e di impadronirsene, di impadronirsi di quel fermento. Dopo l'esperienza dell'endecasillabo culminata, attraverso la pronuncia essenziale dell'*Allegria*, nel *Sentimento* e nella *Terra Promessa*, un'esperienza in cui la voce è il *primum*, il calco in cui s'imprime, esprimendosi, l'immagine; qui l'immagine è alle origini della voce, che la segue in sordina, avviata al suo lento, e sempre meno lento, giro. Dunque una storia per immagini essenziali, cadute e direi attratte dal « vuoto » del Febbraio, di questo tempo essenziale ma storico, è la dimensione tentata da questa poesia, in cui l'assunzione al verso dopo l'originario urgere prosastico è una specie di dialettica contraddizione in termini che fa sì che la conclusione sgorghi dal ritmo riconquistato, non più dall'assunto iniziale.

E inoltre, tornando al tradurre per tenere il polso su di battito, vediamo che, oltre all'orizzonte in moto rimbaudiano che risponde a questo tempo figurato ungarettiano, anche certi particolari si avvalgono di quest'esperienza a margine: « i ceppi del pruno », « les souches des ronces », si ritrovano nei « ceppi del roveto » su cui dimoia per la Maremma: i quali sono stati a lungo « i ceppi della rovaia », « i ceppi del pruneto » (e di « rovaia » e « pruneto », « roveto » suona come la sintesi: e qui mi piace ricordare che un « roveto » è alle origini della « siepe » leopardiana). Dopo il riconoscimento fondamentale di una metrica necessaria allo sviluppo della poesia, sincrono alle prove di mano della traduzione di Rimbaud, non importa più vedere il poeta tornare a una larga ritmica, più mossa, uscita dalla chiusura gnomica attestata dal primo momento. I vari fogli su cui il motivo « Sotto le scorze » è cercato e tentato e arricchito via via, fino al paesaggio mitico dell'arca in cerca d'Ararat, seppure in un involucro prosastico, preparano nel ritmo il metro disteso e favoloso, già ormai avvertito, di questa poesia. L'avvento, anzi, in un secondo tempo, della visione dell'arca tornata a salpare in cerca d'Ararat, col conseguente motivo dell'imbianchino salito ai colombai, slarga l'orizzonte lirico che fin allora si era mantenuto negli esercizi di acquisto ritmico-visivo rispetto al motivo « Sotto le scorze » da cui subito si passava alla Maremma, all'auto « da Manfredonia a Foggia » e all'episodio còrso. Poiché il velario non si era levato sulla « spiaggia desolata », che sarà anche uno « spiazzo desolato », le « apparenze » avevano mantenuto la credibilità dei motivi di una cronistoria. Ma quando il lido « da quell'attimo / Si scruta per ripopolarsi » ecco che balza fuori col turbamento il fondo magico inespresso, l'insurrezione segreta si fa aperta e pèrmea gli episodi successivi scatenando quell'« atroce impazienza » a cui la madre si oppone, ridendo, col suo proverbiare di Lucchese. Di lì poi la poesia ritroverà quello che all'inizio del lavoro poetico era già balenato in modo informe, e che ora, come conclusione cosciente, trova l'espressione più appropriata.

Ma tutta questa fase di passaggio dal gnomico al lirico, con l'insorgenza del verso, indica l'improvvisa velocità dell'animo che dal tempo descritto passa al tempo inventato per un estro fulmineo che dà i punti essenziali della poesia senza darne la « lunghezza » del ripensamento. La poesia sarà appunto un riacquisto di meditazione, una volta ottenuti i punti essenziali, i capisaldi lirici. Riporto, dal foglio in cui è, a sinistra, l'*Illumination*, le parole sul margine destro, una sorta di ungarettiano *Cantico del gallo silvestre*. Anche il gallo leopardiano grida: « Su, mortali, destatevi. Il dì rinasce: torna la verità in sulla terra, e partonsene le immagini vane. Sorgete; ripigliatevi la soma della vita; riducetevi dal mondo falso nel vero ». E questo appello a ritornare dal mondo falso nel vero, e l'invocazione, sono rimasti nel finale del *Monologhetto*:

Poeti, poeti, ci siamo messi
Tutte le maschere...

Impaziente, nel vuoto, ognuno smania,
S'affanna, futile,
A reincarnarsi in qualche fantasia
Che anch'essa sarà vana...

Dicono dunque, nel foglio in questione, le parole sulla destra: « Non sapete che quelli che corrono nello stadio, corrono tutti ma uno solo vince il premio ». « Svegliatevi – insensato e – sorgere. » La prima frase è un ricordo di San Paolo, che nella *Prima epistola ai Corinzi* (IX, 24) dichiara esattamente: « Non sapete voi che nelle corse dello stadio corrono tutti, ma uno solo ottiene il premio? »; ma Ungaretti ha insistito nel dichiararmi che in quel momento non aveva presente se non il libro delle opere di Rimbaud che andava sfogliando macchinalmente, per cui le parole paoline si sono infiltrate là in mezzo per chissà quale scherzo della memoria. « Né queste, né quelle a lato hanno importanza se non nel senso che, in attesa dell'ispirazione, m'ero messo a tradurre, risfogliando Rimbaud, l'una o l'altra frase che m'avesse colpito: così quasi macchinalmente... Era frase che aveva molto colpito Barilli, e se la ripeteva: corrono tutti ma uno solo vince il premio. Era già colpito dalla malattia, a letto. » « Non si tratta di frasi straordinarie, ed elaborate, come nel caso di *Marine*; ma di semplice iniziale ritmo dell'ispirazione: risveglio e insurrezione segreta è in tutto il tema del *Monologhetto*. » Ma a noi importano, sia le parole paoline immerse nel tessuto germinante di Rimbaud, sia le altre, proprio perché sono parole sepolte nelle fondamenta del *Monologhetto*; lì questo Lazzaro insensato è apostrofato ancora, diremmo, senza immagini, ancora involto nel suo sonno, e spinto a uscire dal suo ipogeo. E, di più, il concetto di premio, dopo aver provocato – esso oscuramente, esso direttamente – l'idea di Noè che solo scampa sull'arca, permane nell'interpretazione augurale dell'Araba, di Mabruka, della Fortunata, che sola « scatta » dal « cerchio dei presagi »; e si scioglie, ultimo barlume, e ormai solo condizionale, dimostratosi vano anche l'ammonimento, nei « sogni dei fanciulli ». In basso a sinistra dello stesso foglio è un'altra « nota d'idea »: « Solo ai bambini s'addice di sognare e non c'è bella veste che s'addice alla sorte che auguro loro »: anche qui, un motivo che poi sarà effettivamente ripreso, che sarà più che un motivo se in qualche modo culmina in « fanciullezza » il viaggio a ritroso del *Monologhetto*, e « il lampo dei miraggi » illumina alfine « la grazia del candore », è dato dall'ispirazione che si cerca in forma di presagio, di augurio. Siamo in quel nascente clima di sortilegio entro cui si proietterà la fantasia accendendosi.

Il « segreto » del « febbraietto » porta alle « maschere », e queste alla domanda: « che c'è da indovinare? ». E nel primo impulso, la poesia è tutta in questo presagio, per cui si aguzzi l'orecchio a indovinare il futuro. Ma non c'erano le immagini: non c'era il passato, compreso il « mahdi, ancora informe nel granito », non c'erano le pietre miliari del passato quasi emblemi di un futuro disincantato, e la poesia si avviava verso un presente, verso ciò che il poeta si vede attorno a casa, senza questo lungo viaggio nel mondo che l'ispirazione imprenderà.

Ecco:

N *coglie*
Ha n*el sonno l'inverno sorda febbre*
N *più*
Più n*on essendo spoglio*

Anche nel suo segreto

Il febbraietto,

Nel

Tutti gli umori sotto le scorze si risentono,

Alle punte già premono deliranti di gemme,

ha *colto*

Sorda febbre nel sonno coglie *inverno*

Non essendo

Che almeno, *nel segreto* più *almeno,*

Più non trascorre spoglio.

Febbraietto lunatico è alle porte.

Tutti gli umori si risentono

Già premono alle punte

Alle punte già deliranti premono

l'orecchio

È tempo che l'orecchio *s'aguzzi a indovinare*

Dai capricci dell'ora come quest'anno andrà

Tra la Cand[elora]

Tra la mattina della Candelora

Con *fievole* timido *fievole*

Tra *il riapparso* trem *tremolare dei lumi*

Da cera *ardente poca*

Dalla vergine *cera vergine*

C

E le ceneri del tu *sei polvere*

E ritornerai in polvere

Schiamazza il carnevale

Poeti poeti, ci siamo messi tutte le maschere,

Che c'è da indovinare?
Il vero vero (?) debolmente
Un barlume di verità
Un
Il *barlume di vero e il nulla delle ceneri.*

Mi ve *torni* la mimo[sa]

Fioriscono nel mese
Le gialle piccole palline *testoline*
I gialli piccoli

Dei fiori di mimosa

Sulla pia[nta]

Sopra quella mimosa

Che dalla mia finestra

Alzando gli occhi

usa inquadrarsi nella mia finestra.

I due versi dopo l'interruzione « Tutti gli umori... » sono scritti di getto insieme ai primi quattro; con « Sorda febbre » del verso successivo il motivo riprende a formularsi su nuovi timbri, e coi versi cancellati « Tutti gli umori si risentono » ecc. si dimostra che la ripresa del nuovo motivo non è ancora convincente: troppo preme su di esso « l'orecchio dell'indovino », la parte magica insita in tutta questa poesia; ma dopo il primo getto della formulazione poetica, che ho riportato, non per nulla è proprio il motivo « Sotto le scorze » che preme, ed è tentato e ritentato, e che dà come per un'esplosione delirante di gemme dall'intimo degli umori poetici racchiusi, in progressivi acquisti, tutta la parte « visionaria » della poesia. Mentre il primo getto poetico rimane a testimoniare come il *primum* assolutamente lirico sia implicato soprattutto nel settore « lunatico » del sortilegio e del sogno. Donde la « vigilanza » accresciuta del poeta, rispetto alla « vicenda » nel mese di Febbraio, come ci dirà il testo definitivo: vigilanza sulla magia del tempo che insorge: sul quale i motivi successivi, visionari, si inseriscono come ricordi di « alcune soste » del « lungo soggiorno sulla terra »: soste che nel ricordo lampeggiante diventano magiche apparizioni, visioni ferme.

La mimosa è un'« apparizione » del tempo presente che non entrerà nelle dimensioni successivamente acquistate dalla poesia, in quel passato-futuro che accerterà la vanità di quella « qualche fantasia » data dal reincarnarsi di ognuno nel « vuoto ». Il presente, la sensazione viva, è proprio quanto manca in una tal poesia, che tutta si reincarna nel ricordo. Solo l'umore del Febbraio è quanto resta di attuale, e subito dopo, subito accosto, un paesaggio dominato da un'arca mitica, un mitologico paesaggio che dà luogo, nel profondo della memoria, con la sua animata, misteriosa invadenza, ai « paesaggi di Febbraio », ai momenti spaziali, geografici del passato. Nel senso di una determinazione temporale e spaziale, divisa tra l'esattezza storica e quella poetica, si pensi ai nomi che sottostanno a quelli vincenti:

Da Foggia la vettura
A Lucera correndo

aveva « da Foggia al Gargano », « dal Gargano a Foggia », « da Manfredonia a Foggia », « da Foggia l'auto a Lucera ». E una vera approssimazione « spaziale » al « luogo » della poesia: al luogo cioè dove un nome suona sgombro delle sue stesse circostanze. Pernambuco così era Recife. E quello che ora è « Sulìa, umbrìa, umbrìa, » ecc., è passato per una serie di varianti che indicano il permanere di un'ossessione realistica che solo a malapena riesce a comporsi nel suono del ricordo. In una fase, le parole « Sulìa, umbrìa » sono ripetute fino a nove volte, il travaglio fonico dura fino ai minimi termini della lezione accettata. Ungaretti stesso mi dichiarava, in un altro febbraio, quello del '52: « La ripetizione di Umbrìa è per l'ossessione uditiva dell'auto che aveva le catene. È necessaria, almeno ridotta come la ho ora. Anche se è cosa che rimane puramente soggettiva ». E si hanno vere movenze hölderliniane: « Da Foggia la vettura... »: la storia drammatica e in fuoco di Hölderlin, il suo girovagare appuntato a determinati, attivi, punti cardinali. Nel momento concreto in cui vengono precisandosi i singoli momenti, potremmo cogliere una larga messe di varianti che indicano, oltre che il fervore ormai ottenuto, come proprio dal progredire dell'immaginazione si distacchi la progressione mentale che vi è implicita. Così il Carnevale brasiliano, « il mese della piena estate », « il luglio leonino » a cui « hanno messo la maschera di Febbraio », col capogiro conseguente porta ad incarnare la sensazione della fantasia come maschera della vanità delle cose, quanto più essa, con la sua sovreccitazione, è spinta a ricordare, ai « nostri rimpianti ». Ecco un esempio di capogiro:

Ballano le case, le chiese, *le cose, le bestie, la gente,*
sia a sia a sia
le catapecchie, i grattacieli, le *cos*e, le *besti*e, la *gente*,
siano sia o
le *catapecchie,* i *grattacieli*,

Poi, catapecchie e grattacieli si sentono inclusi, in una sovreccitazione meno espressionistica, nel più generale « cosa », e cadono dal testo. Ma, dicevo, proprio una tal maschera s'incarna in quel Carnevale, in una fioritura di varianti d'immaginazione pinatissime:

...ma gli hanno messo la maschera di febbraio, e ballando

cantano, sudati fradici, stralunati tra spruzzi d'etere.

Ironia, Ironia

Era só o que dizia

O moreno che amei

E por quem tanto chorei

In altro foglio:

si balli
Fradici di sudore, stralunati, ballano *senza posa,*
ingenuità
Cantano di continuo, rauchi, con strana insensatezza:

Ironia, *ironia*

Era só o que dizia.

Su labbra d'una mulatinha è il canto della più

E così il poeta prosegue, tentando, su varianti foniche, di stringere all'essenziale, dopo aver respinto eccessi di precisazione e dopo, anche qui, aver cercato, come altrove la compresenza delle immagini, la compartecipazione ai fatti (da « ballano » a « si balli »): insomma allontanandosi dai toni narrativi iniziali. In altro punto della poesia, di « una delle Arabe accalcate » ci dice il nome.

E Mabruka,[1] *solo per sé nel suo intimo maga,*

Tanto diluviare guardando *adocchiando,*[2]
Davanti a *Indica un che intacca la roccia predicendo:*
Mostra un *fulmine* alla roccia e predice:

[*Indica un fulmine che stria una roccia*
sillaba per sillaba
E serena *pronostica:*]

Un mahdi, ancora informe nel granito,

Delinea le sue braccia spaventose.

Ma mia madre, Lucchese,
C deduce
Interrogato il tempo, ne deduce invece *così* sentenzia

invece:

[*Ecc.*]

Dove, tra l'altro, è provato il legame « piano », logico, che unisce il passaggio dalla maga alla madre, ambedue unite nell'interrogare, con risposte diverse, il tempo. La lezione definitiva accosterà invece di più la risposta « terrestre » della madre sotto il protendersi di quelle braccia spaventose. Cresce l'esagitazione di Mabruka che da « serena » si fa testimone di un tellurico orrore « con schiumante bocca »; e per converso crescerà la confidenza della madre che « A quella uscita ride ».

Tardi appaiono i fuochi che screziano la marina li-

[1] Che suona come Fortuna, Allegria, Felicità, ed è diffuso nome di donna.
[2] Il verso è stato aggiunto dopo, nell'interlinea.

vida. La burrasca, la pioggia a dirotto, i tuoni e i fulmini di Alessandria d'Egitto ci appaiono, dai manoscritti, nati prima nella mente del poeta; e ci appare quasi che siano essi ad accendere la luminaria sudamericana e quel suo senso di uggia tenebrosa, anch'essi trasformandosi in « finimondo ». Eccola come primamente appare, la girandola dei fuochi:

Ma assai si balla
Meglio di notte, quando, fastidiosi alle tenebre,
dei cornucopie,
Fiori di *fuochi dalle* girandole

Grandinano [*ecc.*]

Tra cielo e terra e la torva marina.

Complici della notte e di essa molto più notturni gran-

dinano

Fiori dei fuochi dalle cornucopie, [*ecc.*]

Anche il mahdi appartiene a questo giuoco di luci interne, s'accende di questa luce spettrale dei fulmini. Ecco le sue prime incantevoli apparizioni, in una luce di cristiana superstizione:

Rammemorano *Adamo ed Eva rammemorano*

Che nella sorte tentano d'orientarsi.

È tempo che s'aguzzi l'orecchio a indovinare

messia
Palpiterà quel sasso d'ali d'un angelo *prigioniero?*

Ma, devo dire, di quell'aggravarsi di torbidi colori verso il centro e il finale della poesia, viene a godere la selva di Vizzavona che appartenendo all'immaginare dei primi momenti, degli aerei quadri sotto la luce mitica del « velario » che appena si è levato, mentre era nata come « la foresta di Vizzavona », ed era quasi subito divenuta « la lugubre foresta di Vizzavona », finisce per essere « l'aromatica selva di Vizzavona ». Altrove si appesantisce la maschera, altrove grava la mano del mahdi, angelo o messia andato a male.

E l'innocenza, « la grazia del candore » in un primo momento, in quanto stava per dare « candore di favola », non è che un prodotto, anch'essa, della maschera: i fanciulli « hanno l'innocenza di Proteo »: sono innocenti perché proteiformi, nel primo tocco della fantasia; e dunque la loro mutevolezza al poeta appare innocenza, la mutevolezza che è quasi l'anima del tempo mutevole. Anche qui il tempo corruttore par quasi che voglia corrompere persino l'anima del fanciullo, se appare quasi in essa, mascherato, il tempo stesso, informe e quindi multiforme in quell'innocenza; ma anche qui, col rimeditare, vince « la grazia del candore »: e questo « vecchio » bambino è ricacciato allo stesso modo che il tempo è ridelimitato nei suoi guasti. È il ricordo (« fanciullezza / È subito ricordo »), il fulmineo ricordo, a vincere, figlio della memoria.

Piero Bigongiari

Nota. Mi sono attenuto, nel dare esempi di frammenti autografi del *Monologhetto*, ai criteri seguiti da Santorre Debenedetti nella sua edizione de *I frammenti autografi dell'Orlando furioso* (Chiantore, Torino 1937). Mi sembra che così possa darsi una, quanto più possibile, perspicua lettura dei testi con la « cronologia » delle varianti che li attorniano. Le parole cancellate sono riportate in tondo; in corpo piccolo le correzioni dell'interlinea. S'intende che riproduco solo esempi, e quindi non do affatto tutte le varianti che da foglio a foglio si addensano.

e spesso si ripetono, intorno al singolo fantasma poetico da sfruttare, ma solo quelle del foglio preso in esame.

Rispondendo poi a un'obiezione che è stata mossa sulla consistenza della « prosa » iniziale che secondo gli inoppugnabili dati caratterizza la genesi del *Monologhetto*, devo precisare che mi riferisco alla prosa come categoria ideale – non importa che duri un attimo o una pagina – se si vuole alla prosa « nutrice del verso », che non resta perciò meno prosa anche se esiguo e subito smentito, ma non perciò meno condizionante, è il suo primo apparire; e pel *Monologhetto*, qualunque sforzo si faccia di invenirvi alle sue prime radici un ritmo endecasillabico, non si può negare che la sua prima volontà appartenga alla categoria di una pur sostenuta prosa, che scalpita entro i suoi stessi termini: è un *cursus* che si equivoca col ritmo dell'endecasillabo. E se poi, subito dopo, quella prosa si scioglie al calore del verso imminente, non può dirsi certo che il *Monologhetto* sia nato dal ridirsi il poeta già mentalmente un verso, dall'assaporare originariamente un ritmo poetico, ma, per così dire, da un « contenuto » ancora verde. E par così accordarsi, anche nella genesi, al suo destino di stagione precoce e foriera di eventi, qual è il Febbraio. E non dobbiamo dire che il destino è nel seme? Quel tanto insistere proprio sui primi tasti, e dirseli e ridirseli, prova quanto strettamente il poeta ha appuntito i primi dati della fantasia; prova la felice, assidua fatica che è costata l'invenzione del nuovo endecasillabo, lo staccarsi di esso dalla cullante condizione iniziale. Se la poesia segue nello svilupparsi una sua profonda, concatenatissima progressione interiore, perché, nel far storia della poesia, dobbiamo non dar valore, il valore che merita, al primo bagliore, all'istante, all'emozione iniziale? Insomma l'endecasillabo del *Monologhetto* non è nato armato, ma si è conquistato la sua ragion d'essere attraverso ragioni di « contenuto » – qual è istituzionalmente la prosa rispetto alla poesia – che lo condizionano e perciò stesso ne avvalorano il peso diverso.

NOTE
a cura dell'Autore
e di Ariodante Marianni

NOTA INTRODUTTIVA

Al compianto amico Jean Amrouche, che raccoglieva mie osservazioni improvvisate per la Radiodiffusion Télévision Française, la prima mia risposta fu questa: « Ma è mettere il dito in piaghe profonde ». « Tra un fiore colto e l'altro donato / l'inesprimibile nulla ». È un'ossessione che torna, come il lettore vedrà, spesso, nel mio canto. È nel significato di quel nonnulla che sembra apparisca la prima presa di coscienza dell'essere stesso che io sono. Ecco, sono nato ad Alessandria d'Egitto, cioè in una città che non fa più parte dell'oasi costituita dal Nilo. Alessandria è nel deserto, in un deserto dove la vita è forse intensissima dai tempi della sua fondazione, ma dove la vita non lascia alcun segno di permanenza nel tempo. Alessandria è una città senza un monumento, o meglio senza quasi un monumento che ricordi il suo antico passato. Muta incessantemente. Il tempo la porta sempre via, in ogni tempo. È una città dove il sentimento del tempo, del tempo distruttore è presente all'immaginazione prima di tutto e soprattutto. E dicendo *nulla*, in particolare ho pensato, difatti, a quel lavorio di costante annientamento che il tempo vi produce. Anche, ho pensato al miraggio che quel nulla e quel tempo abolito avvenga facciano balenare all'immaginazione del poeta, ad una immaginazione che mi fa arretrare fino all'infanzia, quando quei miraggi incominciavano ad essermi consueti.

Tenterò di fissare certi elementi. Ho perso mio padre quando ero bimbino, a due anni. Dunque, ho passato l'infanzia in una casa dove la memoria di mio padre manteneva un lutto costante. Non era un'infanzia allegra. Mio padre ci aveva lasciato un forno d'una certa importanza. Mia madre lo gestiva. Era dalla mattina alla sera presa dai suoi affari e dalle faccende di casa. Non trascurava, anzi aveva somma cura dei suoi figliuoli. Donna d'estrema energia. Io, invece, ho ereditato il carattere di mio padre, che era l'opposto. Ho, certo, una volontà, ma è d'un ordine diverso. Mia madre era volontaria all'eccesso, fortissimamente volontaria, e naturalmente non s'abbandonava che molto di rado alla tenerezza.

Ci sono due elementi della mia prima infanzia, anzi, gli elementi sono tre, e presto verranno a sorprendermi in senso d'ispirazione poetica. Innanzi tutto, la notte, la notte e il suo traffico: voci di guardiani notturni: si rincorrevano, venivano, s'allontanavano: *Uahed!...*, ritornavano *Uahed!...*, ogni quarto d'ora, rifatto il giro intorno al mio orecchio infantile. Era il primo percepire dell'infinito, d'un infinito cerchio, come già gli antichi Egiziani usavano rappresentarlo nel mordersi la coda di un serpente.

Un altro elemento, elemento di rivolta, dipendeva dal fatto che nel nostro cortile si allevavano maiali. Di notte, quando occorreva svegliare gli operai arabi, quando il turno di lavoro dell'uno o dell'altro era giunto, un operaio del contado lucchese che era in casa nostra fino dai tempi di mio padre, andava a cercare il porco, perché di solito il sonno di quegli Arabi era duro, e sopraggiunto il porco si svegliavano di soprassalto scappando con urla da ossessi. Ero offeso da quell'agire, trovavo – e non ero che un bimbo – che non fosse una buona maniera violare sacri sentimenti.

Terzo elemento. Era nostro vicino un funzionario d'origine francese, francese ed alto funzionario dello Stato egiziano. Aveva un figlio della mia età. Quel bimbo era fisicamente e forse anche di mentalità l'opposto di quello che ero io. Aveva perduto la mamma; ma la tenerezza che aveva trovato in suo padre, e negli zii e nelle zie, sostituiva in qualche modo l'affetto materno. Era di molta grazia, d'una grande agiatezza nei modi. M'attraeva come attraeva nello spiazzo dove giocavamo tutti i nostri compagni. Era una specie di re. C'è stata per me quell'idolatria, un'idolatria, ed è forse il più forte affetto, la più grande amicizia che io abbia avuto nella vita. Nulla so di paragonabile a quell'attaccamento.

Voglio insistere su uno dei tre elementi: quello del lutto. Tutte le settimane, tutte, mia madre mi conduceva al camposanto. Vi andavamo a piedi, era un viaggio non breve, e quella zona era quasi disabitata. Alcune case, intorno alla nostra; poi, quel lunghissimo viale: a un certo punto, sorgeva la villa d'un ricco banchiere, il barone Menasce, e la strada si chiamava appunto il viale Menasce. In capo al viale, una svolta, e, subito, uno spiazzo rotondo, e di là, cammina, cammina, il camposanto. Lunghissima, quella camminata. Mia madre pregava, oppure mi rimproverava, a un monellino non mancando mai mosse da reprimere. Giungevamo al camposanto, dove passavamo ore di preghiera, che dovevo seguire, che dovevo accompagnare. Tutte le settimane, durante la mia prima infanzia.

Sentimento della morte, sino dal primo momento, e attorniato da un paesaggio annientante: tutto si sgretola, tutto, credo di averlo già detto: tutto non ha che una durata minima, tutto è precario. Ero preda, in quel paesaggio, di quella presenza, di quel ricordo, di quel richiamo, costante, della morte.

Un altro momento della mia vita, che va rammemorato, fu quando lasciai casa mia per andare a passare alcuni anni in collegio. Nella mia formazione morale possono avere avuto importanza, e persino un'importanza benefica, ma in ogni caso in quel collegio fui

infelicissimo. Sono sempre stato uno che nessuno ha mai potuto disciplinare. Mi è insopportabile qualsiasi impronta.
Una mattina, delle mattine trascorse a ripassare le lezioni o a fare i compiti, dalla finestra dello stanzone potevamo osservare in una caserma inglese, militari puniti, puniti di solito perché erano stati raccolti in giro ubriachi. Li facevano marciare in giro a una pista, e poi – me ne rammento bene, è un genere di fatti che non posso dimenticare quando m'avvenga di avere dovuto osservarli: quei rei d'ubriachezza erano frustati a sangue. Quell'effetto su di me, di pena corporale inflitta a esseri umani, era un effetto nell'animo mio di rivolta insopportabile. Quello spettacolo di fustigazione offerto da una caserma fu una delle più acri ingiurie che mi rammento di avere subito, nel corso d'un'esistenza d'una lunghezza tale che non ha potuto non doverne registrare moltissime altre, atroci.
Occorre che torni a parlare di quel ragazzino – si chiamava Alcide – che impersonò per me l'immagine della felicità, di quel bimbo che mi figurai come un eroe scaturito dalla stessa mia esistenza. Ero in un collegio di preti. Uno degli istitutori m'incita un giorno a tenere il giornale della mia vita. Lo faccio. Lo faccio, ed era a quel ragazzo lontano che rivolsi quasi tutte le invocazioni ricorrenti nell'analisi dei miei sentimenti. Un giorno il prete mi chiede di vedere il mio giornale, gli affido il quaderno, che annota. Me lo restituisce, il quaderno. Subito dopo, mi chiede di non leggere quanto vi aveva scritto. Distrussi il quaderno. Perché l'ho fatto? Prima di tutto, non mi piace violare il segreto d'un altro. È rispetto ereditato, l'ho sempre mantenuto. Anche mi piace che alcunché ci sia, che rimanga segreto per me. Mi piace che il segreto, per averlo rispettato, serbi per me un sapore infinitamente più poetico che se m'accadesse di conoscerlo in tutta la sua realtà.

Guardate un po', a proposito di Alcide, quello che ora mi torna in mente.
A volte interrompevamo il giuoco nello spiazzo, e l'arcangelo Alcide ci conduceva a casa sua. Un giorno, nella sala da pranzo dove c'eravamo fermati, c'era Louise, la figlia della governante tedesca del nostro amico. Sembrava aspettarci e c'invitò a giocare alle *poules*, alle galline. Boreale quindicenne, faccino imbambolato, capigliatura biondo quasi albino giungente all'attacco delle cosce, lunghissime gambe cranachiane. Ci fece accoccolare sotto la tavola come si fa per i propri bisogni quando manchi altro modo per alleggerirsene. Anche la damigella, in mezzo a noi, si accoccolò allo stesso modo e poi, a uno a uno, sbottonò i pantaloncini e prese tra l'indice e il pollice affusolati, incredibilmente graziosi, l'oggettino, che, è la sua natura, scattò. Erano coserellini immaturi, i nostri, avevamo sei o sette anni. Lei scuoteva il capo: « Pouah! Oust! Filez! Un peu plus vite que ça, s'il vous plaît! Quoi? Vous avez le toupet de rouspeter, petits nigauds! Hélas? Vos prouesses, on les a éprouvées, gros vauriens! » Il caso non intaccò la nostra innocenza, ma da quel giorno in noi s'era steso come un velo. Era un lievissimo velo, ma, dopo tutto, da quel giorno, Eva s'era affacciata nella mia vita.
Avrei forse tendenza a eroicizzare quell'Alcide, abbagliante favola della mia infanzia? Era lontano, perché non era in collegio, ed ero in collegio. Più tardi, anche lui, lo rinchiuderanno in collegio, quando suo padre morì, alcuni anni più tardi. Era lontano, e in realtà era immagine di miraggio, quando m'appariva. Durante le vacanze di Pasqua, ero a casa: dalla finestra, lo vedo passare in carrozza con una delle sue zie, credo, e andavano in un asilo di trovatelli a recare un'offerta. Ciò che provai, non saprei dirlo.
Dopo la morte di suo padre, l'ho già detto, egli era in collegio, e io ne stavo fuori allora. Credo che la

data di nascita di quel ragazzo fosse il primo maggio. Certo, rammento bene, era nato il primo maggio, e, per il suo compleanno, ecco, mi nacque un sonetto. Non mi ricordo d'averne fatti più, ne ho tradotti molti, da Shakespeare per esempio, ma non ne ho fatti più. Quel sonetto, dove esprimevo allora un po' tutto il cumulo di sentimenti che Alcide faceva vivere in me, glielo feci pervenire. Avevamo compiuto, lui ed io, quindici anni, non eravamo più bambini e quel ragazzo, la sera, era un ragazzo avventuroso, scappava dalla scuola e venne anche a vedermi per ringraziarmi del sonetto che gli avevo mandato. È uno dei ricordi più commoventi della mia vita.
Dopo, quello che avvenne non so: uno prese una strada, l'altro s'avviò per un'altra, non ci siamo più ritrovati.

Alessandria è anche il porto. La mia prima infanzia l'ho trascorsa in un quartiere distante dal mare. Ogni tanto andavamo al porto, quando a mia madre occorreva acquistare la legna per il fuoco del nostro forno. Vi andavamo anche quando arrivavano dall'Italia amici, o quando qualcuno vi faceva ritorno. Il porto è stato quindi un po' per me il miraggio dell'Italia, di quel luogo impreciso e perdutamente amato per quanta notizia ne avessi dai racconti in famiglia. Si tratta della mia prima infanzia, di quel momento della vita che rimane nella mente tuffato nella notte o nel solleone del miraggio.
Il miraggio. Nel Sahara, i beduini, l'occhio esorbitato, la lingua di fuori secca, non sapevano come salvarsi dalla loro condizione di rantolanti. Da laggiù, laggiù, allora, dalla scalea di strati di compatta luce contagiati sul suolo percosso da solleone martoriato di rabbia, mentre la sua luce rarefatta rimbalzava attraversata da strati più densi: nel cuore di quegli abbagli sovrapposti brusca eleggeva luce sospesa capovolta una

sembianza di dimore felici, attorniate da giardini, specchiantesi in un lago con zampilli impazienti e, sotto un ciuffo, alla cima, diramato di palme, secondo l'albero, caschi di datteri gialli, di datteri rossi, provocanti, e i palmizi che calano al suolo sottili di fusto per lo sproposito dell'altezza, inanellati da capo a fondo da rincorse di recisioni e di nodi, seguitisi uno all'anno, memorando età. La più allettante illusione, la più crudele delusione. Fata Morgana l'hanno chiamata a Messina, quella che si addestra in tali stregonerie.

Nacque a quel modo il gusto e la passione di slanciarmi, di tuffarmi, di imbozzolarmi in miraggi. Era un puerile scoprimento del proprio esistere interiore; insieme, l'abbaglio d'un'immagine, e quasi il nulla, dentro di me, d'una realtà, di quella realtà che più tardi m'occorrerà afferrare, domarla ed avvincermela, di quella realtà rugosa famigliare a Rimbaud. Senza dubbio c'era in quel bimbo, nella sua primordiale inconsapevolezza, una conoscenza perfettissima e imperfettissima d'una realtà intima, segreta, indefinibile, indeterminabile; ed era forse miraggio come quel miraggio che dal deserto ci veniva incontro, e il lucente suo plasma non diffondeva che tenebrore.

Ho già parlato dei guardiani notturni e della notte, di quella perenne ossessione che andrà sempre più incorporandosi, animandola, nella mia poesia. Di quel loro richiamarsi, di quei gridi loro, dell'abbaiare dei cani che li accompagnava. C'erano difatti i cani, prima l'avevo scordato. Nella città d'oggi è scomparso quell'abbaiare notturno, ma in quella del tempo mio innumeri cani erravano e urlavano. Lungo tutta la notte, gridi esorbitanti, gridi brutali che ferivano il timpano, da lungi gridi. Era quel coro, quel coro terribile di cani, che correva a congiungersi in giro alla città ai richiami dei guardiani: *Uahed*, *uahed*, *uahed*, e la melopea vi rasentava, poi subito l'*uahed* vi rag-

giungeva da distanza che non si misurava più. Un anello di gridi s'allentava intorno a voi fino a perderne nozione e poi si stringeva come se vi volesse stritolare. « Roccia di gridi », ho detto, mi pare, una volta, in un mio canto.
Ho avuto sempre compagni appartenenti a qualsiasi suddivisione religiosa. In ogni paese d'Oriente ci sono, è noto, cento riti antichissimi di cristianesimo, e di più ci sono i musulmani, e di più ci sono gli ebrei. I miei compagni erano ragazzi che appartenevano a tutte le credenze e alle più varie nazionalità. È un'abitudine presa dall'infanzia quella di dare, certo, un'importanza alla propria nazionalità, ma insomma di non ammettere che non potesse essermi fratello chi ne avesse un'altra.
Quanto al particolare influsso che possa avere avuto l'Oriente su di me, dirò di essere insensibile al pittoresco dei *bazar.* Ciò che mi ha commosso, in ciò che avevo già colto della poesia araba, ha lasciato una traccia, e senza che nemmeno lo volessi e lo sapessi, nella mia poesia, ma non di colore. Non saprei precisare quanto colore ostenti o se mai ne abbia avuto la poesia araba. È nata in grandi spazi, nel sentimento dell'incommensurabile mosso da quei grandi spazi, del loro grande denudamento. Non credo che la poesia araba sia una poesia di colore. È poesia di musica, non di colore. Quel vociare piano che torna, e torna a tornare, nel canto arabo, mi colpiva. Nell'accompagnamento d'un morto, quella sorta di costanza monotona che si differenzia quasi insensibilmente per quarti di tono, quel borbottio lento, quella scoperta di quanto potesse una persona commuoversi a un discorso dissimulato: non avrò ritenuto altro dall'insegnamento orientale, ma vi pare davvero poco? In quel salmodiare s'insediava il valore d'Essenza e ne divenivo quasi inconsapevolmente consapevole.

Il mio sentimento del nulla s'era andato costituendo in tale modo. Non si trattava di riflessioni, ero un bimbo: in quel periodo la riflessione è di poco peso: è tempo di sensibilità che nutre il sentimento. Non sono, neanche oggi, se non un uomo, un vecchissimo uomo, fatto unicamente di sensibilità. Non sono, nemmeno oggi, diventato un intellettuale. Certo, in quella cantilena, sentivo vagamente Iddio evocato e, all'infuori di Lui, non esistere altro se non un nostro lamento quasi tacito, nulla. Sono d'Alessandria d'Egitto: altri luoghi d'Oriente possono avere *le mille notti e una*, Alessandria ha il deserto, ha la notte, ha il nulla, ha i miraggi, la nudità immaginaria che innamora perdutamente e fa cantare a quel modo senza voce che ho detto.

Mi pare di averlo già accennato, ma meglio di quanto potrei dirlo in questo momento l'hanno detto i miei *Fiumi*, che è il vero momento nel quale la mia poesia prende insieme a me chiara coscienza di sé: l'esperienza poetica è esplorazione d'un personale continente d'inferno, e l'atto poetico, nel compiersi, provoca e libera, qualsiasi prezzo possa costare, il sentire che solo in poesia si può cercare e trovare libertà. Continente d'inferno, ho detto, a causa dell'assoluta solitudine che l'atto di poesia esige, a causa della singolarità del sentimento di non essere come gli altri, ma in disparte, come dannato, e come sotto il peso d'una speciale responsabilità, quella di scoprire un segreto e di rivelarlo agli altri. La poesia è scoperta della condizione umana nella sua essenza, quella d'essere un uomo d'oggi, ma anche un uomo favoloso, come un uomo dei tempi della cacciata dall'Eden: nel suo gesto d'uomo, il vero poeta sa che è prefigurato il gesto degli avi ignoti, nel seguito di secoli impossibile a risalire, oltre le origini del suo buio.
A questo punto mi pare che io abbia il dovere di par-

lare degli influssi più importanti che mi avviarono alla poesia. Innanzi tutto Leopardi, dico sino dai quattordici, quindici anni. Solo più tardi arriverò a sentirlo in tutta la sua grandezza e la sua segreta potenza, quell'uomo che ha preceduto Nietzsche, che ha sentito la sua epoca e ha avuto la percezione dei tempi nostri come forse nessuno storico ebbe mai. Più tardi, non molto più tardi, nel 1906, forse, ero già lettore del « Mercure de France »: era, è noto, la rivista che rivelava ogni giorno, a quei tempi, i valori nuovi, e quell'audacia sorprendeva persino gli uomini più accorti. La lettura del « Mercure de France » ebbe nella mia formazione un'importanza da non trascurare. La polemica che vi si svolgeva, s'imperniava intorno al nome e all'opera di Mallarmé. Mi gettai su Mallarmé, lo lessi con passione ed, è probabile, alla lettera non lo dovevo capire; ma conta poco capire alla lettera la poesia: la sentivo. Mi seduceva con la musica delle sue parole, con il segreto, quel segreto che mi è tutt'oggi segreto. Mallarmé non mi è forse più un poeta interamente ermetico, è un poeta. Lo diceva, se non m'inganno, anche Racine: prima di tutto la poesia, se c'è, seduce mediante la musica dei suoi vocaboli, mediante un segreto.
Racine è stato per me un autore della vecchiaia; ma del suo predominio nell'espressione poetica, quando essa riesca a impossessarsi del lumino per inoltrarsi nel labirinto psichico della persona umana, differenziandola da persona a persona, ne ebbi subito allora preavviso proprio per l'incontro con Mallarmé.
Con Mallarmé, naturalmente c'è stato anche Baudelaire, e come faceva a non esserci, se c'era di mezzo Racine? Baudelaire era l'argomento di discussioni interminabili con uno dei miei compagni, che un giorno trovarono morto, perché in nessun paese si poteva accasare, in una stanza dello stesso albergo che abitavamo, in rue des Carmes a Parigi: Moammed Sceab.

A lui è dedicata la poesia che apre *Il Porto Sepolto*. Era un ragazzo dalle idee chiare e prediligeva Baudelaire. Non dico che Baudelaire sia uno scrittore chiaro; è uno scrittore che ama aggirarsi nelle sue caverne, ed è difficile esser chiari e introspettivi nello stesso tempo, ma è di sicuro più chiaro di Mallarmé, è insomma uno scrittore che può affrontarsi subito senza tirocinio. L'altro suo autore era Nietzsche, che lo aveva addirittura soggiogato. I suoi autori erano Baudelaire e Nietzsche; io rimanevo fedele a Mallarmé e a Leopardi, a Mallarmé che sentivo anche se non tutto capivo, a Leopardi che capivo un po' di più benché anche lui abbia, nel punto sublime, la necessaria sostanza ermetica.
Con Nietzsche sentivo un certo legame, tra certe tendenze della mia natura e ciò che quel nome sommo può evocare. Devo riconoscerlo, c'è uno stimolo eruttivo, non so quali ingiunzioni alla rivolta, all'anarchia sempre, in me. Ne ebbi coscienza e spavento, pure aderendovi, verso i miei diciott'anni.
È necessario che io parli ora dell'incontro con un nostro scrittore. Non era ancora scrittore, era mercante di marmi, a quell'epoca. Divenne scrittore, l'aiutai a diventarlo, può considerarsi oggi forse il più schietto narratore del nostro Novecento: era appunto Enrico Pea. Gli rimasi legato fino alla sua morte. Con la sua barba bianca, che gli attorniava il viso come usa fare una barba agli *ulema*, e che non smetteva mai di attorcigliare con le grosse dita, possedeva il volto d'un patriarca o meglio d'uno degli apostoli. Aveva una decina d'anni più di me e, oltre al deposito di marmi, fabbricava mobili, e aveva messo su per questo una segheria meccanica. Sopra la segheria c'era un immenso stanzone. Quei locali, Pea, dal colore che aveva fatto spalmare sulla lamiera che li rivestiva all'esterno, li aveva chiamati la « Baracca rossa ». Pea era socialista e la Baracca rossa era destinata alle riunioni dei

rivoluzionari che risiedevano in Alessandria o vi si trovavano di passaggio. C'erano giovinotti della mia età e anche gente di età matura, che venivano da tutte le parti del mondo, bulgari, italiani, francesi, greci. Socialisti, anarchici. Gli anarchici li avevo conosciuti sino dalla mia infanzia, nella mia stessa casa: alcuni venivano a trovare i miei, erano gente delle loro parti. Li ritrovai alla « Baracca rossa », quegli stessi fuggiti dal domicilio coatto. Era un paese ospitale, l'Egitto. Mia madre non era rivoluzionaria, mia madre era scrupolosamente religiosa e rispettava la tradizione; ma rispettava anche le idee degli altri, aveva un grande rispetto per tutti. Si mettevano a tavola, mangiavano, parlavano con noi. Parlavano delle nostre parti, che io allora non conoscevo che per sentito dire, quel meraviglioso paese del sentito dire.

A proposito di quei socialisti d'Alessandria, ricordo un fatto. Avevano arrestato un certo numero di socialisti russi, e stavano per essere rimandati nel loro paese dove, con ogni probabilità, sarebbero stati uccisi. I rivoluzionari della Baracca rossa decidono, quando il treno sarebbe passato da Alessandria per condurli alla nave, di stendersi sulle rotaie per impedire al treno di proseguire la sua corsa e liberare così i prigionieri. Lo fecero. Liberarono i prigionieri. Ci fecero un processo. Erano in vigore allora in Egitto le Capitolazioni, e dipendevamo dalla legge italiana. Il processo ebbe luogo al Consolato d'Italia. Non avevano nessuna voglia di condannarci, il processo era una formalità per dare soddisfazione alle Autorità russe che s'erano rivolte al Governo egiziano. Non mi ricordo se ci fu un'assoluzione generale, forse sì.

Fino a quell'epoca non sapevo dell'Italia se non ciò che ne leggevo nei libri o che ne avevo imparato a casa o in collegio. Conoscevo l'Italia soprattutto perché parlavo l'italiano, perché tutto ciò che m'era caro era nella mia lingua. Non sono cose che si spiegano, la

lingua m'era un legame che mi portava fino alla culla dei miei nella lontananza dei tempi.
Quando venni per la prima volta in Italia, la scoperta più sorprendente, più commovente, fu quella delle montagne. Andammo con Jahier e con un giovane scrittore francese, Louis Chadourne, all'Abetone. Il paesaggio precario che mi era famigliare, il deserto, e poi il mare, il mare che da ragazzo scoprivo come una figliazione del deserto, quel mare che era la solitudine e il nulla come il deserto, quel paesaggio instabile, mutevole d'attimo in attimo: scomparso, e, al suo posto, la montagna: la montagna che sta ferma contro il tempo, che resiste al tempo, che sfida il tempo. Fu quello un fortissimo stupore, forse il più forte che ricordi.
Ogni volta che provo una profonda emozione, la provo perché uno spettacolo della natura mi ha fatto conoscere, insieme a una novità oggettiva, la mia novità. La natura, il paesaggio, l'ambiente che mi circonda, hanno sempre una parte fondamentale nella mia poesia.
Parigi è ancora un miraggio. Lo era a quell'epoca per quanti intendevano, e diventavano, o speravano di diventare artisti, scrittori, o solo completarvi gli studi. Ma fu la scoperta d'un colore nuovo quella che feci in particolare a Parigi; anzi, delle sfumature all'infinito smorzate del colore; di come gli oggetti, le persone, il cielo, un albero e tutto possa graduarsi in incessante delicatezza di colore. I grigi di Parigi. I valori dei grigi, lo spegnersi e l'accendersi dei grigi. Non malinconici, mai; è come il risveglio perenne e l'innamorarsi, da un'agonia dolcissima. Nell'arrivarci, fui colto da smarrimento, subito vinto dalle confidenze di quei grigi inenarrabili.
Milano, dove abitai aspettando la guerra, è una città brumosa. Di Alessandria, l'ho più volte detto, ho serbato il sentimento del deserto e del mare che col de-

serto faceva pianura illimitata. L'Italia mi si rivelò con la montagna. Di Parigi m'era rimasto un ricordo di finezza, d'una finezza intimissima, ermetica. A Milano è la nebbia, e le poesie mie di quel periodo danno alla nebbia risalto: è un modo di condurmi a sentire la confusione della mia mente e di mutare la nebbia in sentimento d'infinito, per vederci più chiaro.
C'è un'altra cosa che contribuiva non poco a modificarmi. L'idea dell'Oriente era momentaneamente cancellata; all'idea di sconfinato, di nulla, si sostituiva quella di caos, quella del tumulto e del disordine interiori. L'agitazione delle folle, attive; e quell'aspirazione alla libertà, ancora una libertà anarchica, ma più fondatamente libertà. Da ultimo ho avuto in sorte di superare ogni frattura che potesse alimentare la rivolta del poeta alle prese con l'ambiente esterno, e di trovare in me, e nelle parole allora trovate, l'armonia.
Quando sbarcai a Brindisi, partito dall'Egitto, m'imbattei, arrivato a Firenze, in oggetti diversi da quelli coi quali avevo fino allora avuto consuetudine. L'architettura non mi era mai piaciuta. Non ero attratto dall'architettura. Ero arrivato, ero ancora piccolino per tante cose inconsuete, e insomma non m'accorgevo dei palazzi che mi circondavano, e rari di perfetto ritmo, non mi fermai a osservare le chiese di proporzioni senza errore.
Non mi ero nemmeno soffermato a osservare le strade. M'ero accorto della montagna. L'architettura imparai a conoscerla dopo, ne fui sedotto in Francia. E ciò che in Francia mi ha di più sconvolto e insegnato: Saint-Julien le Pauvre, oppure la cattedrale di Chartres, insomma certe tappe dell'architettura prima della Rinascenza. Ebbi molta difficoltà, poi, ad inserire nella mia sensibilità il Barocco di Roma, dove da circa cinquant'anni vivo.
Ho finito di imparare il significato di potenza ineguagliabile della architettura di Roma, e amo Roma.

Ciò che quell'architettura vuole riassumere, oggi lo so bene. Ma quando vi arrivai, mi pareva insopportabile, ero abituato a linee acute, a linee mosse verso l'alto da un'energia inesorabile, verso la tettoia terribile. Mi ero abituato ad altri modi di espressione e li potevo ritrovare in Dante, non a Roma. Forse se mi fossi deciso ad abitare Firenze, ve li avrei ritrovati.
È a Milano che ho scritto le mie prime poesie, pubblicate per la prima volta in « Lacerba », sollecitato da Papini, da Soffici e da Palazzeschi, che la dirigevano. Ho fatto quelle poesie come naturalmente dovevo farle, cioè tentando di rappresentarvi ciò che in quell'ambiente mi circondava, ciò che del mio sentimento vi era in quel momento riflesso, e di esporre le variazioni di sentimento nel modo più laconico possibile. I discorsoni mi hanno sempre disturbato. Quelle mie poesie sono ciò che saranno tutte le mie poesie che verranno dopo, cioè poesie che hanno fondamento in uno stato psicologico strettamente dipendente dalla mia biografia: non conosco sognare poetico che non sia fondato sulla mia esperienza diretta.
Quando pubblicai il *Porto Sepolto* ne inviai copia ad Apollinaire, che avevo conosciuto prima della guerra, e da quel momento i nostri rapporti divennero fraterni. Ricevuto il *Porto Sepolto* Apollinaire mi scrisse, e in una delle sue cartoline in franchigia di quel tempo di guerra, comunicò di avere tradotto la poesia dedicata alla memoria di Moammed Sceab. Non ho mai visto quella traduzione.
Fra Apollinaire e me era avvenuto un avvicinamento insolito. Sentivamo in noi il medesimo carattere composito e quella difficoltà che l'animo nostro aveva di trovare la via di assomigliare a se stesso, di costituire la propria unità. Quell'unità non l'avremmo mai trovata altrove se non ricorrendo alla poesia. Era la ricerca, era il ritrovamento di un linguaggio liberatore se riusciva a manifestare l'angosciosa ricerca di sé.

Il mio Reggimento era stato mandato in Francia per aggregarsi al Corpo di Armata comandato dal Generale Albricci. Ci fermammo prima al Camp de Mailly. Era il deserto, la Champagne Pouilleuse, quella « pidocchiosa », come usano chiamarla. Totalmente di gesso, salvo, di rado, pini rattrappiti. È un paesaggio triste e non c'erano che baracche per soldati. Vi trascorremmo un certo numero di settimane. Poi fummo mandati sul fronte di Verdun. In quel momento non era un fronte pericoloso. Dopo un certo tempo, fummo trasferiti sul fronte di Champagne, non più la Champagne Pidocchiosa, ma la Felice, quella dei vigneti. Precisamente il mio Reggimento era schierato davanti a Epernay. Scrissi alcune poesie durante quel periodo. Ci furono combattimenti duri, non era per noi un fatto straordinario. Ciò che era straordinario, in quel periodo, era che ogni tanto i soldati potevano usufruire di licenze per recarsi dove volevano. Quei periodi di licenza, li trascorrevo a Parigi. E ogni volta mi recavo a trovare Apollinaire a casa sua. Quei contatti con Apollinaire rimarranno in me, ricordo di stimoli dai quali deriveranno conseguenze nella mia vita e nella mia poesia.

Alcuni giorni prima dell'Armistizio, quando già lo si prevedeva, ero stato mandato a Parigi per collaborare ad un giornale destinato ai soldati del nostro Corpo di Armata. Il giornale si chiamava « Sempre Avanti! ». Apollinaire mi aveva chiesto di portargli alcune scatole di sigari toscani, e, appena a Parigi, corsi verso la casa del mio amico. Trovai Apollinaire morto, con la faccia coperta da un panno nero, e la moglie piangente, e la madre piangente.

Per le strade andavano gridando « A mort Guillaume! » Anche Apollinaire, straziante ingiustizia della coincidenza, si chiamava come il vinto Kaiser, Guglielmo.

Nel 1919, prendo in moglie Jeanne Dupoix. Credo

che sia l'anno della morte di Modigliani. Abitavamo in rue Campagne Première. C'era in quella strada allora una trattoriuccia, gestita da una donna anziana chiamata dai clienti la Mère Rosalie. Ai pasti, vi incontravo quasi ogni giorno Modigliani. Arrivava con la sua giovanissima donna, fasciata l'esile persona in una *redingote* dal lungo garbo, di velluto azzurro elettrico. Modigliani non mangiava quasi nulla, rimandava in cucina tre o quattro volte il suo piatto, o perché era troppo pieno o perché non voleva vedere nel suo piatto che la piccola cima di carne che avrebbe ingoiato. Non smetteva di disegnare la gente che era lì, quanto gli balenasse in mente, e lasciava sulla tavola quei pezzetti di disegni che poi furono venduti, penso, dalla proprietaria del locale. Anche Soutine veniva lì di tanto in tanto, e altri artisti. Insomma, eravamo lì con mia moglie e Modigliani alla stessa tavola, e Modigliani che avevo conosciuto prima della guerra, divenne mio amico. E, presto, poco tempo dopo, arriva la notizia che Modigliani era ammalato, e poi, prestissimo, che era morto. Morì di quella malattia che infieriva allora, la febbre spagnola. Non è morto da alcoolismo, forse l'alcool aveva indebolito la resistenza del suo organismo. Il giorno stesso della sua morte, la sua donna, gravida, si gettò dal balcone.

Degli altri incontri che feci a Parigi in quel periodo o nel dopoguerra furono notevoli quelli con Soffici e Palazzeschi e gli altri futuristi, con Boccioni, con Carrà, con Marinetti; quelli con Braque e Picasso, già cubisti, o con Delaunay, che si diceva pittore orfico; quelli con Péguy, con Sorel, con Bédier, con Bergson. Tutti mi facevano mille feste immeritate nell'incontrarmi, delle quali ero sempre molto sorpreso.

Furono incontri con un tipo d'arte e con un tipo di moralità che hanno avuto decisiva importanza nella

mia formazione generale, e, naturalmente, nella mia poesia.
De Chirico l'ho conosciuto dopo la guerra, ma sono forse stato il primo italiano a conoscere direttamente le sue *Piazze* scoperte con stupore da Apollinaire al Salon des Indépendants, che le portò poi ai sette cieli. Sono quelle *Piazze* che potei recuperare dalla padrona del falansterio di Rue Campagne Première, dove abitavo con mia moglie subito dopo la guerra, e poi cedere a Breton che le acquistò. Ne inviai l'importo a De Chirico, in quel momento nella miseria. Balla, che oggi considero il maggior pittore italiano dei nostri tempi, non ho avuto mai la fortuna di incontrarlo.

Prima ancora che venisse pubblicata « Littérature », mi legai d'amicizia con i loro futuri direttori Aragon, Breton, Soupault, Tzara. Nel medesimo tempo, incontro Desnos, ancora giovinetto imberbe e, in quegli anni, ha principio la mia forte amicizia per Paulhan, Paulhan che diverrà più che un amico per me, un fratello. Mia moglie era, dal canto suo, molto amica di Alix Guillain, redattrice dell'« Humanité », moglie di Groethuysen, originale teorico marxista, autore del libro *Le Bourgeois*, che ebbe in quegli anni successo clamoroso. La mia amicizia per Paulhan è insieme un'amicizia sensibile, di sentimento, e un'amicizia intellettuale. Ho collaborato in seguito con lui via via nelle riviste che faceva: « Commerce », sovvenzionata dalla principessa di Bassiano, che aveva come direttori Paul Valéry, Léon-Paul Fargue e Valery Larbaud. Quando « Commerce », pubblicata dall'estate del 1924 alla fine del 1932, cessò le pubblicazioni, venne fondata la rivista « Mesures », con gli stessi propositi di fornire precise idee su quanto si andava facendo di nuovo in letteratura con intenti poetici, senza distinzione di generi letterari, nelle varie nazioni. « Mesures » fu pubblicata dal gennaio 1935 all'aprile 1940. Le due riviste pubblicarono testi di Joyce, Kafka, Musil, ecc. « Mesures » era stata promossa da uno scrittore americano, Church; facevano parte del comitato di redazione, insieme a Church, Michaux, Paulhan, Groethuysen ed io stesso.

Mi fisso in Italia verso la fine del '19 o ai primi del '20. Vivo duramente, tenendo conferenze all'estero. Ne feci in Ispagna, in Olanda, in Belgio, e nello stesso tempo, pubblicavo sui giornali articoli di viaggio, vi parlavo di letteratura e, a volte, di pittura. Vivevamo nelle vicinanze di Roma, a Marino, in una casetta, e nello studio il tetto sfondato mi cascava sulla testa e dentro ci pioveva. Vivevamo duramente.

Quello, per la poesia, quel momento non di agi, è stato, per la mia poesia, uno dei momenti felici, il momento nel quale il *Sentimento del Tempo* si forma, dal 1919 al 1935. Ma la prima pubblicazione del *Sentimento* si ferma al 1932; le altre poesie furono aggiunte dopo.

Dal 1919 alla seconda guerra mondiale, con la collaborazione a « Commerce », prima, poi a « Mesures », con la frequenza di quegli ambienti letterari ch'erano i meglio informati del tempo, andò perfezionandosi la mia esperienza di poeta e la mia poesia raggiunse quelle qualità espressive, a partire dalle quali ho poi proseguito.

Si chiude così un periodo non facilitato dalle esigenze della vita pratica, ma che fu fecondo, mi pare, di risultati.

Proseguo da questo punto, via via nei commenti, a fornire le indicazioni strettamente legate allo svolgimento della mia poesia.

L'ALLEGRIA

Il primitivo titolo, strano, dicono, era *Allegria di Naufragi*. Strano se tutto non fosse naufragio, se tutto non fosse travolto, soffocato, consumato dal tempo. Esultanza che l'attimo, avvenendo, dà perché fuggitivo, attimo che soltanto amore può strappare al tempo, l'amore più forte che non possa essere la morte. È il punto dal quale scatta quell'esultanza d'un attimo, quell'allegria che, quale fonte, non avrà mai se non il sentimento della presenza della morte da scongiurare. Non si tratta di filosofia, si tratta d'esperienza concreta, compiuta sino dall'infanzia vissuta ad Alessandria e che la guerra 1914-1918 doveva fomentare, inasprire, approfondire, coronare.

L'*Allegria di Naufragi* è la presa di coscienza di sé, è la scoperta che prima adagio avviene, poi culmina d'improvviso in un canto scritto il 16 agosto 1916, in piena guerra, in trincea, e che s'intitola *I fiumi*. Vi sono enumerate le quattro fonti che in me mescolavano le loro acque, i quattro fiumi il cui moto dettò i canti che allora scrissi. *I fiumi* è una poesia dell'*Allegria* lunga; di solito, a quei tempi, ero breve, spesso brevissimo, laconico: alcuni vocaboli deposti nel silenzio come un lampo nella notte, un gruppo fulmineo d'immagini, mi bastavano a evocare il paesaggio sorgente d'improvviso ad incontrarne tanti altri nella memoria. *Notte di maggio*, *Fase d'oriente*, *Tramonto, Fase*, *Silenzio*: ecco alcune poesie dove, nell'attesa della guerra, in « Lacerba », era da me sorpreso il famigliare miraggio d'Alessandria. Alessandria all'orizzonte cancellata, Alessandria per sempre persa e per sempre ritrovata per via di poesia. S'ingannerebbe chi prendesse il mio tono nostalgico, frequente in quei miei primi tentativi, come il mio tono fondamentale. Non sono il poeta dell'abbandono alle delizie del sentimento, sono uno abituato a lottare, e devo confessarlo – gli anni vi hanno portato qualche rimedio – sono un violento: sdegno e coraggio di vivere sono stati la traccia della mia vita. Volontà di vivere nonostante tutto, stringendo i pugni, nonostante il tempo, nonostante la morte. Potrei così commentare *Agonia*, *Pellegrinaggio*, quelle poesie del primo momento, di « Lacerba », o quelle già del *Porto Sepolto*, dove mi scopro e mi identifico, dentro gli orrori della guerra, nell'*uomo di pena* e, come tale, *Ungaretti, uomo di pena*, mi parrà di dovermi anche in seguito, sempre, identificare.

pp. 5-17
ULTIME, Milano 1914-1915.
Rappresentano il mio primo lavoro di poeta pubblicato via via sui numeri di « Lacerba » che facevano a Firenze Papini, Soffici e Palazzeschi. Le ho intitolate *Ultime* perché sono le poesie dalle quali mi staccavo.

p. 6
NOIA v. 5 *brumisti.* A Milano è il nome che davano ai vetturini.

p. 7
LEVANTE v. 9 *emigranti soriani...* Si trovavano sulla nave che mi conduceva in Italia per la prima volta.

v. 10 *A prua un giovane è solo.* Si tratta, naturalmente, di me.

v. 11 *Di sabato sera...* Improvvisa evocazione di riti funebri ebraici ai quali assistevo in Alessandria.

p. 9
NASCE FORSE La nebbia aveva mutato in quell'ora Milano in un lago che come un miraggio mi richiamava alla mente il lago Mareotis, nel deserto vicino ad Alessandria.

p. 14
IN GALLERIA È, naturalmente, la Galleria Vittorio Emanuele a Milano.

p. 15
CHIAROSCURO Osservando dall'alto il Cimitero Monumentale di Milano è evocato per analogia il camposanto d'Ivry, dove riposa Moammed Sceab.

p. 16
POPOLO Ricordo della commozione provata arrivando per la prima volta in Italia, in un confronto di paesaggi. Il titolo indica il riconoscimento della mia appartenenza a un particolare popolo e al popolo nella sua totalità storica.

v. 8 *La perla ebbra del dubbio.* Dubbio, in quanto equivoca la luce a quell'ora; allude anche a un mio stato d'animo di sorpresa inquieta.

Il Porto Sepolto

Si vuole sapere perché la mia prima raccoltina s'intitolasse *Il Porto Sepolto.* Verso i sedici, diciassette anni, forse più tardi, ho conosciuto due giovani ingegneri francesi, i fratelli Thuile, Jean e Henri Thuile. Entrambi scrivevano. A quei tempi Jean scriveva romanzi, *Le trio des damnés* e *L'eudémoniste*, romanzi che Bourges apprezzava. Henri scriveva poesie. In quei mesi aveva perso la moglie e le aveva dedicato un seguito di stanze, *La lampe de terre.* A quel libro sono oggi ancora affezionatissimo, è un libro, quando ho avuto da soffrire troppo per dolore provocato da eventi tragici che mi riguardavano personalmente o riguardavano tutti gli uomini, in un passato che ancora mi sembra ieri, anzi che ancora è oggi, tanto continuo ad esserne lacerato – quel libro mi tiene compagnia.
Quegli amici avevano ereditato dal padre una biblioteca raccolta con precisione di curiosità e di gusto, una biblioteca romantica ch'essi avevano arricchita con

opere dei poeti e degli scrittori contemporanei. Non credo esistano molte biblioteche private che dimostrino altrettanta competenza, finezza e passione. Abitavano fuori d'Alessandria, in mezzo al deserto, al Mex. Mi parlavano d'un porto, d'un porto sommerso, che doveva precedere l'epoca tolemaica, provando che Alessandria era un porto già prima d'Alessandro, che già prima d'Alessandro era una città. Non se ne sa nulla. Quella mia città si consuma e s'annienta d'attimo in attimo. Come faremo a sapere delle sue origini se non persiste più nulla nemmeno di quanto è successo un attimo fa? Non se ne sa nulla, non ne rimane altro segno che quel porto custodito in fondo al mare, unico documento tramandatoci d'ogni era d'Alessandria. Il titolo del mio primo libro deriva da quel porto: *Il Porto Sepolto.*
Incomincio *Il Porto Sepolto*, dal primo giorno della mia vita in trincea, e quel giorno era il giorno di Natale del 1915, e io ero nel Carso, sul Monte San Michele. Ho passato quella notte coricato nel fango, di faccia al nemico che stava più in alto di noi ed era cento volte meglio armato di noi. Nelle trincee, quasi sempre nelle stesse trincee, perché siamo rimasti sul San Michele anche nel periodo di riposo, per un anno si svolsero i combattimenti. *Il Porto Sepolto* racchiude l'esperienza di quell'anno.
Ero in presenza della morte, in presenza della natura, di una natura che imparavo a conoscere in modo nuovo, in modo terribile. Dal momento che arrivo ad essere un uomo che fa la guerra, non è l'idea d'uccidere o di essere ucciso che mi tormenta: ero un uomo che non voleva altro per sé se non i rapporti con l'assoluto, l'assoluto che era rappresentato dalla morte, non dal pericolo, che era rappresentato da quella tragedia che portava l'uomo a incontrarsi nel massacro. Nella mia poesia non c'è traccia d'odio per il nemico, né per nessuno: c'è la presa di coscienza della condi-

zione umana, della fraternità degli uomini nella sofferenza, dell'estrema precarietà della loro condizione. C'è volontà d'espressione, necessità d'espressione, c'è esaltazione, nel *Porto Sepolto*, quell'esaltazione quasi selvaggia dello slancio vitale, dell'appetito di vivere, che è moltiplicato dalla prossimità e dalla quotidiana frequentazione della morte. Viviamo nella contraddizione.
Quando ero a Viareggio, prima di andare a Milano, prima che scoppiasse la guerra, ero, come poi a Milano, un interventista. Posso essere un rivoltoso, ma non amo la guerra. Sono, anzi, un uomo della pace. Non l'amavo neanche allora, ma pareva che la guerra s'imponesse per eliminare finalmente la guerra. Erano bubbole, ma gli uomini a volte s'illudono e si mettono in fila dietro alle bubbole.
Il Porto Sepolto fu stampato a Udine nel 1916, in edizione di 80 esemplari a cura di Ettore Serra. La colpa fu tutta sua. A dire il vero, quei foglietti: cartoline in franchigia, margini di vecchi giornali, spazi bianchi di care lettere ricevute... – sui quali da due anni andavo facendo giorno per giorno il mio esame di coscienza, ficcandoli poi alla rinfusa nel tascapane, portandoli a vivere con me nel fango della trincea o facendomene capezzale nei rari riposi, non erano destinati a nessun pubblico. Non avevo idea di pubblico, e non avevo voluto la guerra e non partecipavo alla guerra per riscuotere applausi, avevo, ed ho oggi ancora, un rispetto tale d'un così grande sacrifizio com'è la guerra per un popolo, che ogni atto di vanità in simili circostanze mi sarebbe sembrato una profanazione – anche quello di chi, come noi, si fosse trovato in pieno nella mischia. Di più, m'ero fatto un'idea così rigorosa, e forse assurda, dell'anonimato in una guerra destinata a concludersi, nelle mie speranze, colla vittoria del popolo, che qualsiasi cosa m'avesse minimamente distinto da un altro fante, mi sarebbe sembrata un odioso privilegio e un gesto offensivo verso il popolo al qua-

le, accettando la guerra nello stato più umile, avevo inteso dare un segno di completa dedizione.
Questo era l'animo del soldato che se ne andava quella mattina per le strade di Versa, portando i suoi pensieri, quando fu accostato da un tenentino. Non ebbi il coraggio di non confidarmi a quel giovine ufficiale che mi domandò il nome, e gli raccontai che non avevo altro ristoro se non di cercarmi e di trovarmi in qualche parola, e ch'era il mio modo di progredire umanamente. Ettore Serra portò con sé il tascapane, ordinò i rimasugli di carta, mi portò, un giorno che finalmente scavalcavamo il San Michele, le bozze del mio *Porto Sepolto.*

L'edizione del *Porto Sepolto*, pubblicata alla Spezia nel 1923 nella Stamperia Apuana di Ettore Serra in 500 esemplari numerati fuori commercio, con fregi di Francesco Gamba, conteneva la seguente « Presentazione » di Benito Mussolini non più ripresa nelle successive edizioni:

Io non saprei proprio dire in questo momento come Giuseppe Ungaretti sia entrato nel cerchio della mia vita. Deve essere stato durante la guerra o imminentemente dopo. Ricordo che fu per qualche tempo corrispondente del « Popolo d'Italia » da Parigi. Non era un corrispondente politico e nemmeno un minuto raccoglitore delle cronache francesi: di quando in quando i suoi articoli affrontavano dei problemi che sembravano trascurati. Si trattava di anticipazioni o di indagini fatte da un nuovo punto di vista. Poi, a rivoluzione fascista compiuta, seppi per caso che egli era all'ufficio stampa del Ministero degli esteri. Confesso che la cosa mi parve paradossale. Sulle prime: perché poi pensandoci mi accorsi che non sempre burocrazia e poesia, burocrazia ed arte sono termini inconciliabili. Mi pare che Guy de Maupassant fosse un impiegato dell'amministrazione francese: ed uno dei poeti più interessanti della Francia contemporanea è nella carriera diplomatica. Ma dopo tanto tempo il burocrate non ha ucciso il poeta: e lo dimostra questo libro di poesia. Il mio compito non è di recensirlo: coloro che leggeranno queste pagine si troveranno di fronte ad una testimonianza profonda della poesia fatta di sensibilità, di tormento, di ricerca, di passione e di mistero.

Si può dire che quel libro rimase fuori commercio, ignorato dal pubblico, fino alla fine della seconda guerra. Esemplari ne furono mandati in dono ad amici ed alcuni altri da amici ricevuti per sottoscrizione. Ettore Serra amministrava allora una società di palombari, e non poteva certo dedicarsi allo smercio di libri. Tra parentesi, va ricordato che il babbo di Ettore fu un audacissimo precursore dell'esplorazione sottomarina.
La parte più numerosa di quella pubblicazione credo sia stata smerciata nel dopoguerra da librai antiquari.

pp. 21-58
IL PORTO SEPOLTO Il porto sepolto è ciò che di segreto rimane in noi indecifrabile.

p. 24
LINDORO DI DESERTO Lindoro è una delle maschere veneziane; indica nello stesso tempo il poeta e l'effetto di sole descritto nella poesia.

p. 26
A RIPOSO A Versa il reggimento andava a trascorrere alcuni giorni o momenti di riposo, dipendeva dai combattimenti.

p. 27
FASE D'ORIENTE *Fase*, momento di svago e di dolce sospensione; *Oriente*, nel significato che si dà alla parola pensando a mollezze e quasi a un annientamento di sé in sogno.

p. 32
FASE In *Fase*, come nella successiva poesia, *Silenzio*, è presente la mia città natale.

v. 8 *ella approdava...* Allusione a una presenza femminile con la quale feci esperienza di forsennata lussuria, alla quale tornerò anche in *Sentimento del Tempo.*

p. 40
C'ERA UNA VOLTA v. 8 *in un caffè remoto.* Allude a uno di quei caffè frequentati dai miei amici che facevano la rivista neoellenica « Grammata » e dove andavamo Sceab e io a sorbirci il serale yogourth.

p. 42
IN DORMIVEGLIA v. 11 *nugolo di scalpellini.* Allude agli scalpellini pugliesi assunti dal Municipio d'Alessandria per lastricare con pietre di lava le strade della città.

p. 43
I FIUMI v. 24 *e come un beduino.* La preghiera islamica è accompagnata da molti inchini come se l'orante accogliesse un ospite.

v. 36 *Ma quelle occulte / mani.* Sono le mani eterne che foggiano assidue il destino di ogni essere vivente.

v. 60 *e mi sono conosciuto.* È Parigi che incomincia a darmi, prima di quella più compiuta che mi darà la guerra, più chiara conoscenza di me stesso, che era stata impotente a concedere a Moammed Sceab che vi era venuto con me e che non ebbe in grazia di incominciare a conoscersi senza morirne.

p. 46
PELLEGRINAGGIO v. 10 *spinalba.* La spinalba, il biancospino, prospera in ogni giardino d'Alessandria.

p. 54
NOSTALGIA v. 9 *In un canto / di ponte.* La *ragazza tenue* che contemplo da un ponte sulla Senna è quella amata a Parigi nei tempi precedenti la guerra da me e da Apollinaire.

p. 55
PERCHE? Sono i primi accenni del mio avvicinamento cosciente al credere dei miei nel mistero del sacro.

p. 58
COMMIATO Ho sempre distinto tra *vocabolo* e *parola* e credo che la distinzione sia del Leopardi. Trovare una parola significa

penetrare nel buio abissale di sé senza turbarne né riuscire a conoscerne il segreto.

pp. 61-79
NAUFRAGI

p. 62
NATALE Fui accolto, in quella licenza, nella vastissima casa napoletana del mio amico Gherardo Marone.

p. 63
DOLINA NOTTURNA Fantasma della guerra apparso nelle dolcezze di Napoli.

v. 12 *l'interminabile/tempo.* Il nemico eterno con il quale occorre fare i conti, con il quale occorre legarsi d'amicizia, eccolo che assume figura di compagno immemorabile, e il poeta lo sente dentro di sé, che si prende giuoco di lui. Ma per quanto fragile, derisorio sia il poeta, sia l'uomo, per quanto impotente nel fondo della sua notte elementare, un'intuizione l'ha punto, qualche cosa o qualcuno lo conduce verso un punto. La sua vita non è pura sordità, qualche cosa c'è da fare su questa terra: un punto, una formula da trovare, e non importa che tale sentimento d'accordo fondamentale con il tempo nemico, con l'universo delle forme, può oscurarsi o cancellarsi. Esiste e dà alla vita il suo senso, il suo oriente.

p. 73
GIUGNO A vicenda vanno contaminandosi il paesaggio di guerra e quello di Alessandria.

v. 13 *Quando mi risveglierò / nel tuo corpo.* È allusa sempre la donna amata in Alessandria.

p. 76
SOGNO La *piana* a cui si allude è quella di Alessandria, stretta nelle braccia del mare.

p. 79
DAL VIALE DI VALLE Ero in quell'occasione ospite di Papini nella sua villa di Bulciano e il paesaggio è di quei luoghi.

pp. 83-87
GIROVAGO

p. 83
PRATO Nella poesia sono colti effetti primaverili.

p. 85
GIROVAGO Questa poesia, composta in Francia dov'ero stato trasferito con il mio reggimento, insiste sull'emozione che provo quando ho coscienza di non appartenere a un particolare luogo o tempo. Indica anche un altro dei miei temi, quello dell'innocenza, della quale l'uomo invano cerca traccia in sé o negli altri sulla terra.

pp. 91-97
PRIME, Parigi-Milano 1919.
Sono le poesie che indicano la nuova esperienza, dalla quale sta per nascere il *Sentimento del Tempo.*

p. 91
RITORNO È il ritorno dalla Francia in Italia, dopo la guerra. Certo è un paesaggio cittadino, un paesaggio milanese. In questa poesia compare forse per la prima volta la parola *assenza*; dal *Sentimento* in poi la mia ispirazione parte dal ricordo, cioè da momenti interamente scomparsi, consumati, assenti.

p. 92
L'AFFRICANO A PARIGI cpv. 2 *una terra opaca e una fuligine feroce.* Non è Parigi, è Milano, od è sintesi di varie città d'Europa in quel momento.

p. 93
IRONIA Il paesaggio è ancora parigino.

p. 95
LUCCA A proposito di questa poesia, dell'*humour* che forse talvolta, si dice, vi ho messo, non esprimevo una rinuncia alla libertà della vita, un adattamento al concetto borghese della vita. In *Lucca* rilevavo che l'uomo è misteriosamente chiamato a sopravviversi nell'ordine spirituale mediante la parola, nell'ordine naturale mediante la progenie. È verità di Monsieur de la Palisse, lo so; ma la prendevo drammaticamente, e accettare la tradizione è stato, è ancora, per me, l'avventura più drammatica, è quell'avventura dalla quale sino ad oggi si svolge, in mezzo a difficoltà innumerevoli d'espressione, la mia poesia.

p. 96
SCOPERTA DELLA DONNA La regola dell'amore coniugale, della fede giurata, che avevo reintegrato in quell'impegno un po'

borghese dei valori sacri, mi dettò questa poesia. È il mio epitalamio. Mia moglie fu la compagna la più devota, la più tollerante, la più paziente, che potessi augurarmi. Da qualsiasi parte la mia ispirazione si volgesse, ella mi era sempre a lato; non ha mai dubitato di me; ha sofferto con me e per me. È stata il mio coraggio.

p. 97
PREGHIERA v. 2 *barbaglio della promiscuità*. Promiscuità sono i contatti che si hanno in un momento storico, cagione d'irretimento di imbrogli a chi cerchi un proprio orientamento chiaro.

All'edizione pubblicata a Milano da Giulio Preda nel 1931, a quella romana di Novissima del 1936, e a tutte le successive edizioni Mondadori, dello Specchio, l'Autore premetteva la seguente nota:

Le poesie qui raccolte furono scritte tra il 1914 e il 1919. Le più vecchie furono pubblicate per la prima volta su « Lacerba ». Il Porto Sepolto *fu raccolto per la prima volta in volume a cura di Ettore Serra e stampato a Udine in 80 esemplari nel 1916. Nel 1919 presso Vallecchi, il libretto uscì come parte del volume che aveva per titolo e conteneva l'*Allegria di Naufragi. Il Porto Sepolto, *insieme ad altre poesie scritte prima e dopo fu nuovamente a cura di Ettore Serra, ristampato alla Spezia nel 1923.*
Per la presente edizione definitiva, l'autore ha riveduto un po' nella forma le sue vecchie poesie, ma cercando di non alterare l'indirizzo delle sue prime ricerche, sebbene sia impresa quasi disperata trovare un modo di coincidenza tra due punti lontani di complessità umana e di maturità artistica, ottenendo dalla mano diversa di tenersi nascosta. Questo vecchio libro è un diario. L'autore non ha altra ambizione, e crede che anche i grandi poeti non ne avessero altre, se non

quèlla di lasciare una sua bella biografia. Le sue poesie rappresentano dunque i suoi tormenti formali, ma vorrebbe si riconoscesse una buona volta che la forma lo tormenta solo perché la esige aderente alle variazioni del suo animo, e, se qualche progresso ha fatto come artista, vorrebbe che indicasse anche qualche perfezione raggiunta come uomo. Egli si è maturato uomo in mezzo ad avvenimenti straordinari ai quali non è mai stato estraneo. Senza mai negare le necessità universali della poesia, ha sempre pensato che, per lasciarsi immaginare, l'universale deve attraverso un attivo sentimento storico, accordarsi colla voce singolare del poeta.

Siccome il lupo perde il pelo, ma non il vizio, l'autore che pure aveva chiamato le sopraddette, edizioni definitive, non ha saputo resistere ogni nuova volta a qualche ritocco di forma.

SENTIMENTO DEL TEMPO

La tradizione, poiché siamo giunti a doverne discorrere, fu una lenta conquista dei suoi valori durante gli anni nei quali incomincio la lentissima distillazione, mi si permetta il vocabolo, del mio *Sentimento del Tempo*.

Quando sono arrivato a Roma per stabilirmici, ero già stato in giro in Europa, ed allora Roma era diversa. Finirà per diventare la mia città, ma appena arrivato mi è parsa una città alla quale non avrei mai potuto abituarmi. I suoi monumenti, la sua storia, tutto ciò che possedeva di grande, forse, di grande di sicuro, non aveva per me assolutamente nulla di famigliare. È diventata la mia città quando sono arrivato a capire ciò che è il barocco, ciò che ha il barocco, ciò che c'è in fondo al barocco. Perché Roma è in quel fondo, è una città di fondo barocco. E la difficoltà che avevo da principio da sormontare era di arrivare a vedere come ci fosse un'unità nella città. È un grande, è Michelangelo, che mi ha indicato la strada: è perché il barocco romano è nato da Michelangelo. Le Terme di Diocleziano, la Chiesa di Santa Maria degli Angeli, il Campidoglio con la Rupe Tarpea, ed anche il *Giudizio* della Sistina, sono opere dove Michelangelo mescola tutto, mescola la natura, mescola Platone con i discepoli di Plotino del suo tempo, sente Cristo con disperazione e, nel medesimo tempo, sente la carne con la stessa disperazione. Tali elementi, che presentano una costante ferita, un costante strappo nella loro fusione, sono gli elementi che Michelangelo ha fuso nella sua opera e che ritroviamo dovunque a Roma,

dal giorno che vi terminò il suo passaggio terreno. L'uomo di pena è l'uomo cupamente in meditazione sulla giustizia e la pietà. Contraddizione assoluta, dialettica dei contrari. La Giustizia tremenda del *Giudizio* della Sistina è posta in iscacco dalle *Pietà* scolpite nell'atto estremo stesso nel quale si afferma la Passione e la Crocifissione del Figlio di Dio fatto uomo o, se si vuole, del figlio dell'uomo innalzato dalla sofferenza immeritata, ma accettata, fino a Dio. Cristo, Dio e uomo, essendo giudice e vittima, succede che giustizia e pietà sono due modi di leggere un medesimo testo divino, nel mistero insondabile mediante il quale Dio si svela e si nasconde nello stesso tempo.
Michelangelo mi ha rivelato, dunque, il segreto del barocco. Non è una nozione astratta che possa definirsi con proposizioni logiche. È un segreto di vita interiore, e la lunga intimità con quel barocco, che mi era poco prima tanto estraneo, mi ha abilitato all'accettazione di tutte le differenze, di tutte le tensioni interne, di tutti quegli apporti che l'uomo può pervenire a fondere nel suo proprio genio, se ne avessi.
Sino al '32, nel corso di quegli anni, la mia poesia trova forma soprattutto osservando il paesaggio, osservando Roma sotto il mutamento delle stagioni, Roma o la campagna romana. Chi segua le poesie del *Sentimento* vedrà che quasi tutte le poesie della prima parte descrivono paesaggi d'estate, l'estate essendo allora la mia stagione. Amavo, amo ancora l'estate, ma dalle mie ossa è lontana, non è più la mia stagione. Sono paesaggi d'estate, oltre misura violenti, dove l'aria è pura, e hanno il carattere, di cui m'ero appropriato, del barocco, perché l'estate è la stagione del barocco. Il barocco è qualche cosa che è saltato in aria, che s'è sbriciolato in mille briciole: è una cosa nuova, rifatta con quelle briciole, che ritrova integrità, il vero. L'estate fa come il barocco: sbriciola e ricostituisce.

Gli autunni arriveranno un po' più tardi, con la *Terra Promessa*. Se c'è qualche ricordo primaverile in quelle poesie, per esempio in *Senza più peso*, è un'eccezione: non c'era in quegli anni che l'estate. In quegli anni non arrivavo ad afferrare la natura che quando era in preda al sole e bruciava il travertino, pietra con la quale hanno fabbricato Roma, che segue le stagioni, che le incarna, e in estate è pietra che si dissecca atroce. Poi, in autunno, s'infuoca e, giunto l'inverno, è cupa. Pietra mutevolissima agli effetti della luce: quando la notte è senza luna ha il carattere dell'acquaforte. Pietra viva, e il carattere di quella pietra mi era più famigliare delle rovine, delle linee dell'architettura; mi era più famigliare della storia con i suoi monumenti.

Quando mi posi al lavoro del *Sentimento*, due poeti erano i miei favoriti: ancora il Leopardi e Petrarca. Che cosa potevano rappresentare quei due poeti per me? Leopardi nella sua poesia ha manifestato con disperazione il sentimento della decadenza, ha sentito che la durata d'una civiltà, della civiltà alla quale si sentiva legato, era giunta al suo ultimo punto, quando una civiltà sta per trasformarsi da cima a fondo. Qualche cosa periva; forme, nello stesso tempo, perivano. Una lingua assumeva coscienza del proprio invecchiamento.

Il Petrarca s'era trovato in una situazione diversa, s'era trovato di fronte a una letteratura antica, quella dei classici, che occorreva, per dare radici a lingue vive, inserire nel movimento di tali lingue. Non si trattava di ritrovare una continuità storica, ma semplicemente di fondare una lingua nuova su basi provate. Il movimento era diverso: Petrarca si trovava – ed ecco come Roma arrivò a diventare la mia città – in presenza di rovine e la sua memoria, la memoria d'un uomo che volesse di nuovo illuminare con una ri-presa di possesso dell'antica esperienza, la memoria non gli

offriva di quell'antico che rovine, che aspetti mutilati.
Quando Leopardi acquista il sentimento della decadenza, ciò che ha davanti agli occhi è ciò che nel proprio rinnovarsi, nel proprio slancio, non ha fatto che gradualmente perdere energia. Dunque, da una parte una poesia effetto di mutilazione, dall'altra parte una poesia effetto della consapevolezza che il rinnovamento dovuto a quella mutilazione era stato autentico, e aveva propagato uno stato che si sarebbe rinnovato, ma costantemente perdendo energia ed avviandosi a morte. Era ciò che imparavo guardando Roma, dove quei sentimenti erano presenti sia nelle rovine sia nei memorabili edifizi, manifestazioni che tante cose erano perite, morivano sempre più.
Nel *Sentimento del Tempo*, c'è un ricorso quasi sistematico alla mitologia, che non poteva esistere in alcun modo nell'*Allegria*. Non ci saranno più Apolli, nella seconda parte del *Sentimento*, né Giunoni; ma, vivendo a Roma, nel Lazio, come non potevano non diventarmi famigliari i miti, gli antichi miti? Li incontravo ovunque e continuamente, e accorrevano a rappresentare i miei stati d'animo con naturalezza. Non erano che voci del vocabolario accorse ad evocare i fantasmi che di frequente mi apparivano nella città dove vivevo. Non erano figure di rettorica, ma una specie d'appropriazione dei miti che tanto mi diventavano famigliari da farmi scrivere una poesia come *Giunone* dove si nasconde chissà quale erotico ricorso.
Occorre considerare il barocco anche nel suo aspetto metafisico e religioso, cioè nel suo rapporto con l'uomo in preda, nel medesimo tempo, all'esaltazione della propria infallibilità fantastica di facitore, e al sentimento della precarietà della propria condizione. I due aspetti sono costante condizione della vita, che è creazione e distruzione, vita e morte. Che cosa poteva essere la poesia se non la ricerca inesausta e mai ap-

prodata a soluzione del motivo di tutto ciò? Insomma, nella contemplazione del barocco a poco a poco la mia poesia inclinava a porsi il problema religioso.
Il *Sentimento del Tempo* è infatti un libro che può dividersi in due momenti. Nel primo, è la presa di possesso d'una città che dovevo fare mia, poiché la mia città natale è una città straniera; e Roma lo diverrà innanzi tutto rendendosi famigliare al mio sentimento mediante il passaggio delle stagioni e soprattutto mediante la prepotenza delle sue estati. C'è una seconda parte, nel *Sentimento*, ed è ancora Roma al centro delle mie meditazioni. Roma diventa, nella mia poesia, quella città dove la mia esperienza religiosa si ritrova con un carattere inatteso di iniziazione. Certo, e in modo naturale, la mia poesia, interamente, sino da principio, è poesia di fondo religioso. Avevo sempre meditato sui problemi dell'uomo e del suo rapporto con l'eterno, sui problemi dell'effimero e sui problemi della storia. Sono tornato, in seguito alla crisi tanto grave nella quale ci dibattiamo, sono tornato, in seguito, a meditare con maggiore profondità sugli stessi problemi. Sarà ancora il barocco a porgermi aiuto.
Una città come Roma, negli anni durante i quali scrivevo il *Sentimento*, era città dove si aveva ancora il sentimento dell'eterno e nell'animo nemmeno oggi scompare davanti a certi ruderi. Quando si è in presenza del Colosseo, enorme tamburo con orbite senz'occhi, si ha il sentimento del vuoto. A Roma si ha il sentimento del vuoto. È naturale, avendo il sentimento del vuoto, uno non può non avere anche l'orrore del vuoto. Quegli elementi ammucchiati, venuti da ogni dove, per non lasciare un briciolo di spazio, di spazio libero, per tutto riempire, per non lasciare nulla, nulla di libero. Quell'orrore del vuoto, si può sentirlo a Roma infinitamente di più, e nemmeno nel

deserto, che in qualsiasi altra parte della terra. Lo credo: dall'orrore del vuoto nasce, non la necessità della riempitura dello spazio con non importa quale elemento, ma tutto il dramma dell'arte di Michelangelo.
Quando dicevo che il barocco provoca il sentimento del vuoto, che l'estetica del barocco romano era stata mossa dall'orrore del vuoto, citavo il Colosseo. Temo di non essere stato chiaro. L'orrore nel barocco proviene dall'idea insopportabile d'un corpo privo d'anima. Uno scheletro provoca orrore del vuoto.
Quando Michelangelo rappresenta nella sua ultima opera, la *Pietà Rondanini*, Cristo, Cristo è un corpo disanimato, un corpo vuoto e, in quell'effetto della giustizia, Michelangelo non vede se non orrore. La *Pietà* non la vede nella Madre che, ad ogni costo, vuole resuscitare il suo bimbo. L'Apocalisse aveva indicato a Michelangelo Cristo giudice. Lo rappresentava interpretando testi sacri. Era l'idea del Cristo tremendo che gli proveniva dall'idea della morte. Non arrivava ad ammettere la morte, e niun'altro dei grandi artisti che verranno dopo Michelangelo arriverà ad ammetterla. L'idea di resurrezione è un'idea che non si arriva ad assimilare. Michelangelo era un buon cristiano, ma... era davvero un cristiano Michelangelo? È domanda alla quale nessuno saprebbe rispondere, Vuoto e spazio non sono affatto nozioni identiche. In qualsiasi forma, per esempio, di cui l'uomo si sia appropriato con la poesia o l'architettura o la pittura, c'è sempre una specie d'abisso che lo attrae, nell'interno stesso della forma che ha inventato, edificato. C'è sempre nella sua opera, come in sé, un'assenza, e quell'assenza produce vertigine, spavento. E l'uomo, alla vertigine, che sarebbe come la definizione materiale, spaziale, dell'assenza d'essere, l'uomo risponde con la sua frenesia di agire

e in particolare di agire come poeta, come artista. Difatti, penso al Petrarca. Il Petrarca parte dall'idea di assenza: Laura è un universo assente, un universo da recuperare. Si recupera, ricorrendo alla poesia, facendo recuperare alle nostre lingue l'esperienza delle antiche lingue, delle lingue classiche. Ma l'assenza è una cosa, il vuoto ne è un'altra. C'è una viva forma che è assente, oppure non c'è forma viva, c'è il vuoto. È diverso, è un modo di sentire diverso.
Poco fa si parlava del vuoto, poiché il vuoto nell'ispirazione poetica appare con Michelangelo e poi con il barocco, che Michelangelo inventa. Occorre ch'io precisi l'idea di assenza. L'idea di assenza, quale il Petrarca la concepiva è tutt'altra cosa, è un mondo lontano nello spazio e nel tempo, che torna a udirsi vivo tra il fogliame del sentimento, della memoria e della fantasia. È soprattutto rottura delle tenebre della memoria.
La sensazione dell'assenza radicale dell'essere è forse, in realtà, sensazione dell'assenza divina? Solo Dio può sopprimere il vuoto, essendo, Egli, l'Essere, essendo, Egli, la Plenitudine? È il sentimento dell'assenza di Dio in noi, rappresentato non simbolicamente, rappresentato, in realtà, da quell'orrore del vuoto, da quella vertigine, da quel terrore? Michelangelo e alcuni uomini dalla fine del '400 sino al '700 avevano, in Italia, quel sentimento, il sentimento dell'orrore del vuoto, cioè dell'orrore di un mondo privo di Dio.
Il *Sentimento* è dunque la pienezza implacabile del sole, la stagione di violenza e, nello stesso tempo, la clausura dell'uomo, nella seconda parte del libro, dentro la propria fralezza. Nel *Sentimento del Tempo*, come in qualsiasi altro momento della mia poesia sino ad oggi, quest'uomo ch'io sono, prigioniero nella sua propria libertà, poiché come ogni altro essere vivente è colpito dall'espiazione d'un'oscura colpa, non ha po-

tuto non fare sorgere la presenza d'un sogno d'innocenza. Di innocenza preadamitica, quella dell'universo prima dell'uomo. Sogno dal quale non si sa quale altro battesimo potrebbe riscattarci, togliendoci di dosso la persecuzione della memoria.

pp. 103-110
PRIME
Poesie scritte nel primo periodo trascorso a Roma.

p. 105
LE STAGIONI Il paesaggio s'alterna tra Roma e Tivoli, con le grandi cascate di Villa Gregoriana (le acque garrule).

p. 107
SILENZIO IN LIGURIA Ero andato a un Congresso, inviato dell'Agenzia di informazioni francese « Radio »; era il tempo di Facta. Mia moglie rappresentava un'altra Agenzia, facevamo il servizio d'informazione della Conferenza. Si pernottava in un albergo a Nervi perché a Genova non c'era posto.

p. 108
ALLA NOIA Il paesaggio dev'essere ancora quello di Tivoli, dove andavamo spesso a passare la domenica.

v. 2 *il corpo acerbo*. Non è realtà, ma sogno, immagine di adolescente.

v. 8 *ancella di follia, noia*. Noia, nel senso di inquietudine (l'*ennui* francese, il cruccio): uno stato stimolante di sospensione e di disagio da cui si vorrebbe uscire.

p. 109
SIRENE v. 1 *Funesto spirito*. È l'ispirazione, che è sempre ambigua, che in sé contiene uno stimolo e una verità illusoria, l'inquietudine di cui si diceva prima; è la musa sotto forma di sirena, e nella poesia è presente, appunto, l'isola fatale, l'isola delle sirene incontrata da Ulisse nel suo viaggio.

p. 110
RICORDO D'AFFRICA v. 8 *Né dal rado palmeto Diana apparsa*. Diana è, naturalmente, la luna, personificazione mitica, anche, d'una forma femminile. Nella poesia c'è l'idea del miraggio, gli effetti di miraggio essendo analoghi a quelli lunari.

pp. 113-133
LA FINE DI CRONO

p. 114
L'ISOLA Il paesaggio è quello di Tivoli. Perché *l'isola*? Perché è il punto dove io mi isolo, dove sono solo: è un punto separato dal resto del mondo, non perché lo sia in realtà, ma perché nel mio stato d'animo posso separarmene.

p. 115
LAGO LUNA ALBA NOTTE Il lago evocato è quello di Albano.

p. 116
APOLLO L'aprirsi di un mattino, l'invocazione a emanciparsi dalla notte.

p. 117
INNO ALLA MORTE v. 5 *Appiè del botro*... È sempre il paesaggio di Tivoli, di Villa Gregoriana, nel momento in cui finisce la notte, come se tutto dovesse finire in quel momento.

p. 127
TI SVELERA A dispetto del trionfo effimero della memoria sulla nimicizia del tempo, non si tratta che d'una tregua. Il prodigio del momento poetico e della presenza del passato accentuano il sentimento tragico della fuga del tempo. Non si può nulla cogliere, se non sotto forma di ricordo poetico, come se la morte sola fosse capace di dare forma e senso a ciò che fu vissuto. La durata interna è composta di tempo e di spazio, fuori del tempo cronologico; l'universo interno è un mondo dove la reversibilità è di regola. Quel tempo non scorre mai in un'unica direzione, non s'orienta mai nel medesimo modo; si può risalirne il corso, non si sa fino a quale fonte inaccessibile, ma tuttavia immediatamente presente in noi. La memoria trae dall'abisso il ricordo per restituirgli presenza, per rivelare al poeta se stesso.

p. 128
FINE DI CRONO È una fantasia della fine del mondo. Gli astri, *Penelopi innumeri*, filano la vita finché il loro Signore, il loro Ulisse ritorni ad abbracciarli, ad annullarli in sé. Tornerà poi l'Olimpo, la quiete assoluta, il non esistere più.

p. 129
CON FUOCO v. 1 *Un nostalgico lupo.* Il lupo, lupo invecchiato e perciò nostalgico, ma con la violenza della gioventù nel desiderio, è il poeta.

p. 130
LIDO È sempre un paesaggio invernale, sulla sponda di un lago, forse il lago di Albano. È il crepuscolo, l'entrata nella notte, ed è anche una fine d'anno.

p. 131
LEDA È legata alla precedente. È il rinascere del giorno e dell'anno, i *luminosi* denti sono quelli del sole l'*impallidita* è la notte, la *salma* è il corpo preso dal sonno della notte. Le due poesie svolgono in parallelo i temi: sonno-risveglio, notte-giorno, fine d'anno-inizio d'anno.

pp. 137-151
SOGNI E ACCORDI

p. 138
ULTIMO QUARTO Descrive una notte passata a Tivoli, davanti alla Villa Adriana. La villa era chiusa, il guardiano non volle farci entrare e Jean Paulhan, Franz Hellens, le nostre mogli ed io, abbiamo scalato il muro di cinta e contemplato l'indimenticabile spettacolo cui allude la poesia. Non so se la Villa Adriana, la sua malinconia lacerante non manifesti l'inutilità, l'impotenza di restituire quel sogno d'un imperatore bruciato di nostalgia che s'era proposto di innalzare una specie di Grecia in miniatura, per suo uso e consumo, a poche leghe da Roma. La nostalgia è nel cuore di ogni manifestazione di poesia e Adriano era un poeta.

p. 141
AURA Il paesaggio è probabilmente ancora quello di Tivoli.

p. 143
SOGNO v. 6 *Ma intorno al lago...* Il lago è sempre il lago di Albano.

pp. 155-163
LEGGENDE Il gruppo di poesie che ho intitolato *Leggende* dà, nelle mie intenzioni, a tali poesie, un carattere particolare.

Si tratta di un contenuto più oggettivo, che mettesse come una certa distanza fra il poeta e la propria ispirazione, come non si trattasse più interamente di sé, ma d'una raffigurazione di sé quale persona drammatica. Le poesie dell'*Allegria* sono tutte in prima persona: *io* parla. Qui si gira intorno a quell'io, lo si giudica e se ne parla con maggiore libertà.

p. 155
IL CAPITANO v. 11 *Echi d'innanzi nascita.* I propri antenati lucchesi.

v. 14 *E buttato sul sasso.* Rievocazione di paesaggio di guerra.

v. 18 *Il Capitano era sereno.* Si chiamava Cremona, il nome di battesimo era Nazzareno. Era un giovane biondo, bellissimo, alto quasi due metri, faceva parte del mio reggimento e morì schiantato sul Carso.

p. 157
PRIMO AMORE Non si tratta d'una evocazione in ambiente parigino, come a volte è stato supposto, né di una contaminazione di ricordi del periodo parigino, milanese e alessandrino. La città è Alessandria, e si tratta di un primo amore, dovevo avere a quei tempi 18 o 19 anni.

p. 158
LA MADRE Fu scritta in occasione della morte di mia madre.

p. 161
1914-1915 v. 21 *Ma il dubbio, ebbro colore di perla.* Immagine che ricorre anche in *Popolo*. Ripresa di *Popolo*.

pp. 167-178
INNI

p. 168
LA PIETA Fu pubblicata per la prima volta, in un testo da me tradotto, nella « Nouvelle Revue Française », al posto d'onore, e suscitò, dato il momento storico, diffuso turbamento. È la prima manifestazione risoluta di un mio ritorno alla fede cristiana che, anche se altre mire prima mi seducevano, nella mia persona dissimulandosi non cessava d'attendere. Nacque, durante la Settimana Santa, nel monastero di Subiaco, dov'ero ospite del mio vecchio compagno don Francesco Vignanelli, monaco a Montecassino.

p. 172
CAINO v. 22 *Figlia indiscreta della noia, / Memoria...* La memoria è figlia della noia perché l'uomo s'è adattato alle fatiche del lavoro, per non accorgersi del tedio della vita. È *indiscreta* perché tenta di dissimulare la noia. La memoria è storia.

p. 177
LA PIETA ROMANA La pietà è un antico mito di Roma (vedilo in Virgilio) che converge nel cristiano sentimento. Il titolo si riferisce a una statua, conservata, se ricordo bene, in Campidoglio.

All'edizione di Novissima del 1936, e a tutte le successive edizioni Mondadori, dello Specchio, premettevo una nota dalla quale riproduco alcuni punti rimasti forse d'attualità. Dicevo:

Nel ristampare questo volume (uscito, nel 1933, in edizione di lusso nei Quaderni di Novissima *e in edizione comune presso* Vallecchi*) ho fatto qua e là, per non perdere una mia pessima abitudine, alcuni ritocchi di forma. Ho inoltre aggiunto sette poesie scritte fra il 1932 e il 1935. Esse chiudono il mio secondo tempo d'esperienza umana, come ne aveva chiuso il primo* L'Allegria.
La prima edizione del Sentimento del Tempo *è stata accolta (come alla sua ora, la stampa della prima parte dell'*Allegria: Il Porto Sepolto*) da straordinarie discussioni. Nei due casi mi s'è fatto perfino l'onore di fondare addirittura dei periodici quasi esclusivamente per combattermi.*
Delle centinaia di saggi, di attacchi, di lodi, di biasimi, ho fatto una statistica. La statistica è la scienza dei nostri tempi, e può servire, anche nel nostro campo, a qualche utile considerazione sul costume.
Il 50% dunque delle critiche, in bene o in male, erano fatte d'osservazioni e di giudizi messi insieme così

a vanvera che non dimostravano nei loro autori, se non mancanza totale di logica, oppure ignoranza completa del libro... esaminato.
In altri, tutto è motivo per ridurre a questioni di lana caprina gli eterni problemi dell'arte: contenuto e forma, sentimento e intelletto, eccetera. Non è stata per me una piccola mortificazione vedere anche il mio libro preso a pretesto da simili perdigiorno.
Ma il 10% delle critiche m'hanno aiutato a correggermi di tanti difetti, a vedere più chiaramente in me, a sentire meglio le mie possibilità di sviluppo e i miei limiti.
Vorrei su un ultimo punto richiamare l'attenzione del lettore. Come L'Allegria, *il* Sentimento *è diviso in capitoli. Non per capriccio. Ogni diversa parte di questi due libri, forma un canto, nella sua organica complessità – con i suoi dialoghi, i suoi drammi, i suoi cori – unico e indivisibile. Così gl'*Inni *– che esprimono una crisi religiosa, veramente patita, da milioni d'uomini e da me, in uno degli anni più oscuri del dopoguerra – per non essere capiti alla rovescia non vanno separati l'uno dall'altro: così le* Leggende, *così, eccetera; così nell'*Allegria*:* Il Porto Sepolto, Girovago, *o qualsiasi altra parte del libro.*
Dal lato strettamente tecnico, il mio primo sforzo è stato quello di ritrovare la naturalezza e la profondità e il ritmo nel senso d'ogni singola parola; ho ora cercato di trovare una coincidenza fra la nostra metrica tradizionale e le necessità espressive d'oggi.

Alcuni ritocchi sono stati fatti anche dopo quella volta.
La prefazione di Alfredo Gargiulo [1] è legata profondamente alla fortuna del *Sentimento*, e ho creduto do-

[1] Qui riprodotta alle pp. 423-25.

veroso verso i nuovi lettori ottenere che venisse ripubblicata in testa alle ristampe.
Mi è doveroso anche ricordare che in segno dell'affetto fraterno che al Maestro mi legava, dall'edizione Mondadori 1943, ed Egli era ancora in vita, il *Sentimento* sempre reca in dedica il Suo nome.

IL DOLORE

Mi si è fatto osservare che in un modo all'estremo brutale, perdendo un bimbo che aveva nove anni, devo sapere che la morte è la morte. Fu la cosa più tremenda della mia vita. So che cosa significhi la morte, lo sapevo anche prima; ma allora, quando mi è stata strappata la parte migliore di me, la esperimento in me, da quel momento, la morte. *Il Dolore* è il libro che di più amo, il libro che ho scritto negli anni orribili, stretto alla gola. Se ne parlassi mi parrebbe d'essere impudico. Quel dolore non finirà più di straziarmi.

All'edizione Mondadori dello Specchio, del 1947, e alle successive ristampe, l'Autore premetteva la seguente nota:

Le poesie qui raccolte apparvero tutte nell'una o nell'altra delle rassegne letterarie italiane. Quelle che vanno sotto il titolo di Roma occupata *uscirono anche a capo del volume di disegni di Orfeo Tamburi;* Piccola Roma*, il 19 aprile 1944, presso l'editore romano Urbinati.*
Tutto ho perduto *fu scritto in memoria di mio fratello; in* Giorno per giorno *e nel gruppo* Il tempo è muto*; è presente Antonietto, mio figlio, perduto in Brasile; nelle altre poesie,* Il Dolore *è più particolarmente ispirato dalla tragedia di questi anni.*

LA TERRA PROMESSA

La Terra Promessa nella sua edizione originale è stata pubblicata da Arnoldo Mondadori, Milano, nel 1950.
Il libro doveva, per apparire un po' meno incompiuto, recare anche i *Cori d'Enea. Il Taccuino del Vecchio* e gli *Ultimi cori per la Terra Promessa*, potrebbero in qualche modo rappresentarne l'abbozzo.
All'esauriente saggio di Leone Piccioni, che già accompagnava il libro nel '50, aggiungerò alcuni brevi miei preamboli alle diverse parti del poema. Furono dettati per servire di guida tecnica all'ascoltatore, in occasione d'una lettura radiodiffusa in Luglio del 1953.

La prima idea della *Terra Promessa* – fu ricordato [1] – la ebbi nel 1935, subito dopo la composizione di *Auguri per il proprio compleanno*, che possono leggersi nel *Sentimento del Tempo*. In quella poesia, nell'ultima strofa, è detto:

> *Veloce gioventù dei sensi*
> *Che nell'oscuro mi tieni di me stesso*
> *E consenti le immagini all'eterno,*
>
> *Non mi lasciare, resta, sofferenza!*

Ancora nel 1942, quando Mondadori iniziò la pub blicazione di tutta la mia opera, *La Terra Promessa*

[1] Si veda il saggio di Leone Piccioni alle pp. 427-64.

era annunziata dai volantini editoriali con il nome di *Penultima Stagione.* Era l'autunno che intendevo cantare nel mio poema, un autunno inoltrato, dal quale si distacchi per sempre l'ultimo segno di giovinezza, di giovinezza terrena, l'ultimo appetito carnale.

CANZONE

La *Canzone*, che giustifica l'incompiuto poema, parte dal distacco, cui s'è accennato, dell'autunno dall'ultimo segno di giovinezza, e dà come primo momento strofico un dissolversi lentissimo, quasi inavvertibile, un lentissimo smemoramento in un'ebrietà lucida. Poi è il rinascere ad altro grado della realtà: è per reminiscenza il nascere della realtà di secondo grado, è, esaurita l'esperienza sensuale, il varcare la soglia d'una altra esperienza, è l'inoltrarsi nella nuova esperienza, illusoriamente e non illusoriamente originaria – è il conoscersi essere dal non essere, essere dal nulla, è il conoscersi pascalianamente essere dal nulla. Orrida conoscenza. La sua odissea sempre ha per punto di partenza il passato, sempre torna a conchiudersi nel passato, sempre riparte dalla medesima aurora mentale, sempre nella medesima aurora della mente si conchiude.

La *Canzone* s'è formata, dicevo, a seguito di trasferimento dei motivi d'ispirazione dalla sfera della realtà dei sensi alla sfera della realtà intellettiva. Non che fra l'una e l'altra sfera, a dire il vero, ci sia una parete che non sia fluida, e non che l'una e l'altra sfera non si compenetrino. Ad una certa epoca dell'esistere, uno può avere avuto la sensazione che la mentale in lui escludesse ogni altra attività: il limite dell'età è limite. Non sia limite poiché poesia non si fa mai senza opera anche dei sensi, specie una poesia di stret-

ta e infinita qualità musicale come pretende di essere quella che ora vi piacerà di leggere.
Sulla *Canzone* furono poi da me tenute alla Columbia University, dove ero stato chiamato come *visiting professor* nel maggio del 1964, le quattro lezioni che qui riporto:

Prima Lezione

Avete sentito l'altro giorno una lettura di mie poesie. Probabilmente non sarà chiaro nel vostro spirito come sia avvenuto lo svolgimento della mia poesia. Il primo volume è un volume che esce durante la guerra del '14, nel 1916, e si chiama *Il Porto Sepolto*. Nel 1919, insieme alle poesie pubblicate nel '16, escono altre poesie scritte in zona di guerra dopo il '16, ed escono le mie più vecchie poesie già quasi tutte pùbblicate prima in « Lacerba ». Ritenevo in quel momento che anche le mie prime poesie meritassero, e anche oggi lo ritengo, di avere una durata più lunga di quella molto effimera di un giornale letterario. De Robertis con molto affetto ha curato l'apparato delle varianti delle mie poesie fino al *Sentimento del Tempo*. Ciò vuol dire che ogni poesia mi è costata un'infinità di mutamenti. Naturalmente non sono stati registrati da De Robertis, e dai critici che stabilirono le varianti delle mie poesie posteriori al *Sentimento del Tempo*, che i mutamenti che potevano riscontrarsi in riviste o in libri. Varianti innumerevoli avrebbero conservato i manoscritti se non avessi la pessima abitudine di distruggerli via via che torno a metterli in bella copia.
L'apparato delle varianti di De Robertis è preceduto da poesie che avevo rifiutato e da poesie pubblicate in « Lacerba » e in altre riviste. Nel saggio introduttivo al volume, De Robertis suggerisce come primo mio incontro con altri poeti quello con i crepuscolari.

È inesatto. Se si esaminano le poesie che precedono l'apparato del De Robertis e anche le poesie che precedono *Il Porto Sepolto*, ci si accorge di due contraddittorie influenze francesi, quella di Laforgue e quella di Mallarmé: già, Mallarmé. Sono influenze dovute al fatto della mia educazione francese. Se si studia la letteratura di quei tempi ci si accorgerà che Laforgue ha esercitato una grande influenza sui poeti, su T. S. Eliot e su Pound, e sullo stesso Apollinaire, e, da noi, su Corazzini e su Palazzeschi. L'influenza di Laforgue fu dunque fortissima anche sui crepuscolari. Dunque non si tratta nel mio caso di derivazione dai crepuscolari, prima che trovassi la mia originale espressione, che non sarà più quella di Laforgue né di altri. Che io derivassi in un primo tempo dai crepuscolari è una svista del De Robertis, acuto, sensibilissimo e dotto critico, ma che non aveva pensato in quel momento alla poesia francese. Se ne fosse allora ricordato, meglio avrebbe suggerito un medesimo capostipite, comune tanto a me quanto ai crepuscolari.
Il Porto Sepolto è invece un libro che nasce in guerra nel quale mi si rivela un linguaggio, e in cui l'espressione è dettata da una realtà immediata che esauriva tutto nella sua presenza e nella sua tragicità. La natura è rappresentata crudamente qual è, il rapporto fra l'uomo e la natura è dato nella sua crudezza e terribilità e le parole sono naturalmente parole laconiche, il linguaggio è naturalmente laconico, perché da quelle circostanze il linguaggio non poteva ottenere il tempo se non di esprimere la realtà in quel modo essenziale nel quale tentavo di esprimerla; e non c'era allora altro modo, non era tempo per mettersi a zinzunare. Difatti quei poeti che hanno fatto letteratura in quel tempo, hanno fatto poesia all'autenticità della quale nessuno ha allora creduto, anche se avevano un grande nome.
Nel *Sentimento del Tempo*, da una realtà immediata

passiamo ad una natura la cui presenza è considerata nel suo valore storico, e quindi ad una natura che coincide con l'emozione del poeta, ma che nello stesso tempo assume carattere mitico. Il *Sentimento del Tempo* contiene tre o quattro esperienze diverse dettate da circostanze storiche diverse e da necessità espressive diverse. Si ricorra ora a una poesia di quegli anni, per esempio a *Dove la luce*, del 1930.

Se si leggono le poesie di quel periodo, ci si accorgerà del valore mitico che io attribuisco alla natura. Questo valore mitico assume il carattere di riflessione metafisica, assume già, prevede già quello che sarà un lavoro successivo incominciato subito dopo il *Sentimento* e protrattosi per lunghi anni, poi interrotto, e ripreso e condotto a termine molto più tardi. Nel 1950, diedi alle stampe quei frammenti intitolandoli *La Terra Promessa.*

La Terra Promessa è un libro scritto con grande lentezza perché continuamente interrotto, anche da altra poesia come quella del *Dolore*. C'era una tragedia nel mondo, c'era anche una mia tragedia che mi aveva colpito nei miei particolari affetti, e naturalmente le ricerche di pura poesia dovevano cedere il posto alle angosce, ai tormenti di quegli anni. Quella che pubblicai nel 1950 è dunque un'opera frammentaria; la pubblicazione di un'opera completa, organica, non avverrà forse mai. Tali frammenti possono però dare nel loro complesso un'idea di quello che il poeta intendeva fare e che non è riuscito a fare: nessun poeta è mai riuscito a fare quello che ambiva di fare.

Ho preso a comporre la *Terra Promessa* incominciando a scrivere nel '32 la *Canzone*. Se voi paragonate *Dove la luce*, o alcune altre delle poesie del *Sentimento* che vanno dal '25 al '33, cioè sino al momento della pubblicazione del *Sentimento* – in un'edizione successiva si arriva al '36, – voi vi accorgerete che la *Canzone* era stata immaginata già prima, o per lo meno il modo di intendere la natura era stato già concepito in un certo numero di poesie che sono del *Sentimento del Tempo*. C'è una differenza, naturalmente. La natura qui, nella *Terra Promessa*, serbando un carattere mitico, tenta di trasfigurarsi in motivo di riflessione metafisica sulle condizioni dell'uomo nell'universo, sulle sue profonde aspirazioni, sulla sua sostanza di essere universale e sul suo costante fallire che si rinnova ogni giorno con una medesima morte e una medesima aurora. Come vedete si parte sempre da qualche cosa che è nella natura e che è spettacolo offerto dalla natura che tutti gli occhi degli uomini possono contemplare: lo spettacolo che si svolge nelle ventiquattro ore di ciascuna giornata o nel ciclo delle stagioni. Si parte da qualche cosa di molto reale, e questo qualche cosa di molto reale presta al poeta i simboli che gli serviranno ad esprimere cose che sono per lui urgenti, i simboli che l'aiuteranno a rispondere a interrogativi ai quali non sa logicamente rispondere, e una risposta logica sarebbe per lui risolutiva – se potesse darla. Dunque il senso della *Canzone* non è un senso difficile, ma un senso semplice.

C'è un'ora nel *Tramonto della Luna* di Leopardi nella quale non c'è più nessuna luce, non c'è più la luce del sole che non è ancora giunta né preannunciata, non c'è più la luce della luna che è tramontata, e anche le stelle per una condizione di quell'ora non si vedono più. È un mondo completamente oscuro, vuoto. È un momento di silenzio, apocalittico, della fine di tutto, della fine reale di tutto, è il nulla, e non è se non il momento in cui paiono scomparsi giorno e notte, e non è che un semplice momento di interruzione e di attesa. Assoluta notte é assoluto giorno, il giorno del demonio meridiano della *Primavera*, non saranno che illusioni ottiche? E ciò che si scopre per via di luce del giorno o per via di luce notturna non sarà sempre che illusione ottica? Come sentire la realtà, non quella effimera: quella che va oltre la conoscenza mutevole della materia e gli effetti di luce? Nei suoi confini temporali e spaziali di essere terreno finito, come l'uomo, servendosi delle immagini proposte da tali confini, potrà avere in un barlume sentimento e idea dell'eterno?

Seconda Lezione

Se prendete il *Sentimento del Tempo*, vi trovate tre temi principali (principali almeno, per vasta parte del libro, poiché vi sono in esso anche poesie come *La pietà* cui si frammischia in modo prevalente e palese un'altra esperienza): il tema dell'aurora – un'aurora non edenica, non di perfetta felicità, in qualche modo contaminata dalla storia; il tema del desiderio a un ritorno dello stato edenico; e il tema della morte, del nulla.

Ora, la *Canzone* della *Terra Promessa* sviluppa quegli stessi temi, che erano dunque vecchi di tanti anni. La *Terra Promessa* era già sul telaio subito dopo il *Sentimento del Tempo*, era la poesia dell'uomo che sta per lasciare la propria giovinezza e per entrare nella maturità. Purtroppo la *Terra Promessa* fu poi potuta proseguire quando già quell'uomo era entrato nella vecchiaia, fu quindi proseguita in un modo diverso da quello nel quale era stata immaginata quando nasceva. Doveva essere la poesia dell'autunno, è invece la poesia dell'inverno. È una considerazione importante, che va ritenuta. Vi doveva essere rappresentata una data stagione, e invece v'è una stagione diversa, che non era stata prevista. Ma non era previsto il mio viaggio di sei anni in Brasile, non era prevista, sebbene temuta e scongiurata, la seconda guerra mondiale, non erano previste mie tragedie personali che insieme alle atrocità della guerra mi tuffarono nell'esperienza del *Dolore*.

Comunque, si è detto, tutti i temi della *Canzone*, portati naturalmente ad altra esasperazione, sono già presenti nel *Sentimento del Tempo*. Per esempio, in *O Notte* si parla di una « alberatura » che richiama le « arborescenze » della *Canzone*; e v'è inoltre il senso del deserto, del nulla, e del nascere dell'aurora – il tema del nascere del giorno, quando le cose cominciano a svelarsi con contrasti che poi il poeta chiamerà a rappresentare contrasto dell'animo e una dialettica della riflessione.
In *Alla noia* (« Quiete, quando *risorse* in una trama... ») abbiamo il desiderio di arrivare a superare tutti quei muri che ci separano dalla « prima immagine », dall'immagine dell'edenica purezza. E abbiamo lo stesso tema, ripreso, si capisce, con altri approfondimenti, in *Sirene*, e in *Ricordo d'Affrica*. Insomma, c'è il sentimento del nulla dal quale nasce un'aurora contaminata (contaminata perché ci sono tutti quei muri che ci separano dall'aspirazione verso un'aurora pura): ci sono tutti quei muri che si frappongono fra noi e la conoscenza assoluta, che crescono di continuo, via via che la civiltà avanzando s'allontana dalla natura, che di continuo ci allontanano di più dalla pura realtà: c'è insomma quella specie di cecità che noi abbiamo nel nostro spirito, per cui non arriviamo a conoscere che una parte della realtà, la meno vera.
Inno alla Morte descrive il raggiungimento del nulla, del nulla, s'intende, secondo una percezione umana. Il *Tramonto della Luna* di Leopardi, per esempio, ci dà un senso del nulla quando ci mostra quel momento che dura un attimo, nulla, nel quale non c'è più nessuna luce, perché appunto la luna è tramontata, perché non si vedono stelle, e perché non c'è ancora il sole. Poi il sole sorge, e il sole quando sorge è stupenda bellezza, ma non sorge puro, non rivela un mondo puro, ma un mondo che documenta in sé rovina, il lungo castigo che è la storia; e tutte le difficoltà che nel

nostro essere va intrecciando il muoversi della storia nella serie dei secoli.
Come vedete, sono momenti, temi, che sono stati ripresi nella *Canzone*. Lo stesso si dica di liriche come *Leda*, *Eco*, *Sogno*, *Primo amore*, *Dove la luce*, *Caino*, *La morte meditata*.
Vedete, ci troviamo sempre di fronte allo stesso problema del *Sentimento*: quello di suscitare una realtà mitica, una realtà che trasfiguri il linguaggio per profondità di memoria, o se volete per profondità di storia.
Passiamo ora alla *Canzone*. Comincia così:

Nude, le braccia di segreti sazie,
A nuoto hanno del Lete svolto il fondo,
Adagio sciolto le veementi grazie
E le stanchezze onde luce fu il mondo.
(vv. 1-4; p. 241)

Che cos'è? Uno stato d'annientamento, immaginate la notte descritta nel momento in cui la luna è tramontata nell'ultima poesia leopardiana. Poi – il poeta immagina sempre bellezza – e immaginate per rappresentarvi quel momento, bellissime fanciulle che abbiano le braccia nude, che siano come in un'acqua larvale, verso l'ultimo nulla, che le braccia le abbiano sazie di segreti, e non vogliano né possano più saperne di mistero della vita nel suo scorrere quotidiano, e che nel nuoto imparino a svelarsi i segreti della morte, che sciolgano in quello svolgersi dell'imo del Lete, le loro grazie veementi – le grazie che furono loro attrattiva nel mondo – e sciolgano anche le stanchezze, grazie della sera che non avevano minore attrattiva delle grazie meridiane nel fare del mondo luce.
Questa strofa indica dunque come l'uomo abbia a un certo momento il senso dell'assoluto della morte. Semplice, no? Non è difficile!

Poi, al posto di questo nulla, tornerà il giorno; ma intanto è il nulla.

> *Nulla è muto più della strana strada*
> *Dove foglia non nasce o cade o sverna,*
> *Dove nessuna cosa pena o aggrada,*
> *Dove la veglia mai, mai il sonno alterna.*
> (vv. 5-8; p. 241)

Una strada non visibile, non sensibile, una strada strana, dove non esiste parola, dove non esistono segni che possano rendere identificabile quella strada: è il nulla, dove non c'è nessuna vita, non ci sono le stagioni, non c'è neanche sofferenza, nemmeno alternativa di gioia, di veglia, di sonno.

Terza Lezione

È quando composi *Rivedo la tua bocca lenta...*, o soltanto un po' dopo, che le prime idee della *Terra Promessa* e della *Canzone* mi sono sorte nella mente. Questa dovrebbe essere quell'esperienza sensuale alla quale contrappongo un'altra esperienza di ordine diverso, che è però anch'essa naturalmente mista, come ogni esperienza umana, ad una esperienza dei sensi, fatalmente, anche quando si crede di esserne liberati per disgrazia d'età. Vedremo ora che nella *Canzone* si tratta dell'aurora, ma d'un'aurora diversa dalle mie precedenti, poiché le precedenti erano aurore prevalentemente mosse dall'esperienza sensuale, e ora le aurore tendono a muoversi dalla riflessione, cioè da un mondo riflesso con più rigore mentale. Che cosa sono quelle braccia « nude »? Sono lo strumento dell'amplesso e del lavoro, esprimono la condizione sacra e fisica dell'uomo – e naturalmente la vita d'anima che attraverso tale condizione le foggia, è il loro se-

greto. Quelle braccia « nude » sono braccia ormai liberate da tutti i segreti, i segreti non le vestono né le intridono più, le hanno abbandonate perché ne erano « sazie », incapaci oramai di avere e continuare a acquistare segreti. È già ora di pieno oblìo.
Nella terza strofa, formata di due quartine unite, è descritta la nascita della nuova aurora, di quell'aurora che appartiene, sino ad un certo punto, naturalmente, a un momento dell'esperienza quasi interamente mentale.

Tutto si sporse poi, entro trasparenze,
Nell'ora credula, quando, la quiete
Stanca, da dissepolte arborescenze
Riestesasi misura delle mete,
Estenuandosi in iridi echi, amore
Dall'aereo greto trasalì sorpreso
Roseo facendo il buio e, in quel colore,
Più d'ogni vita un arco, il sonno, teso.
(vv. 9-16; p. 241)

Ecco una nascita d'aurora come la si può contemplare tutti i giorni, se uno ha voglia di alzarsi presto. Ha un valore simbolico, ma prima di un valore simbolico c'è l'aspetto fisico, sensibile dell'apparizione. Il mondo rinasce e si sporge entro trasparenze, torna a mostrarsi come dall'interno di frastagli cristallini. Perché l'ora è credula? Perché è un'ora ingenua, un'ora che sorprende e che è sorpresa, sorpresa di vedersi rinata.
« Quiete stanca »: a quale quiete ci riferiamo? Alla quiete descritta nelle due quartine precedenti, nelle quali si vedeva sparire la vita, il nulla sostituire la vita. Dunque questa quiete è stanca di essere quiete, di essere nulla.
« Dissepolte arborescenze »: è un'immagine che ricor

re già nella poesia *O notte* che apre il *Sentimento del tempo*: « Dall'ampia ansia dell'alba / svelata alberatura », una poesia del 1919. Gli alberi erano sepolti nello stesso annientamento dove erano spariti giorno e notte. Le arborescenze non sono ancora gli alberi, né i simboli degli alberi, sono forme larvali, ancora larvali, tra tomba e resurrezione.
« Riestesasi misura delle mete »: le mete che cosa sono? Punti prefissi da raggiungere. Prima le mete non erano scorte perché si era presi dalla vita dei sensi e ora le mete stanno riapparendo, si riestendono perché prevale una percezione dell'intelletto, e fa dell'aurora un simbolo. Via via che la luce cresce, le distanze aumentano, e la misura che ci porta verso le mete che di continuo s'allontanano, si fa maggiore. Le mete non saranno mai raggiunte, ma noi sentiamo che ci sono, che forse le potremmo raggiungere; e queste mete noi incominciamo a percepirle con il crescere della luce che estende lo spazio, sebbene si tratti di uno spazio ancora confuso, dove gli alberi sono ancora arborescenze, spettri, e dove forse anche il resto è ancora larvale.
« Estenuandosi in iridi echi ». Io sono stato in guerra, dove agonia e morte erano continue, e ho assistito per tanti giorni, e finirono coll'essere anni, a diverse nascite di giorno, a diverse aurore, e il nascere del giorno è nel suo silenzio pieno di voci, di voci che sembrano echi di voci, che non sembrano voci emesse direttamente, ma voci che ci giungono come tramiti, *fioche* dice Dante.
La conoscenza che il poeta ha della realtà ideale è una conoscenza avuta soltanto attraverso ad echi, non ne ha una conoscenza diretta, perché noi non conosciamo la realtà se non per tramiti; noi conosciamo la realtà materiale, fino ad un certo punto, ma non conosciamo la *vera* realtà se non attraverso ad echi, come

sensibilmente ne offre simbolo il nascere del giorno. « Estenuandosi in iridi echi »: vale a dire: mentre si consumavano gli echi in iridescenze. Quindi passo per analogia da un'immagine auditiva a un'immagine visiva. Chi ha assistito all'ora dell'alba sa che quella è un'ora piena di iridescenze, come nell'arcobaleno, nell'iride, in cui i colori si confondono l'uno con l'altro in un colore madreperlaceo, perlaceo. È un'ora che non è chiara, l'aurora non è mai chiara. Anche nel primo Canto dell'*Inferno*, quando Dante contempla il nascere del giorno, l'ora non è mai chiara: si passa da uno stato di buio a uno stato meno aggrovigliato, ma le cose sono ancora in uno stato di confusione.
« Amore / Dall'aereo greto... ». Non c'è più un amore dei sensi, ma c'è un altro amore, c'è sempre l'amore. E il « greto », cos'è? Sono quei sassi, no? che stanno in fondo ai fiumi, dunque in fondo al Lete. Da quel greto di fiume, che era il letto del Lete, l'amore rinasce. Sembrava che tutto fosse finito, che non ci fosse più che il nulla, che quello fosse il letto del nulla – e invece l'amore rinasce, risorge.
« Roseo facendo il buio... ». L'aurora prende qui il suo originario colore, fa la realtà rosea, transmuta il buio, il nulla, in rosea promessa. Tenete sempre presente davanti agli occhi quello che io ho tenuto sempre presente davanti ai miei occhi: la visione delle vicende naturali come naturalmente vanno presentandosi agli occhi. La natura oggi è modificata, va modificandosi a tal punto da parte dell'uomo che probabilmente tali spettacoli l'uomo non avrà più agio di contemplarli a modo nostro fra un certo numero d'anni: si possono però oggi ancora contemplare comodamente, si può andare in un posto solitario a guardare in ogni minima sua fase il nascere del sole, e si può anche vedere morire il giorno e la notte in quell'ora che nel *Tramonto della Luna* il Leopardi scopre.

Preda dell'impalpabile propagine
Di muri, eterni dei minuti eredi,
Sempre ci esclude più, la prima immagine,
Ma, a lampi, rompe il gelo e riconquide.
(vv. 17-20; p. 241)

Ogni minuto che passa ci allontana sempre di più dalla conoscenza della nostra vera realtà. La prima immagine, quell'immagine che può avere conosciuto un uomo di natura perfetta, quella che era l'immagine perfetta sempre più si allontana, separata da noi, impedendoci sempre più di conoscerla; ma, a lampi, per intuizione di una rapidità fulminea, è « rotto il gelo », e in qualche modo essa ci informa di sé, ci permette di riconquistare in qualche modo innocenza, di avere in qualche modo conoscenza dello stato puro. I momenti nei quali il poeta può essere poeta sono appunto quelli in cui la « prima immagine » « rompe il gelo » costituito da quella infinità di muri che uno dietro l'altro i minuti ci lasciano in eredità – muri impalpabili, che non si possono toccare, eppure presenti, uno dietro l'altro; e più i minuti passano e più lasciano in eredità al povero uomo, « muri ».
« L'ossessiva mira »: è la purezza, a cui tende l'uomo, al di là dei muri che lo separano dalla prima immagine.

Più sfugga vera, l'ossessiva mira,
E sia bella, più tocca a nudo calma
E, germe, appena schietta idea, d'ira,
Rifreme, avversa al nulla, in breve salma.
(vv. 21-24; p. 241)

La mira diventa così, per scoperta della mente, una realtà, un'idea, una forma che prende forma corporale, una forma degradata (« breve salma »), una forma cui occorra un breve peso, ma forma che può essere percepita dai nostri sensi, essendo divenuta, degradandosi, corporea. Più è sfuggente, la mira, e più la sentiamo lontana, più sentiamo che è bella, più sentiamo che « tocca a nudo calma ». Ne è immagine la calma di quel momento, la calma raggiunta dal paesaggio di quell'ora, in cui la natura si svela, la calma ormai raggiunta dalle cose nella prima luce mattinale. Più ci sfugge, più è bella, più ci diventa immagine, simbolo di forma assoluta di calma (« tocca a nudo calma »), e seme (« germe ») da cui le umane immagini nasceranno, si sprigioneranno. Appena si sveli così come una schietta idea, essa è « irosa » – irosa di essersi in qualche modo, in quel lampo, svelata; e si manifesta allora quale essa è, in realtà, nella sua « ira » « avversa al nulla »: l'attiva, l'irosa nemica del nulla.

In un momento che fugge, rapidamente, in un istante, noi abbiamo l'intuizione di una forma suprema, dell'idea di purezza assoluta verso la quale tendiamo e che è avversa al nulla perché non può ammetterne l'esistenza. Difatti non è possibile che vi sia il nulla, il nulla è semplicemente un parto della nostra fantasia, il nulla non esiste. E dunque il nulla di cui credevamo di avere un'idea non era che un'illusione ottica. In realtà il nulla non c'era. Ciò a cui tendono tutti i nostri sforzi di conoscenza non è il nulla, ma è una pura forma avversa al nulla. La « forma » verso cui naturalmente tendiamo è l'immagine della nostra purezza che ritorna nelle nostre visioni, fuggitivamente, a « rifremere in breve salma, germe iroso ».

Quarta Lezione

Vi ho detto che la *Canzone* è una poesia, come tutte le mie altre, del resto, che ha sempre come immagine un'immagine che allude alla natura. Qui l'imma-

gine centrale, chiamata da capo a fondo a riflettere il pensiero del poeta, è l'aurora.
Da principio abbiamo il sentimento del nulla che può esserci dato da quel momento che precede l'aurora e nel quale, essendo tramontata la luna, e le stelle non essendo più presenti, si ha il senso del buio assoluto. E, dopo questo, abbiamo il nascere dell'aurora, con descrizioni molto minute – le prime colorazioni del cielo, e poi gli echi, perché quel momento del giorno è pieno di voci che sembrano ripetere voci lontanissime. Chi abbia assistito a tali naturali spettacoli, lo sa. Abbiamo già indicato che « la prima immagine » di cui si parla nella strofa che incomincia col verso « Preda dell'impalpabile propagine », è la « prima » aurora. Solamente, è una « prima immagine » che non ci può più essere visibile nella sua purezza, nella sua integrità, perché di fronte a quella « prima immagine » c'è l'infinita « propagine di muri » che il tempo mette davanti alla « prima immagine » per rendercela sempre più lontana; ogni minuto che passa, una nuova velatura rende la prima immagine meno decifrabile all'uomo.
Come intendo io, infatti, il mondo, quale è il mio modo particolare d'intendere l'universo? C'era un universo puro, umanamente una – diciamolo – cosa assurda: una materia immateriale. Questa purezza diventa una materia materiale in seguito a un'offesa fatta al Creatore, non so per quale avvenimento. Ma insomma, per un avvenimento straordinario, di ordine cosmico, questa materia è corrotta – e ha principio il tempo, e principia la storia. Questo è il mio modo di sentire le cose, non è una verità, ma è un modo di sentire le cose: io le sento, le cose, in tale modo. Io non vi dico che sia tale la verità, ma sento così: sento che a un certo momento – e tutta la mia poesia è un modo platonico di sentire le cose, ed essa ha del resto due maestri nel campo dello spirito, da

una parte Platone e i Platonici, e dall'altra Bergson: sono i due maestri che mi hanno sempre accompagnato quando io ho dovuto pensare – sento, dunque, che a partire dal momento in cui principia la storia (e la storia principia col principio del tempo) finisce la perfezione della natura, lo stato della natura pura, lo stato non contaminato della natura, che si allontana sempre più da noi. Insomma, come diceva Platone, noi non conosciamo le idee, noi abbiamo reminiscenze, ricordi, *echi* di idee. Così, la prima immagine continua ad esistere perché c'è sempre l'aurora. L'aurora non è scomparsa dall'universo. Solamente la « prima immagine » non ci giunge in un certo senso se non come l'eco, se non come la reminiscenza di un'idea perfetta. C'è dunque un'aurora perfetta, e c'è un'aurora imperfetta che è quella che conosciamo. Noi tendiamo però con tutte le nostre forze a conoscere « la prima immagine » nella sua perfezione, malgrado l'ostacolo dei « muri » che sono gli eredi eterni dei minuti, che si susseguono, che formano una propagine, e che ci escludono sempre più dalla « prima immagine ». Succede infatti che per illuminazione, per lampi, si riesca a rompere questa infinità di muri, e che in un qualche senso si abbia non soltanto l'eco dell'idea, ma si conosca l'idea stessa.

Più l'idea pura, la nostra « mira », si allontana da noi, e più, allontanandosi, diviene bella nella nostra ansia, « tocca a nudo calma ». Che cosa vuol dire, « calma »? È uno stato nostro « nudo » di passioni, quando noi riusciamo a dominare le nostre passioni e a raggiungere nel nostro essere un'armonia. In altre parole, l'« ossessiva mira » continua a sfuggirci, ma diviene sempre più bella nella nostra ansia, e la nostra attenzione non l'abbandona; non abbandonandola, anche se lei s'allontana (ma sembrandoci più bella, appunto perché s'allontana), in noi avviene una pacificazione del nostro essere, in noi è raggiunta una

certa calma, una certa armonia del nostro essere. Quando l'armonia è raggiunta, quella mira diventa – essendo nel nostro spirito un oggetto che il nostro spirito in qualche modo è riuscito ad afferrare – in quel momento la mira diventa « germe d'ira ». Appena la mira è schietta idea, appena è un'idea, diventa « germe d'ira », perché è « avversa al nulla ». Il nostro intelletto non potrebbe cogliere l'idea pura, ma riesce a coglierla perché in una « breve salma », in una breve immagine, in un breve peso dove ci pare di averla carcerata, noi abbiamo il sentimento che essa contraddica il nulla, la morte: lei è la vita, lei è l'eterno, lei è la verità. E contraddice il nulla prendendo corpo in qualche cosa che è nostro, in una « breve salma » – lei naturalmente non è forma che appartenga a noi d'immaginare se non per echi, e illusoriamente.
Chiaro? Non lo so. Speriamo! La poesia non si spiega, è molto difficile spiegarla. Sono cose che l'uomo sente, che toccano vagamente la sua intelligenza, che lo colpiscono in modo intuitivo e non mai con precisione.

Rivi indovina, suscita la palma:
Dita dedale svela, se sospira.
(vv. 25-26; p. 241)

Continuiamo. Abbiamo sempre movimenti dell'aurora, colori: « Rivi indovina, suscita la palma: / Dita dedale svela, se sospira ». Ai rivi si va per togliersi la sete: è una visione dell'aurora che ha in sé rivi e che li suggerisce a sé e agli altri. « Suscita la palma »: la palma è l'oasi nel deserto, è il segno della vittoria, della risurrezione, del ritorno dell'uomo a sé, alla sua profondità umana, alla sua verità umana, dopo le seti del deserto. « Dita dedale svela »; c'era Iride, che era la divinità che legava l'eterno all'effimero, c'è ora Dedalo, quel tale dei labirinti. Dunque, dita capaci di aprire i labirinti, di entrare nei segreti dell'essere. « Se sospira »: abbiamo dato una « breve salma » all'« ossessiva mira », quindi dobbiamo immaginarla come un essere umano, e avrà dunque anche i sospiri!

Prepari gli attimi con cruda lama,
Devasti, carceri, con vaga lama,
Desoli gli animi con sorda lama,
Non distrarrò da lei mai l'occhio fisso
Sebbene, orribile da spoglio abisso,
Non si conosca forma che da fama.
(vv. 27-32; p. 242)

Abbiamo poi l'ora dell'angoscia: « Prepari gli attimi con cruda lama... », ecc. Che cosa prepara quell'aurora per l'uomo che si tenda verso la perfezione, la calma, l'assopimento delle passioni, il raggiungimento in sé di un'armonia? Che cosa può aspettarsi quest'uomo? Può aspettarsi ore di grande angoscia, che gli saranno preparate da quell'idea, da quell'aurora non turbata dal tempo, dalla storia, dalla società.
Ma ci tormenti pure quell'idea in tutti i modi possibili, ci dia tutte le angosce possibili, ci metta in tutte le tristezze. « Non distrarrò da lei mai l'occhio fisso », ecc. Ripeto quello che ho già detto, e cioè che la forma (la forma che è l'idea) non si può conoscere che per echi, per tradizione, non si può conoscere direttamente, nella sua realtà – eccetto per intuizione in un baleno: ma quel baleno è illusione. Noi tentiamo di arrivare al vero sapere, tentiamo di arrivarci nel nostro essere profondo – ha tentato anche Dante di arrivarci, ha scritto tutta la *Commedia* per arrivarci – ma non ci riusciamo.
« Sebbene, orribile da spoglio abisso ». L'abisso, la profondità nella quale l'idea ha sede nella sua perfezione, nel suo assoluto, non è come quella dell'au-

rora d'oggi, tutta velata da « muri, eterni dei minuti eredi », è un abisso spoglio, perché la forma è nella sua pura nudità, nel suo assoluto, e fa orrore per l'immensa sua terribilità, stupenda, e anche perché noi non riusciamo a concepire se non per illusione l'assoluto e se non attraverso la nostra millenaria e individuale sofferenza, attraverso i rivestimenti che all'assoluto ha dato la storia, hanno dato tutti i giorni che il tempo uno dietro l'altro ha accumulati. Noi non riusciamo a sentire l'idea di qualsiasi cosa se quella cosa non reca il rivestimento della storia. Se noi le togliamo le vesti e vogliamo guardarla nel suo abisso, nella sua profondità, essa ci appare, tanto è sublime, orrida. Orrore non vuol dire che è brutta, no, vuole dire semplicemente che ci incute orrore perché è infinitamente più che umana, e noi abbiamo bisogno che le cose siano alla nostra misura. Noi rincorriamo l'ossessiva mira, ne siamo ossessi, ma essa non ci attrae per solito amore. Ci attrae per amore più alto di noi, ci attrae perché, se l'amiamo, terribilmente ci soggioga, ci attrae perché è l'assoluto. Noi di solito amiamo le cose relative, le cose che moriranno con noi, le cose d'ogni giorno, le povere cose che sono perite o che sono periture.

E se, tuttora fuoco d'avventura,
Tornati gli attimi da angoscia a brama,
D'Itaca varco le fuggenti mura,
So, ultima metamorfosi all'aurora,
Oramai so che il filo della trama
Umana, pare rompersi in quell'ora.
(vv. 33-38; p. 242)

Abbiamo descritto un momento d'angoscia, dopo aver descritto un momento di brama: abbiamo desiderato, e poi abbiamo ancora desiderato, ma nell'angoscia (« Prepari gli attimi... », ecc.). Ritorniamo ora alla brama, torniamo a varcare le mura d'Itaca come le avevamo già varcate (quando, « a lampi », ecc.), rifacciamo il viaggio, e questa volta – è l'ultima, perché è l'ultimo momento dell'aurora, è l'ultima sua coloritura – questa volta imparo, so, che « il filo della trama / Umana, pare rompersi in quell'ora ». Pare che in quell'ora l'umanità cessi di essere umana, che tutta la storia umana si rompa. Fin qui io non lo sapevo, fin qui io sapevo che c'erano i « muri » che ci separavano dalla prima immagine, ma non sapevo ancora che le avventure che l'uomo soffre siano avventure che possono andare al di là della condizione dell'uomo, la quale è semplicemente una condizione storica – la trama umana è una trama storica – quindi le avventure, se vanno al di là della trama umana, la rompono. V'è dunque, qui, il senso della rottura, la quale avvenuta, c'è come un ritorno al momento delle due prime quartine; ma ora non è la morte e il nulla, ora tutto è intatto.

Nulla più nuovo parve della strada
Dove lo spazio mai non si degrada
Per la luce o per tenebra, o altro tempo.
(vv. 39-41; p. 242)

« Nulla più nuovo parve della strada ». Non, come prima, « Nulla è muto più della strana strada », ma: « Nulla più nuovo parve della strada ». Si rompe la storia e si torna in un'Itaca o meglio in un Eden. Prima c'era il nulla e si teneva conto della storia, di « muri, eterni dei minuti eredi », ma ora siamo nell'ultima fase dell'aurora, quando essa ci estrania come in un momento di attesa nel quale dimentichiamo di essere noi stessi, e al nuovo Ulisse pare di ritrovarsi nel momento incontaminato dell'universo, quando non era ancora corrotta la materia. È l'ultima illusione ottica offerta dall'aurora, la più crudele.

p. 243
DI PERSONA MORTA È una poesia d'occasione. Ma non è fatto che abbia la minima importanza. Si tratta sempre del tema del passato, dell'assenza, tema della morte in relazione con l'esistere, e qui la realtà risorge per via di sentimento. Noi possiamo amare profondamente, è segno d'umanità, non solo esseri scomparsi, ma esseri scomparsi che mai non abbiamo conosciuto. Il senso della frattura permane; ma non sarebbe *La Terra Promessa* il canto che è, il canto d'un'esperienza consumata, se della frattura non mi volessi o non mi sapessi accorgere.

p. 244
CORI DI DIDONE Sono 19 cori che vogliono descrivere drammaticamente il distacco degli ultimi barlumi di giovinezza da una persona, oppure da una civiltà, poiché anche le civiltà nascono, crescono, declinano e muoiono. Qui si è voluto dare l'esperienza fisica del dramma con riapparizioni di momenti felici, con trasognate incertezze, con pudori allarmati, in mezzo al delirare d'una passione che si guarda perire e farsi ripugnante, desolante, deserta.

p. 250
RECITATIVO DI PALINURO Rievoca l'episodio di Palinuro come l'*Eneide* ce lo mostra. L'*Eneide* è sempre presente nella *Terra Promessa*, e con i luoghi che furono i suoi. Lo scoglio di Palinuro, quasi davanti a Elea, dopo Pesto, è quello scoglio ingigantito nel quale la disperata fedeltà di Palinuro ha trovato forma per i secoli. È la mia, una narrazione, un componimento di tono narrativo. Va, al timone della sua nave, Palinuro in mezzo al furore scatenato dall'impresa cui partecipa, l'impresa folle di raggiungere un luogo armonioso, felice, di pace: *un paese innocente*, dicevo una volta.
La prima sestina ha inizio quando, l'uragano mosso dalle passioni essendo al sommo della sua furia, non si ode farsi vicino con le sue lusinghe, il kief, come direbbero i miei cari Arabi, l'assopimento agognato, assaporato negli ozi, il diletto assopente degli ozi.
La seconda sestina narra la resistenza corporale alle seduzioni del sogno, e mostra come avvengano attacco e resistenza, e la sottilità dell'attacco

solo accordando a sfinitezze onde...

La terza sestina tra blandizie del sogno e travolgimenti dell'azione che si alternano, indica la perplessità di Palinuro.
Nella quarta sestina sogno e scienza – la scienza è l'azione nella sua attività più squisita – sogno e scienza alleandosi sem-

brano intrecciare ore ineffabili; ma s'accorge Palinuro, quando quell'alleanza gli si fa intima, che essa anche lo corrompe e lo rode; e stremato cade dalla nave.
La quinta sestina è la sestina della disperata lotta di Palinuro che rincorre la sua nave in pezzi, sempre in balìa dei suoi due nemici, e fedele, disperatamente fedele, alla Terra Promessa.
La sesta sestina e la terzina di chiusa narrano disperatamente il trasformarsi di Palinuro nell'immortalità ironica d'un sasso. Come nel mio vecchio inno *La Pietà*, la chiusa ci indica un sasso, a indicare la vanità di tutto, sforzi, allettamenti: di tutto che dipenda dalla misera terrena vicenda storica dell'uomo.

p. 252
VARIAZIONI SU NULLA Il tema è la durata terrena oltre la singolarità delle persone. Null'altro se non un disincarnato orologio che, solo, nel vuoto, prosegua a sgocciolare i minuti.

p. 253
SEGRETO DEL POETA Poesia recente, dei primi del 1953, si lega al canto del *Dolore*: « Giorno per giorno ». Il lettore non privo d'acume intenderà perché l'autore l'inserisca nel libro, e vi inserisca l'intima sua speranza.

p. 254
FINALE Evoca quella solitudine e quel deserto che, alla resa dei conti, alla somma di tutto, sono le materiali cose.

UN GRIDO E PAESAGGI

L'edizione originale di *Un Grido e Paesaggi* è stata pubblicata, con cinque disegni di Giorgio Morandi, in 350 esemplari numerati, da Schwarz Editore, Milano, nel Dicembre 1952.

p. 257
MONOLOGHETTO Fu composto negli ultimi giorni del 1951, su richiesta della Rai e destinato alla trasmissione di Capodanno. Poi, ritoccato, è stato pubblicato nel n. 26 di « Paragone » e nel primo numero dell'« Approdo ».

p. 263
GRIDASTI: SOFFOCO... Uscì nel numero d'Estate del 1949 di « Inventario », poi nel « Popolo » il 12 Gennaio 1950 con la nota seguente:
« Sono le stanze d'inizio del Canto *Giorno per giorno* del *Dolore*, e mi furono dettate quando ero ancora in Brasile, nel 1940, e forse il primo gettito di esse è degli ultimi tempi del 1939. Non le raccolsi nel libro con le altre perché mi sembrava racchiudessero motivi intimamente miei. Era ancora egoismo. Non si può nulla riserbare solo per sé dell'esperienza umana, senza presunzione. »

p. 265
SVAGHI *Svaghi* già furono pubblicati nel numero unico « Premio Letterario Viareggio » in Agosto del 1952, poi, ritoccati, trasmessi dalla Rai e pubblicati con i commenti nel n. 3 dell'« Approdo ».

p. 269
SEMANTICA Fu pubblicata nel n. 1, anno secondo, 1949, della rivista « Pirelli ». Sinisgalli mi chiese una poesia sul Brasile e gli mandai la traduzione di brani spassosi di vecchi cronisti, raccolti sotto il titolo *Páu-Brasil,* da quell'arguto uomo ch'è

Oswald Andrade. Ci aggiunsi un mio scherzo, un po' tratto dal vero; un po', come poté, m'aiutò l'estro. Lo scherzo, ritoccato, fece parte d'una mia trasmissione alla Rai sulla poesia brasiliana, e fu ristampato in « Alfabeto » del 15-31 Marzo 1952.

Amazzonia? E chi sarà quel lepido cui, forse per omonimia tra il vocabolo indigeno e l'europeo, piacque di chiamare l'Amazonas, Rio delle Amazzoni? L'Amazzonia, è noto, è quell'immensa regione sudamericana dove, lungo l'Amazonas, si svolge la rete fluviale più estesa e più capace d'acque dei due emisferi. Marañon era, forse, il nome dato dai primi esploratori europei al fiume – e si dice ancora, per esempio, il Marañon peruviano – ed è voce che in ispagnuolo, e nel portoghese Maranhão, suona simile al vocabolo usato per dire: grande imbroglio, grande inganno, quanto: ingegnosa bugia. Il lepido – e, difatti, maranhão è il suo racconto, e pieni di grandi inganni intricatissimi erano e sono ancora i luoghi – narrò d'avere incontrato sulle sponde del Maranhão donne che combattevano gagliardamente, meglio d'uomini. Non ci narrò se si bruciassero, anch'esse, la mammella sinistra per tendere più facilmente l'arco, e venisse perciò attribuita loro la qualifica d'amazzoni, cioè di senza-mammella, o se invece si dovessero così chiamare perché viventi insieme, come alle antiche Cappadocesi avveniva sulle rive del Termodono. Nemiche al maschio anche all'Equatore? La donna, in ogni caso, delle tribù favolose del Maranhão, il suo nome d'amazzone non lo avrebbe potuto cedere alle cavallerizze del romanzo ottocentesco: sulle rive dell'Amazonna, per cavalcare non c'erano né cavalli né altre bestie. In abbondanza c'erano le termiti.

Angìco è nome comune a varie mimosacee.

Sapindo sono chiamate le piante di famiglia dicotiledonea delle quali è tipica la saponaria.

Cautsciò dovevano un giorno chiamare gl'indigeni ogni pianta produttrice di caucciù. Oggi il vocabolario brasiliano ha mantenuto questo nome solo a piante della famiglia delle moracee il cui lattice dà il sernambì, una gomma di qualità scadente. È l'hevea brasiliensis, della famiglia delle euforbiacee, l'albero cui alludo nel mio testo, pianta della buona gomma, detta oggi in Brasile seringueira. Nel mio testo, per evitare al mio racconto d'essere, in quel punto, quando compaiono i Cambebba, anacronistico, lascio a bella posta a cautsciò la confusione di significato originaria. Con analoga confusione caucciù è termine che serve alle lingue europee per indicare indistintamente qualsiasi sugo elastico, qualunque sia la famiglia della pianta da cui venga estratto. Nell'inferno verde che è l'Amazzonia, forse chiamavano

da principio – come ogni pianta produttrice di caucciù, cautsciò – ogni specie di caucciù, sernambì.
Difatti: il luogo è attraente, abbagliante; ma è inferno; e siamo ormai fuori di scherzo.

Guaranì è il nome delle tribù dei Tupì del Sud.

I *Cambebba* costituivano le tribù dei Tupì puri che abitavano l'alto Amazonna.

IL TACCUINO DEL VECCHIO

I Cori 1, 2, 3, 24 sono nati da un breve ritorno fatto l'anno scorso in Egitto insieme a Leonardo Sinisgalli e sono stati suggeriti in particolare dal paesaggio di deserto della Necropoli di Sakkarah. Un volo fatto in jet da Hong Kong a Beirut nel corso del mio recente viaggio in Giappone con Jean Fautrier e Jean Paulhan ha offerto il pretesto al Coro 23. Lo spunto, altri Cori lo hanno tratto da vicende strettamente personali o da eventi come, per esempio, nei Cori 16, 17, il lancio di satelliti artificiali. Sono tutti motivi che per l'autore stesso non dovrebbero più contare come suoi nell'opera, se ad essa egli è riuscito a dare vita di poesia.

DIALOGO

Fu pubblicato in edizione di pochi esemplari fuori commercio, con una combustione di Burri, in occasione dei miei ottant'anni, nel febbraio 1968. È composto di poesie mie, dove, con il rendermi conto dell'età, oso indicare che l'amore può non estinguersi che con la morte. Le repliche sono di una giovane, Bruna Bianco; le ho ritenute di una freschezza poetica insolita e sono riuscito a vincere la sua ritrosia e a pubblicarle accanto alle mie.

NUOVE

p. 321
PER I MORTI DELLA RESISTENZA È l'epigrafe dettata per una lapide che fa parte di quello stupendo monumento che è divenuto, per opera geniale di Pasquale Santoro, il parco di Bossolasco.
Il parco monumentale è stato inaugurato il 22 settembre 1968.

p. 324
CROAZIA SEGRETA Ai testi che già figuravano nella prima edizione dei Meridiani si aggiunge *L'impietrito e il velluto* composto più tardi.

DERNIERS JOURS

Costituivano l'ultimo gruppo di poesie in *Allegria di Naufragi* (Vallecchi, 1919). Dopo di allora, apparvero solo nella collana *Opera prima*, diretta da Enrico Falqui, presso Garzanti, Milano, nel 1947.

pp. 331-349
LA GUERRE Fu pubblicata a Parigi nel 1919, in edizione di 80 esemplari numerati, a cura del « Sempre Avanti! », settimanale che faceva stampare in quella città il Corpo d'Armata di Spedizione in Francia comandato dal generale Albricci. Una delle rarissime copie che rimangono deve essere in possesso degli eredi di Ardengo Soffici.
La datazione era indicata in fondo al volumetto come segue:
cette poésie a été mise en français
à Vauquois en juin
au Bois de Courton en juillet 1918
à Paris en janvier 1919
Nello stesso 1919 fu ristampata in fondo ad *Allegria di naufragi.*

pp. 353-365
P - L - M Le tre poesie riunite sotto questo titolo apparvero per la prima volta nel 1919, a chiusura dell'edizione Vallecchi di *Allegria di Naufragi.* Le iniziali *P L M* si riferiscono all'Espresso *Paris-Lyon-Mediterranée.*

p. 353
PERFECTIONS DU NOIR Durante la guerra, sostando in un castello sventrato nei pressi di Épernay, raccolsi un manuale seicentesco, nel quale la Corporazione dei tintori dava ai suoi membri istruzioni rigorose affinché la tintura delle stoffe risultasse sempre pienamente soddisfacente. Uno dei capitoli si intitolava *Perfections du noir.*

Nel 1919 conobbi André Breton e Louis Aragon allora amici inseparabili, l'uno e l'altro medici, sottotenenti di complemento di prima nomina; ma terminato il servizio militare non esercitarono che la professione di scrittore. Un'amicizia salda ci strinse subito, Breton ed io, rimasta, anche se la turbarono continui dissensi, ferma sino alla morte di Breton.
Poco prima di lasciarci, nel « livre de poche » *Clair de terre* ristampato da Gallimard, definitiva raccolta delle sue poesie, Breton volle conservare, insieme ad altre poche, la dedica a me della poesia che aveva scritto in risposta a *Perfections du noir* che gli avevo offerto. Ecco la replica di Breton:

CARTES SUR LES DUNES
A Giuseppe Ungaretti

L'horaire des fleurs creuses et des pommettes saillantes nous invite à quitter les salières volcaniques pour les baignoires d'oiseaux. Sur une serviette damée rouge sont disposés les jours de l'année. L'air n'est plus si pur, la route n'est plus si large que le célèbre clairon. Dans une valise peinte de gros vers on emporte les soirs périssables qui sont la place des genoux sur un prie-Drieu. De petites bicyclettes côtelées tournent sur le comptoir. L'oreille des poissons, plus fourchue que le chèvrefeuille, écoute descendre les huiles bleues. Parmi les burnous éclatants dont la charge se perd das les rideaux, je reconnais un homme issu de mon sang.

POESIE DISPERSE

Le *Poesie disperse* vennero raccolte da Giuseppe De Robertis e pubblicate in volume nel 1945, presso l'editore Mondadori insieme al saggio riprodotto a pagina 405 e all'apparato critico delle varianti dell'*Allegria*, del *Sentimento del Tempo* e delle *Disperse*. Si tratta di ventitré poesie pubblicate in diverse sedi tra il 1915 (*La verdura estenuata dal sole*) e il 1927 (*O navicella accesa*) lasciate fuori dalle edizioni definitive dell'*Allegria* e del *Sentimento del Tempo* curate dall'Autore.

ALTRE POESIE RITROVATE

p. 395
ECCO LUCCA... Fa parte di una lettera inviata a Soffici da Lucca il 13 agosto 1912. È stata pubblicata da Luciano Rebay in *Le origini della poesia di Giuseppe Ungaretti* (Edizioni di Storia e Letteratura, Roma 1962), e costituisce, come egli ha messo in rilievo, « il punto di partenza di *Lucca*, quale appare nell'*Allegria di Naufragi* ».

p. 396
VIAVAI Pubblicata in « Italian Literary Digest », vol. I, aprile 1947, n. 1, New York, e successivamente da Giuseppe Prezzolini in *Il tempo della Voce* (coedizione Longanesi-Vallecchi, Milano-Firenze 1960) con la data: « *probabilmente ottobre 1915* ». Ma la sua composizione risale quasi certamente alla fine del 1914 o agli inizi del 1915.

p. 397 *e* 398
SOLDATO e NOTTE furono inviate a Prezzolini con il seguente biglietto, datato San Michele, il 14 agosto 1916: « Ho trovato queste due vecchie poesie che, avendole smarrite quando ho raccolto il mio libro, sono ancora inedite; per gratitudine a te e alla tua famiglia, te le mando come ricordo. Ti ho scritto stamani una cartolina ».
Prezzolini le ha riprodotte in *Il tempo della Voce* (coedizione Longanesi-Vallecchi, Milano-Firenze 1960).

p. 399
PENSAVO OGGI... Fa parte di una lettera inviata da Parigi il 23 aprile 1920 contemporaneamente a Giuseppe Prezzolini e ad Ardengo Soffici, anche questa pubblicata da Luciano Rebay in *Le origini della poesia di Giuseppe Ungaretti* (Edizioni di Storia e Letteratura, Roma 1962).

p. 400
PRIMAVERA Fu pubblicata nella « Rivista di Milano », anno III, n. 39, in data 5 giugno 1920. In una redazione leggermente diversa (vedila nell'apparato delle varianti), era stata inviata a Prezzolini da Parigi, senza data, ma con l'indicazione « 5, rue

des Carmes », che la colloca nel periodo del primo soggiorno parigino, tra il 1912 e il 1914. Anche questa primitiva stesura è stata riprodotta da Prezzolini nel volume citato.

p. 401
PREDA SUA Ritrovata da Mario Diacono tra le vecchie carte dell'Autore. Deve appartenere all'epoca di un viaggio in Puglia, nell'estate del 1934.

APPARATO CRITICO DELLE VARIANTI

Nota. Il testo seguito in questa edizione corrisponde a quello dell'ultima stampa indicata, per ogni singola raccolta, nella *Bibliografia*. L'apparato critico delle varianti dell'*Allegria*, del *Sentimento del Tempo* e delle « poesie disperse », stabilito da Giuseppe De Robertis (in *Poesie disperse*, Mondadori, Milano 1945), è stato aggiornato da Mario Diacono che ha curato anche gli apparati del *Taccuino del Vecchio* e di *Apocalissi* (già in *Morte delle Stagioni*, Fògola, Torino 1967) e delle raccolte *Il Dolore* e *Un Grido e Paesaggi*, editi ora per la prima volta.
L'apparato della *Terra Promessa* è stato ordinato da Leone Piccioni (Mondadori, Milano 1954).

Il segno >, a capopagina, indica riga bianca.

L'ALLEGRIA
Varianti a cura di Giuseppe De Robertis
Aggiornamento di Mario Diacono

TAVOLA DELLE ABBREVIAZIONI

AD	*Antologia della Diana*, « Libreria della Diana », Napoli 1918
Apf	Antologia di poeti fascisti, a c. di Mariani dell'Anguillara e Olindo Giacobbe, « Istituto Grafico Tiberino », Roma 1935
D	« La Diana », Napoli 1916 25 maggio: *Fase*. 31 luglio: *Malinconia*. 31 agosto: *Paesaggio*. 28 settembre: *Nostalgia*.
IL	« L'Italia Letteraria », Roma, 1931 4 gennaio 1931: *Levante*; *Popolo*. 14 giugno 1931: *Giugno*.
L	« Lacerba », Firenze 1915 28 febbraio: *Diluvio*. 17 aprile: *Chiaroscuro*. 8 maggio: *Popolo*; *La galleria dopo mezzanotte*; *Eternità*; *Sbadiglio*.
M	*L'Allegria*, Mondadori, Milano 1942 Nel retro del frontespizio si legge: *I edizione: dicembre 1942*, ma alla fine del volume il *colophon* reca la data: *febbraio 1943*.
M62	*L'Allegria*, Mondadori, Milano 1962
Me	« Mesures », Parigi 15 gennaio 1937
M69	*L'Allegria*, presente edizione
N	*L'Allegria*, « Novissima », Roma 1936
P	*L'Allegria*, Preda, Milano 1931
Pdg	*Poeti d'oggi*, a c. di G. Papini e P. Pancrazi, Vallecchi, Firenze 1920
Pdg 25	*Poeti d'oggi*, a c. di G. Papini e P. Pancrazi, Vallecchi, Firenze 1925
R	« La Raccolta », Bologna 15 giugno 1918

RL	« La Riviera Ligure », Oneglia ottobre-novembre 1917
S	*Il Porto Sepolto*, « Stamperia Apuana », La Spezia 1923
Sl	« Il Selvaggio », Torino 31 luglio 1931
Str	*Almanacco di Strapaese*, « L'Italiano », Bologna 1929
U	*Il Porto Sepolto*, « Stabilimento Tipografico Friulano », Udine 1916
V	*Allegria di Naufragi*, Vallecchi, Firenze 1919
V'	Redazione in prosa della poesia *Girovago* in V
Vo	« La Voce », Firenze marzo 1916

L'ALLEGRIA

Edizioni: V, P, N, M

V	*Allegria di Naufragi* [1]
P, N	*L'Allegria*
M	*Vita d'un uomo Poesie I L'Allegria* 1914-1919

Nell'edizione V del 1919, le poesie sono ordinate per gruppi che differiscono, sia nel titolo che nella struttura, da quelli, poi divenuti definitivi, dell'edizione P, come indicato nel prospetto seguente:

V	P, M
Ultime e prime Finali di commedia	Prime
Atti primaverili e d'altre stagioni	Girovago
Giugno Intagli Il ciclo delle 24 ore	Naufragi
Il Porto Sepolto	Il Porto Sepolto
Il panorama d'Alessandria d'Egitto	
Babele	Ultime
La Guerre P-L-M 1914-1919	

[1] Le varianti dei titoli (delle raccolte e delle singole poesie) vengono sempre indicate in corsivo.

A partire dall'edizione Preda, e fino a tutte le ristampe Mondadori, la distribuzione delle poesie per gruppi avviene, rispetto a quella di *Allegria di Naufragi*, secondo la seguente tavola sinottica. Le poesie soppresse in P, M saranno poi riportate da Giuseppe De Robertis nelle *Poesie disperse*.

V	M
ULTIME E PRIME	PRIME
Preghiera	Preghiera
Ritorno	Ritorno
ATTI PRIMAVERILI E D'ALTRE STAGIONI	GIROVAGO
L'illuminata rugiada	
Militari	Soldati
Fine marzo	Si porta
Prato	Prato
Mattutino e notturno	
Girovago	Girovago
Sera serena	Sereno
GIUGNO	
Giugno	Giugno
INTAGLI	NAUFRAGI
Nostalgia	Sogno
Rosa fiammante	Rose in fiamme
Vanità	Vanità
Convalescenza in gita in legno	
Melodia delle gole dell'orco	
Tepida mattina vagante	
Dal viale di valle	Dal viale di valle
IL CICLO DELLE 24 ORE	
La filosofia del poeta	Allegria di naufragi
Alba	
Cielo e mare	Mattina
Godimento	Godimento

V	M
Trasfigurazioni in campagna	Trasfigurazione
Temporale (in *Poesie disperse* senza titolo, come in S, e indicata col verso iniziale *Sotto questa tenda*)	
Inizio di sera	Inizio di sera
Nostalgia	Lontano
Natale	Natale
Dormire	Dormire
Sono malato	
Dolina notturna	Dolina notturna
Solitudine	Solitudine
Notte	Sempre notte
Le ore della quiete	Un'altra notte

IL PORTO SEPOLTO

Tutte le poesie del *Porto Sepolto* di V riappaiono in P, N e M pressoché nello stesso ordine, e con poche varianti nei titoli:

V	M
Sera	Stasera
Soldato	Fratelli
Immagini di guerra	In dormiveglia
Paesaggio	Monotonia
Poesia	Commiato

Il Porto Sepolto di M ha, in più, due poesie: *Universo*, che è una strofa di *La notte bella* di V divenuta poesia a sé; e *Nostalgia* che, apparsa nel *Porto Sepolto* di U, non era stata compresa in V, e ritornerà invece nelle successive edizioni.

IL PANORAMA D'ALESSANDRIA D'EGITTO	ULTIME
Notte di maggio	Notte di maggio
Meriggio di agosto	Ricordo d'Affrica
La casa	Casa mia
Agonia	Agonia
Tappeti	Tappeto

V	M
BABELE	ULTIME
Eternità	Eterno
Mandolinata	
Mughetto	
La galleria dopo mezzanotte	In galleria
Diluvio	Nasce forse

Babele	
Imbonimento	
Noia	Noia
Popolo	Popolo
Nebbia	Levante
Chiaroscuro	Chiaroscuro
FINALI DI COMMEDIA	PRIME
Parigi	L'Affricano a Parigi
La donna scoperta	Scoperta della donna
Ironia di Dio	Ironia
Viaggio (confluisce nella poesia *Girovago* in P, M)	
Lucca	Lucca

ULTIME

(Milano, 1914-15)

p. 5

ETERNO

Edizioni: L, V, P, N, M

L, P *Eternità*

M *Eterno*

v. 2

L l'inesprimibile vanità

Fiore doppio
nato in grembo alla madonna
della gioia

V l'inesprimibile vanità

M * l'inesprimibile nulla

Nota. L'asterisco contrassegna la lezione a testo, riferita di seguito alle varianti per comodità del lettore.

p. 6

NOIA

Edizioni: L, V, P, N, M

L *Sbadiglio*

M *Noia*

L Anche questa notte passerà
Passerà
Questa vita in giro
titubante ombra dei fili tramviari
sulla siccità del nebuloso asfalto

Luna gioviale
perché s'è scomodata

Guardo i faccioni dei brumisti tentennare

[Sono i vv. 30-37 di *Sbadiglio*, ed essi soli riferibili a questa poesia]

V Anche questa notte passerà

Questa vita in giro
titubante ombra dei fili tramviari
sull'umido asfalto

Guardo i faccioni dei brumisti tentennare

[Sono i vv. 13-17 di *Noia*, ed essi soli riferibili a questa poesia]

P, N ....
Guardo i testoni dei brumisti
....

M * Anche questa notte passerà

Questa solitudine in giro
titubante ombra dei fili tranviari
sull'umido asfalto

Guardo le teste dei brumisti
nel mezzo sonno
tentennare

p. 7

LEVANTE

Edizioni: V, IL, P, N, M

V *Nebbia*

M *Levante*

v. 2

IL vaporosamente muore

M * vaporosa muore

vv. 4-8

IL Picchi di tacchi picchi di mani
e il clarino coi ghirigori striduli
e il mare è dolce
trema un po' come gli inquieti piccioni
è cenerino come il loro petto
gonfio d'onda amorosa

P Picchi di tacchi picchi di mani
e il clarino coi ghirigori striduli
e il mare è cenerino
e trema dolce
gonfio d'onda amorosa
è inquieto come un piccione

M * Picchi di tacchi picchi di mani
e il clarino ghirigori striduli
e il mare è cenerino
trema dolce inquieto
come un piccione

vv. 9-10

IL, P A poppa emigranti soriani ballano
a prua s'appoggia alla ringhiera un uomo
e pare un'ombra

M * A poppa emigranti soriani ballano

A prua un giovane è solo

vv. 11-19
V

Di sabato sera
a quest'ora
gli ebrei di levante
portano via
i loro morti
e nell'imbuto
dei vicoli
non si vede
che il tentennamento
delle luci
coperte di crespo

[Questo solo frammento di *Nebbia* in V è riferibile a *Levante* oltre i vv. 4-6 *A poppa / gli emigranti soriani / ballavano*]

IL

Di sabato sera a quest'ora
Ebrei laggiù
portano via
i loro morti
e nell'imbuto
di chiocciole
di vicoli
non si vede
che il tentennamento
delle luci
nel crespo

P

Di sabato sera a quest'ora
Ebrei
laggiù
portano [...] [come in IL]

M

* Di sabato sera a quest'ora
Ebrei
laggiù
portano via
i loro morti
nell'imbuto di chiocciola
tentennamenti
di vicoli
di lumi

v. 20
IL

Le diresti sott'un'acqua confusa

P Le diresti in fondo a un'acqua confusa

M * Confusa acqua

p. 8

TAPPETO

Edizioni: V, P, N, M

V *Tappeti*

M *Tappeto*

V Ogni colore si espande e si adagia negli altri
per essere più solo se lo guardi [colori

M * Ogni colore si espande e si adagia
negli altri colori

Per essere più solo se lo guardi

p. 9

NASCE FORSE

Edizioni: L, V, P, N, M

L, V *Diluvio*

M *Nasce forse*

L Mamma mia! quanto hai pianto!
C'è la nebbia che ci cancella.
Nasce forse un fiume quassù.
Non distinguo più.
Ascolto il canto delle sirene del lago
dov'era la città

V . . . .
Ascolto il canto delle sirene del lago
dov'era la città

M * C'è la nebbia che ci cancella

Nasce forse un fiume quassù

Ascolto il canto delle sirene
del lago dov'era la città

p. 10

AGONIA

Edizioni: V, P, N, M

vv. 3-5

V o come le quaglie
traversato il mare
nei primi cespugli incontrati

M * O come la quaglia
passato il mare
nei primi cespugli

v. 7

V non ne hanno più voglia

M * non ha più voglia

v. 8

V ma non morire di lamento

P Ma non morire di lamento

M * Ma non vivere di lamento

v. 9

V come un cardellino acciecato

M * come un cardellino accecato

p. 11

RICORDO D'AFFRICA

Edizioni: V, Str, P, N, M

V, Str *Meriggio di agosto*

M *Ricordo d'Affrica*

vv. 2-3

V

non si vede più

gli uomini hanno sonno

neanche le tombe resistono molto

Str

non si vede più
gli uomini hanno sonno
neanche le tombe resistono molto

P

Non si vede più

Gli uomini hanno sonno

Neanche le tombe resistono molto

M

* Non si vede più

Neanche le tombe resistono molto

p. 12

CASA MIA

Edizioni: V, P, N, M

V *La casa*

M *Casa mia*

vv. 1-3

V, P

Sorpresa d'un amore
che riscopro
dopo tanto
a visitarmi

M * Sorpresa
dopo tanto
d'un amore

p. 13

NOTTE DI MAGGIO

Edizioni: V, P, N, M

v. 3
V, P ghirlandette di lumini

N ghirlandette di lumi

M * ghirlande di lumini

p. 14

IN GALLERIA

Edizioni: L, V, S, P, N, M

L, N *La galleria dopo mezzanotte*

M *In galleria*

v. 5
L, N di gente che s'annoia

M * di sonnambula noia

p. 15

CHIAROSCURO

Edizioni: L, V, P, N, M

vv. 1-2
L
Il bianco delle tombe se lo è sorbito la notte
Spazio nero infinito calato

M
* Anche le tombe sono scomparse
Spazio nero infinito calato

vv. 5-13
L
Mi è venuto a ritrovare il mio compagno arabo
che si è suicidato
che quando m'incontrava negli occhi
parlandomi con quelle sue frasi pure e frastagliate
era un cupo navigare nel mansueto blu
È stato sotterrato a Ivry
con gli splendidi suoi sogni
e ne porto l'ombra

Rifà giorno
Le tombe ricompariscono
appiattate nel verde tetro delle ultime oscurità
nel verde torbido del primo chiaro

Le annate dopo le annate
trovatelle a passeggio
in uniforme
accompagnate da suore di carità

Ma ora mi reggo tra le braccia
le nuvole che il mio sole mantiene
e all'alba non voglio sapere di più

[In V i vv. 5-23 in tutto simili ai corrispondenti versi 5-23 di L, solo che dopo i vv. 9, 11, 12, 13, c'è spazio bianco]

P
. . . .
che s'è ammazzato l'altra sera
. . . .

M
* Mi è venuto a ritrovare
il mio compagno arabo
che s'è ucciso l'altra sera

Rifà giorno

Tornano le tombe
appiattate nel verde tetro
delle ultime oscurità

nel verde torbido
del primo chiaro

p. 16

POPOLO

Edizioni: L, V, IL, P, Apf, N, M

L

Al brusio campestre
fragranti svolazzi di maree
raccordati nelle conchiglie
amuleto d'amore

Di virgulto di neve
plasmato verso l'aridità
circoncisa da frotte di palmizi
della mia cuna estirpata per navigarci
candito migliore si gusta
al ritrovo del proprio destino
tra il folto dubbio
durante il tragitto
svenevole aurora balzata
sulla diffusa tartaruga che annaspa e brulica

Centomila le facce comparse
a assumersi
la piramide che incantata trabaccola
sorrette
all'osanna di cento bandiere
al vincolo agitate
di un subdolo diavolo accorso
al comune bramito di accenderci
di un po' di gioia

V

Fanfare sperdute nei monti
lembi fragranti di fonti

raccordi nelle conchiglie [...]
[come in L, tranne per il v. 19 che suona:
all'osanna di mille bandiere]

La polla d'amore più scuro
trasvola nel cielo campestre

IL

. . . .
infinita su aride notti

>
Del dubbio l'ebbra perla
già ha sommosso l'aurora
la brace ai suoi piedi momentanei
ed ancora remota
l'eco d'un nuovo vento

Nascono presto come alveari
fanfare sperdute nei monti
e ritornate adagio antichi specchi
voi lembi d'acque vereconde

E poi il chiaro si afferma e calmo
e mentre i virgulti dell'alta neve
orlano ormai taglienti
la vista consueta ai miei vecchi
un veliero di anime appare

O patria ogni tua età
s'è desta nel mio sangue
sicura avanzi e canti
e sopra un famelico mare

Nel cielo campestre trasvola
d'amore la polla più fonda

P ....
infinita su aride notti

Annaspa come tartaruga
e brulica la notte folta

Un colore non dura
già si forma un'altra figura
del dubbio la perla ebbra
già ha sommosso l'aurora
la brace ai suoi piedi momentanei
già distingui l'eco che s'avvicina
d'un nuovo vento

Nascono presto come alveari
fanfare sperdute nei monti
e ritornate piano specchi antichi
voi lembi d'acque misteriose

E poi si afferma e calmo il chiaro
e mentre [...] [come in IL]
sorgono vele

O Patria [...] [come in IL]

Apf

Fanfare sperdute nei monti
lembi fragranti di fonti

Raccordi nelle conchiglie
amuleto d'amore

Di virgulto di neve
della culla dei miei estirpata per navigarci
sognato nella folta febbre
tra frotte irraggiungibili di palme
nessun candito migliore si gusta
ritrovando la strada
quando calmandosi le sabbie simulano
brulicare e annaspare
insensata testuggine
al balzo d'un'aurora

D'improvvise bandiere agli osanna
senza fine echeggianti al bramito
di accenderci di gioia immortale
centomila le facce comparse
a salire alla voce del sangue
ritornata di colpo alto vincolo

La polla d'amore più scuro
trasvolta nel cielo campestre

N

. . . .
sperse fanfare

Antichi specchi tornate
. . . .

M

* Fuggì il branco solo delle palme
e la luna
infinita su aride notti

La notte più chiusa
lugubre tartaruga
annaspa

Un colore non dura

La perla ebbra del dubbio
già sommuove l'aurora e
ai suoi piedi momentanei
la brace

Brulicano già gridi
d'un vento nuovo

>
Alveari nascono nei monti
di sperdute fanfare

Tornate antichi specchi
voi lembi celati d'acqua

E
mentre ormai taglienti
i virgulti dell'alta neve orlano
la vista consueta ai miei vecchi
nel chiaro calmo
s'allineano le vele

O Patria ogni tua età
s'è desta nel mio sangue

Sicura avanzi e canti
sopra un mare famelico

IL PORTO SEPOLTO

p. 21

IN MEMORIA

Edizioni: U, V, S, P, N, M

U, S
V — *In memoria / di / Moammed Sceab*

M — *In memoria*

[In M e nelle successive edizioni mondadoriane l'indicazione dell'anno *1910* è un refuso]

vv. 1-3
U — In memoria
di
Moammed Sceab
discendente

V discendente

M * Si chiamava
Moammed Sceab
Discendente

v. 7
U, N patria

M * Patria

vv. 9-10
U e mutò nome in
Marcel

M * e mutò nome

Fu Marcel

v. 11
U, V, S ma non era francese

M * ma non era Francese

v. 26
U dal N.° [...]

V dal N. [...]

S, P dal n° [...]

M * dal numero [...]

v. 31
U, S continuamente

M * sempre

v. 32
P in una
giornata

M * in una giornata

vv. 33-34
U, S di una decomposta fiera

P di una decomposta
fiera

M * di una
decomposta fiera

v. 37
U, V che visse

Saprò
fino al mio turno
di morire

M * che visse

p. 23

IL PORTO SEPOLTO

Edizioni: U, V, S, P, N, M

p. 24

LINDORO DI DESERTO

Edizioni: Vo, U, V, S, P, N, M

P *Lindoro / di deserto*

M *Lindoro di deserto*

v. 14
Vo Mi copro d'un tepido manto

M * Mi copro di un tepido manto

v. 15
Vo, P di lindoro

M * di lind'oro

p. 25

VEGLIA

Edizioni: U, V, S, P, N, M

v. 1
U, P Una intera nottata

M * Un'intera nottata

p. 26

A RIPOSO

Edizioni: U, V, S, P, N, M, M69

vv. 2-3
S Il sole si semina
in gocciole d'acqua

M * Il sole si semina in diamanti
di gocciole d'acqua

v. 10
U, P e vogano col cielo

N, M e vagano col cielo

M69 * e vogano col cielo
[*vagano* in N e in tutte le precedenti edizioni mondadoriane era errore di stampa]

vv. 11-14
U, V

L'incanto si tronca a questa volta lieve
e piombo in me

Mi oscuro in un mio nido

S

L'incanto si tronca
a quel lieve ostacolo
del cielo

e piombo in me

mi oscuro in un mio nido

[In S questi cinque versi formano una poesia a sé, senza titolo]

M

* Su alla volta lieve
l'incanto s'è troncato

E piombo in me

E m'oscuro in un mio nido

p. 27

FASE D'ORIENTE

Edizioni: U, V, S, P, N, M

S *Vendemmia*

M *Fase d'oriente*

vv. 4-7
U, V

Ci spossiamo
in una vendemmia di sole

Ci culliamo in orditi infiniti
di promesse
impregnati di sole

Si chiudono gli occhi
per guardare nuotare in un lago
le dolcezze del tempo svanito

S Ci culliamo in orditi infiniti

Si chiudono gli occhi
per guardare nuotare in un lago
le dolcezze del tempo svanito

[In S la poesia si chiude così]

M * Ci vendemmia il sole

Chiudiamo gli occhi
per vedere nuotare in un lago
infinite promesse

p. 28

TRAMONTO

Edizioni: U, V, S, P, N, M

S
M *Tramonto*

P Il carnato del cielo

sveglia oasi

al nomade d'amore

M * Il carnato del cielo
sveglia oasi
al nomade d'amore

p. 29

ANNIENTAMENTO

Edizioni: U, V, S, P, N, M

v. 8
U, S di malato

M * di

v. 17
S come un rosolaccio

M * come un crespo

v. 32
U, S il solito ragazzo sgomento

M * il solito essere sgomento

p. 31

STASERA

Edizioni: U, V, S, P, N, M

U *Finestra a mare*

V *Sera*

S

M *Stasera*

U, S Balaustrata di brezza
per appoggiare la mia malinconia
stasera

P Balaustrata di brezza

per appoggiare la malinconia

stasera

M * Balaustrata di brezza
per appoggiare stasera
la mia malinconia

p. 32

FASE

Edizioni: D, U, V, S, P, N, M

v. 5
D, P — di millunanotte

M — * di mill'una notte

v. 8
D, S — approdava

M — * ella approdava

v. 14
D — aranci e gelsomini

U, V — aranci e gelsumini

M — * arance e gelsumini

p. 33

SILENZIO

Edizioni: U, V, S, P, N, M

vv. 4-9
U, V

Me ne sono andato una sera
e dal bastimento
verniciato di bianco urtante come un cigolio

lontanando lucente di solitudine

con in cuore un estremo limio di cicala
strappata all'albero della sua scalmana
col fresco miraggio di quel suo diadema
di rubini al sole

avevo visto

S

Me ne sono andato una sera
e dal bastimento

>
con in cuore un estremo limio di cicala
strappata all'albero della sua scalmana

avevo visto

P

. . . .
nel cuore durava [...]
. . . .
e dal bastimento
. . . .

M

* Me ne sono andato una sera

Nel cuore durava il limio
delle cicale

Dal bastimento
verniciato di bianco
ho visto

p. 34

PESO

Edizioni: U, V, Pdg, S, P, N, M

v. 1
U, P

Quel contadino soldato

M

* Quel contadino

vv. 4-5
U

che porta al collo
e va leggero
ma ben sola e ben nuda

V, Pdg

che porta in collo
e va leggero

Ma ben sola e ben nuda

M

* e va leggero

Ma ben sola e ben nuda

p. 35

DANNAZIONE

Edizioni: U, V, S, P, N, M

S

M *Dannazione*

U, V Chiuso fra cose mortali
(anche il gran cielo stellato finirà)
perché bramo Dio?

S Chiuso fra cose mortali
anche il gran cielo stellato finirà
perché bramo Dio

P Chiuso fra cose mortali
anche il cielo stellato finirà
perché bramo Dio

N Chiuso fra cose mortali
Anche il cielo stellato finirà
Perché bramo Dio

M * Chiuso fra cose mortali
(Anche il cielo stellato finirà)
Perché bramo Dio?

p. 36

RISVEGLI

Edizioni: U, V P, N, M

v. 6

U Sono lontano colla mia ma inconia

M * Sono lontano colla mia memoria

v. 7
U, V   dietro a quell'altre vite perse

M   * dietro a quelle vite perse

v. 18
V, N   Ma Dio cos'è

M   * Ma Dio cos'è?

v. 20
U, V   terrificata

M   * atterrita

vv. 24-25
U, P   e la pianura muta
e si sente

M   * e la pianura muta

E si sente

p. 37

MALINCONIA

Edizioni: D, U, V, S, P, N, M

vv. 1-2
D   Calante tristezza per il corpo avvinto al suo
[destino

U, V   Calante malinconia per il corpo avvinto al suo
[destino

S   Calante malinconia
per il corpo avvinto
al suo destino

M * Calante malinconia lungo il corpo avvinto
al suo destino

vv. 4-5
D, S di corpi a pien'anima
presi
nel silenzio vasto

M * di corpi a pien'anima presi
nel silenzio vasto

v. 7
D, V ma un'apprensione
di quest'orologio
ch'è il cuore

M * ma un'apprensione

vv. 8-9
D, S Abbandono dolce
di corpi
pesanti d'amaro

M * Abbandono dolce di corpi
pesanti d'amaro

vv. 11-13
D, S in tornitura di baci
lontani
voluttà di corpi
estinti d'insaziabili voglie

M * in tornitura di labbra lontane
voluttà crudele di corpi estinti
in voglie inappagabili

vv. 14-17
D Mondo
giro volubile di razzi
alla spasimante passione

attonimento di mill'occhi
in una gita
di pupille amorose

U, S — Mondo
Giro volubile [...] [come in D]

M — * Mondo

Attonimento
in una gita folle
di pupille amorose

vv. 18-21
D, S — In una gita evanescente
come la vita che se ne va
col sonno
e domani riprincipia
e se incontra la morte
dorme soltanto
più a lungo

M — * In una gita che se ne va in fumo
col sonno
e se incontra la morte
è il dormire più vero

p. 38

DESTINO

Edizioni: U, V, S, P, N, M

S

M — *Destino*

P — Volti al travaglio
come una qualsiasi
fibra creata
perché ci lamentiamo noi

M * Volti al travaglio
come una qualsiasi
fibra creata
perché ci lamentiamo noi?

p. 39

FRATELLI

Edizioni: U, V, S, P, N, M

U, V *Soldato*

S

M *Fratelli*

v. 1
U, N * Di che reggimento siete

M Di che reggimento siete,

v. 2
S, N fratelli

M * fratelli?

vv. 3-5
U, V Fratello
tremante parola
nella notte
come una fogliolina
appena nata

S Fratello
tremante parola
nella notte
come una foglia
appena nata

P Parola tremante
nella notte
come una foglia
appena nata

M * Parola tremante
nella notte

Foglia appena nata

vv. 6-10
U saluto
accorato
nell'aria spasimante
implorazione
sussurrata
di soccorso
all'uomo presente alla sua
fragilità

[In V come in U, solo che il penultimo verso ha *dell'uomo.* E in S stessa lezione di V solo che il primo verso ha *Saluto* preceduto da uno spazio bianco]

M * Nell'aria spasimante
involontaria rivolta
dell'uomo presente alla sua
fragilità

Fratelli

p. 40

C'ERA UNA VOLTA

Edizioni: U, V, S, P, N, M

p. 41

SONO UNA CREATURA

Edizioni: U, V, Pdg, S, Pdg25, P, N, M

P *Sono / una creatura*

M *Sono una creatura*

vv. 8-9
U, P disanimata
come questa pietra

M * disanimata

Come questa pietra

p. 42

IN DORMIVEGLIA

Edizioni: U, V, S, P, N, M

U, V *Immagini di guerra*

S

M *In dormiveglia*

vv. 1-9
S Assisto la notte violentata
Mi pare

M * Assisto la notte violentata
L'aria è crivellata
come una trina
dalle schioppettate
degli uomini
ritratti
nelle trincee
come le lumache nel loro guscio
Mi pare

v. 15
U, P e io l'ascolti

M * ed io l'ascolti

p. 43

I FIUMI

Edizioni: U, V, Pdg, S, Pdg25, P, N, M

v. 10	
U, S, V, Pdg 25	in un'urna di acqua
M	* in un'urna d'acqua
vv. 19-20	
U, V, Pdg	come un acrobàta delle acque
S, Pdg 25	come un giocoliere dell'acqua
M	* come un acrobata sull'acqua
v. 25	
U, V, S, N,	mi sono chinato a ricevere
M	* mi sono chinato a ricevere
v. 38	
U, P	che mi intridono
M	* che m'intridono
vv. 46-47	
U, P	i miei fiumi questo è il Serchio
M	* i miei fiumi Questo è il Serchio
v. 49	
U, P	duemil'anni forse

M * duemil'anni forse

v. 50
U, P di gente mia
campagnola

M * di gente mia campagnola

vv. 51-52
U, P e mio padre e mia madre
e questo è il Nilo

M * e mio padre e mia madre

Questo è il Nilo

vv. 56-57
U, S, P nelle estese pianure
protette d'azzurro
e questa è la Senna

Pdg 25 nelle estese pianure
e questa è la Senna

M * nelle estese pianure

Questa è la Senna

vv. 62-63
U, P contati nell'Isonzo
e questa è la mia nostalgia

M * contati nell'Isonzo

Questa è la mia nostalgia

p. 46

PELLEGRINAGGIO
Edizioni: U, V, S, P, N, M

v. 2
U, V — in questi budelli

M — * in queste budella

p. 47

MONOTONIA
Edizioni: D, U, V, S, P, N, M

D, V — *Paesaggio*

S

M — *Monotonia*

vv. 3-5
D, S — sotto questa immensa
appannata volta di cielo

[In S la poesia finisce qui]

M — * sotto questa
volta appannata
di cielo

vv. 8-9
D, V — Non esiste altra cosa
più squallida
di questa monotonia

M — * Nulla è più squallido
di questa monotonia

vv. 12-21
D — ch'è banale
la consunzione

del cielo al tramonto
e m'affievolivo poi
adagiato sulla mia terra africana
calmata
a un arpeggio
perso per l'aria
di Colombina

U, V — ch'è banale
la consunzione
del cielo
al tramonto
e m'affievolivo [...]

[Come in D toltovi l'ultimo verso]

M — * ch'è una cosa
qualunque
perfino
la consunzione serale
del cielo

E sulla mia terra affricana
calmata
a un arpeggio
perso nell'aria
mi rinnovavo

p. 48

LA NOTTE BELLA

Edizioni: U, V, S, P, N, M, M62

v. 4
U, V — l'illuminazione del cielo?

M — * le stelle

v. 6
U, V — di cuore a nozze?

M — * di cuore a nozze

vv. 7-8

U, V

D'ora in poi
confidenziale
mi genera
ogni attimo d'universo

Sono stato
uno stagno
di buio

M

* Sono stato
uno stagno di buio

vv. 9-11

U, V

Comparso allo spazio
l'ho morso
come un neonato
la mammella

S

Ora mordo
come un neonato
la mammella
lo spazio

M

* Ora mordo
come un bambino la mammella
lo spazio

vv. 12-13

U

Ora sono delicato

Sono ubriaco d'universo

Col mare
mi son fatto
una bara
di freschezza

[Di questi ultimi quattro versi, corretto *son* in *sono* del v. 2, comporrà la poesia che segue, *Universo*]

V

Ora sono delicato
[...] [come in U]

[Il terzultimo verso ha *mi sono fatto*]

S, N Ora sono ubriaco
d'universo

M Ora son ubriaco
d'universo

M62 * Ora sono ubriaco
d'universo

p. 49

UNIVERSO

Edizioni: U, V, S, P, N, M

U, V *La notte bella* (vv. 20-23)

S

M *Universo*

v. 2
U mi son fatto

M * mi sono fatto

p. 50

SONNOLENZA

Edizioni: U, V, S, P, N, M

v. 6
U, P di grilli
che mi raggiunge

M * di grilli che mi raggiunge

p. 51

SAN MARTINO DEL CARSO

Edizioni: U, V, P, N, M

U *S. Martino del Carso*

P *San Martino / del Carso*

M *San Martino del Carso*

v. 2

U, V non c'è rimasto

M * non è rimasto

v. 4

U, V brandello di muro
esposto all'aria

M * brandello di muro

v. 8

U, V neppure tanto
nei cimiteri

M * neppure tanto

vv. 9-12

U, V Ma nel cuore
nessuna croce manca

Innalzata
di sentinella
a che?

Sono morti
cuore malato

Perché io guardi al mio cuore
come a uno straziato paese
qualche volta

M * Ma nel cuore
nessuna croce manca

È il mio cuore
il paese più straziato

p. 52

ATTRITO

Edizioni: U, V, S, P, N, M

S

M *Attrito*

[In M e nelle successive edizioni mondadoriane l'indicazione della data *28 settembre* è un refuso]

vv. 5-6
U. S la timida barca
per l'oceano libidinoso

M * la misera barca
e come l'oceano libidinoso

p. 53

DISTACCO

Edizioni: U, V, P, N, M

vv. 2-5
U, V uniforme
eccovi una lastra
di deserto
dove il mondo
si specchia

S, P uniforme
eccovi un'anima

deserta
uno specchio impassibile
del mondo

M * uniforme

Eccovi un'anima
deserta
uno specchio impassibile

vv. 10-12

U così piano mi nasce
e quando ha durato
così insensibilmente
s'è spento

V ....
così insensibilmente
s'è spento

M * così piano mi nasce

E quando ha durato
così insensibilmente s'è spento

p. 54

NOSTALGIA

Edizioni: D, U, Pdg, S, P, N, M

v. 1

D quando

M * Quando

vv. 5-6

D, U qualcuno passa
e ingombra
su Parigi s'addensa

P, S qualcuno passa

su Parigi s'addensa

M * qualcuno passa

Su Parigi s'addensa

v. 7
D, U quell'oscuro colore

M * un oscuro colore

vv. 8-9
D, U di pianto
che ci disfa gli edifizi
e ci dà
lo specchio
di una Senna accidiosa
con quel suo
indosso
persistente fastidio
di riflessi di lumi

in un canto

S di pianto

in un canto

P di pianto
in un canto

M * di pianto

In un canto

vv. 13-15
D, U di una bimba
tenue e opaca
come un fiore d'alpe
nato dal cuore
di un mughetto
e dal sorriso
di una tepida salma
di canerino
in un meriggio
di deserto
e le nostre

S di una bimba
tenue
e le nostre

P di una ragazza
tenue

e le nostre

M * di una ragazza
tenue

Le nostre

vv. 17-18
D, S si fondono

e come portati via

P si fondono
e come portati via

M * si fondono

E come portati via

p. 55

PERCHE?

Edizioni. U, V, S, P, N, M

[In U, V e S la data è più esattamente: *Carsia Giulia il 23 novembre 1916*]

S, N *Perché*

M *Perché?*

v. 5
U, S vuol tremare piano alla luce

M ·· vuole tremare piano alla luce

v. 6-10
U, P

Ma sono
come questi assai tarlati
nella fionda del tempo
come la scaglia del sasso battuto
dell'improvvisata strada di guerra

M

* Ma io non sono
nella fionda del tempo
che la scaglia dei sassi tarlati
dell'improvvisata strada
di guerra

vv. 11-15
U, S

Da quando ho guardato
nel viso immortale
del mondo
questo bimbo ha voluto sapere
ed è caduto
nel labirinto

[In P la stessa lezione, solo che il verso 4 suona: *questo folle ha voluto sapere*]

M

* Da quando
ha guardato nel viso
immortale del mondo
questo pazzo ha voluto sapere
cadendo nel labirinto

v. 28
U, P

Io reggo il mio cuore

M

* Reggo il mio cuore

vv. 33-34
U, V

ma non mi lascia nell'aria
almeno la serica striscia d'un volo

S

ma non mi lascia nell'aria
almeno la striscia d'un volo

P ma non mi lascia nell'aria
nemmeno la striscia d'un volo

M * ma non mi lascia
neanche un segno di volo

p. 57

ITALIA

Edizioni: U, V, S, P, N, M

p. 58

COMMIATO

Edizioni: U, V, S, P, N, M

U, V *Poesia*

S

M *Commiato*

v. 7
U, P è la limpida meraviglia

M * la limpida meraviglia

v. 9
U Quando io trovo

M * Quando trovo

NAUFRAGI

p. 61

ALLEGRIA DI NAUFRAGI

Edizioni: AD, V, S, P, N, M

AD, V *La filosofia del poeta*

P *Allegria / di naufragi*

M *Allegria di naufragi*

v. 6
S lupo di mare.

M * lupo di mare

[Il punto in S è errore di stampa]

p. 62

NATALE

Edizioni: AD, V, S, P, N, M

v. 5
S, P ho tanta

M * Ho tanta

v. 8
S, P lasciatemi così

M * Lasciatemi così

vv. 11-13
AD, P posata in un
angolo

M * posata
in un
angolo

v. 15
S qui

P qui [di seguito]

M * Qui

v. 19
AD, V E sto

S, P e sto

M * Sto

p. 63

DOLINA NOTTURNA

Edizioni: AD, V, S, P, N, M

P *Dolina / notturna*

M *Dolina notturna*

[In V e S la data è *Napoli il 26 dicembre 1917*; da P in poi l'anno è stato giustamente corretto in 1916]

vv. 3-5
AD, V è insecchito
come una pergamena

S è insecchito
come
una pergamena

P è secco
come
una pergamena

M * è secco
come una
pergamena

vv. 6-7
V   Questo
     nomade adunco

M * Questo nomade
     adunco

vv. 9-10
S, P   si lascia come
        una foglia

M * si lascia
     come una foglia

vv. 15-16
AD, V   come un fruscìo

M * come un
     fruscio

p. 64

SOLITUDINE

Edizioni: AD, V, S, P, N, M

vv. 3-6
AD   come i fulmini
      la fioca
      campana del cielo
      e sprofondano

V, P   come i fulmini
        la fioca
        campana del cielo

        E sprofondano

M * come fulmini
     la campana fioca
     del cielo

     Sprofondano

p. 65

MATTINA

Edizioni: AD, V, P, N, M

AD, V *Cielo e mare*

M *Mattina*

p. 66

DORMIRE

Edizioni: AD, V, P, N, M

vv. 1-3

AD Vorrei somigliare
a questo paese
steso

V Vorrei somigliare
a questo paese
adagiato

M * Vorrei imitare
questo paese
adagiato

p. 67

INIZIO DI SERA

Edizioni: AD, V, S, P, N, M

S

M *Inizio di sera*

vv. 3-4

S di nuvole colme

M * di nuvole colme
trapunte di sole

p. 68

LONTANO

Edizioni: AD, V, S, P, N, M

AD, V *Nostalgia*

S

M *Lontano*

p. 69

TRASFIGURAZIONE

Edizioni: AD, V, S, P, N, Me, M

AD, V *Trasfigurazioni in campagna*

M *Trasfigurazione*

v. 14
AD, V dei gelsi che pota

E sono un vagabondo
padre di sogni

M * dei gelsi che pota

v. 16
AD nel viso delle bambine

M * nei visi infantili

v. 18
AD, S brucente

M * rovente

vv. 19 23
AD, V fra gli alberi spogli

Come una nuvola
mi filtro
nel sole

Per l'ampio grigioro
rinati gorgheggi di voli

Mi sento diffuso

S, Me fra gli alberi spogli

Mi sento diffuso

M * fra gli alberi spogli

Come una nuvola
mi filtro
nel sole

Mi sento diffuso

p. 70

GODIMENTO

Edizioni: AD, V, S, P, N, M

vv. 2-3
AD, P di questa piena
di luce

M * di questa
piena di luce

vv. 4-6
AD, P Accolgo

questa giornata
come un frutto
che si addolcisce
nel sole

M * Accolgo questa
giornata come
il frutto che si addolcisce

vv. 7-12

AD Stanotte
avrò
un rimorso
come un latrato
nella volta
del deserto

V Stanotte
avrò
un rimorso
come un latrato
smarrito
nella volta
del deserto

S Stanotte
avrò
un rimorso
come un latrato

P Stanotte
avrò
un rimorso
come un latrato
perso
in un
deserto

M * Avrò
stanotte
un rimorso come un
latrato
perso nel
deserto

p. 71

SEMPRE NOTTE

Edizioni: AD, V, S, P, N, M

AD, V *Notte*

M *Sempre notte*

vv. 1-3
AD, V

In questa notte
la mia squallida
vita
si estende
più spaventata
di sé

S, P

La mia squallida
vita [...] [come in AD, V]

M

* La mia squallida
vita si estende
più spaventata di sé

vv. 4-8
AD

nel mondo
che mi calca e mi spreme
col suo tatto
fievole
di nube fluente

V

nel mondo
che mi calca e mi spreme
col suo
fievole
tatto
fluente

S, P

in un
infinito
che mi calca [...] [come in V]

M * In un
infinito
che mi calca e mi
preme col suo
fievole tatto

p. 72

UN'ALTRA NOTTE

Edizioni: AD, V, S, P, N, M

AD, V *Le ore della quiete*

M *Un'altra notte*

v. 1
AD, V, P Confuso
in quest'oscuro

M * In quest'oscuro

v. 4
AD, P mi distinguo

M * distinguo

v. 5
AD, P il viso

[In S la poesia finisce col v. 5: *il viso*]

M * il mio viso

vv. 6-7
AD, V, P Mi vedo
abbandonato
nell'infinito

M * Mi vedo
abbandonato nell'infinito

p. 73

GIUGNO

Edizioni: RL, V, S, P, IL, N, M

v. 12
RL, IL della mia casa
sul mare

M * della mia casa

vv. 17-20
RL, S che si estenua
come il colore
del grano maturo
nella lucentezza

P, IL che si estenua
. . . .

M * Si estenua
come il colore
rilucente
del grano maturo

vv. 21-25
RL, V E nella trasparenza
dell'acqua
la tua pelle d'europea
gentile come le ali delle farfalle
si brinerà di moro

S E nella trasparenza
dell'acqua
la tua pelle di gentile
come le ali

fine
delle farfalle
si brinerà di moro

P E nella trasparenza
dell'acqua
l'oro della tua pelle
di farfalla
si brinerà di moro

IL E nella trasparenza
dell'acqua
l'oro della tua pelle velina
si brinerà di moro

M * Nella trasparenza
dell'acqua
l'oro velino
della tua pelle
si brinerà di moro

vv. 26-39
RL, S e mi soffocherai
come una pantera
librata
dalle lastre
squillanti
dell'aria

P e librata
dalle lastre
squillanti
dell'aria
sarai come
una pantera
ai tagli mobili
dell'ombra
ti sfoglierai
muta ruggendo
mi soffocherai

IL E librata
dalle lastre squillanti dell'aria
sarai
come una pantera

>
E ai tagli mobili dell'ombra
ti sfoglierai

E muta ruggendo
in un polverone di risuonanze
mi soffocherai

M

* Librata
dalle lastre
squillanti
dell'aria sarai
come una
pantera

Ai tagli
mobili
dell'ombra
ti sfoglierai

Ruggendo
muta in
quella polvere
mi soffocherai

vv. 40-48
RL, V

E socchiuderai
le palpebre
e vedremo
il nostro amore
reclinarsi
dolce
come la sera
mentre sopraggiunge
e le mie pupille
si tufferanno
nell'orizzonte di bitume
delle tue iridi

S

E socchiuderai
le palpebre
e vedremo
il nostro amore
reclinarsi
come la sera
dolce

e le mie pupille
[...] [come in V]

P

E socchiuderai
le palpebre
e vedremo
il nostro amore
reclinarsi
dolce
come la sera
perderanno
lume
le mie pupille
nell'orizzonte di bitume
delle tue iridi

IL

Quando
socchiuderai le palpebre

E vedremo
il nostro amore
reclinarsi
come la sera

E rasserenato
vedrò
nell'orizzonte di bitume
delle tue iridi
morirmi piano
le pupille

M

* Poi
socchiuderai le palpebre

Vedremo il nostro amore reclinarsi
come sera

Poi vedrò
rasserenato
nell'orizzonte di bitume
delle tue iridi morirmi
le pupille

vv. 49-54
RL, S

E ora il sereno
è chiuso
come a quest'ora

i gelsumini
nel mio paese
d'Africa
lontano

[In P la stessa lezione, solo che il penultimo verso ha *Affrica*. E stessa lezione in IL, col primo verso mutato in *Ora il sereno*, e al penultimo *Affrica*]

M

* Ora
il sereno è chiuso
come
a quest'ora
nel mio paese d'Affrica
i gelsumini

vv. 55-58
RL, IL

E ho perduto
il sonno
e oscillo
come una lucciola
al canto
di una strada

V

Tutto
diluisce
e scompare
in questa oscurità

E ho perduto
il sonno

vv. 55-58
M

* Ho perso il sonno

Oscillo
al canto d'una strada
come una lucciola

vv. 59-60
RL, IL

Quando
mi morirà
questa notte

N

Mi morirà
questa notte

M * Mi morirà
questa notte?

p. 76

SOGNO

Edizioni: RL, V, S, P, N, M

RL, S *Nostalgia*

M *Sogno*

RL, S Stanotte
ho sognato
una gran
piana
striata
di verde
di fresc'alga
immersa
in varianti
veli
azzurr'oro

P Stanotte
ho sognato
una gran
piana
striata
di
trasparenza
fresca
d'alghe
immersa
in varianti
veli
d'azzurro
oro

M * Ho sognato
stanotte
una

piana
striata
d'una
freschezza

In veli
varianti
d'azzurr'oro
alga

p. 77

ROSE IN FIAMME

Edizioni: RL, V, S, P, N, M

RL, N *Rosa fiammante*

M *Rose in fiamme*

vv. 3-4
RL, S affiora
repentina
un'altra
mattina

M * repentina
galleggia un'altra mattina

p. 78

VANITÀ

Edizioni: RL, V, S, P, N, M

S

[In S, a pp. 60 e 61, sono due frammenti distinti, *S'era assunto*, *Mi sono curvato*, tutti e due senza titolo].

M *Vanità*

vv. 1-2

RL, V	D'un tratto s'era assunto
S	S'era assunto d'un tratto
P	D'un tratto è alto
M	* D'improvviso è alto

vv. 7-16

RL, V	L'uomo s'è curvato sull'acqua sorpresa dal sole e si rinviene un'ombra cullata e piano franta in riflessi insenati tremanti di cielo
S	Mi sono curvato sull'acqua sorpresa dal sole e mi rinvengo un'ombra cullata e piano franta
P	.... un'ombra cullata e ....
M	* E l'uomo curvato

sull'acqua
sorpresa
dal sole
si rinviene
un'ombra

Cullata e
piano
franta

p. 79

DAL VIALE DI VALLE

Edizioni: RL, V, P, N, M

P *Dal viale / di valle*

M *Dal viale di valle*

GIROVAGO

p. 83

PRATO

Edizioni: R, V, S, P, N, M

[In V la poesia è senza data. In S reca la data *Roma fine marzo 1918*; da F in poi si legge correttamente: *Villa di Garda aprile 1918*]

vv. 4-5
R, P leggerezza
come una sposa

M * leggerezza

Come una sposa

p. 84

SI PORTA

Edizioni: R, V, S, P, N, M

R, V *Fine marzo*

S

M *Si porta*

R, S

Si porta
un'infinita
stanchezza
naturale
dello sforzo
occulto
di questo
principio
che ogni anno
accade
alla terra

P

. . . .
naturale
dello sforzo
occulto
di questo
principio
che ogni anno
scatena
la terra

M

* Si porta
l'infinita
stanchezza
dello sforzo
occulto
di questo principio
che ogni anno
scatena la terra

p. 85

GIROVAGO

Edizioni: R, V, V', S, P, N, M

V' *Viaggio*

M *Girovago*

vv. 1-5
V' Non mi posso accasare.

M * In nessuna
parte
di terra
mi posso
accasare

vv. 6-15
R, V, S a ogni
clima
che passo
mi trovo
languente
che gli ero
già stato
assuefatto

[In V e in S il primo verso comincia con la maiuscola]

V' A ogni nuovo clima mi ritrovo di averne già [saputo

P A ogni
nuovo
clima
passato
mi trovo
languente
che
una volta
gli ero

già stato
assuefatto

M

* A ogni
nuovo
clima
che incontro
mi trovo
languente
che
una volta
già gli ero stato
assuefatto

vv. 16-23
R

me ne stacco
sempre

straniero

tornato
nascendo
da epoche
troppo
vissute

mi perseguita
un'inesorabile
sveglia
di rimpianti
senili

una distante
vertigine
paludosa
si sveglia

[errore di stampa per *si veglia*]

godere
un solo
minuto
di vita
iniziale

V

Me ne stacco
sempre
straniero

[Nel resto, simile in tutto a R, solo che il principio d'ogni strofa ha la maiuscola, e che al v. 30 si legge *si veglia* anziché *si sveglia*]

V' In quali tempi andati?
Sempre me ne stacco forestiero,
Tornato nascendo da epoche troppo vissute,

S In quali
tempi
andati

P E me ne stacco
sempre
straniero

Tornato
nascendo
da epoche
troppo
vissute

Godere
[...] [come in R]

M * E me ne stacco sempre
straniero

Nascendo
tornato da epoche troppo
vissute

Godere un solo
minuto di vita
iniziale

vv. 24-25
R, V, S, P cerco
un paese
innocente

[In V, S, P, il primo verso comincia con la maiuscola]

V' Cerco un paese innocente.

M * Cerco un paese
innocente

p. 86

SERENO

Edizioni: R, V, S, P, N, M

R, V *Sera serena*

M *Sereno*

vv. 3-4
R, V una
a una

M * a una
a una

vv. 9-11
R, S che mi lascia
sulle labbra
il colore
ammorbidito
del cielo

[In S la poesia finisce qui]

P che mi lascia
sulle labbra
il colore
del cielo

M * che mi lascia
il colore
del cielo

vv. 12-14
R, V Mi scorgo
con dolce tristezza

	un'immagine passeggera
P	Mi vedo . . . .
M	* Mi riconosco immagine passeggera

vv. 15-16 R, V	Preso in un giro immortale
P	Ma preso in un giro immortale
M	* Presa in un giro immortale

p. 87

SOLDATI

Edizioni: R, V, S, P, N, M

R, S	*Militari*
M	*Soldati*

vv. 1-2 R, N	Si sta come d'autunno
M	* Si sta come d'autunno

PRIME

(Parigi-Milano 1919)

p. 91

RITORNO

Edizioni: V, S, P, N, M

[In V la poesia reca la data: *Parigi il 9 gennaio 1919*. Da P in poi è nella sezione *Prime* che porta la data complessiva *Parigi-Milano 1919*]

p. 92

L'AFFRICANO A PARIGI

Edizioni: V, P, N, M

V *L'africano a Parigi*

P *L'affricano / a Parigi*

M *L'affricano a Parigi*

1° cpv. V [...] dove le donne mettono in vista polpe rigogliose e gli altri animali si sfogano in urli, ma dove ogni cosa risulta calmata come reminiscenza;

P [...] dove le donne mettono in vista polpe ubertose e la natura si sfoga in urli;

N Chi [...] ubertose,

M * Chi trasmigrato da contrade battute dal sole dove le donne nascondono polpe ubertose e calmo come reminiscenza arriva ogni urlo,

2° cpv.

V chi [...] dei mari [...] nei cieli [...] scopre [...]

P chi [...] in cieli, [...], trova una fuligine feroce

N [...] trova una fuligine feroce.

M * Chi dall'esultanza di mari inabissati in cieli scenda a questa città, trova una terra opaca e una fuligine feroce.

3°-9° cpv.

V In questa città lo spazio è finito e le strade sembrano interminabili.
Qui non si vive di abbandoni, ma di capricci.
Non mi è più concessa la gran fuga e il rifugio nel sole che addomestica e annulla.
Gli stupori che l'uomo avventato, muta da questo abbaglio, gli riescono fatui, e irrisori.
L'uomo non ci sente che le sue impazienze e ne ha paura.
M'avvedo bene che qui la natura è soperchiata.
Qui il tempo si scandisce, e i corpi si fanno secchi e smaniosi, come una corda musicale tesa.
Dopo tutto si tende al caos.

Ah! Vivre libre ou mourir.

P Lo spazio è ora finito; qui non ci sono che strade; qui non si teme la morte, ma l'avvenire.
Non mi è più concessa la fuga e l'abbandono, la pace nel sole.
Gli stupori che l'uomo, inquieto, muta dall'abbaglio solerte di qui, gli riescono irrisori; qui la voce umana è più alta del silenzio.
Qui va l'eterno mutevole; durano preziosi momenti; i corpi qui si fanno secchi e feriti, rodenti, come una corda musicale acuta.
Dopo tutto si tende al caos.

Ah! Vivre libre ou mourir

N Lo spazio è finito.
Qui non ci sono che strade.
Qui non si teme la morte, ma l'avvenire.
Gli stupori che l'uomo, inquieto, muta dall'abba-

glio solerte di qui, gli riescono irrisori.
Qui va un eterno mutare.
Qui non durano che preziosi momenti, di rado.
I corpi qui si fanno secchi e feriscono come una corda musicale tesissima.
Dopo tutto si tende al caos.

Ah! Vivre libre ou mourir.

M * Lo spazio è finito.
Concesso mai non mi sarà più un allarme spregiudicato né in quel sole che scatenava e accomunava felici cose, incantevoli soste?
L'uomo lunatico che ora s'incontra, per innumerevoli strade disperso deve inquietarsi a mutare stupori dall'abbaglio fatuo che lo circonda e tutte le volte gli rinveniranno nell'animo la derisione tutt'al più, e le ferite della sua impazienza.
Non saprebbe più mettergli paura, snaturato, la morte, ma senza scampo scelto a preda dall'assiduo terrore del futuro, tornerà sempre a lusingarsi di potersi conciliare l'eterno se a furia di noiosi scrupoli un giorno indovinata nel brevissimo soffio la grazia fortuita d'un istante raro, vagheggi che in mente gliene possa a volte restare un qualche emblema non offensivo.
Meno tanto puntiglio, non gli dura più nulla.
Anche il corpo alla costante misura d'un tempo avaro, s'è fatto temerario e, troppo tesa corda musicale, dilaniante [...]
. . . .
Dopo tutto tendono al caos.

Ah, vivre libre ou mourir!

p. 93

IRONIA

Edizioni: V, S, P, N, M

V *Ironia di Dio*

S *Odo la primavera*

M *Ironia*

1° cpv.

S In giro, non c'è anima.

Odo [...] indolenziti.

M * Odo la primavera nei rami neri indolenziti.

2° cpv.

V Solo a quest'ora, si può seguire, mentre passa discreta tra gl'immobili.

S Solo a quest'ora si può seguire.

P Solo a quest'ora, si può seguire, passando [...]

M * Si può seguire solo a quest'ora, passando tra le case soli con i propri pensieri.

3° cpv.

V È l'ora delle chiuse imposte, ma questo peso
di ritorni non mi dà requie.

S Questo peso di ritorni non mi dà requie.

P [...] chiuse, ma questa tristezza di ritorni non mi dava requie.

M * È l'ora delle finestre chiuse, ma
questa tristezza di ritorni m'ha tolto il sonno.

4° cpv.

V Domattina un velo di verde intenerirà da questi alberi lasciati ancora secchi, quanto poco fà, la notte li ha nascosti.

S Domattina un velo di verde intenerirà da questi alberi poco fa ancora secchi.

P Domattina un velo di verde intenerirà da questi alberi, ancora secchi poco fa, quando la notte li ha presi.

M * Un velo di verde intenerirà domattina da questi alberi, poco fa quando è sopraggiunta la notte, ancora secchi.

5°-8° cpv.

V Chi è destinato a sorvegliare l'opera di Dio, non ha più di queste sorprese.
Ha nevicato sulla città, benché sia d'aprile.
Ma Dio non sosta.
Nessuna violenza [...] che prende [...]
Mi è stato concesso questo martirio di intendere l'ironia di Dio.

S Nessuna violenza [...] che prende [...]

P L'opera divina non ha riposo.
[...] a quest'ora, a qualche raro sognatore, è concesso il martirio di seguirla
Nevica sulla città stanotte, benché sia d'aprile.
Nessuna violenza [...] che prende [...]

N L'opera divina non ha pace.
[...] di seguirla.
Benché sia d'aprile, nevica sulla città stanotte.
Nessuna violenza [...] che prende [...]

M * Iddio non si dà pace.
Solo a quest'ora è dato, a qualche raro sognatore, il martirio di seguirne l'opera.
Stanotte, benché sia d'aprile, nevica sulla città.
Nessuna violenza supera quella che ha aspetti silenziosi e freddi.

p. 94

UN SOGNO SOLITO

Edizioni: P, N, M

v. 5

P, N È già fuggito

M * Fuggiti

p. 95

LUCCA

Edizioni: V, S, Sl, P, N, M

1°-2° cpv.

V, P — [...] di questi posti. La mia infanzia [...]

M — * A casa mia, in Egitto, dopo cena, recitato il rosario, mia madre ci parlava di questi posti.
La mia infanzia ne fu tutta meravigliata.

3°-5° cpv.

V — La città è circondata da un muraglione tanto pesante che gli alberoni, i quali l'incoronano, prendono una leggerezza inverosimile. La città, come le catacombe, ha un traffico [...] In queste mura [...]; qui [...]

S — La città [...] In queste mura [...] Qui [...]

Sl, P — La città [...] In queste mura [...]; qui [...]

M — * La città ha un traffico timorato e fanatico.
In queste mura non ci si sta che di passaggio.
Qui la meta è partire.

6° cpv.

V — Mi sono seduto al fresco, [...] osteria, [...] di California, [...] come di [...]

S — Mi sono seduto al fresco, [...] osteria, di California, [...] come di [...]

Sl, P — Mi sono seduto al fresco, [...] osteria, [...] di California, [...]

M — * Mi sono seduto al fresco sulla porta dell'osteria con della gente che mi parla di California come d'un suo podere.

8° cpv.

V, P — Ora lo sento scorrere, caldo [...]

M * Ora lo sento scorrere caldo [...]

9°-10° cpv.

V Ho preso una falce, e con il grano mi son dato al sole.
Le coscie delle donne in fermento, mi soffocano; e sono cascato nell'odor forte della mia terra, avvinghiato come una belva.
Non so più se una di queste pesche, che pesano agli alberi, o le tue labbra, ho divorato.

S Ho preso una falce, e con il grano mi son dato al sole.
Cosce di donne in fermento, mi soffocano.
E sono cascato nell'odor forte della mia terra, avvinghiato come una belva.
Ho divorato le tue labbra, o una di queste pèsche che pesano agli alberi?

Sl Ho preso anch'io una zappa.
Nelle cosce fumanti della terra, [...]

P Ho preso anch'io una zappa;
nelle cosce fumanti della terra, [...]

M * Ho preso anch'io una zappa.
Nelle cosce fumanti della terra mi scopro a ridere.

11° cpv.

V Addio, desiderî e nostalgie!

S E s'acquetarono, le nostalgie e i desideri.

Sl, P Addio, desideri e nostalgie

M * Addio desideri, nostalgie.

12°-13° cpv.

V So di passato e d'avvenire, quanto a un uomo è dato di saperne.
Non mi rimane più d'ignoto neanche la mia origine e il mio destino.
Non mi [...] profanare o da lamentare.

S	Conosco ormai il mio [...]
Sl, P	So di passato e d'avvenire [...] . . . . [...] da profanare, né da sognare.
M	* So di passato e d'avvenire quanto un uomo può saperne. Conosco ormai il mio destino, e la mia origine. Non mi rimane più nulla da profanare, nulla da sognare.
15°-19° cpv. V	 Di tutto ho goduto e sofferto; e non mi rimane che di rassegnarmi alla morte. Che è allevare tranquillamente un figliolo. Quando [...] negli amori per annientarmi, lodavo la vita; ma ora [...] E così discorrendo mi sono allontanato.
S	Converrebbe ormai, forse, allevando un figliolo, prepararsi a morire.
Sl, P	Di tutto ho goduto e sofferto; e non mi rimane [...] Che è allevare tranquillamente ecc. Quando [...] vita; ma ora [...]
M	* Ho goduto di tutto, e sofferto. Non mi rimane che rassegnarmi a morire. Alleverò dunque tranquillamente una prole. Quando un appetito maligno mi spingeva negli amori mortali, lodavo la vita. Ora che considero, *anch'io*, l'amore come una garanzia della specie, ho in vista la morte.

p. 96

SCOPERTA DELLA DONNA

Edizioni: V, S, P, N, M

V, S	*La donna scoperta*

P	*Scoperta / della donna*
M	*Scoperta della donna*
1° cpv. V, S	[...] senza più veli né altre reticenze, in un [...]
M	* Ora la donna mi apparve senza più veli, in un pudore naturale.
2° cpv. V	Da quel tempo i suoi gesti, ignudi, emersi in [...]
S	Da quel tempo [...] liberi, mi consacrano [...]
M	* Da quel tempo i suoi gesti, liberi, sorgenti in una solennità feconda, mi consacrano all'unica dolcezza reale.
3° cpv. V	In tale confidenza, trascorro [...]
S	In tale confidenza trascorro [...]
P	In tale confidenza, [...]
M	* In tale confidenza passo senza stanchezza.
4° cpv. V	In quest'ora può accadere la notte, la luna meglio del sole, scherzerà di ombre. O dolcezza imprevista.
S	In quest'ora può accadere la notte, e la luna meglio del sole farà chiaro e ombra.
P	[...] porterà ombre più nude.
M	* In quest'ora può farsi notte, la chiarezza lunare avrà le ombre più nude.

p. 97

PREGHIERA

Edizioni: V, S, P, N, M

vv. 1-3

V Allorché dal barbaglio
delle promiscuità
mi desterò in attonita
sfera di limpidità

S E quando [...] [come in V]

M * Quando mi desterò
dal barbaglio della promiscuità
in una limpida e attonita sfera

v. 4

V e porterò sui flutti
il peso mio
leggero

S e porterò leggero
il mio peso sui flutti

P quando [...]

M * Quando il mio peso mi sarà leggero

vv. 5-6

V Concedimi Signore
di naufragare
a quel bacio
troppo forte
del giovine giorno

S concedimi Signore
di naufragare
a quel bacio
del giovine giorno

P il naufragio [...]

M * Il naufragio concedimi Signore
di quel giovane giorno al primo grido

SENTIMENTO DEL TEMPO
Varianti a cura di Giuseppe De Robertis
Aggiornamento di Mario Diacono

TAVOLA DELLE ABBREVIAZIONI

Apf	*Antologia di poeti fascisti*, a c. di Mariani dell'Anguillara e Olindo Giacobbe, « Istituto Grafico Tiberino », Roma 1935
AS	Antologia di Solaria, Parenti, Firenze 1937
Be	« Beltempo », 1940
Ca	« La Cabala », Roma marzo 1933
Cn	« Il Convegno », Milano 25 marzo 1924
Co	« Commerce », Parigi 1925 e 1927 IV, Printemps 1925: *Nascita d'aurora*; *Giugno*; *Roma*; *Sera*; *Usignuolo*; *Lido*; *Inno alla Morte* (col titolo generale di *Appunti per una poesia*). XII, Été 1927: *Sogno*; *La fine di Crono*; *L'isola*; *Colore*; *Il capitano*; *Aura* (col titolo generale di *Appunti per una poesia*).
CP	« Corriere Padano », Ferrara 17 luglio 1932
Cr	« Circoli », Roma marzo 1935
E	« Espero », Genova 1932 Novembre: *Memoria d'Ofelia D'Alba*. Dicembre: *Sirene*.
F	*Il fiore della lirica italiana dalle origini a oggi*, a c. di E. Falqui e A. Capasso, G. Carabba, Lanciano 1933
FL	« La Fiera Letteraria », Milano 1927 16 ottobre: *Nascita d'aurora*; *Ombra*; *Sera*; *Pace*; *Sogno*; *Stelle e luna*; *Apollo*; *Fonte* (col titolo generale di *Appunti per una poesia*).
Fr	« Fronte », Roma giugno 1931
GP	« Gazzetta del Popolo », Torino 1931, 1932, 1934 2 settembre 1931: *Silenzio sul litorale*. 30 settembre 1931: *Le stagioni*. 2 marzo 1932: *Canto beduino*; *Canto;...*; *Silenzio stellato*. 28 settembre 1932: *Il capitano*; *Danni con fantasia*. 14 novembre 1934: *Quale dolore?*

I	« L'Italiano », Bologna 15 novembre 1926, 31 dicembre 1928
IL	« L'Italia Letteraria », 1929-1933 19 maggio 1929: *Il capitano*. 16 giugno 1929: *La madre*. 27 ottobre 1929: *L'isola*; *Quiete*; *Lago luna alba notte*; *Stanchezza di Leda*; *Sera*. 17 agosto 1930: *Dove la luce*. 14 giugno 1931: *Canto quarto*. 6 settèmbre 1931: *Tre canti* (VI, VII, VIII). 24 aprile 1932: *La pietà*; *Caino*; *La preghiera*. 4 giugno 1933: *La Pietà romana*.
LS	« Lunario Siciliano », Roma maggio 1929
M	*Sentimento del Tempo*, Mondadori, Milano 1943
M61	*Sentimento del Tempo*, Mondadori, Milano 1961
M66	*Sentimento del Tempo*, Mondadori, Milano 1966
M69	*Sentimento del Tempo*, presente edizione
Me	« Mesures », Parigi 15 gennaio 1937
N	*Sentimento del Tempo*, « Quaderni di Novissima », Roma 1933
N36	*Sentimento del Tempo*, « Novissima », Roma 1936
Pdg	*Poeti d'oggi*, a c. di G. Papini e P. Pancrazi, Vallecchi, Firenze 1925
Q	« Quadrivio », Roma 6 agosto 1933
Rd	« La Ronda », Roma gennaio-febbraio 1921
S	*Il Porto Sepolto*, « Stamperia Apuana », La Spezia 1923
Sl	« Il Selvaggio », Roma 31 marzo 1932
SN	*Scrittori nuovi*, a c. di E. Falqui e E. Vittorini, G. Carabba, Lanciano 1930
So	« Solaria », Firenze, dicembre 1928; giugno 1930
V	*Sentimento del Tempo*, Vallecchi, Firenze 1933

SENTIMENTO DEL TEMPO

Edizioni: V, N, N36, M

V, N36 *Sentimento del Tempo*

M *Vita d'un uomo Poesie II Sentimento del Tempo* 1919-1935

PRIME

p. 103

O NOTTE

Edizioni: S, So, SN, V, N, F, N36, M

vv. 1-7

S

dall'ansia ampia dell'alba
svelata arboratura

secco tormento di allibiti abbandoni

foglie sorelle foglie
ascolto il tuo lamento

risalgo la strada
predata dai venti

autunni
moribonde dolcezze

So

dall'ansia ampia dell'alba
gli alberi salgono
già seminudi

>
abbandoni fatali
secco tormento

foglie sorelle foglie
ascolto il tuo lamento

salgo la strada predata dai venti

autunni
moribonde dolcezze

SN dall'ansia ampia dell'alba
svelata alberatura

secco tormento di allibiti abbandoni

[...] [come in So]

F Dall'ampia ansia dell'alba
Svelata alberatura.

Svegliàti con dolore,

Autunni,
Moribonde dolcezze.

Foglie, sorelle foglie,
V'ascolto nel lamento.

M * Dall'ampia ansia dell'alba
Svelata alberatura.

Dolorosi risvègli.

Foglie, sorelle foglie,
Vi ascolto nel lamento.

Autunni,
Moribonde dolcezze.

vv. 8-17
S *o gioventù*
è appena l'ora del distacco
e già dilegui

o gioventù
folta stagione

alti cieli della gioventù
paese limpido
libera calma

>
età remota

perso in questa curva malinconia

la morte sperde le lontananze

oceanici silenzi
astrali nidi d'illusione
o notte

[In S questi tre ultimi versi formano una poesia a sé]

So

o gioventù
passata è appena l'ora del distacco
e già sono deserto

o gioventù
folta stagione

alti cieli della gioventù
libero slancio
età remota

perso in questa curva malinconia

la notte sperde le lontananze

stelle riapparsi nidi d'illusione

SN

o gioventù
passata è appena l'ora del distacco
e già sono deserte

o gioventù
folta stagione

alti cieli della gioventù
libero slancio

età remota

perso in questa curva malinconia

la notte sperde le lontananze

oceanici silenzi
astrali nidi d'illusione
o notte

V, N36

. . . .
Oceanici silenzi;
Astrali nidi d'illusione,
O notte.

M * O gioventù,
Passata è appena l'ora del distacco.

Cieli alti della gioventù,
Libero slancio.

E già sono deserto.

Perso in questa curva malinconia.

Ma la notte sperde le lontananze.

Oceanici silenzi,
Astrali nidi d'illusione,

O notte.

p. 104

PAESAGGIO

Edizioni: Rd, S, V, N, N36, M, M69

vv. 1-2
Rd, S Ha in capo un diadema di freschi pensieri e tutta risplende nell'acqua fiorita
Ondeggia sull'acqua flessuosa il carnato primaverile delle ninfe rinate

V, N Ha una corona di freschi pensieri.

M * Ha una corona di freschi pensieri,
Splende nell'acqua fiorita.

1° cpv.
Rd Oggi che s'illuminano di ombre flebili le distanti montagne
e s'empie il deserto di desolante mistero
prendono sonno le statue nella folta estate

[In S stessa lezione, solo che sono soppressi gli a capo]

V, N [...] d'impazienze e il sonno turba, e si turbano anche le statue.

N36 . . . .
Anche il sonno turba, e si turbano anche le statue.

M * Le montagne si sono ridotte a deboli fumi e
l'invadente deserto formicola d'impazienze
e anche il sonno turba e anche le statue si turbano.

2°-3° cpv.

Rd L'ombra rosata del corpo gentile si modula d'un'infinita malinconia nello smeraldo impassibile del mare

S L'ambra [...] [come in Rd]

V, N Mentre una bella ragazza nuda si vergogna in un mare verde bottiglia, ella non è più che fiamma, brace, nulla e un'ambra. Per un momento, in lei è palese il consumarsi [...]

N36 Mentre [...] [come in V, N] non è più che fiamma, brace, un'ambra.
Per un momento [...] [come in V, N]

M * Mentre infiammandosi s'avvede ch'è nuda, il florido carnato nel mare fattosi verde bottiglia, non è più che madreperla.
Quel moto di vergogna delle cose svela per un momento, dando ragione dell'umana malinconia, il consumarsi senza fine di tutto.

4°-6° cpv.

Rd Tutto si è esteso si è attenuato si è confuso
Si ascoltano i sibili dei treni partiti
Come quelle voci l'anima è vaga
Si rincorrono sogni fatui
Si dimette la ferocia
e, giacché non ci sono testimoni, ci appare, di sfuggita, anche il nostro vero viso, stanco e deluso

[In S stessa lezione che in Rd, solo che ogni capoverso termina col punto, e l'ultimo capoverso fa tutt'uno col penultimo]

V, N36 [...] confuso.
[...] partiti.
. . . .

M Tutto si è esteso, si è attenuato, si è confuso,
Fischi di treni partiti,
Ecco appare, non essendoci più testimoni, anche il mio vero viso, stanco e deluso.

M69 * Tutto si è esteso, si è attenuato, si è confuso.
Fischi di treni partiti.

p. 105

LE STAGIONI

Edizioni: S, Pdg, SN, GP, V, N, F, N36, M

vv. 1-15
S, SN

O leggiadri e giulivi coloriti
che la struggente calma alleva,
e addolcirà,
dall'astro desioso adorni,
torniti da soavità,
o seni appena germogliati,
già sospirosi,
colmi e trepidi alle furtive mire,
v'ho
adocchiato.

Impaziente rivale,
povero fantino, eccoti impegnato,
a perdifiato.

Iridi voraginose fiorivano
sulla tua strada alata
l'arcano dialogo scandivano,

È mutevole il vento,
illusa adolescenza.

[In S il v. 16 ha il punto finale e non la virga. In SN, al v. 5, punto e virgola invece di virgola; al v. 15, dopo *alata*, virgola]

GP

1
O leggiadri e giulivi coloriti
Che la struggente calma alleva,
E addolcirà,
Dal fuoco desioso adorni,
Torniti da soavità;

O seni appena germogliati,
Già sospirosi,
A mire ladre, pronti, colmi e trepidi;
Bel momento, mi ritorni vicino.

Iridi libere fiorivano
Sulla tua strada alata;
L'arcano dialogo scandivano.

O bel ricordo, siediti un momento.
Non crederà, l'illusa adolescenza,
Che il vento muta.

M * 1

O leggiadri e giulivi coloriti
Che la struggente calma alleva,
E addolcirà,
Dall'astro desioso adorni,
Torniti da soavità,
O seni appena germogliati,
Già sospirosi,
Colmi e trepidi alle furtive mire,
V'ho
Adocchiati.

Iridi libere
Sulla tua strada alata
L'arcano dialogo scandivano.

È mutevole il vento,
Illusa adolescenza.

vv. 16-23
S, Pdg

Eccoti dòmita e turbata.

È già, oscura e fonda,
l'ora d'estate che disanima.

Già verso un'alta, lucída,
sepoltura, si salpa,

Sole ormai e stanche oscillando
dal notturno meridio
atre e frali le rimembranze vocano:

Non ordirò le tue malinconie
ma in sulla chiarità
del fosso in sull'altura
l'ombra si desterà.

E la superna veemenza
in sul declivio dell'aurora
coronerà di bacche accese
la chioma docile e sonora
ma l'aggrinzito fusto
non scrollerà.

[In S, come in Pdg, il primo verso è legato alla strofa precedente: *È mutevole il vento* (...). I versi 2-8 li riprenderà in *Appunti per una poesia* (« Commerce », IV, Parigi 1925), e precisamente in *Giugno*, che consiste di quei soli sette versi, e nell'ultima strofa ha la virgola dopo *stanche, meridio, frali.* Al v. 23, punto invece dei due punti]

SN Eccoti domita e turbata,

È già, [...] [come in S, Pdg]

. . . .

dal notturno meriggio
atre e frali le rimembranze vocano:

Non ordirò le tue malinconie
ma in sulla chiarità lunare
del fosso sull'altura
l'ombra si desterà.
E la superna veemenza
in sul declivio dell'aurora
la chioma docile e sonora
coronerà d'ardore calmo
ed il più memorando,
e l'aggrinzito fusto dorerà.

GP 2

Già si consuma
L'ora d'estate che disanima.

È già l'ora voraginosa.

È ora di luce nera nelle vene
Già degli stridi muti degli specchi,
Dei precipizi falsi della sete;
Fra diverse maturità di climi,
È l'ora truce e persa,
Dei sospesi sepolcri.

Soli ormai, oscillando stanchi,
Dal fondo sangue, polverosi,
Ciechi i ricordi invocano:

>
L'ombra si desterà
Sulla trasparenza del fosso
Sull'altura lunare.

E in sul declivio dell'aurora,
Con dolcezza di primi passi,
La veemenza suprema
La terra della notte avrà toccato
E in freschezza sciolto ogni fumo,
Tornando impallidita al cielo,
Un corpo sorpreso mi svelerà.

Ed alte spoglie, docili e sonore,
D'un soffio, tenero e il più memorabile,
Ella coronerà.

V 2

Eccoti dòmita e turbata.
. . . .

V, N *Più calmo, memorando e tenero*
. . . .

F 2

Eccoti dòmita e turbata
. . . .
Più calmo, memorando e dolce
. . . .

M * 2

Eccoti domita e turbata.

È già oscura e fonda
L'ora d'estate che disanima.

Già verso un'alta, lucida
Sepoltura, si salpa.

Dal notturno meriggio,
Ormai soli, oscillando stanchi,
Invocano i ricordi:

Non ordirò le tue malinconie,
Ma sul fosso lunare sull'altura
L'ombra si desterà.

E in sul declivio dell'aurora
La suprema veemenza

Dell'ardore coronerà
Più calmo, memorando e tenero,
La chioma docile e sonora
E di freschezza dorerà
La terra tormentata.

vv. 34-41
S, SN

Indi passò, del giorno
in sulla fronte, l'ultimo pallore.

E il coro delle ninfe in fuga,
giunte alla conca ombrosa, modulò:

In sull'acqua del fosso, garrula,
vidi riflesso uno stormo di tortore.
Allo stellato grigiore s'unirono.

Ora anche il sogno tace.

[I primi sette versi ricompaiono in *Appunti per una poesia* (« Commerce », IV, Parigi 1925) a formare *Sera*]

GP

3

Indi passò sulla fronte dell'anno
Un ultimo rossore.

E il coro della gioventù lontana
Modulare s'udì:

Sopra il fosso dell'acqua sempre garrula,
Vidi riflesso uno stormo di tortore.
Allo stellato grigiore s'unirono.

Fu quella l'ora più demente.

V, N36

. . . .
E lontanissimo un giovine coro
. . . .

M

* 3

Indi passò sulla fronte dell'anno
Un ultimo rossore.

E lontanissimo un giovane coro
S'udì:

Nell'acqua garrula
Vidi riflesso uno stormo di tortore
Allo stellato grigiore s'unirono.

Quella fu l'ora più demente.

vv. 42-44
S, Pdg — Fu quella l'ora più demente.

Nuda, l'antica quercia, ma tuttora
abbarbicata è, sveglia, al suo macigno.

SN — Ora anche il sogno tace.

Nuda [...] [come in S, Pdg]

GP — 4

Ora anche il sogno tace.

Nuda, l'antica quercia, ma tuttora
Abbarbicata è, sveglia, al suo macigno.

V, F — 4

Ora anche il sogno tace.

È nuda anche la quercia, ma tuttora
Abbarbicata al suo macigno

M — * 4

Ora anche il sogno tace.

È nuda anche la quercia,
Ma abbarbicata sempre al suo macigno.

p. 107

SILENZIO IN LIGURIA

Edizioni: S, GP, V, N, N36, M

GP — *Silenzio sul litorale*

M — *Silenzio in Liguria*

v. 1
S — La pianura flessuosa
dell'acqua
tramonta e avvampa
in seni improvvisi

M * Scade flessuosa la pianura d'acqua.

vv. 2-4

S Nell'urne
dell'acqua
si soffonda il sole
e un lieve carnato
trascorre

GP Nelle sue urne il sole
Ancora segreto si bagna;
Una [...]

M * Nelle sue urne il sole
Ancora segreto si bagna.

Una carnagione lieve trascorre.

vv. 5-7

S Apre
la grande
mitezza degli occhi

Fanno ombra
profonda
le rocce

GP Ed ella [...]
La grande mitezza degli occhi:
L'ombra [...]

M * Ed ella apre improvvisa ai seni
La grande mitezza degli occhi.

L'ombra sommersa delle rocce muore.

vv. 8-12

S Addento
la pèsca sbocciata
dalle anche
ilari

O mia donna
il tuo amore
è una quiete accesa

e la godo
diffusa
dall'ala alabastrina di questa
immobile
mattina

[In GP manca lo spazio bianco; in V, N stessa divisione strofica, ma il punto dopo *accesa*]

M * Dolce sbocciata dalle anche ilari,
Il vero amore è una quiete accesa,

E la godo diffusa
Dall'ala alabastrina
D'una mattina immobile.

p. 108

ALLA NOIA

Edizioni: S, LS, SN, V, N, N36, M

vv. 1-7
S

Notti fluenti ma senza desio
quando nel mezzo d'un folto risorse
l'esile corpo verso cui m'avvio
Le tralucea la mano che mi porse
che s'allontana quanto vo vicino
Eccomi perso in queste vane corse
E non impreco supplico il destino
ch'ella non arda mai gli anni che mino

LS, SN

Erano notti quiete
quando in una trama risorse
quel corpo acerbo verso cui m'avvio.
Lucevale la mano che mi porse
che s'allontana quanto vo vicino.
Eccomi perso in queste vane corse.

Quando ondeggiò mattina ella si stese,
e mi volò dagli occhi.

V, N

Erano notti quiete
Quando in una trama risorse
Il corpo [...]
. . . .

Eccomi perso in vane corse.
. . . .
Quando ondeggiò mattina ella si stese,

M

* Quiete, quando risorse in una trama
Il corpo acerbo verso cui m'avvio.

La mano le luceva che mi porse,
Che di quanto m'avanzo s'allontana.

Eccomi perso in queste vane corse.

Quando ondeggiò mattina ella si stes(
E rise, e mi volò dagli occhi.

vv. 8-22
S

D'una mano fede mi dona
dall'altra disperanza
affabile madonna
che gioga alla follia
Quale fonte timida a un'ombra
anziana di ulivi mi addorma
le tue labbra assetate brami
ma più non le rimorda

LS

Ancella di follia, noia,
fosti ridente tanto breve.
Perché non ti seguì memoria?
È quella nube il dono?
Un mormorio, e popolò
d'inni remoti i rami.

Memoria, fluido simulacro,
corpo sottile, catena di larve
malinconico scherno,
linfa degli evi,
buio del sangue...

Quale fonte timida a un'ombra
anziana di ulivi mi addorma,
di mattina ancora segreta
a te di nuovo mi rivolga,
ancora le sue labbra brami,
ma più non le rimorda.

SN

Ancella di follia, noia
fosti [...] [come in LS]
di canti remoti i rami,

>
Memoria, fluido simulacro,
malinconico scherno,
buio del sangue...

Quale fonte timida a un'ombra
anziana di ulivi mi colga il sonno,
di mattina [...] [come in LS]

V, N

. . . .
Fosti ebbra e dolce troppo breve.

Perché non ti seguì memoria?

È nuvola il tuo vero dono?

. . . .
Anziana di ulivi,
Di nuovo mi addormenti,

. . . .
Ancora le tue labbra brami,

Mai più non le conosca.

N36

. . . .
Quale fonte timida
Ad un'ombra anziana di ulivi,
Di nuovo mi addormenti...
. . . .

M

* Ancella di follia, noia,
Troppo poco fosti ebbra e dolce.

Perché non t'ha seguita la memoria?

È nuvola il tuo dono?

È mormorio, e popola
Di canti remoti i rami.

Memoria, fluido simulacro,
Malinconico scherno,
Buio del sangue...

Quale fonte timida a un'ombra
Anziana di ulivi,
Ritorni a assopirmi...

Di mattina ancora segreta,
Ancora le tue labbra brami...

Non le conosca più!

p. 109

SIRENE

Edizioni: S, So, I, SN, CP, E, V, N, N36, Me, AS, M

S

Spirto funesto che intorbidi amore
e, affine io risalga senza requie,
le nobili parvenze, pria ch'io giunga,
muti, ecco già, non anco deluso,
m'avvinci ad altro sogno.

Pari a quel mare, procelloso e blando,
che l'isola insidiosa porge e cela,
perché ti prendi gioco di chi vuole,
volte le spalle al nulla, andare incontro
alla morte, sperando?

So, I, AS

Arsura, perché muti le apparenze?

Prima ch'io tocchi meta,
O leggiadra, ti geli.

Ecco, non ancora deluso,
A un altro sogno, già m'avvinci.

Crudele, tu nudi le idee.

Mente funesta.
So che turbi amore, e non t'amo.

Ma non ho requie,
Rinnuovo la salita.

Quale segreto eterno
In te, malfida, mi fa gola?

Dimmi, perché m'accuori?

Non saprò mai
Come mi giuochi.

Chiedo solo un momento d'innocenza
Dammi requie, natura inferma.

Danni con fantasia,
Non conosci pietà.

A quel mare somigli
Che offre e nasconde
L'isola favolosa.

>
Anche nelle tempeste, sempre blanda,

O numerosa solitudine,
Silenzio tremulo,
Febbre clamante,
Luce, lo so, non è la tua luce,
Ma sembra. Mostro,

Colle beffe seduci
Persino chi sarebbe pronto,
Volte le spalle al nulla
A udire il suo cuore.

Vorrei andare incontro
Alla morte, sperando.

[Di questa più vasta e complessa redazione, solo alcuni versi – in quest'ordine: 7, 8, 15, 20-22, 29-34 – sono riferibili alla redazione definitiva e all'altre ad essa vicine; altri versi – in quest'ordine: 1, 3, 6, 4, 5, 11, 12, 9, 10, 20, 25, 26, 24, 27 – serviranno a *Danni con fantasia*]

SN

Mente funesta che intorbidi amore,
e affine io salga senza requie
le nobili parvenze muti,
non ancora deluso
ad altro sogno già m'avvinci.

Pari a quel mare [...] [come in S]
[...] ti prendi giuoco [...] [sempre come in S]

CP, E

Tu, funesto spirito
Che accendi e turbi amore,
Affine io torni senza requie all'alto
Vai mutando apparenze;
Già prima della meta,
Non ancora deluso
M'avvinci ad altro sogno.

Uguale al mare, che irrequieto e blando
Da lungi porga e celi
Un'isola, fatale,
Con varietà d'inganni
Chi non dispera, porti verso morte.

[In E, al v. 8: (...) *che, irrequieto e blando*, al v. 10: (...) *isola fatale*,]

V, N

. . . .
Uguale al mare, che irrequieto e blando
. . . .

V

Chi non dispera, porti verso morte.

N

Chi non dispera porti verso morte.

Me

. . . .
Un'isola fatale,
Perché ti prendi giuoco di chi vuole,
Volte le spalle al nulla, andare incontro
Alla morte, sperando.

M

* Funesto spirito
Che accendi e turbi amore,
Affine io torni senza requie all'alto
Con impazienza le apparenze muti,
E già, prima ch'io giunga a qualche meta,
Non ancora deluso
M'avvinci ad altro sogno.

Uguale a un mare che irrequieto e blando
Da lungi porga e celi
Un'isola fatale,
Con varietà d'inganni
Accompagni chi non dispera, a morte.

p. 110

RICORDO D'AFFRICA

Edizioni: Cn, Co, SN, V, N, F, N36, M

Cn

Sera

Co

Usignuolo (v. 3 e segg.)

SN

Ricordo

M

Ricordo d'Affrica

Cn

Ora non più tra la valle sterminata
e il mare calmo m'apparterò, né umili,

di remote età, udrò più sciogliersi, piano,
nell'aere limpido, squilli. Né miro
più Diana agile che la luce nuda
(nello speglio di gelo s'abbaglia, ove
lascia cadere il guardo arroventa
la brama, e un'infinita ombra rimane).
Torno da lontano, ed eccomi umano.
Il mare m'è una linea evanescente,
e un nappo di miele che più non gusto
per non morire di sete, mi pare
la valle, e Diana com'una collana
d'opali, e su un seno nemmeno palpita.
Ah! quest'è l'ora che annuvola e smemora.

Co

ECO
Il battito d'ale d'una colomba
d'altri diluvi ascolto.

L'UOMO
Or non più tra l'arsa pianura
e il mare calmo m'apparterò, né umili
di remote età, udrò più sciogliersi, piano,
nell'aria limpida, squilli.
Né miro
più Diana agile che la luce nuda
(nel gelo si specchia e s'abbaglia dove
lascia cadere il guardo, arroventa
la brama, e un'infinita ombra rimane).

Torno da lontano, ed eccomi umano.
Come una polla l'odo germinare,
il rapace mare, e ora com'un nappo
di miele m'appare, che più non gusto
per non morire assetato (spietato
limìo!) e a notte una corolla pare
d'opale, e nemmeno su un seno palpita.

E questa è l'ora che annuvola e smemora.

SN

Non più ora tra la piana sterminata
e il mare calmo m'apparterò, né umili
di remote età, udrò più sciogliersi, piano
nell'aria limpida, squilli. Né più
le grazie acerbe andrà nudando
e in forme favolose esalterà
folle, la fantasia,
né apparsa dal rado palmeto
in agile veste di luce Diana

mirando andrò
(s'abbaglia, l'altiera, di gelo
mentre il suo sguardo passa
e la brama arroventa;
e un infinito velluto rimane).

È sera, eccomi umano.

Il mare m'è una linea vaporosa,
e un nappo di miele, non più gustato
per non morire di sete, mi pare
la piana, e Diana com'una collana
d'opali, e sopra l'invisibile
seno nemmeno palpita.

Ah! quest'è l'ora che annuvola e smemora.

V, N

. . . .
Nell'aria limpida, squilli. Né più
. . . .
Folle la fantasia,
Né, d'un salto lontana la sorgente

Diana nell'agile veste di luce,
Più dal palmeto tornerà.
(Ardeva sacra, senza mescolanze,
In una sua freddezza s'abbagliava,
Correva pura,
E se guardava la seguiva
Arroventando disgraziate brame,
Infinito velluto).

È sera.

. . . .
La piana e Diana più
Nemmeno d'invisibile,
Non palpita.
. . . .

[In N stessa lezione di V, tranne:

v. 10
N Più dal palmeto tornerà,

v. 23 Nemmeno d'invisibile]

[In F stessa lezione della precedente, tranne che nei versi: *Andava sacra (...); È solo linea vaporosa, il mare; La piana e Diana come opalescenze / E più, nemmeno sopra l'invisibile*]

N36

. . . .
Nell'aria limpida squilli. Né più
. . . .
Folle la fantasia,
Né, d'un salto lontana la sorgente,
Diana nell'agile veste di luce
Più dal palmeto apparirà
(Ardeva sacra,
In una sua freddezza s'abbagliava,
Correva pura,
E se guardava, la seguiva
Arroventando disgraziate brame,
Per sempre un infinito).

È sera.
. . . .
La piana, e Diana più
Nemmeno d'invisibile
Non palpita.
. . . .

M

* Non più ora tra la piana sterminata
E il largo mare m'apparterò, né umili
Di remote età, udrò più sciogliersi, chiari,
Nell'aria limpida, squilli; né più
Le grazie acerbe andrà nudando
E in forme favolose esalterà
Folle la fantasia,

Né dal rado palmeto Diana apparsa
In agile abito di luce,
Rincorrerò
(In un suo gelo altiera s'abbagliava,
Ma le seguiva gli occhi nel posarli
Arroventando disgraziate brame,
Per sempre
Infinito velluto).

È solo linea vaporosa il mare
Che un giorno germogliò rapace,
E nappo d'un miele, non più gustato
Per non morire di sete, mi pare
La piana, e a un seno casto, Diana vezzo
D'opali, ma nemmeno d'invisibile
Non palpita.

Ah! questa è l'ora che annuvola e smemora.

LA FINE DI CRONO

p. 113

UNA COLOMBA

Edizioni: Co, V, N, N36, M

Co *Usignuolo* (vv. 1-2)

M *Una colomba*

Co ECO
Il battito d'ale d'una colomba
d'altri diluvi ascolto.

M * D'altri diluvi una colomba ascolto.

p. 114

L'ISOLA

Edizioni: Co, IL, SN, V, N, N36, M

vv. 1-11
Co
. . . .
e s'inoltrò,
. . . .
e a picco una larva, languiva
e rifioriva, vide,
e vide, rivoltatosi,
ch'era d'una ninfa, e dormiva
ritta, abbracciata a un olmo.

IL, SN
. . . .
E una larva
(languiva
E rifioriva)
vide;
. . . .

Ch'era una ninfa,
E dormiva abbracciata a un olmo.

[In SN i capoversi minuscoli]

M

* A una proda ove sera era perenne
Di anziane selve assorte, scese,
E s'inoltrò
E lo richiamò rumore di penne
Ch'erasi sciolto dallo stridulo
Batticuore dell'acqua torrida,
E una larva (languiva
E rifioriva) vide;
Ritornato a salire vide
Ch'era una ninfa e dormiva
Ritta abbracciata a un olmo.

vv. 12-24
Co

Errando il pensiero da quella
fiamma vera al simulacro, riprese
la salita.
Giunse a un prato ove
l'ombra s'addensava negli occhi
delle vergini come,
calando la sera, appiè dell'ulivo.
Stillavano le fronde
una pioggia pigra di dardi.
Qua [...]
. . . .
brucavano talaltre
. . . .

IL, SN

Giunse a un prato ove
L'ombra s'addensava negli occhi
Delle vergini come,
Calando la sera, appiè dell'ulivo;
Luce pigra stillavano le fronde;
Sotto il liscio tepore
La pecora brucava
Altre s'erano appisolate,
Le mani [...]
. . . .

[In SN, 30 i capoversi minuscoli]

V, N

. . . .
Sera appiè degli ulivi,

. . . .
La coltre luminosa,
. . . .
Levigato da fioca febbre.
. . . .

N36 Levigato da fioca febbre.

M * In sé da simulacro a fiamma vera
Errando, giunse a un prato ove
L'ombra negli occhi s'addensava
Delle vergini come
Sera appiè degli ulivi;
Distillavano i rami
Una pioggia pigra di dardi,
Qua pecore s'erano appisolate
Sotto il liscio tepore,
Altre brucavano
La coltre luminosa;
Le mani del pastore erano un vetro
Levigato di fioca febbre.

[ma il *di* dell'ultimo verso era errore di stampa: correttamente: *da* come nelle precedenti edizioni]

p. 115

LAGO LUNA ALBA NOTTE

Edizioni: IL, V, N, N36, M

IL Dissuaso aspetto
Di gracili arbusti sul ciglio
D'insidiosi bisbigli...

I denti luminosi spengono
Il lividore impallidito...

E cadeva in rovina
Lo sgomento segreto...

Conca lucente,
Trasporti alla foce dell'astro!
. . . .

M * Gracili arbusti, ciglia
Di celato bisbiglio...

Impallidito livore rovina...

Un uomo, solo, passa
Col suo sgomento muto...

Conca lucente,
Trasporti alla foce del sole!

Torni ricolma di riflessi, anima,
E ritrovi ridente
L'oscuro...

Tempo, fuggitivo tremito...

p. 116

APOLLO

Edizioni: Co, FL, V, N, N36, M

Co *Nascita d'aurora* (v. 16 e segg.)

M *Apollo*

Co IL CORO
Inquieto Apollo,
siamo desti!

CLIO
Dissimulandosi, è la prima volta
che aprirgli gli occhi può,
rosea, la pubertà.

Esita!
Saprà forse già servirsi
d'un dardo schivo?
Già
bendare forse sa d'affanni?

IL CORO
La fronte intrepida ergi!
Destati!
In cobalto spira il sanguigno balzo.

CLIO
L'azzurro inospite è alto!
Ora imbianca.

IL CORO
Spaziosa calma!

[È la seconda parte di *Nascita d'aurora*, e la prima parte comporrà appunto l'altra poesia che s'intitola *Nascita d'aurora*]

FL

CORO
Apollo, siamo desti!

CLIO
Oggi è la prima volta
Che aprirgli gli occhi può
Roseo subdolo il desire.

CORO
Esita!

CLIO
Saprà forse già servirsi
D'un dardo schivo?
Già
Bendare forse sa d'affanni?

CORO
La fronte intrepida ergi!
Destati!

CLIO
Spira il sanguigno balzo,
L'azzurro inospite è alto!

CORO
Spaziosa calma!

M

* Inquieto Apollo, siamo desti!

La fronte intrepida ergi, déstati!

Spira il sanguigno balzo...

L'azzurro inospite è alto!

Spaziosa calma...

p. 117

INNO ALLA MORTE

Edizioni: Co, I, SN, V, N, F, N36, M

Co

Inno alla Morte
L'uomo

M *Inno alla Morte*

v. 5
SN in fondo al botro, d'irruenti

M * (Appiè del botro, d'irruenti

v. 7
SN funesto) la scia della luce

M * Funesto) la scia di luce

v. 9
I sull'erba svagata si turba,

M * Sull'erba svagata si turba.

v. 12
N Abbandonata la mazza fidele,

M * Abbandonata la mazza fedele,

v. 15
Co, I Morte, arido fiume.

M * Morte, arido fiume...

v. 20
Co andrò senza lasciare impronta.

M * Andrò senza lasciare impronta.

v. 22
V D'un Iddio, sarò innocente,

M * D'un iddio, sarò innocente,

vv. 24-26
Co, I E così colla mente murata,

cogli occhi caduti in oblio,
con le braccia colme di nulla,
farò da guida alla felicità.

SN E così colla mente murata,

M * Colla mente murata,
Cogli occhi caduti in oblio,
Farò da guida alla felicità.

p. 119

NOTTE DI MARZO

Edizioni: V, N, N36, Me, M

v. 4
V, N Egli riapre gli occhi incantevoli,

M * Il sogno riapre i suoi occhi incantevoli,

v. 6
V, N Un desiderio che gli voli,

M * Gli voli un desiderio,

p. 120

APRILE

Edizioni: V, N, N36, M

v. 3
V, N Roseo, l'adolescente.

M * L'adolescente.

p. 121

NASCITA D'AURORA

Edizioni: Co, FL, SN, V, N, F, N36, M

v. 1

Co, FL — CLIO
Aureolata, in ammanto docile,

SN — Aureolata, in ammanto docile,

V, F — Nel suo docile manto
E nell'aureola,

M — * Nel suo docile manto e nell'aureola,

v. 5

FL, SN — Si strappa e scaglia, la nubile notte.

M — * Si toglie e getta, la nubile notte.

v. 8

Co, SN — Del cielo all'orlo, il gorgo
apre, livida, e spone.

M — * Del cielo all'orlo, il gorgo livida apre.

v. 9

Co — IL CORO
Con dita smeraldine

M — * Con dita smeraldine

Un lino.

vv. 11-12

Co — CLIO
E d'oro le ombre, tacitando alacri

N — Un lino.
E d'oro le ombre, tacitando alacri

M * Un lino.

E d'oro le ombre, tacitando alacri

p. 122

DI LUGLIO

Edizioni: Ca, V, N, N36, M

v. 8

Ca, N È l'estate e nei secoli
Con indiscrete, schiette seduzioni,

M * È l'estate e nei secoli

p. 123

GIUNONE

Edizioni: V, N, N36, M

V Tonda quel tanto che mi dà tormento
La tua coscia distacca di sull'altra,
Dilati [...]

[In N stessa lezione di V tranne il primo verso con la virgola in fondo]

M * Tonda quel tanto che mi dà tormento,
La tua coscia distacca di sull'altra...

Dilati la tua furia un'acre notte!

p. 124

D'AGOSTO

Edizioni: Co, V, N, N36, M

Co *Roma* (vv. 1-2, 6-16)

M *D'agosto*

Co

IL CORO
Il bronzo delle messi ronza, ape
malinconiosa carne.

CLIO
E se scivola un lembo di frescura
le si spicca la spalla,
com'una visciola.

IL CORO
Da quale nigrizia allattato,
plumbeo lago sbucciato,
nei colossei inceneri?

Ah! non è il deserto un ricordo
da custodirsi in cuore.

CLIO
In piazza Santa Croce lastricata
d'orbite spolpe, il palio corrono
stinchi abbagliati.

IL CORO
Come l'altomare
monotona stagione,
ma senza solitudine.
. . . .
. . . .

CLIO
Dalla spoglia di serpe
alla pavida talpa,
si gingillano i duomi.

Un brigantino biondo
di stella in stella s'accomiata,
e s'acciglia sott'una pergola.

IL CORO
Nel cavo della mano,
come una fronte stanca,
s'è ridotta la notte.
. . . .
. . . .

[Da questa poesia derivano *D'agosto*, *Un lembo d'aria*, *Ogni grigio*, rispettivamente, dai vv. 1-2 c 6-16, sebbene con passaggi inquietissimi, dai vv. 3-5, dai vv. 17-25]

V, N

. . . .
Bronzo ronzante da prostrate messi
. . . .
Spolpi le selci sino a ombra di fosse,
. . . .

N36

. . . .
Bronzo ronzante da prostrate messi,
. . . .

M

* Avido lutto ronzante nei vivi,

Monotono altomare,
Ma senza solitudine,

Repressi squilli da prostrate messi,

Estate,

Sino ad orbite ombrate spolpi selci,

Risvegli ceneri nei colossei...

Quale Erebo t'urlò?

p. 125

UN LEMBO D'ARIA

Edizioni: Co, V, N, N36, M

Co — *Roma* (vv. 3-5)

V, N — *Si muova*

M — *Un lembo d'aria*

Co

E se scivola un lembo di frescura.
le si spicca la spalla,
com'una visciola.

V, N

Si muova un lembo d'aria,
Sull'abbaglio una spalla
Spicchi come ciliegia...

N36 Si muova un lembo d'aria...

Spicchi come ciliegia sull'abbaglio
Una spalla...

M * Si muova un lembo d'aria...

Spicchi, serale come sull'abbaglio
Visciole, avida spalla...

p. 126

OGNI GRIGIO

Edizioni: Co, FL, V, N, N36, M

Co *Roma* (vv. 17-25)

FL *Sera*
Pace

M *Ogni grigio*

Co Dalla spoglia di serpe
alla pavida talpa,
si gingillano i duomi.

Un brigantino biondo
di stella in stella s'accomiata,
e s'acciglia sott'una pergola.

Nel cavo della mano,
come una fronte stanca,
s'è ridotta la notte.

FL SERA
Dalla spoglia di serpe
Alla talpa prudente
Ogni grigio [...]

Una prora bionda di stella
In stella s'accomiata
E s'acciglia a una pergola.

PACE
Nel cavo della mano
Come una fronte stanca
S'è ridotta la notte.

V, N

Quando
Dalla spoglia [...]
Alla pavida [...]
Ogni grigio si gingilla sui duomi,
Come una prora [...]
Di stella [...]
E s'acciglia sotto una pergola
E, come fronte stanca
Dentro una mano,
Appare notte.

M

* Dalla spoglia di serpe
Alla pavida talpa
Ogni grigio si gingilla sui duomi...

Come una prora bionda
Di stella in stella il sole s'accomiata
E s'acciglia sotto la pergola...

Come una fronte stanca
È riapparsa la notte
Nel cavo d'una mano...

p. 127

TI SVELERÀ

Edizioni: GP, V, N, N36, M

vv. 1-7
GP

O bel ricordo, siediti un momento.
Non crederà, l'illusa adolescenza,
Che il vento muta.

2
Già si consuma
L'ora d'estate che disanima.

È già l'ora voraginosa.

È ora di luce nera nelle vene,
Già degli stridi muti degli specchi,
Dei precipizi falsi della sete;
Fra diverse maturità di climi,

>
È l'ora truce e persa,
Dei sospesi sepolcri.

[Sono i vv. 13-24 di *Le stagioni*]

V, N36 O bel ricordo sieditì un momento.

. . . .

Dei precipizi [...]

Fra diverse maturità di climi.
È l'ora che non sa più strada...

M * Bel momento, ritornami vicino.

Gioventù, parlami
In quest'ora voraginosa.

O bel ricordo, sieditì un momento.

Ora di luce nera nelle vene
E degli stridi muti degli specchi
Dei precipizi falsi della sete...

p. 128

FINE DI CRONO

Edizioni: Co, V, N, F, N36, M

Co *La fine di Crono*

M *Fine di Crono*

vv. 1-3

Co Qualche grido s'allontana. Nel grembo
del firmamento s'è assopita
l'ora strana, impaurita.

V, F Qualche grido s'allontana.

L'ora impaurita
Nel grembo del firmamento
Erra strana.

[Solo che in F, tra il 1° e il 2° verso manca lo spazio bianco]

M * L'ora impaurita
In grembo al firmamento
Erra strana.

vv. 4-6
Co Fuliggine lilla corona i monti,
fu l'ultimo grido [...]

V, F Fuliggine lilla corona i monti

Fu l'ultimo grido [...]

N36 Una fuligine lilla
Corona i monti.

Fu l'ultimo grido [...]

M * Una fuligine
Lilla corona i monti.

Fu l'ultimo grido a smarrirsi.

vv. 7-8
Co Astri, Penelopi innnumeri..

In braccio il Signore li ha ritolti.

V, F Astri, Penelopi innumeri...

Vi riabbraccia [...]

N36 Penelopi innumeri,

Astri, vi riabbraccia [...]

M * Penelopi innumeri, astri

Vi riabbraccia il Signore!

vv. 9-12
Co E riporge l'Olimpo, fiore
eterno di sonno.

Oh! cecità! notturna frana...

V, F

. . . .
E riporge l'Olimpo, fiore
Eterno di sonno.

[In F, *E riporgo*]

M

* (Ah, cecità!
Frana delle notti...)

E riporge l'Olimpo,
Fiore eterno di sonno.

p. 129

CON FUOCO

Edizioni: V, N, N36, M

v. 2

V — Scorre la nuda quiete.

M — * Scorre la quiete nuda.

v. 3

N36 — Non trova che ombre di cielo sul ghiaccio.

M — * Non trova che ombre di cielo sul ghiaccio,

v. 4

V, N — Fondono serpi fatue a [...]

M — * Fondono serpi fatue e brevi viole.

p. 130

LIDO

Edizioni: Co, V, N, N36, M

Co

CLIO
L'algore dissuade l'aspetto
di gracili arbusti [...]

. . . .
l'oscuro,
finisce l'anno in quel tremito.

[La maiuscola solo al principio dei singoli periodi, e solo i vv. 1-11 riferibili a questa poesia]

V — L'oscuro,
Finisce l'anno in quel tremito.

M — * L'anima dissuade l'aspetto
Di gracili arbusti sul ciglio
D'insidiosi bisbigli.

Conca lucente che all'anima ignara
Il muto sgomento rovini
E porti la salma vana
Alla foce dell'astro, freddo,
Anima ignara che torni dall'acqua
E ridente ritrovi
L'oscuro,

Finisce l'anno in quel tremito.

p. 131

LEDA

Edizioni: Co, IL, V, N, N36, M

Co — *Lido* (v. 12 e segg.)

IL — *Stanchezza di Leda*

M — *Leda*

Co — IL CORO
Cristallo colmo di riflessi!

CLIO
I luminosi denti spengono
l'impallidita.

ECO
Dimentico del corpo ormai
e nel presago oblio sparso

la salma stringo colle braccia fredde,
calda ancora,
                    che già tutta vacilla
in un ascoso ripullulamento
d'onde.

[È la continuazione e la fine di *Lido* in Co. E, come nella prima parte, la maiuscola solo al principio dei singoli periodi]

IL
E nel presago oblio sparso
La salma stringe colle braccia fredde
Calda ancora,
                    che già tutta vacilla
In un [...]
. . . .

M
* I luminosi denti spengono
L'impallidita.

E nel presago oblio sparso,
Ricolma di riflessi
La salma stringo colle braccia fredde,
Calda ancora,
Che già tutta vacilla
In un ascoso ripullulamento
D'onde.

p. 132

FINE

Edizioni: V, N, N36, M

p. 133

PARI A SÉ

Edizioni: V, N, N36, M

v. 4
V, N
Dalle case ora lontane.

M
* Di lontano, dalle case.

v. 6
V, N Va nel fumo [...]

M * Va in fumo a fondo il mare

v. 8
V, N Uno scroscio che si perde,

M * Uno scroscio che si perde...

SOGNI E ACCORDI

p. 137

ECO

Edizioni: VG, V, N, N36, M

VG *Tre momenti*
I

M *Eco*

VG Aurora, festoso amore, d'un'eco,
Varcando scalza da sabbie lunari
Popoli l'esule universo, lasci
Una piaga velata.

V, N Aurora, amore festoso, d'un'eco
Scalza varcando da sabbie lunari
Popoli [...]
Nella carne dei giorni
Perenne scia
Piaga velata...

M * Scalza varcando da sabbie lunari,
Aurora, amore festoso, d'un'eco
Popoli l'esule universo e lasci
Nella carne dei giorni,
Perenne scia, una piaga velata.

p. 138

ULTIMO QUARTO

Edizioni: VG, V, N, N36, Me, M

VG *Tre momenti*
II

V, Me *Luna*

M *Ultimo quarto*

vv. 1-2
VG, N Piuma di cielo
Calante luna

N36, Me Decrescente luna
. . . .

M * Luna,
Piuma di cielo,

vv. 4-7
VG Arida
Immortale,
Trasporti [...]
E alla pallida [...]
Dai ruderi del teatro
Tutti quei pipistrelli

V Arida
Immortale
. . . .

N36 Arida
Immortale
. . . .

Me Arida
Immortale,
. . . .

M * Arida,
Trasporti il murmure d'anime spoglie?

>
E alla pallida che diranno mai
Pipistrelli dai ruderi del teatro,

v. 10
VG E sull'unico albero
Come in un fermo fumo,

M * E fra arse foglie come in fermo fumo

v. 12
N Un usignuolo solo?

M * Un usignuolo?

p. 139

STATUA

Edizioni: Co, VG, V, N, N36, M

Co *Sogno*

VG *Tre momenti*
III

M *Statua*

Co O gioventù impietrita
o statua persa nell'abisso umano.
E l'enorme tumulto
dopo tanto viaggio
a fiore di labbra
rode lo scoglio

VG O gioventù impietrita,
. . . .

N . . . .
O statua, o statua [...]
Il gran tumulto [...]

M * Gioventù impietrita,
O statua, o statua dell'abisso umano...

Il gran tumulto dopo tanto viaggio
Corrode uno scoglio
A fiore di labbra.

p. 140

OMBRA

Edizioni: FL, V, N, N36, M

vv.2-4
FL

Stanca ombra entro il chiarore polveroso
Tremula a piè del monte scalzo,
Tramonterà a giorni l'ultimo caldo
Vagherai indistinta.

V, N

. . . .
E vagherai indistinto!

M

* Stanca ombra nella luce polverosa,
L'ultimo caldo se ne andrà a momenti
E vagherai indistinto...

p. 141

AURA

Edizioni: Co, V, N, N36, M

Co

Udendo il cielo,
spada mattutina, e il monte
che in grembo gli saliva,
torno all'usato accordo.
Uomo che speri senza pace,
appiè del monte scalzo
c'è un'ombra stanca.

E dalla grata delle fronde miro
Spire di voli.

Aura, chiara urna...

[I vv. 5-7 si riferiscono alla poesia precedente, e sono più vicini alla lezione di FL]

V, N

. . . .
Spada mattutina, e il monte
Salirgli in grembo,
Torno all'accordo.

Un albereto stanco
Ai piedi stringe la salita.
. . . .

M

* Udendo il cielo
Spada mattutina,
E il monte che gli sale in grembo,
Torno all'usato accordo.

A piedi stringe la salita
Un albereto stanco.

Dalla grata dei rami
Rivedo voli nascere...

p. 142

STELLE

Edizioni: FL, V, N, N36, M

FL *Stelle e luna*

M *Stelle*

FL

Tornano a ardere le favole in alto,
Cadranno [...]

Parrà l'incendio nuovo a un altro soffio.

V, N

Tornano in alto ad ardere le favole,
Cadranno [...]
. . . .

M

* Tornano in alto ad ardere le favole.

Cadranno colle foglie al primo vento.

Ma venga un altro soffio,
Ritornerà scintillamento nuovo.

p. 143

SOGNO

Edizioni: FL, V, N, N36, M

vv. 1-5
FL

Rotto l'indugio [...]
Sopra il monte è rapita aurora

Con volo argenteo
È guancia che si annida come olio.

Alcune lingue di splendore
Toccano al fieno.

M

* Rotto l'indugio sotto l'onda
Torna a rapirsi aurora.

Con un volare argenteo
Ad ogni fumo insinua guance in fiamma.

Ai pagliai toccano clamori.

vv. 8-9
FL

Da sonno a veglia muore
Il sogno [...]

M

* Da sonno a veglia fu
Il sogno in un baleno.

p. 144

FONTE

Edizioni: FL, V, N, N36, Me, M

FL

Ha troppo già languito
Il cielo lieve
E torna a splendere
E d'occhi semina la fonte.

Anima, vipera risorta,
Idolo snello, fonte,
Estate tornata di notte,
Prega, amo udirti, tomba mutevole.

V, N

. . . .
Il cielo sogna.
Prega, amo udirti,
. . . .

M

* Il cielo ha troppo già languito
E torna a splendere
E di pupille semina la fonte.

Risorta vipera,
Idolo snello, fiume giovinetto,
Anima, estate tornata di notte,
Il cielo sogna.

Prega, amo udirti,
Tomba mutevole.

p. 145

DUE NOTE

Edizioni: Co, V, N, N36, M

Co — *Colore*

M — *Due note*

Co

Poi incontrò un lago torvo
che il cielo glauco offende.

Più in là un rio l'erba inanella.

N36

Inanella erbe un rivolo.
. . . .

M

* Inanella erbe un rivolo,

Un lago torvo il cielo glauco offende.

p. 146

DI SERA

Edizioni: V, N, N36, M, M69

v. 2
M69 * Il mistero rapisci. Sorridendo,

p. 147

ROSSO E AZZURRO

Edizioni: V, N, N36, M

p. 148

GRIDO

Edizioni: V, N, N36, M

p. 149

QUIETE

Edizioni: IL, V, N, N36, M

IL

Caduta è l'ombra;
tra le dita incerte
Il loro lume è chiaro,
Dolce e lontano.

V

. . . .
Il loro lume è chiaro
. . . .

M

* Caduta è l'ombra,

Tra le dita incerte
Il loro lume è chiaro,
E lontano.

p. 150

SERENO

Edizioni: V, N, N36, Me, M

v. 2
V, N

Ma a un dito d'ombra

M *Ma torni un dito d'ombra,

vv. 5-6
N I canneti [...]
Muore il timore [...]

M * I canneti propaga.
Muore il timore e la pietà.

p. 151

SERA

Edizioni: IL, SN, V, N, N36, M

v. 5
IL Ora nel fumo, odo rane e grilli,

[In SN i vv. 1, 4, 5 cominciano con la maiuscola, il v. 3 si chiude col punto]

M * Nel fumo ora odo grilli e rane,

LEGGENDE

p. 155

IL CAPITANO

Edizioni: Co, IL, GP, V, N, N36, M

vv. 1-9
Co Le stagioni passarono.
Fui pronto a tutte le partenze.

Quando ero bimbo e mi svegliavo
di soprassalto [...]
urlanti [...]
cani randagi [...]
più del lumino [...]
che ardeva [...]
una mistica compagnia.

IL

Quando ero bimbo e mi svegliavo
di soprassalto, udendo
i cani erranti per l'assente via,
incerta guida, mi calmavo.

E sopraggiunse un altro tempo.

Era una notte urbana, afosa e strana,
nella luce sulfurea e rosa,
quando improvvise vidi
inquiete zanne viola, nell'ascella
mentre una pace oscura simulava
e, nella sorta tenda riposavo,
la pensierosa e trepida gazzella
nella mano veniva a bere.

[I versi *Era una notte urbana* [...] *oscura simulava* di IL furono poi ripresi in *Primo amore*, che segue subito dopo]

GP, N

. . . .
Quando hai segreti, notte, hai pietà.
. . . .
Randagi. Mi parevano

[In GP c'è la virgola finale]
[In V, N, al primo verso, manca la virgola dopo *notte*]

M

* Fui pronto a tutte le partenze.

Quando hai segreti, notte hai pietà.

Se bimbo mi svegliavo
Di soprassalto, mi calmavo udendo
Urlanti nell'assente via,
Cani randagi. Mi parevano
Più del lumino alla Madonna
Che ardeva sempre in quella stanza,
Mistica compagnia.

vv. 10-17
Co

Fui poi inseguito da un'eco
accorsa d'oltre nascita.

Quando la guerra m'ebbe ritessuto
e non fui, coricato sul sasso,
che una fibra della zona fangosa
la notte perse ogni velo.

>
Tutto era sterminato, l'umiltà
nella notte senza luna
e l'amore che nelle vene
quasi vuote, latrava.

IL

Ma quando ritessuto dalla guerra,
non fui più, coricato sopra il sasso,
che una fibra della zona fangosa,
la notte non ebbe più velo.

Non più la notte lievito di sogni,
d'oltre memoria l'eco vaga.

L'ora fu per natura sterminata.

Tutto era crudo, l'umiltà
nella notte senza luna
e l'amore che nelle vene
quasi vuote, latrava.

GP

E non, ad un rincorrere
. . . .
Folle, palese in ogni oggetto
. . . .

V, N

E non, ad un rincorrere
. . . .
Pazza, palese in ogni oggetto
. . . .

M

* E non ad un rincorrere
Echi d'innanzi nascita,
Mi sorpresi con cuore, uomo?

Ma quando, notte, il tuo viso fu nudo
E buttato sul sasso
Non fui che fibra d'elementi,
Pazza, palese in ogni oggetto,
Era schiacciante l'umiltà.

vv. 18-28
Co

Ma il capitano era sereno.

(Venne in cielo la falce)

Il capitano era tanto alto
e mai non si chinava,

\>
(Andava su una nube)

Nel solco s'adagiò come uno stelo

(La falce è un velo).

Gli chiusi gli occhi.

Parve di piume.

(O cielo spento)

IL

Ma il capitano era sereno.

(Venne in cielo la falce)

Il capitano era alto,
non si chinava.

(Andava su una nube)

(Un solco è pronto)

(La morte è un velo)

Gli chiusi gli occhi.

Parve di piume.

GP

. . . .
(Venne in cielo la luna).
. . . .

V, N

. . . .
Il capitano era sereno.
. . . .
(Venne in cielo la luna).
. . . .

v. 33
M

* *Il Capitano era sereno.*

(Venne in cielo la luna)

Era alto e mai non si chinava.

(Andava su una nube)

Nessuno lo vide cadere,
Nessuno l'udì rantolare,
Riapparve adagiato in un solco,
Teneva le mani sul petto.

Gli chiusi gli occhi.

>
(La luna è un velo)
Parve di piume.

p. 157

PRIMO AMORE

Edizioni: IL, V, N, N36, M

vv. 1-7
IL

Era una notte urbana, afosa e strana,
nella luce sulfurea e rosa,
quando improvvise vidi
inquiete zanne viola, nell'ascella
mentre una pace oscura simulava

[Sono i vv. 6-10 della poesia precedente *Il capitano*, nella lezione di IL, riferibili sol essi a *Primo amore*]

V, N

. . . .
Dove, come d'elegante muoversi
E quasi immaginario
D'una sperduta forma,
Pareva che salisse l'ombra.
. . . .

M

* Era una notte urbana,
Rosea e sulfurea era la poca luce
Dove, come da un muoversi dell'ombra,
Pareva salisse la forma.

Era una notte afosa
Quando improvvise vidi zanne viola
In un'ascella che fingeva pace.

p. 158

LA MADRE

Edizioni: IL, Sl, V, N, N36, M

vv. 1-4
L

Quando d'un ultimo battito il cuore
avrà aperto il portone d'ombra,

Madre, mi condurrai per mano
come una volta, davanti al Signore.

V E il cuore quando d'un battito
. . . .

M * E il cuore quando d'un ultimo battito
Avrà fatto cadere il muro d'ombra,
Per condurmi, Madre, sino al Signore,
Come una volta mi darai la mano.

vv. 5-11
IL Le vecchie braccia tremante alzerai
come quando morendo
dicevi: Mio Dio, eccomi.

Sarai una statua davanti all'Eterno
come eretta in ginocchio
parevi, quando eri in vita e pregavi

M * In ginocchio, decisa,
Sarai una statua davanti all'Eterno,
Come già ti vedeva
Quando eri ancora in vita.

Alzerai tremante le vecchie braccia,
Come quando spirasti
Dicendo: Mio Dio, eccomi.

vv. 12-15
IL Dopo, mi guarderai,
e come quando da un viaggio tornavo,
io solo udrò un tuo sospiro
di avermi tanto atteso.

Per il tuo forte amore
mi sarà perdonata
la mia voglia inguaribile
d'illusorio peccare.

M * E solo quando m'avrà perdonato.
Ti verrà desiderio di guardarmi.

Ricorderai d'avermi atteso tanto,
E avrai negli occhi un rapido sospiro.

p. 159

DOVE LA LUCE

Edizioni: IL, V, N, F, N36, M

IL

. . . .
Nel venticello sui giovani prati,
Ti sanno leggera le braccia, vieni.

Ci scorderemo della terra,
E del cielo e del male,
. . . .
Di passi di ombre memori
. . . .

Dove la luce più non muove foglia,
Passati ad altre rive i crucci e i sogni,
Ti porterò alle colline d'oro,
Vieni dov'è sera posata.

. . . .
Da un ricco sole perso nimbo,
. . . .

F

. . . .
Ti porterò
. . . .

V, N, N36

Vieni, ti porterò
. . . .

M

* Come allodola ondosa
Nel vento lieto sui giovani prati,
Le braccia ti sanno leggera, vieni.

Ci scorderemo di quaggiù,
E del male e del cielo,
E del mio sangue rapido alla guerra,
Di passi d'ombre memori
Entro rossori di mattine nuove.

Dove non muove foglia più la luce,
Sogni e crucci passati ad altre rive,
Dov'è posata sera,
Vieni ti porterò
Alle colline d'oro.

>
L'ora costante, liberi d'età,
Nel suo perduto nimbo
Sarà nostro lenzuolo.

p. 160

MEMORIA D'OFELIA D'ALBA

Edizioni: E, V, N, N36, M

vv.1-2
E, N

Da voi,
Pensosi innanzi tempo, troppo presto

M

* Da voi, pensosi innanzi tempo,
Troppo presto

vv. 5-12
E

Ormai prive di peso e in voi immortali
Le cose, che tra dubbi prematuri
Seguiste ardendo del loro mutare,
Vanno in cerca di pace.

Già al fondo del silenzio
Sono a fermarsi cose consumate:
Emblemi eterni, nomi,

V, N

Ormai prive di peso e in voi immortali
Cercano pace
Le cose che tra [...]
Seguiste ardendo [...]

E in breve al fondo del vostro silenzio
. . . .
Emblemi eterni nomi,

M

* Ormai prive di peso,
E in voi immortali
Le cose che tra dubbi prematuri
Seguiste ardendo del loro mutare,
Cercano pace,
E a fondo in breve del vostro silenzio
Si fermeranno,

Cose consumate:
Emblemi eterni, nomi,

[In N tra il v. 8 e il v. 9 non c'è spazio, il v. 12 è già lo stesso che in M]

p. 161

1914-1915

Edizioni: Q, Apf, N36, M

v. 10
Q Né in mezzo ai cani urlanti,

M *Né, in mezzo ai cani urlanti,

v. 13
Q, N36 Sei d'altri e non ti persi,

M * Sono d'un altro sangue e non ti persi,

v. 23
Apf Spuntò adagio ai limiti

M * Spuntò adagio ai limiti,

v. 25
Q Che già l'aurora soffia sulla brace.

Apf Che già aurora soffiava sulla brace.

N36 Che già soffiava aurora sulla brace.

M * Che aurora già soffiava sulla brace.

vv. 30-36 . . . .
Q Nelle gole granitiche, a sussurri;
. . . .

Specchi tornavano di fiere origini
Pudichi guizzi d'acqua;
Vedeva per la prima volta neve,

Apf

Di tutti i suoi defunti,
Voci udiva sciamare appassionate
Nelle gole granitiche,
Boschiva gli scoprivi la tua notte
Pudichi guizzi d'acqua
Specchi tornavano di fiere origini,
Neve vedeva per la prima volta

N36

. . . .
Guizzi d'acqua pudiche,
. . . .

M

* Di tutti i suoi defunti;
Sciamare udiva voci appassionate
Nelle gole granitiche;
Gli scoprivi boschiva la tua notte;
Guizzi d'acque pudiche,
Specchi tornavano di fiere origini;
Neve vedeva per la prima volta,

v. 39
Q

E ne legavano gli ampi discorsi,

M

* E ne legavano gli ampi discorsi

v. 43
Q

Giù giù, sino agli orizzonti d'oceani,

M

* Giù giù sino agli orizzonti d'oceani

v.52
Q

Degna che per te si muoia d'amore.

M

* Degna che uno per te muoia d'amore.

p. 163

EPIGRAFE PER UN CADUTO DELLA RIVOLUZIONE

Edizioni: Apf, N36, M

vv. 5-7
Apf

Mentre disanimandosi mi pesa
Il braccio che ebbe volontà per mille,

M

* Mentre disanimandosi
Mi pesa il braccio che ebbe volontà
Per mille,

v. 9
Apf

Forte, in ansia, ispirata

M

* Forte, in ansia, ispirata,

INNI

p. 167

DANNI CON FANTASIA

Edizioni: So, I, GP, V, N, N36, AS, M, M66

v. 5
GP

Mi attacchi non deluso a un nuovo sogno.

M

* Mi leghi non deluso ad altra pena.

vv. 6-7
GP, N

Perché crei [...]

Perché [...]

M

Perché crei, mente, corrompendo?
Perché t'ascolto?

M66 * Perché crei, mente, corrompendo?

Perché t'ascolto?

v 12
GP, N E ancora, non mai stanca, in tempesta

M E ancora, non mai stanca, in tempesta

M66 * E ancora, non mai stanca, in tempesta

vv. 21-23
GP, V E numerosa [...]
La vostra [...]
Ma avremmo [...]

M * E numerosa solitudine,

La vostra, lo so, non è vera luce,

Ma avremmo vita senza il tuo variare,

[Da *Sirene*, nella redazione So, I, AS, come già notammo, sono tolti i versi 1, 3, 6, 4, 5, 11, 12, 9, 10, 20, 25, 26, 24, 27, tutti elementi di questa poesia]

p. 168

LA PIETÀ

Edizioni: IL, V, N, N36, M

v. 1
IL Sono un uomo ferito,

M * Sono un uomo ferito.

v. 5
IL, N L'uomo ch'è con sé, solo.

M * L'uomo che è solo con sé.

v. 6
IL, N Non ho che bontà e orgoglio.

M * Non ho che superbia e bontà.

vv. 7-8
IL, N E mi sento in esilio in mezzo agli uomini.
Ma per essi [...]

[In N tra il v. 7 e il v. 8 c'è lo spazio come in M]

M * E mi sento esiliato in mezzo agli uomini.

Ma per essi sto in pena.

v. 13
IL E ora regno sopra fantasmi.

M * Regno sopra fantasmi.

v. 20
IL, N Tu m'hai scacciato dalla vita.

M * M'hai discacciato dalla vita.

v. 21
IL, N E mi scaccerai dalla morte?

M * Mi discaccerai dalla morte?

vv. 27-28
IL Che una volta fu forte;
È folle [...]

M * Che una volta fu forte.

È folle e usata, l'anima.

v. 31
IL Di noi, nemmeno più ridi?

M * Di noi nemmeno più ridi?

v. 40
IL Malinconica carne

V, N Malinconica carne

M * 2.
Malinconiosa carne

vv.45-48
IL È nei vivi [...]
Siamo noi la fiumana d'ombre.

Sono esse il grano che ci scoppia in sogno.

È questa loro lontananza
La sola che ci resta.

V, N È nei vivi [...]
Siamo noi la fiumana d'ombre.

Sono esse il grano che ci scoppia in sogno.

Loro è la lontananza che ci resta.

[In N tra il v. 45 e il v. 46 non c'è spazio]

N36 È nei vivi [...]

Siamo noi la fiumana d'ombre.

Sono esse il grano che ci scoppia in sogno.

Loro è la lontananza che ci resta.

M * È nei vivi la strada dei defunti,

Siamo noi la fiumana d'ombre,

Sono esse il grano che ci scoppia in sogno,

Loro è la lontananza che ci resta,

v. 50
IL La speranza d'un mucchio d'ombra,

M * La speranza d'un mucchio d'ombra

v. 60

IL	La luce che ci punge
V, N	La luce che ci punge
M	* 3. La luce che ci punge

v. 64

IL	L'uomo monotono universo,
V, N	L'uomo monotono universo,
M	* 4. L'uomo, monotono universo.

vv. 68-71

IL	Al suo filo di ragno, Sopra il vuoto non teme e non seduce Che il proprio grido.
M	* Attaccato sul vuoto Al suo filo di ragno, Non teme e non seduce Se non il proprio grido.

v. 72

IL	Per riparare l'usura alza tombe.
V, N	Per riparare l'usura, alza tombe,
M	* Ripara il logorio alzando tombe,

p. 172

CAINO

Edizioni: IL, V, N, N36, M

v. 1

IL	Corre sopra le sabbie della favola

M * Corre sopra le sabbie favolose

vv. 20-21
IL Anima, [...]
Mai non [...]

V, N Anima, non potrò mai calmarti?
Mai non [...]

M * Anima, non saprò mai calmarti?
Mai non vedrò nella notte del sangue?

v. 26
N36 Gli occhi mi tornerebbero innocenti.

M * Gli occhi mi tornerebbero innocenti,

v. 27
V, N36 Vedrei la primavera eterna.

M * Vedrei la primavera eterna

p. 174

LA PREGHIERA

Edizioni: IL, V, N, N36, M

vv. 6-9
IL Come quell'ale lì giù d'ape morta,
Trascinata da una formicola.

M * Suppose immortale il momento.
La vita gli è di peso enorme
Come liggiù quell'ale d'ape morta
Alla formicola che la trascina.
Suppose immortale il momento,
La vita gli sembra di peso enorme,

vv.13-14

IL, V — Oh! rasserena questi figli,
Fa' che l'uomo [...]

M — * Oh! rasserena questi figli.

Fa' che l'uomo torni a sentire

vv. 17-18

IL — Sii la misura, sii il mistero,
Purificante amore;

M — * Sii la misura, sii il mistero.

Purificante amore,

p. 176

DANNAZIONE

Edizioni: IL, V, N, F, N36, M

IL — *Canto VIII*

M — *Dannazione*

vv. 3-17

IL — Sola e nuda, come la notte,
Anima da fionda e da terrori,
Perché ancora non ti raccoglie
Il braccio fermo del Signore?

Signore Iddio,
Perché quest'anima
Che sa la vanità del cuore,
Le sue perfide tentazioni
E le proporzioni del mondo,
E tracotanza i piani della mente,
Perché quest'anima
Non può soffrire
Se non rapimenti terreni?

>
Signore Iddio,
Nella cecità della carne,
Non cerco se non di dimenticare
Che non mi guardi più.

V, F

Come la notte, sola e nuda,
. . . .
Che sa la vanità del cuore
E le sue tentazioni, perfide
E che del mondo sa le proporzioni
E i piani della mente, tracotanza,
Perché non può soffrire
. . . .

[In F, dopo *tracotanza* manca la virgola]

N36

. . . .
E che del mondo sa le proporzioni
E tracotanza, i piani della mente,
. . . .

M

* Come la notte sola e nuda,
Anima da fionda e da terrori
Perché non ti raccatta
La mano ferma del Signore?

Quest'anima
Che sa le vanità del cuore
E perfide ne sa le tentazioni
E del mondo conosce la misura
E i piani della nostra mente
Giudica tracotanza,

Perché non può soffrire
Se non rapimenti terreni?

Tu non mi guardi più, Signore...

E non cerco se non oblio
Nella cecità della carne.

p. 177

LA PIETÀ ROMANA

Edizioni: IL, Apf, N36, M

vv. 2-9

IL

Richiamando ciascuno a voce dura
E mutò in giorni audaci un fato tristo.

Nella casa provata
Portò la palma, rinfrancò i piangenti.

Senza tregua formando l'indomani,
Come la volle Roma nostra madre
È la pietà che rammentando i padri

Apf

. . . .
E mutò in giorni schietti tristi fati.
. . . .
Portò la palma, rinfrancò i piangenti.

Come Roma la volle
Senza tregua formando l'indomani,
È la pietà che i padri rammentando

M

* Ciascuno richiamando a voce dura,
E in giorni schietti cambiò tristi fati.

Nella casa provata
Portò la palma,
Rinfrancò i piangenti.

Come Roma la volle,
Formando senza tregua l'indomani,
È la pietà che rammentando i padri,

p. 178

SENTIMENTO DEL TEMPO

Edizioni: IL, V, N, N36, M

IL — *Canto VII*

M — *Sentimento del tempo*

v. 3
IL Sul giogo meno alto,

M * Sopra il giogo meno alto,

vv. 6-7
IL Ma ora consapevole,
T'affretta a posarmi sopra le labbra

M * Ma ora l'ascolto,
T'affretta, tempo, a pormi sulle labbra

LA MORTE MEDITATA

p. 181

CANTO PRIMO

Edizioni: Fr, V, N, N36, M, M61

v. 2
V, N36 Notturna quanto più la luce ha forza.

M * Notturna quanto più la luce ha forza,

v. 5
Fr Ti diè luce un'ingenua brama

M * Alla luce ti diè l'ingenua brama

vv.17-22
Fr Sognatrice fuggente
Nell'assopirsi della carne,

Della grandezza umana
Atleta senza sonno,

Quando [...]

Nella malinconia [...]

V, N . . . .
Quando [...]

Nella malinconia [...]

M * Nell'assopirsi della carne
Sognatrice fuggente,

Atleta senza sonno
Della nostra grandezza,

Quando m'avrai domato, dimmi:
Nella malinconia dei vivi

[Corrisponde al *Canto primo* di *Sentimento della memoria*, di V, N36]

M61 * Quando m'avrai domato, dimmi:

Nella malinconia dei vivi

p. 182

CANTO SECONDO

Edizioni: Fr, V, N, N36, M

vv. 3-5
Fr Con blandizia [...]
La buia veglia dei padri
Clausura d'infinito.

M * (Clausura d'infinito)
Con blandizia fanatica
La buia veglia dei padri.

[Corrisponde al *Canto secondo* di *Sentimento della memoria*, di V, N36]

p. 183

CANTO TERZO

Edizioni: Fr, V, N, N36, M

Fr *Canto quinto*

M *Canto terzo*

v. 4
Fr Tu nella luce fonda,

M * Tu, nella luce fonda,

[Corrisponde al *Canto terzo* di *Sentimento della memoria* di V, N36]

p. 184

CANTO QUARTO

Edizioni: Fr, V, N, N36, M

Fr *Canto terzo*

M *Canto quarto*

v. 2
Fr E sopra un monte
Spazio e tempo bruciavo,

M * Brucio sul colle spazio e tempo,

[Corrisponde al *Canto primo* di *Sentimento del sogno*, di V, N36]

p. 185

CANTO QUINTO

Edizioni: Fr, IL, V, N, N36, M

Fr *Canto quarto*

IL *Canto quarto*

M *Canto quinto*

v. 2
Fr, IL Nasce una notte vaga

M * Nasce una notte

vv. 4-5
Fr, IL Di cristalli ammutoliti cadendo,
Di suoni morti, come di sugheri,

V, N Di suoni morti,
Come di sugheri,

N36 Di suoni morti
Come di sugheri,

M * Di suoni morti
Come di sugheri

vv. 8-9
Fr, IL D'inviolabili lontananze,
Inafferrabili come le immagini;

V, N D'inviolabili lontananze
Inafferrabili come le immagini,

M * D'inviolabili lontananze,
Inafferrabili come le idee,

vv. 15-16
Fr, IL Come [...]
E lasci [...]

M * Come una foglia
E lasci agli alberi un fuoco d'autunno.

[Corrisponde al *Canto secondo* di *Sentimento del sogno*, di V, N36]

p. 186

CANTO SESTO

Edizioni: IL, V, N, N36, M

vv. 7-12
IL, N

Sulla tua carne inafferrabile,
Specchio vacillante,
Quali delitti, tu non m'insegnasti,
O sogno, a consumare?

Con voi, fantasmi, non ho mai ritegno;
E dei vostri [...]

M

* Sulla tua carne inafferrabile
E vacillante dentro specchi torbidi,
Quali delitti, sogno,
Non m'insegnasti a consumare?

Con voi, fantasmi, non ho mai ritegno,

E dei vostri rimorsi ho pieno il cuore

[Corrisponde al *Canto terzo* di *Sentimento del sogno*, di V, N36]

L'AMORE

p. 189

CANTO BEDUINO

Edizioni: GP, V, N, N36, M

p. 190

CANTO

Edizioni: GP, V, N, N36, M

GP

O lenta bocca
Cui volgo il mare delle notti e gridi,
Ricordo la cavalla delle reni

Quando ti ricadeva in agonia
Nelle mie braccia che cantavano.

E ora per sempre
Sarai lontana come in uno specchio?

V, N

Rivedo

La tua bocca lenta
(Il mare le va incontro delle notti),

E la cavalla [...]

. . . .
E la crudele solitudine,

. . . .
Ora tomba infinita,

. . . .
O tu lontana [...]

N36

. . . .
Ora, tomba infinita
. . . .

M

* Rivedo la tua bocca lenta
(Il mare le va incontro delle notti)
E la cavalla delle reni
In agonia caderti
Nelle mie braccia che cantavano,
E riportarti un sonno
Al colorito e a nuove morti.

E la crudele solitudine
Che in sé ciascuno scopre, se ama,
Ora tomba infinita,
Da te mi divide per sempre.

Cara, lontana come in uno specchio...

p. 191

. . .

Edizioni: GP, V, N, N36, M

vv. 2-3
GP, N

E non vedo che [...]

Un'Eva scende come un ragno
E mi mette sugli occhi

M * E non vedo che i miei pensieri,

Un'Eva mi mette sugli occhi

p. 192

PRELUDIO

Edizioni: N36, M

p. 193

QUALE GRIDO

Edizioni: GP, N36, Be, M

GP, Be *Quale dolore?*

M *Quale grido*

vv. 1-5
GP, Be

Nelle sere d'estate
Quale dolore grida?

Quale dolore grida?

Sopra i lecci del poggio
Di certo tu, fantasma quotidiano
Del triste estremo sole,
Spargendoti con tacita sorpresa
L'hai ridestato, luna, lenta luna.

[In Be sono aboliti gli spazi che isolano il v. 3]

M * Nelle sere d'estate,
Spargendoti sorpresa,
Lenta luna, fantasma quotidiano
Del triste, estremo sole,
Quale grido ridesti?

vv. 6-7
GP

È indubbio, hai disturbato tu, allusiva,
Luna incauta, nel bel sonno la terra

M * Luna allusiva, vai turbando incauta
Nel bel sonno, la terra,

v. 12
GP Nemmeno un triste mantello di luna.

M * Neanche un mantello labile di luna.

p. 194

AUGURI PER IL PROPRIO COMPLEANNO

Edizioni: Cr, N36, M, M61

v. 4
Cr Dirama solitudine,

M * Dirama solitudine

vv. 6-7
Cr Un muoversi di voci,
E, offesa se lusinga,

M * Un muoversi di voci.
Offesa se lusinga,

vv. 9-13
Cr Non trescherà con essa
Già libero l'autunno?
Infatti usa dorarsi

Con non altro mistero
Quel bel tempo che toglie

M * Non è primo apparire
Dell'autunno già libero?
Con non altro mistero

Corre infatti a dorarsi
Il bel tempo che toglie

v. 19
Cr, N36 Non mi lasciare ancora, sofferenza!

M Non mi lasciare ancora sofferenza!

M61 * Non mi lasciare, resta, sofferenza!

p. 195

SENZA PIÙ PESO

Edizioni: U, N36, M

v. 9
U Chi teme più, chi medita?
È tradita la morte...

M * Chi teme più, chi giudica?

p. 196

SILENZIO STELLATO

Edizioni: GP, V, N, N36, M

vv. 2-3
GP Non sono mossi che da nidi.

M * Non si muovono più
Se non da nidi.

IL DOLORE
Varianti a cura di Mario Diacono

TAVOLA DELLE ABBREVIAZIONI

Alf	« Alfabeto », 15-31 agosto 1946
Bott	« La Bottega dei Quattro », 5 ottobre 1945
Caffè	« Il Caffè degli Intellettuali », 17 dicembre 1945
Città I	« Città », 23 novembre 1944
Città II	« Città », 20 settembre 1945
Cost	« Il Costume Politico Letterario », 7 aprile 1946
Cp	« Il Campo », I, n. 1-2, gennaio-febbraio 1946
FL	« La Fiera Letteraria », dicembre 1946
M	*Il Dolore*, Mondadori, Milano 1947
M61	*Il Dolore*, Mondadori, Milano 1961
Merc	« Mercurio », III, n. 21, maggio 1946
NuA	« Nuova Antologia », dicembre 1942
Par	« Parallelo », I, estate 1943
PR	Orfeo Tamburi, *Piccola Roma - con una poesia d'occasione di Ungaretti*, Urbinati Editore, Roma 1944
Pri	« Primato », 15 ottobre 1942
Ps	« Poesia », quaderno II, maggio 1945
Ras	« Rassegna », n. 9, febbraio 1946
TA	« Le Tre Arti », 1° novembre 1945

IL DOLORE

M *Vita d'un uomo Poesie IV Il Dolore* 1937-1946

TUTTO HO PERDUTO
(1937)

p. 201

TUTTO HO PERDUTO

Edizioni: Città, TA, M

v. 6
Città, TA Ed ora, nera spada,

M * E ora, spada invisibile,

v. 10
Città, TA Nell'infinito delle notti.

M * In infinito delle notti.

v. 11
Città, TA Disperazione che incessante aumenta,

M * Disperazione che incessante aumenta

p. 202

SE TU MIO FRATELLO

Edizioni: Città, TA, M

v. 6
Città — Ma di te, più non mi restano di te

M — * Ma di te, di te più non mi circondano

v. 9
Città, TA — La memoria non svolge che le immagini,

M — * La memoria non svolge che le immagini

v. 10
Città, TA — E a me stesso, io stesso

M — * E a me stesso io stesso

GIORNO PER GIORNO
(1940-1946)

Edizioni: Pri, NuA, Bott, Caffè, Cp, Alf, FL, M

Pri, NuA — *Diario*

Bott, Caffè, Cp — *Il dolore*

p. 205

1

NuA — *VIII*

M — *1*

v. 1	
Pri, NuA	« Mamma, nessuno ha mai sofferto tanto!... »
M	* « Nessuno, mamma, ha mai sofferto tanto... »
v. 2	
NuA	E il volto già scomparso,
M	* E il volto già scomparso
v. 4	
NuA	Dal lettino volgeva alla finestra,
M	* Dal guanciale volgeva alla finestra,
v. 5	
NuA	E si empiva di passeri la camera
M	* E riempivano passeri la stanza

p. 205

2

p. 205

3

NuA	*XIX*
M	*3*

p. 205

4

NuA	*IV*
Alf	. . . . .
M	*4*

p. 206

5

Pri *VI*

M *5*

v. 1
Pri Ora dov'è, dov'è la voce nuova

M * Ora dov'è, dov'è l'ingenua voce

p. 206

6

Nu *XXI*

M *6*

v. 1
NuA Ogni altra voce è un'eco che si spegne,

M * Ogni altra voce è un'eco che si spegne

p. 206

7

Pri *XVII*

M *7*

v. 2
Pri Ed i miei occhi in sé null'altro vedano

M * Ed i miei occhi in me null'altro vedano

[*In sé* in Pri è errore di stampa per *in me*]

v. 3
Pri Quando anch'essi vorrà chiudere Iddio!...

M * Quando anch'essi vorrà chiudere Iddio...

p. 206

8

Pri *XXIX*

M *8*

p. 206

9

NuA *XXX*

M *9*

v. 5
NuA Non conta!... Ascolto sempre più distinta

M * Non conta... Ascolto sempre più distinta

p. 207

10

NuA *XXXIV*

M *10*

v. 4
NuA Mi spezza ad ogni soffio!...

M * Mi spezza ad ogni soffio...

p. 207

11

NuA, Caffè *XXII*

M *11*

v. 1
NuA, Caffè Passa la rondine e con essa estate

M * Passa la rondine e con essa estate,

v. 2
Caffè E anch'io, mi dico, passerò.

M * E anch'io, mi dico, passerò...

v. 5
Caffè Se dall'inferno arrivo a qualche quiete.

M * Se dall'inferno arrivo a qualche quiete...

p. 207

12

NuA, Caffè *XXXII*

Alf . . . . .

M *12*

v. 3
NuA Che non la fogliolina
Al tocco, eppure mite, della brezza...

Caffè Che non la foglia
Al tocco della brezza.

M * Che non la foglia al tocco della brezza...

p. 207

13

NuA, Caffè *XXXIII*

Alf . . . . .

M *13*

[In Alf il frammento 13 apparve elaborato insieme ai frammenti 4 e 12, precedentemente esaminati, ciascuno di essi diviso dall'altro da uno spazio, quasi strofe di una stessa poesia. In NuA i frammenti hanno una numerazione saltuaria da IV a XXXIV, che viene a suo luogo indicata, come a suo luogo si dà ogni indicazione per Bott e Cp, dove si arriva fino a un frammento XLV. Tale numerazione segnala i molti abbozzi sui quali l'autore stava lavorando: di essi, solo i diciassette di M sono stati ritenuti ad un livello di elaborazione che ne consentisse la pubblicazione. Altri, forse, sono rifluiti nella poesia *Gridasti: Soffoco...*, in *Un Grido e Paesaggi*]

vv. 3-4
NuA Con le tue stolte glorie
Puoi declinare, autunno:

Alf Puoi declinare, autunno,
Con le tue glorie stolte:

M * Puoi declinare, autunno,
Con le tue stolte glorie:

p. 207

14

p. 208

15

Bott, Cp *XLI*

M *15*

v. 1
Bott Sempre rievocherò senza rimorso

M * Rievocherò senza rimorso sempre

vv. 3-4
Bott Ascolta, cieco: Un'anima è partita
Dal comune castigo ancora illesa...

M * Ascolta, cieco: « Un'anima è partita
Dal comune castigo ancora illesa... »

v. 5
Bott Meno mi abbatterà di non più udire

M * Mi abbatterà meno di non più udire

v. 6
Bott I gridi vivi della mia purezza

Cp I gridi vivi della purezza

M * I gridi vivi della sua purezza

[*della mia* in Bott è errore di stampa per *della sua*]

p. 208

16

Bott, Cp *XLV*

M *16*

v. 8
Bott, Cp Si dà che giunga allora nella stanza,

M * Si dà che giunga allora nella stanza

v. 9
Bott, Cp E alla fermezza inquieta d'una linea

M * E, alla fermezza inquieta d'una linea

p. 208

17

v. 10
Bott, Cp Azzurra, muri e immagini dileguano...

M * Azzurra, ogni parete si dilegua...

v. 2
FL Dicendo: Questo sole e tanto spazio

M * Dicendo: « Questo sole e tanto spazio

v. 7
EL Sono per te l'aurora e intatto giorno

M * Sono per te l'aurora e intatto giorno ».

IL TEMPO È MUTO
(1940-1945)

p. 213

IL TEMPO È MUTO

Edizioni: Città, TA, M

vv. 1-2
Città Il tempo è muto fra canneti immoti;
Lungi d'approdi, errava una canoa;

TA Il tempo è muto fra canneti immoti...
Lungi d'approdi errava una canoa;

M * Il tempo è muto fra canneti immoti...
Lungi d'approdi errava una canoa...

v. 3
Città, TA Stremato, inerte il rematore; i cieli

M * Stremato, inerte il rematore... I cieli

vv. 4-8
Città Già decaduti a baratri di fumi;
Proteso invano all'orlo dei ricordi,
Cadere forse fu mercé... Non seppe
Ch'è la stessa illusione mondo e mente,

M * Già decaduti a baratri di fumi...

Proteso invano all'orlo dei ricordi,
Cadere forse fu mercé...

Non seppe

Ch'è la stessa illusione mondo e mente,

[In TA la stessa redazione di M tranne l'abolizione dello spazio tra il v. 7 e il v. 8]

v. 9
Città Che nel mistero delle proprie onde,

M * Che nel mistero delle proprie onde

p. 214

AMARO ACCORDO

Edizioni: PR, Città, TA, M

PR *Poesia* (vv. 40-61)

Città, TA *Oppure in un meriggio*

M *Amaro accordo*

v. 1
TA Oppure in un meriggio d'un ottobre,

M * Oppure in un meriggio d'un ottobre

v. 3
PR In mezzo a discendenti dense nuvole

Città, TA In mezzo a discendenti dense nuvole,

M * In mezzo a dense discendenti nuvole

v. 4
PR, Città,
TA — I cavalli dei Dioscuri

M — * I cavalli dei Dioscuri,

vv. 7-15
PR — Più alti d'ogni altro flutto
In nuovo ordine d'astri
Tra insoliti gabbiani
Oltre il plumbeo equatore s'avventavano
Verso un'isola all'ombra dei banani
E di testuggini in abissi sparse;

Città — Per un amaro accordo dei ricordi
Spiccavano sui flutti,
In nuovo ordine d'astri
Tra insoliti gabbiani,
Verso un'isola all'ombra dei banani
E di testuggini vaganti in blocchi
D'enormi acque impassibili,
Volo sino alla piana dove il bimbo

TA — Spiccavano sui flutti
(Per un amaro accordo dei ricordi,
Verso un'isola all'ombra dei banani
E tartarughe erranti dentro blocchi
D'enormi acque impassibili)
Tra insoliti gabbiani,
In nuovo ordine d'astri
Volo sino alla piana, dove il bimbo,

M — * Sopra i flutti spiccavano

(Per un amaro accordo dei ricordi
Verso ombre di banani
E di giganti erranti
Tartarughe entro blocchi
D'enormi acque impassibili:
Sotto altro ordine d'astri
Tra insoliti gabbiani)

Volo sino alla piana dove il bimbo

vv. 16-17

PR		Dove un bimbo frugava nella sabbia E, da lume dei fulmini infiammata
M	*	Frugando nella sabbia, Dalla luce dei fulmini infiammata

vv. 21 22

PR		Ghermiva tutti i quattro gli elementi. Felici le pupille gli brillavano,
Città		Ghermiva tutti e quattro gli elementi. Le rapide pupille gli brillavano; Ma la morte è incolore e senza sensi
M	*	Ghermiva tutti e quattro gli elementi. Ma la morte è incolore e senza sensi

[*tutti i quattro* in PR è errore di stampa per *tutti e quattro*]

vv. 23-25

PR		E, ignorando ogni legge come sempre, Gli stava già con gl'impudichi denti Vicino.
Città, TA		E, ignara d'ogni legge, come sempre, Già lo sfiorava Con gl'impudichi denti.
M	*	E, ignara d'ogni legge, come sempre, Già lo sfiòrava Coi denti impudichi.

p. 215

TU TI SPEZZASTI

Edizioni: Ps, M

1

Ps *I*

M *1*

v. 1
Ps Le molte, sparse, immani pietre grige,

M * I molti, immani, sparsi, grigi sassi

v. 6
Ps Rigide sopra l'abbagliante sabbia

M * – Sopra l'abbaglio della sabbia rigidi

v. 11
Ps Variata in erme fibre d'arduo sasso

M * Volta nell'ardua selce d'erme fibre

v. 12
Ps Più delle altre dannate refrattaria

M * Più delle altre dannate refrattaria,

vv. 13-15
Ps Non la rammenti delirante muta
Fresca la bocca di farfalle e d'erbe
Dove dalle radici si tagliava

M * Fresca la bocca di farfalle e d'erbe
Dove dalle radici si tagliava,
– Non la rammenti delirante muta

v. 19
Ps Di ramo in ramo fiorrancino lieve

M * Di ramo in ramo fiorrancino lieve,

v. 20
Ps Ebbri di meraviglia gli avidi occhi,

M * Ebbri di meraviglia gli avidi occhi

v. 21
Ps Ne conquistavi la screziata cima

M * Ne conquistavi la screziata cima,

v. 22
Ps Tu, musicale bimbo temerario,

M * Temerario, musico bimbo,

vv. 25-26
Ps Favolose testuggini destarsi.

M * Favolose testuggini
Ridestarsi fra le alghe.

[In Ps il testo recava le seguenti annotazioni:
« Araucaria (*araucaria imbricata*) è il pino brasiliano. Fiorrancino (*regulus ignicapillus*) è il più piccolo degli uccelletti italiani, dalle tinte varie, con un ciuffo di fuoco. Silenzioso, lieve nel volo, graziosissimo in tutti i suoi atti, da mattina a sera in movimento. Abita il pino, l'abete, il larice o il cipresso.
Il paesaggio è un lontano paesaggio, animato per un attimo da una fragile anima italiana. Animato per sempre, giardino di pietra, da quella dolce anima, nei regni immortali. »]

p. 216

2

Ps *II*

M *2*

v. 4
Ps Mai non si vedeva posare, mai,

M * Nessuno mai vide posare

p. 216

3

Ps *III*

M *3*

v. 1
Ps O fuggita e pianta e presente gioia,

M * Grazia felice,

v. 2
Ps Forse non spezzarti tu non potevi

M * Non avresti potuto non spezzarti

v. 4
Ps Tu, semplice soffio e cristallo.

M * Tu semplice soffio e cristallo,

v. 5
Ps Un lampo troppo umano eri per l'empio,

M * Troppo umano lampo per l'empio,

vv. 6-7
Ps Selvoso, ronzante,
Ruggito del sole.

M * Selvoso, accanito, ronzante
Ruggito d'un sole ignudo.

p. 219

INCONTRO A UN PINO
Edizioni: PR, Città, M

PR *Poesia* (vv. 62-71)

Città	*Lungotevere al tramonto*
M	*Incontro a un pino*

v. 1

PR, Città	E quando le onde punse che schiumavano
M	* E quando all'ebbra spuma le onde punse

v. 3

PR, Città	Mi ritrovavo in Patria dalla foce
M	* In Patria mi rinvenni

v. 4

PR	Del fiume mossi i passi, mentre il tempo
Città	Del fiume mossi i passi (mentre il tempo
M	* Dalla foce del fiume mossi i passi

vv. 5-6

PR	Mutando ombre volgeva d'arco in arco
Città	Mutando ombre volgeva d'arco in arco)
M	* (D'ombre mutava il tempo, D'arco in arco poggiate

v. 7

PR	Le vibratili ciglia malinconico
M	* Le vibratili ciglia malinconico)

v. 8

PR	Incontro a un pino attorto aereo nel fuoco
Città	Incontro a un pino attorto aereo nei fuochi
M	* Verso un pino attorto aereo per i fuochi

v. 9
PR, Città D'estremi raggi supplici

M * D'ultimi raggi supplici

vv. 10-11
PR Che tratteneva invitto macerandosi,
Ospite ambito di pietrami memori.

Città Che ospite ambito di pietrami memori,
Invitto macerandosi protraeva.

M * Che, ospite ambito di pietrami memori,
Invitto macerandosi protrasse.

ROMA OCCUPATA
(1943-1944)

p. 223

FOLLI I MIEI PASSI

Edizioni: PR, Ps, M

PR *Poesia* (vv. 1-16)

M *Folli i miei passi*

vv. 1-22
PR Sono passando, assente dalle strade
E se sosto, da oggetti nelle stanze.
Mi restano visibili,
Chiuse nella memoria, poche cose.
La notte interminabile
Mi dà, sola, monotona misura.

Ps Folli i miei passi come d'un automa,
Le usate strade

Che una volta d'incanto [...].
. . . .
Svelando, rimutate a ogni umore
. . . .
Ma le case più non ne hanno allegria,
. . . .

M * Le usate strade
– Folli i miei passi come d'un automa –
Che una volta d'incanto si muovevano
Con la mia corsa,
Ora più svolgersi non sanno in grazie
Piene di tempo
Svelando, a ogni rumore rimutate,
I segni vani che le fanno vive
Se ci misurano.

E quando squillano al tramonto i vetri,
– Ma le case più non ne hanno allegria
Per abitudine se alfine sosto
Disilluso cercando almeno quiete,
Nelle penombre caute
Delle stanze raccolte
Quantunque ne sia tenera la voce
Non uno dei presenti sparsi oggetti.
Invecchiato con me,
O a residui d'immagini legato
Di una qualche vicenda che mi occorse,
Può inatteso tornare a circondarmi
Sciogliendomi dal cuore le parole.

vv. 23-31
PR Sanno perché, sperando le finestre
Murasse in un baleno Michelangelo
Non concedendo all'anima
Nemmeno la risorsa di spezzarsi,
Gli occhi, il mio sangue, le mie braccia tese,
L'udito stanco, tutti ormai i miei gesti.

[Il testo a stampa dimentica una virgola dopo *sperando*, in PR]

Ps I carnali occhi
Disfatti da dissimulate lacrime
L'orecchio assurdo,

Appresero così le braccia offerte
. . . .

M * Appresero così le braccia offerte
– I carnali occhi
Disfatti da dissimulate lacrime,
L'orecchio assurdo, –
Quell'umile speranza
Che travolgeva il teso Michelangelo
A murare ogni spazio in un baleno
Non concedendo all'anima
Nemmeno la risorsa di spezzarsi.

vv. 32-35
PR Per desolato fremito dava ale
A un'urbe, arcana come una semenza,
Ferma, ascendente cupola,
Febbrilmente superstite.

Ps Per desolato fremito dava ale
A un'urbe arcana come una semenza,
Stringeva in sé il cielo certo, cupola
Febbrilmente superstite.

M * Per desolato fremito ale dava
A un'urbe come una semenza, arcana,
Perpetuava in sé il certo cielo, cupola
Febbrilmente superstite.

p. 225

NELLE VENE

Edizioni: Ps, M

v. 9
Ps Riscattami e le tue ciglia pietose

M * Riscattami, e le tue ciglia pietose

p. 226

DEFUNTI SU MONTAGNE

Edizioni: PR, TA, M

PR *Poesia* (vv. 17-39)

M *Defunti su montagne*

v. 3

PR Trascinante insolubile la nube

M * Trascinante la nuvola insolubile,

vv. 4-9

PR Ma d'improvviso splendido, pallore
Rapido al Colosseo emerso dai fumi
Col precipizio alle orbite, pervase
Del vuoto d'un azzurro
Che più la sorte né eccita, né turba.

TA Ma d'improvviso splendido,
Pallore al Colosseo
Su estremi fumi emerso
. . . .

M * Ma d'improvviso splendido:
Pallore, al Colosseo
Su estremi fumi emerso,
Col precipizio alle orbite
D'un azzurro che sorte più non eccita
Né turba.

vv. 10-18

PR Come nelle distanze in solitudini
Scorrendo apparizioni,
I passanti alla base di quel muro
Perdevano statura
Dilatando il deserto dell'altezza
E la sorpresa se, ombre, parlavano.

TA Come nelle distanze
Le apparizioni trascorrenti incerte
. . . .
Dilatando il deserto dell'altezza
E la sorpresa, se, ombre, parlavano.

M * Come nelle distanze
Le apparizioni incerte trascorrenti
Il chiarore impegnando
A limiti d'inganni,
Da pochi passi apparsi
I passanti alla base di quel muro
Perdevano statura
Dilatando il deserto dell'altezza,
E la sorpresa se, ombre, parlavano.

v. 19
TA Attento agli echi fondi

M * Agli echi fondi attento

v. 26
TA Nel ricordo, i pensieri dell'orgoglio;

M * Nel ricordo, i pensieri dell'orgoglio:

v. 29
PR Allora fu che entrato in San Clemente,

TA Allora fu che entrando in San Clemente,

M * Allora fu che, entrato in San Clemente,

v. 30
PR, TA Dalla Crocefissione di Masaccio

M * Dalla crocefissione di Masaccio

v. 31
PR, TA M'accolsero d'un alito staccati

M * M'accolsero, d'un alito staccati

v. 35
PR, TA Delle tombe abolite

M * Delle tombe abolite,

v. 36
PR, TA Defunti su montagne

M * Defunti, su montagne

v. 37
PR Più di sopiti passeri leggere.

M * Sbocciate lievi da leggere nuvole.

[In PR si fermano qui i versi che si riferiscono a *Defunti su montagne*. In PR non c'è traccia della terza strofa di questa poesia, in M e TA vv. 19-28]

v. 38
TA Da pertinaci fumi risalito,

M * Da pertinaci fumi risalito

p. 228.

MIO FIUME ANCHE TU

Edizioni: PR, TA, M

PR *Poesia* (vv. 72-101)

M *Mio fiume anche tu*

v. 1
PR Mescolato al Tietè di selve impervio
Echeggianti al mio pianto più profondo,

Ti collocasti allora al Serchio, al Nilo,
Alla Senna, all'Isonzo chiaro accanto,

Tevere, sacro fiume, tu, anche mio.

Anche tu mio, Tevere fatale,

M 1
* Mio fiume anche tu, Tevere fatale,

v. 2
PR E ora, che già notte turbata scorre,

TA Ora che la notte già turbata, scorre,

M * Ora che notte già turbata scorre:

vv. 3-6
PR E so quanto un uomo può soffrire;
Che perfino dalle pietre si discioglie
Come un belo d'agnelli, ininterrotto,
Smarrito per le strade esterrefatte;

M * Ora che persistente
E come a stento erotto dalla pietra
Un gemito d'agnelli si propaga
Smarrito per le strade esterrefatte;

vv. 7-10
PR Che di male l'attesa senza requie,
Esacerbante male più d'ogni altro,
L'anima intralcia e i passi di ciascuno;

M * Che di male l'attesa senza requie,
Il peggiore dei mali,
Che l'attesa di male imprevedibile
Intralcia animo e passi;

vv. 11-12
PR Che infiniti singhiozzi e a lungo rantoli
Agghiacciano le case, tane incerte;

M * Che singhiozzi infiniti, a lungo rantoli
Agghiacciano le case tane incerte;

v. 13

PR Ora che notte già scorre straziata,

M * Ora che scorre notte già straziata,

vv. 16-17

PR D'un umano lavoro di millenni
Compiuto quasi da divine dita;

TA Giunti sovrani a splendere
Per ascensione di millenni umani,
Come divine forme;

M * Giunti, quasi divine forme, a splendere
Per ascensione di millenni umani;

v. 18

PR Ora, che notte scorre già sconvolta,

TA Ora che notte scorre già sconvolta,

M * Ora che già sconvolta scorre notte,

vv. 19-23

PR Che presi da un tormento insopportabile,
Si sfrena l'ira a morte tra fratelli;
Che di pena abissale
Schiavo soffoca il mondo;

TA E imparo quanto un uomo può patire;
Ora che insopportabile tormento
Si sfrena in ira a morte tra i fratelli,
Che di pena abissale
Schiavo soffoca il mondo;

M * E quanto un uomo può patire imparo;
Ora ora, mentre schiavo
Il mondo d'abissale pena soffoca;
Ora che insopportabile il tormento
Si sfrena tra i fratelli in ira a morte;

vv. 24-26
PR Le mie blasfeme labbra dire ardiscono:
Cristo pensoso martire,

M * Ora che osano dire
Le mie blasfeme labbra:
« Cristo pensoso palpito,

vv. 27-28
PR Perché la tua bontà
S'è tanto allontanata?

M * Perché la Tua bontà
S'è tanto allontanata? »

[In PR i versi che si riferiscono a *Mio fiume anche tu* si fermano qui, in corrispondenza della prima strofa di M e di TA]

vv. 30-31
TA Si sbandano stupite
E per le strade urbane si desolano;

M * Si sbandano stupite e, per le strade
Che già furono urbane, si desolano;

v. 40
TA L'immagine divina,

M * L'immagine divina

v. 41
TA E confusa s'ottenebra pietà;

M * E pietà in grido si contrae di pietra;

vv. 43-44
TA Anche nell'indurito cuore geme;

M * Reclama almeno un'eco,
E geme anche nel cuore più indurito;

v. 45
TA Ora che gli altri gridi sono vani;

M * Ora che sono vani gli altri gridi;

vv. 49-50
TA Nell'esatta misura,
Di quanto l'uomo si sottrae, demente,

M * Su misura di quanto
L'uomo si sottrae, folle,

v. 55
TA Dell'amore non vano,

M * Dell'amore non vano.

vv. 56-57
TA Astro incarnato nell'umane tenebre,

M * Cristo, pensoso palpito,
Astro incarnato nell'umane tenebre,

vv. 60-61
TA Umanamente l'uomo.

Santo, Santo che soffri,

M * Umanamente l'uomo,
Santo, Santo che soffri,

v. 67
TA Ecco Ti chiamo, Santo

M * Ecco, Ti chiamo, Santo,

p. 231

ACCADRÀ?

Edizioni: PR, Ras, M

PR *Poesia* (vv. 102-141)

Ras *Non accadrà?*

M *Accadrà?*

v. 1
PR

Quelle opere in pericolo,
D'ogni arte, inimitabili,
Che via via nei millenni suscitasti
Avida s'ascoltare il giusto Dio,
Ancora il tuo terreno dramma attestano,
Italia, Roma mia.

Tesa sempre in angoscia

M * Tesa sempre in angoscia

v. 2
PR, Ras E al limite di morte,

M * E al limite di morte:

vv. 4-5
PR

Ma, in tanta tua agonia
Misericorde anelito di grazie,

Ras

Ma anelante di grazia,
In tanta [...]

M

* Ma, anelante di grazia,
In tanta Tua agonia

v. 6
PR Ritornavi a scoprire

M * Ritornavi a scoprire,

v. 7
Ras Senza darti mai pace

M * Senza darti mai pace,

v. 8
PR Che nel principio e nei sospiri sommi

M * Che, nel principio e nei sospiri sommi

vv. 11-13
PR Figli d'un solo, d'un eterno soffio.
Prodiga l'insegnasti
All'Europa preclare
Che con pazienza strenua costituivi,
E a ogni favella e ingegno e vocazione.

M * Figli d'un solo, d'un eterno Soffio.
Tragica Patria, l'insegnasti prodiga
A ogni favella libera,

v. 14
PR Ne trassero purezza

Ras E ne ebbero purezza nell'origine

M * E ne ebbero purezza dell'origine

v. 15
PR Le immagini remote

M * Le immagini remote,

vv. 16-19
PR E radici le nuove.
Fu parola ispirata.
Si può che in mente ai popoli
Mai più non torni fertile?

Ras Le nuove, immemorabili radici.

>
E nella mente ora avverrà dei popoli
Che non più torni [...]

M

* Le nuove, immemorabile radice.

Ma nella mente ora avverrà dei popoli
Che non più torni fertile
La parola ispirata,

vv. 20-23
PR

Si può che tu nel cuore
Più generoso quanto più patisca,
Non la ritrovi ancora
Più incantevole quanto più arda ascosa?

Ras

E che Tu, nel Tuo cuore
Più generosa quanto più patisca,
Non la ritrovi ancora,
Più incantevole quanto arda più ascosa?

M

* E che Tu nel Tuo cuore,
Più generosa quanto più patisci,
Non la ritrovi ancora, più incantevole
Quanto più ascosa bruci?

vv. 24-33
PR

Umile interprete del Dio di tutti,
Da venti secoli t'uccide l'uomo
Che incessante vivifichi rinata:
Oggi si può che cenere prevalga?

Si può che tu più non rifulga e crolli,
Tu, universale Patria,
Seme d'amore nell'umana notte,
Segno, grido, miracolo spezzante?

Si può che tu più non rifulga e crolli?

Ras

. . . .
Che Tu non più rifulga,
Sogno, grido, miracolo spezzante,
Seme d'amore nell'umana notte?

Speranza, fiore, canto
Non accadrà che cenere prevalga?

M * Da venti secoli T'uccide l'uomo
Che incessante vivifichi rinata,
Umile interprete del Dio di tutti.

Patria stanca delle anime,
Succederà, universale fonte,
Che tu non più rifulga?

Sogno, grido, miracolo spezzante,
Seme d'amore nell'umana notte,
Speranza, fiore, canto,
Ora accadrà che cenere prevalga?

I RICORDI
(1942-1946)

p. 235

L'ANGELO DEL POVERO

p. 236

NON GRIDATE PIÙ

Edizioni: Par, Città, M

Par *Poeti d'oltreoceano, vi dico*

M *Non gridate più*

v. 1
Par O compagni, cari una volta,
Cessate l'offesa alle tombe.

M * Cessate d'uccidere i morti,

vv. 2-4
Par Come farete a udire i vostri morti?

Città

Non gridate più, non gridate,
Vi muovano i morti a pietà
Se li volete ancora udire,
. . . .

M

* Non gridate più, non gridate
Se li volete ancora udire,
Se sperate di non perire.

vv. 5-8
Par

Quando si sa che all'anima si volge
Non avendo voce più forte
Del crescere vago dell'erba
Lieta dove non passa l'uomo.

M

* Hanno l'impercettibile sussurro,
Non fanno più rumore
Del crescere dell'erba,
Lieta dove non passa l'uomo.

[Solo questi versi di Par si riferiscono alla poesia del *Dolore*. Ma sarà utile riportare qui per intero la stesura di *Poeti d'oltreoceano, vi dico*:

O compagni, cari una volta,
Cessate l'offesa alle tombe.

Ora che avete senza nostra colpa
Straziato tumuli da poco chiusi,
E sconnesso parvule croci,
Lo scheletro, disperso, dal sarcofago,
Universali voci,
Infranto, nelle pietre inimitabili,
Come farete a udire i vostri morti?

D'ogni bene fummo a voi prodighi;
Pensavamo a voi come agli esuli
Della nostra famiglia.

Nelle fole e nelle cronache,
Se non v'arresta luce,
Nello sterminio folle,
Orridi apparireste,
Del suggello umano, dimentichi.

Dio, le prove non teme un vecchio popolo;
Gli darai, se vuoi, spazio e pane

Esaudendo giuste speranze,
Ma oggi gli confermi che solo
Dopo molte sciagure,
Si rispetta il ricordo,

Quando si sa che all'anima si volge
Non avendo voce più forte
Del crescere vago dell'erba
Lieta dove non passa l'uomo.

[E risulterà come lo spunto del verso 10 sia ripreso in *Poesia* di *Piccola Roma,* versi 119-120: *Prodiga l'insegnasti / All'Europa preclare,* versi che si riferiscono all'apparato della poesia *Accadrà?*, secondo il titolo di M]

p. 237

I RICORDI

Edizioni: Cost, M

v. 9
Cost — Quanto feroci e quanto, quanto attese

M — * Quanto feroci e quanto, quanto attese,

v. 10
Cost — E alla loro agonia

M — * E alla loro agonia,

p. 238

TERRA

Edizioni: Merc, M, M61

v. 7
Merc — Dislocarsi udire nel largo

M — * Dislocarsi udire nel largo,

v. 11
Merc Hai avuto ricolme le mani,

M * Ricolme mostrasti le mani,

v. 13
Merc Dagli avi tirreni delfini

M * Degli avi tirreni delfini

v. 14
Merc Vedesti dipinti a segreti

M * Dipinti vedesti a segreti

v. 17
Merc E terra sei ancora, di ceneri

M * E terra sei ancora di ceneri

v. 18
Merc D'inventori senza riposo...

M * D'inventori senza riposo.

vv. 19-21
Merc Ridestare cauto potrebbe
Lo stormire, d'attimo in attimo
Farfalle assopenti agli ulivi,

M * Cauto ripotrebbe assopenti farfalle
Stormire agli ulivi da un attimo all'altro
Destare,

v. 22
Merc Veglie insonni resti, di estinti,

M * Veglie inspirate resterai di estinti,

vv. 23-28

Merc	La forza di ceneri, D'ombre nel ratto oscillare d'argenti Su onde, Di frantumi di tombe...
M	La forza di ceneri, – ombre Nel ratto [...]
M61	* La forza di ceneri, – ombre Nel ratto oscillamento degli argenti. Il vento continui a scrosciare, Da palme ad abeti lo strepito Per sempre desoli, silente Il grido dei morti è più forte.

LA TERRA PROMESSA
Varianti a cura di Leone Piccioni

TAVOLA DELLE ABBREVIAZIONI

AC	« Almanacco del Cartiglio », 1953
Alf	« Alfabeto », 15-31 luglio 1948
CE	« Campi Elisi », n. 1, maggio 1946
CL	« Concilium Lithographicum », n. 6, maggio-giugno 1945
El	*Elegia in morte di Ines Fila*, Edizioni Fondazione Fila, marzo 1948
FL	« La Fiera Letteraria », 24 ottobre 1948, 30 gennaio 1949, 1° novembre 1953
Inv	« Inventario », I, n. 3-4, 1946-1947
M	*La Terra Promessa*, Mondadori, Milano 1950
M 54	*La Terra Promessa*, Mondadori, Milano 1954
PN	« Pagine Nuove », II, fascicolo XII, 1948
PS	« Poesia », n. 7, giugno 1947
RI	« La Rassegna d'Italia », IV, n. 3, 1949
Sme	« Smeraldo », n. 2, luglio 1947

LA TERRA PROMESSA

Edizioni: M, M54

M *La Terra Promessa Frammenti*

M54 *Vita d'un uomo Poesie V La Terra Promessa Frammenti*

p. 241

CANZONE

Edizioni: Alf, RI, M, M54

Alf *Frammenti*

RI *Trionfo della Fama* [1]

M *Canzone*

M54 *Canzone*
descrive lo stato d'animo del poeta

v. 1
Alf (strofa 1) Le nude braccia di segreti sazie,

M54 * Nude, le braccia di segreti sazie,

[1] Nelle varianti dei manoscritti più recenti risultano altri titoli: *Aurora*, *Dell'Aurora* o *Trionfo della Fama*, *Prologo*. In Alf apparvero solo cinque quartine, e nella RI sei strofe. Nelle varianti non si tiene conto del fatto che in Alf i capoversi fossero minuscoli: ciò non era secondo le intenzioni dell'Autore.

v. 2

Alf	Del Lete a nuoto hanno composto il fondo,
M54	* A nuoto hanno del Lete svolto il fondo,

v. 3

Alf	Disciolto adagio le veementi grazie
M54	* Adagio sciolto le veementi grazie

v. 4

Alf, RI, M	E le stanchezze onde fu luce il mondo
M54	* E le stanchezze onde luce fu il mondo.

v. 5

Alf (strofa 2)	Nulla è più vuoto della muta strada
RI	Nulla è strano più della muta strada
M54	* Nulla è muto più della strana strada

v. 6

Alf	Dove niuno è fugace né governa,
RI	Dove niuno decade né governa,
M54	* Dove foglia non nasce o cade o sverna,

v. 7

Alf	Né pena cosa, né a sé o ad altri aggrada,
RI	Né cosa pena, né a sé né ad altri aggrada,
M54	* Dove nessuna cosa pena o aggrada,

v. 8

Alf	Dove veglia mai il sonno non alterna.
M54	* Dove la veglia mai, mai il sonno alterna.

v. 9
Alf (strofa 3) Tutto risorse, sotto a trasparenze,

RI (strofa 2) Risorse tutto, poi, per trasparenze,

M54 (st. 2) * Tutto si sporse poi, entro trasparenze,

v. 10
Alf Nell'ora credula, persa la quiete,

M54 * Nell'ora credula, quando, la quiete

v. 11
Alf Che dalle dissepolte arborescenze

RI Persa, da dissepolte arborescenze,

M54 * Stanca, da dissepolte arborescenze

v. 12
Alf La misura s'offerse delle mete

RI Si delineò misura delle mete

M54 * Riestesasi misura delle mete,

v. 13
Alf (strofa 4) Ogni sussurro che vibrasse amore

RI E in scandire sussurri, tenue, amore

M54 * Estenuandosi in iridi echi, amore

v. 14
Alf Dall'aereo greto trasalì sorpreso,

M54 * Dall'aereo greto trasalì sorpreso

v. 15
Alf Si fece notte vaga in quel colore

RI Vaga facendo notte e, in quel colore,

M54 * Roseo facendo il buio e, in quel colore,

v. 16
Alf E fu, più d'ogni vita, sonno acceso.

RI Più di qualsiasi vita il sonno, acceso.

M54 * Più d'ogni vita un arco, il sonno, teso.

v. 19
Alf Sempre più esclusa è l'iniziale immagine;

RI Sarà sempre esclusa l'iniziale immagine;

M54 * Sempre ci esclude più, la prima immagine,

v. 20
Alf Ma, da quel gelo, a lampi, riconquide.

RI Ma, dal suo gelo, a lampi, riconquide.

M54 * Ma, a lampi, rompe il gelo e riconquide.

vv. 21-25
RI (strofa 4) Ride più rosea l'ossessiva mira
Più si spoglia e più tocca a nudo calma;
Ma, germe, quando schietta idea, d'ira,
Tale, al deserto avversa, il rivo inventa e la palma.

M54 (strofa 4) * Più sfugga vera, l'ossessiva mira,
E sia bella, più tocca a nudo calma
E, germe, appena schietta idea, d'ira,
Rifreme, avversa al nulla, in breve salma.
Rivi indovina, suscita la palma:

[In M54 la strofa 4 ha due versi in più di RI: *rivi indovina, suscita la palma: / dita dedale svela, se sospira*]

vv. 27-29
RI (strofa 5) Devasti gli animi con sorda calma,
Desoli gli attimi con sorda calma.

M54
(strofa 5) * Prepari gli attimi con cruda lama,
Devasti, carceri, con vaga lama,
Desoli gli animi con sorda lama,

[*Calma* in RI è errore di stampa: il manoscritto già segnava *lama*]

vv. 31-32
RI Benché, più sia lontana nell'abisso,
Meglio orrenda si sveli forma, fama.

M54 * Sebbene, orribile da spoglio abisso,
Non si conosca forma che da fama.

vv. 33-34
RI (strofa 6) In angoscia i minuti passo e in brama,
Ma se, tuttora incontro all'avventura,

M54 * E se, tuttora fuoco d'avventura
(strofa 6) Tornati gli attimi da angoscia a brama.

p. 243

DI PERSONA MORTA DIVENUTAMI CARA SENTENDONE PARLARE

EDIZIONI: El, PN, M, M54

El *A amarti solo nel ricordo*

PN *Amarti solo nel ricordo*

M54 *Di persona morta divenutami*
cara sentendone parlare

v. 1
El, PN Si dilegui la Morte

M54 * Si dilegui la morte

v. 5
El, PN Rammemorato nella calma stanza

M54 * Nella stanza calma riapparso

v. 7
El, PN Oh, bellezza flessuosa, ora è l'aprile.

M54 * Oh bellezza flessuosa, è Aprile

[In M, *aprile*]

vv. 9-10
El, PN Tu riconduci con la tua mitezza

M54 * Tu riconduci,
Con la tua mitezza,

vv. 12-23
El Sotto la fronte delicata
S'incantano i pensieri che ritrovi
Fra i famigliari oggetti,
E carezzevole la tua parola
Più viva fa la brevemente
Sofferenza assopita
Di chi t'amò e perdutamente
A amarti solo nel ricordo
Ora è punito.

PN Sotto la fronte delicata incantano
I tuoi pensieri che ritrovi
Fra i famigliari oggetti, ma
Carezzevole, la tua parola
Più a fondo fa tornare in vita
Il brevemente dolore assopito
Di chi t'amò e perdutamente
A amarti solo nel ricordo
Ora è punito.

M54 * Di nuovo
Dall'assorta fronte,
I tuoi pensieri che ritrovi
Fra i famigliari oggetti,
Incantano,
Ma, carezzevole, la tua parola
Rivivere già fa,
Più a fondo,
Il brevemente dolore assopito
Di chi t'amò e perdutamente
A solo amarti nel ricordo
È ora punito.

CORI DESCRITTIVI DI STATI D'ANIMO DI DIDONE

Edizioni: CL, CE, Inv, Sme, M, M54, M67

CL « *Frammenti* » *per* La Terra Promessa [1]

CE *La Terra Promessa* [2]

Inv *La Terra Promessa* « Frammenti »[3]

Sme *La Terra Promessa* [4]

M54 *Cori descrittivi di stati d'animo di Didone*

[1] Solo i primi due cori riprodotti in litografia dall'autografo con le correzioni che da esso risultano: riporteremo quest'ultime in parentesi quadra.

[2] I tre primi cori con dedica *a Giuseppe De Robertis* erano preceduti da questo avvertimento: *Toccata Enea la Terra promessa, tra le visioni della sua memoria che gli prefigureranno l'avvenire, si leveranno anche i cori seguenti, descrittivi di stati d'animo di Didone.*

[3] Dal primo al dodicesimo coro con dedica *a Giuseppe De Robertis.*

[4] Dal tredicesimo al diciannovesimo coro, preceduti da un avvertimento analogo a quello di CE e dalla medesima dedica.

p. 244

I

vv. 1-14

CL

Tra la fuga dell'ombra
[Fra il ritrarsi dell'ombra]
In lontananza d'anni
Quando ancora non lacerano aftanni
Il petto giovanile
Sorge desiderato
E con l'occhio allarmato
Aggravi incauta l'arrossito aprile
Dell'odorosa gota.
Scherno, pena solerte
Che rendi il tempo inerte
E la sua furia, lungamente nota,
– Il roso cuore, sgombra!
Ma dileguarsi può l'età da notte
Sopendo mute lotte?

CE

In lontananza d'anni,

Quando non laceravano gli affanni,

L'allora, odi, puerile
Petto ergersi bramato
Tra la fuga dell'ombra,
E l'occhio tuo allarmato
Svelare il fuoco incauto dell'aprile
Dall'odorosa gota.

Scherno, spettro solerte
Che rendi il tempo inerte
E la sua furia, lungamente nota,
– Il cuore roso, sgombra!

Ma potrà dileguarsi, mute lotte
Sopite, età da notte?

[In Inv, per il resto identico a M54, il v. 4 reca: *L'allora odi puerile*; inoltre non c'è spazio tra il v. 11 e il v. 12]

M54

* Dileguandosi l'ombra,

In lontananza d'anni,

Quando non laceravamo gli affanni,

>
L'allora, odi, puerile
Petto ergersi bramato
E l'occhio tuo allarmato
Fuoco incauto svelare dell'Aprile

[In M, *aprile*]

Da un'odorosa gota.

Scherno, spettro solerte
Che rendi il tempo inerte
E lungamente la sua furia nota:

Il cuore roso, sgombra!

Ma potrà, mute lotte
Sopite, dileguarsi da età, notte?

p. 244

II

vv. 4-8
CL

Pare che all'infinito, affetto aggiunga.
[Pare che l'infinito a sé congiunga]
[Pare che all'infinito le ore aggiunga]
[Pare che all'infinito il tempo aggiunga]
[Pare che all'infinito l'ansia aggiunga]
Lunare allora apparve, ma si giacque,
Eco, perplessa al tremolìo dell'acque
Non so chi fu più vivo,
Il sussurrìo sino all'ebbro rivo
[Il mormorìo sino al fiammante rivo]
[Il mormorìo sino al felice rivo]

M54

* Pare infinito a sorte ricongiunga.

Lunare allora inavvertita nacque
Eco, e si fuse al brivido dell'acque.

Non so chi fu più vivo,
Il sussurrìo sino all'ebbro rivo

p. 245

III

p. 245

IV

p. 245

V

v. 3
Inv L'ansia ci trasportava, lungo il sonno

M54 * L'ansia ci trasportava lungo il sonno

v. 10
Inv Più tardi, già accaniti nelle veglie.

M54 * Più tardi, già accaniti noi alle veglie.

p. 246

VI

v. 3
Inv. E mutando in sé stesso

M54 E, in sé stesso mutato,

M67 * E, in se stesso mutato,

p. 246

VII

v. 2
Inv Cammini in campi vuoti d'ogni grano;

M54 * Cammini in campi vuoti d'ogni grano:

p. 246

VIII

p. 246

IX

vv. 3-4
Inv Pallore sopra queste o quelle foglie.
Nemmeno più contrasto col macigno,

M54 * Pallore sopra queste o quelle foglie;
Nemmeno più contrasto col macigno,

X *p. 247*

XI *p. 247*

XII *p. 247*

XIII *p. 247*

v. 2
Sme Se ancora sorgere dovesse,

M54 * Se ancora sorgere dovesse

v. 3
Sme Il suo amore impassibile farebbe

M54 * Il suo amore, impassibile farebbe

v. 5
Sme Spargendosi nelle ore e nei minuti.

M54 * Spargendosi nelle ore, nei minuti.

XIV *p. 248*

v. 2
Sme Gli sguardi tuoi che s'accigliavano

M54 * Gli sguardi tuoi, che si accigliavano

v. 5
Sme Mai più, ormai mai più:

M54 * Mai più, ormai mai più.

vv. 6-15

Sme Per patirne l'estraneo, amato orgoglio,
Sorte diversa chiederebbero
Ai tuoi torti gli sguardi tuoi
Che sono secchi e opachi,
Che più non hanno da sprizzare
Nemmeno un sol raggio,
Che sono secchi e opachi,
– Opachi, senza raggi.

M54 * Per patirne l'estraneo, il folle
Orgoglio che tuttora adori,
Ai tuoi torti con vana implorazione
La sorte imputerebbero
Gli ormai tuoi occhi opachi, secchi;
Ma grazia alcuna più non troverebbero,
Nemmeno da sprizzarne un solo raggio,
Od una sola lacrima,
Gli occhi tuoi opachi, secchi,
— Opachi, senza raggi.

p. 248

XV

v. 1

Sme Non vedresti, deserta, che i tuoi torti

M54 * Non vedresti che torti tuoi, deserta,

p. 248

XVI

vv. 3-6

Sme E si stendeva la notte
A sospirar di sfumare in prato,
E a prime dorature ti sfrangiavi.

M54 * E tornava a distendersi la notte
Con i sospiri di sfumare in prato,
E a prime dorature ti sfrangiavi,
Incerte, furtiva, in dormiveglia.

p. 248

XVII

vv. 3-6
Sme

Colle piume fugaci
Un'Affrica di sabbia
Ombreggiando a distratte strie,
Ravviveresti forse?

M54

* Con le sue piume più fugaci
A distratte strie ombreggiando,
Senza fine la sabbia
Forse ravviveresti.

p. 249

XVIII

vv. 1-2
Sme

Lasciò i campi alle spighe l'ira nudi,
E la città poco più tardi

M54

* Lasciò i campi alle spighe l'ira avversi,
E la città, poco più tardi,

vv. 4-5
Sme

Ardee cineree vede solo errare
Tra paludi e cespugli

M54

* Àrdee errare cineree solo vedo
Tra paludi e cespugli,

vv. 7-8
Sme

E gli escrementi dei voraci figli
Anche se solo appaia una cornacchia.

M54

* E gli escrementi dei voraci figli
Anche se appaia solo una cornacchia.

vv. 9-11
Sme

La fama che le resta
S'estende per fetori,
E in sé più non contiene

M54 * Per fetori s'estende
La fama che ti resta,
Ed altro segno più di te non mostri

v. 14
Sme Se uno ai gridi sgradevoli la guardi.

M54 * Se ai tuoi sgradevoli gridi ti guardo.

p. 249

XIX

v. 1
Sme La superbia ha deposta negli orrori,

M La superbia ha deposto negli orrori,

M54 * Deposto hai la superbia negli orrori,

p. 250

RECITATIVO DI PALINURO

Edizioni: Ps, M, M54

v. 3
Ps Dilagante fu un olio a smanie d'onde

M54 * Olio fu dilagante a smanie d'onde,

[Per un errore di stampa in Ps, si leggeva *odio* per *olio*]

v. 16
Ps Non mai accanite a gara più mortale.

M54 * Non mai accanite a gara più mortale,

v. 18
Ps Me logorava, a suo deserto emblema.

M54 * Mi logorava a suo deserto emblema.

vv. 19-23

Ps — D'àugure l'occhio allora sciolse emblema;
Di me infuocò le siderali onde;
Crebbe di scienza l'ansietà mortale;
Per virginee arti, un angelo fu in sonno,
E tarlo, al bacio in cuore, ancora in furia;

M — . . . .
Fu al bacio, in cuore ancora tarlo in furia.

M54 — * D'àugure sciolse l'occhio allora emblema
Dando fuoco di me a sideree onde;
Fu, per arti virginee, angelo in sonno;
Di scienza accrebbe l'ansietà mortale;
Fu, al bacio, in cuore ancora tarlo in furia.

v. 27

Ps — Di disperanza: preda d'ogni furia;

M54 — * Di disperanza e, preda d'ogni furia,

vv. 29-30

Ps — Ingigantivo d'impeto mortale
Più folle, d'esse, folle sfida al sonno.

M54 — * Ingigantivo d'impeto mortale,
Più folle d'esse, folle sfida al sonno.

VARIAZIONI SU NULLA

p. 252

Edizioni: FL, M, M54

FL — *Variazioni su nulla* (con dedica *per Leone Piccioni*)

M54 — *Variazioni su nulla*

v. 2

FL — Dalla clessidra muto, e va posandosi,

M54 * Dalla clessidra muto e va posandosi,

vv. 3-4
FL E, fugaci le impronte sul carnato,
Sul carnato che muore d'una nuvola...

M54 * E, fugaci, le impronte sul carnato,
Sul carnato che muore, d'una nube...

vv. 7-8
FL Il farsi argenteo tacito di nuvola
Ai brevi primi lividi dell'alba...

M54 * Il farsi argentea tacito di nube
Ai primi brevi lividi dell'alba...

vv. 9-12
FL La mano in ombra la clessidra volse
E di sabbia il nonnulla che trascorre
Silente, è unica cosa che ormai s'oda
Che in buio, essendo udita, non scompaia.

M54 * La mano in ombra la clessidra volse,
E, di sabbia, il nonnulla che trascorre
Silente, è unica cosa che ormai s'oda
E, essendo udita, in buio non scompaia.

p. 253

SEGRETO DEL POETA

Edizioni: AC, FL, M54

AC *Vattene, sole, lasciami sognare*

FL *Giorno per Giorno*

M54 *Segreto del Poeta*

vv. 2-3
AC Si può trascorrere con essa sempre
D'attimo in attimo, non vanità d'ore,

M54 * Sempre potrò trascorrere con essa
D'attimo in attimo, non ore vane;

v. 4
AC Ma il tempo cui trasmetto il palpito

FL Ma tempo cui il mio palpito trasmette

M54 * Ma tempo cui il mio palpito trasmetto

[*trasmette* in FL era errore di stampa per *trasmetto*]

vv. 5-6
AC A mio talento, senza distrazioni.
Tornata a farsi chiara allora sento

FL Come m'aggrada, senza mai distrarmene.
Avviene quando sento,

M54 * Come m'aggrada, senza mai distrarmene.
Avviene quando sento,

vv. 7-13
AC La speranza immutabile
Che riattiva in me fuoco
Luce ridando a quei terreni gesti
Che immortali parvero
E tanto li ebbi cari
E non potrò mai crederli spariti.

FL La speranza immutabile,
Mentre da ombre riprende a farsi chiara,
Che rianima in un fuoco e nel silenzio
Pietosa restituisce,
A tuoi gesti terreni
Talmente amati che immortali parvero,
Luce.

M54 * Mentre riprende a distaccarsi da ombre,
La speranza immutabile
In me che fuoco nuovamente scova
E nel silenzio restituendo va,
A gesti suoi terreni
Talmente amati che immortali parvero,
Luce.

[al v. 9 *in un* in FL era errore di stampa per *in me*]

p. 254

FINALE

Edizioni: FL, M, M54

FL *Coro di Ondine* (con dedica *a Giuseppe De Robertis.*)

M54 *Finale*

UN GRIDO E PAESAGGI
Varianti a cura di Mario Diacono

TAVOLA DELLE ABBREVIAZIONI

App	« L'Approdo », I, n. 1, gennaio-marzo, n. 3, luglio-settembre 1952
Inv	« Inventario », II, n. 2, estate 1949
M	*Un Grido e Paesaggi*, Mondadori, Milano 1954
M62	*Un Grido e Paesaggi*, Mondadori, Milano 1962
M69	*Un Grido e Paesaggi*, presente edizione
Pa	« Paragone », Firenze, III, n. 26, febbraio 1952
Pir	« Pirelli », II, n. 1, gennaio 1949
Po	« Il Popolo », Roma 12 gennaio 1950
PV	Pubblicazione ufficiale del Premio Viareggio, agosto 1952
Sch	*Un Grido e Paesaggi*, Schwarz Editore, Milano 1952

UN GRIDO E PAESAGGI

Edizioni: Sch, M

Sch	*Un Grido e Paesaggi*
M	*Vita d'un uomo Poesie VI Un Grido e Paesaggi*

p. 257

MONOLOGHETTO

Edizioni: App, Pa, Sch, M, M62

App	*Febbraio*
Pa	*Abbozzo di monologhetto sopra paesaggi di febbraio*
Sch, M62	*Monologhetto*

v. 19

App, Sch	E,
M62	E

v. 20

App	Qua e là, spargersi s'ode
M62	* Qua e là spargersi s'ode,

v. 21

App	Di volatili in cova

M62 * Di volatili in cova,

vv. 28-29
App, Pa Chiusi sotto il lume a petrolio nella stanza,
Uomini in giro al caldo a veglia

Sch Uomini in giro al caldo a veglia
Chiusi sotto il lume a petrolio nella stanza,

M62 * Uomini intorno al caldo a veglia
Chiusi sotto il lume a petrolio nella stanza,

v. 32
App, Pa Morsicando lenti la pipa,

M62 * Morsicando lenti la pipa

v. 34
App, Sch Accompagnato dal sussurro della rivergola,

M62 * Accompagnato dal sussurro della rivergola

vv. 36-39
App, Pa Del ragazzo Ghiuvanni:
Tantu lieta è la sua sorte
Quantu torbida è la mia.
Di fuori infittisce uno scalpiccìo

M62 * Del ragazzo Ghiuvanni:

Tantu lieta è la mia sorte
Quantu torbida è la mia.

Di fuori infiittisce uno scalpiccìo

[Sch è simile a M62. Al primo verso si legge *ragazzo Chiuvanni* ma è errore di stampa per *Ghiuvanni*]

v. 43
App, Pa E neve scende e sono immoti i venti.

Sch E neve scende e i venti sono immoti.

M62 * E con immoto vento ancora nevica.

vv. 46-47
App, Pa	Con i tetti rossi di tegole,
Le case più recenti,

M62	* Con i tetti rossi di tegole
Le case più recenti

v. 57
Pa, Sch	E,

M62	* E

vv. 59-63
App, Pa	Da Levante si passa poi dei monti,
E l'autista anche a voce il serpeggìo:
Sulìa, Umbrìa, Umbrìa,
Segue [...]
E, o a Levante [...]
Torna il nodo a alternarsi e, peggio, peggio,

Sch	Da Levante si passa poi dei monti,
Torna il nodo a alternarsi e, peggio,

M62	* Da Levante si passa poi dei monti,
E l'autista anche a voce il serpeggìo:

Sulìa, umbrìa, umbrìa,

Segue, se lo ripete
E, o a Levante o a Ponente, sempre in monti,
Torna il nodo a alternarsi e, peggio,

v. 68
Pa	D'altezza la macchina infila

M62	* D'altezza, la macchina infila

vv. 72-73
App, Pa	Il cielo è un cielo di zaffiro,
Lucido ha quel colore

M62	* Il cielo è un cielo di zaffiro
E ha quel colore lucido

vv. 84-86

App	Il mugghiare continuo. E È il Neptunia che incede E a Pernambuco attracca,
Sch	Il mugghiare continuo, Ed incede il Nettunia. A Pernambuco [...]
M62	* Il mugghiare continuo, Ed incede il Neptunia. A Pernambuco attracca

v. 99

App, Pa	E giorno, essendo Carnevale;
M62	* E giorno, essendo Carnevale.

v. 108

App	Equatore è a due passi.
M62	* L'equatore è a due passi.

v. 111

App, Sch	E più che mai facendosi
M62	* E, più che mai, facendosi

vv. 114-115

App, Sch	E ancora più penò Il suo sangue facendosi mulatto
M62	* E ancora più penò, Il suo sangue, facendosi mulatto

v. 119

App, M	Giunse alla fine a mettere, A un solleone di Luglio,
M62	* Giunse alla fine a mettere a un solleone,

v. 122
App, Pa Questo Febbraio falso,

M62 * Questo febbraio falso

vv. 127-130
App, Pa Con l'ossessiva [...]
Ironia, ironia
Era sò o que dizia.
Il ricordare [...]

M62 * Con l'ossessiva ingenuità qui d'uso:

Ironia, ironia
Era sò o que dizia.

Il ricordare è di vecchiaia il segno,

v. 141
App, Pa Era burrasca, pioveva a dirotto,

M62 * Era burrasca, pioveva a dirotto

v. 142
App A Alessandria d'Egitto in quella notte

M62 * A Alessandria d'Egitto in quella notte,

v. 147
App E a lui d'intorno in ressa il popolo

M62 * E a lui dintorno in ressa il popolo

vv. 155-158
App, Pa Indica [...]
Un mahdi [...]
Delinea [...]
Ma mia [...]

M62 * Indica e, con schiumante bocca, attesta

Un mahdi, ancora informe nel granito,
Delinea le sue braccia spaventose;

Ma mia madre, Lucchese,

vv. 160-163
App, Pa	Ed un proverbio [...]
Se di Febbraio [...]
Empio di vino [...]
Poeti, poeti [...]

M	Ed un proverbio cita:

Se di Febbraio corrono i viottoli,
Empio di vino e olio tutti i ciottoli.

Poeti, poeti, ci siamo messe

M62	....
* Poeti, poeti, ci siamo messi

vv. 166-167
App, Pa	Per atroce impazienza,
In quel vuoto che, per natura,

M62	* Per atroce impazienza
In quel vuoto che per natura

v. 169
App, Sch	Sul lunario fissandosi per termini

M62	* Sul lunario fissandosi per termini:

v. 176
App, Sch	Del: *Sei polvere e ritornerai in polvere*:

M62	* Del *Sei polvere e ritornerai in polvere*;

v. 182
App, Sch	Che di solo rimpianto viva:

M62	* Che di solo rimpianto viva;

v. 193
App, Sch	O se d'un soffio svaria in sé le voci.

M62	* O se le voci in sé, svaria d'un soffio.

p. 263

GRIDASTI: SOFFOCO...

Edizioni: Inv, Po, Sch, M

Inv *Giorno per giorno*

M *Gridasti: Soffoco...*

I

v. 1
Inv, Po Non potevi dormire, non dormivi...

M * Non potevi dormire, non dormivi...

vv. 4-5
Inv Gli occhi ch'erano ancora
Luminosissimi un momento fa,

M * Gli occhi, che erano ancora luminosi
Solo un attimo fa,

v. 9
Inv Felice ero rinato nel tuo sguardo...

M * Felice rinascevo nel tuo sguardo...

vv. 10-13
Inv Poi la bocca, la bocca
Che una volta sorrideva, la bocca
Si torse in lotta muta...

M * Poi la bocca, la bocca
Che una volta pareva, lungo i giorni,
Lampo di grazia e gioia,
La bocca si contorse in lotta muta...

II

Inv
v. 15 Nove anni,

Po
2
Nove anni, chiuso cerchio.

M
* Nove anni, chiuso cerchio,

vv. 20-21
Inv, Po
Posso cercarti, posso ritrovarti,
Posso andare [...]

M
* Posso cercarti, posso ritrovarti,
Posso andare, continuamente vado

v. 32
Inv
Abbandonandosi nelle mie mani,

M
* Abbandonandosi nelle mie mani;

vv. 34-35
Inv
E, pallidissime, sole nell'ombra.

Po
E -- pallidissime! – nell'ombra, sole.

M
* E, sole – pallidissime –
Sole nell'ombra sostano...

vv. 36-37
Inv
La settimana scorsa eri fiorente.
Ti vado a casa a prendere il vestito;

Po
La settimana scorsa eri fiorente...

3
Vi vado a prendere il vestito,

M
* La settimana scorsa eri fiorente...

Ti vado a prendere il vestito a casa,

vv. 41-45
Inv
La liberi incitandomi a soffrire;
Ma saprò ritrovarti
Dove la vita vive senza morte?

Po
. . . .
Che il tuo sorriso vivo non sapesse,
. . . .
Dove si vive calmi, senza morte.

M
* Ora meglio la liberi
Che non sapesse il tuo sorriso vivo:
Provala ancora, accrescile la forza,
Se vuoi – sino a te, caro! – che m'innalzi
Dove il vivere è calma, è senza morte.

v. 46
Inv
E perdona se indulgere non so
Al male che fu subdolo:
Sconto sopravvivendoti, l'orrore

Po
4
Sconto, sopravvivendoti, l'orrore

M
* Sconto, sopravvivendoti, l'orrore

vv. 48-51
Inv
E che ai tuoi anni aggiungo
Come se ancora tra di noi mortale
Tu continuassi a crescere.
Con lamento li aggiungo e con rimorso,
Con sospensione d'animo, demenza,
Per sete inestinguibile di te;

Po
. . . .
Tu continuassi a crescere.

M
* E che ai tuoi anni aggiungo,
Demente di rimorso,
Come se, ancora tra di noi mortale,
Tu continuassi a crescere;

vv. 52-53
Inv
E vedo solo crescere nel vuoto
La mia vecchiaia odiosa.

M
*Ma cresce solo, vuota,
La mia vecchiaia odiosa...

vv. 54-59

Inv

Era di notte come è ora, e mi davi
La mano. Mi dicevo spaventato:
« – È troppo azzurro questo cielo australe,
« È di stelle troppo gremito.
« – Babbo, perché?
« – Figliolo mio, perché? ».

Po

5
Come ora, era di notte,
E mi davi la mano.
Dicevo spaventato:
– È troppo azzurro questo cielo australe,
È di stelle troppo gremito...
– Babbo, perché?
– Figliuolo mio, perché?

M

* Come ora, era di notte,
E mi davi la mano, fine mano...
Spaventato tra me e me m'ascoltavo:
È troppo azzurro questo cielo australe,
Troppi astri lo gremiscono,
Troppi e, per noi, non uno familiare...

vv. 60-62

Inv

(Sordo cielo che scende senza un soffio,
Che sento sempre opprimere
Le mani che si tendono a scansarlo.)

Po

6
(Cielo sordo, che scende senza un soffio,
. . . .

M

* (Cielo sordo, che scende senza un soffio,
Sordo che udrò continuamente opprimere
Mani tese a scansarlo...)

SVAGHI

Edizioni: PV, App, Sch, M

p. 265

1

PV

M *1*

[Tranne che in PV, le due prime poesie (*Amsterdam, 1933*) sono precedute da una premessa in prosa. In App vi sono due periodi in più, all'inizio:
« *Questo trimestre non ho voglia di scegliere tra i miei appunti sulla* Difficoltà della poesia, *la quarta noterella. Lo farò la prossima volta.*
Vogliate, questa volta, lasciare che mi dedichi a qualche svago. »]

p. 265

VOLARONO

Edizioni: PV, App, Sch, M

v. 3
PV Si ruppe in metallici riflessi

M * Si ruppe con metallici riflessi

v. 10
PV, App Tornate al nido, domattina

M * Tornate al nido, all'alba domattina,

v. 13
PV Scovati dai monelli

App Scovati dai monelli,

M * Scovati (« Zitti! » « Piano! ») dai monelli,

v. 14
PV, App È Primavera...

M * È Primavera.

p. 266

È DIETRO

Edizioni: PV, App, Sch, M

v. 5
PV, App — Ha raso l'erba,
E dietro le casipole,

M — * Ha raso l'erba e, dietro le casipole,

v. 6
PV, App — Gente va, con le vetrici s'intreccia,

M — * Va gente, con le vetrici s'intreccia,

v. 7
PV, App — Va, nasse nascono dal sonno, va...

M — * Nelle nasse si schiudono occhi, va...

p. 266

PV

M — 2
La prosa che precede Saltellano *manca in PV. Nelle altre redazioni presenta alcune diversità*:

da r. 8
App — cielo celeste, quasi bianco, ma senza macchia, e che non tollera a placarlo nemmeno il posarsi carezzevole

M — * cielo celeste, azzurro quasi bianco, diafano, assetante, come in perenne senza macchia, persino come intollerante che a placarlo avvenga s'azzardi il posarsi carezzevole

da r. 12
App — riflettendo la lastra d'acqua di già impaziente

M — * riflettendosi alla lastra d'acqua impaziente di già

da r. 14
App inviscidendo il muro, glauca, oppure, secondo i momenti, colore occhi di triglia morta

M * glauca, inviscidendo il muro, acqua ricordo corrotto, ricordo, sterile più che mai, dell'azzurro, oppure, secondo i momenti, livida, acqua in crescente annebbiamento, per assenza, per l'approfondirsi dello smarrimento per l'assenza dell'azzurro, lastra d'acqua colore occhi morti;

da r. 22
App Inoltre, mi torna in mente che il quadro, e anche qui, dove l'azzurro splende, svaria, m'esalta, ebbe destinazione funebre. Ci si accorge dell'azzurro – è verità – quando l'amore non può più essere che malinconia, quando ogni luogo pare non ospitare più se non malinconia. Volete sentirla diramarsi in un canto, tale malinconia?

M * Ci si accorge dell'azzurro – è verità – quando l'amore non può essere che malinconia, quando ogni luogo pare non ospitare più se non malinconia.

da r. 26
App Ah dimenticavo, i colombi qui non vogliono essere che colombi [...] dai sassolini del mosaico [...] nel senso ornitologico del vocabolo

M * Ah dimenticavo: i colombi qui non vogliono essere che giovani colombi: [...] dai sassolini dei mosaici [...] nel senso ornitologico della parola [...]

p. 267

SALTELLANO

Edizioni: PV, App, Sch, M, M69

v. 4
PV (Che evade da ori e mini,

M (Che da ori evade e mini,

M69 * (Che da ori evade e minii,

v. 6
PV Orme come di chiocciola

M * Orme come di chiocciola,

v. 7
PV Cauti protraendo, indiscreto, richiami
Come di viola o, a volte, di gaggia)

M * Viola stana, protrae)

v. 8
PV S'incanti solo,

M * S'incanti tutto solo,

v. 9
PV O strisci, brancoli, o rimanga cupo

M * O strisci, brancoli, persista cupo,

p. 267

PV 3

M *3*
Anche l'avvertimento che precede Esercizio di metrica *manca in PV. Più scarne qui le correzioni o le aggiunte:*

da r. 15
App Indispensabile misura poiché il corpo è lo strumento [...]; ma va in nulla a sorte definita di quell'umana persona cui appartiene e segna il tempo. E, se anche a un vecchio è terrorizzante

Sch Indispensabile misura [...]; ma esso va in nulla a sorte definita di quell'umana persona cui appartiene, cui segna il tempo. E, se anche a un vecchio è terrorizzante

M * Indispensabile misura essendo il corpo lo strumento [...]; ma, a sorte definita di quell'umana persona cui appartiene, cui segna il tempo, il corpo va in nulla. E se, anche a un vecchio, è terrorizzante

p. 268

ESERCIZIO DI METRICA

Edizioni: Pir, Sch, M, M69

v. 11

PV Giù essa sarà dal mistero suo libera

App, Sch Giù essa sarà, dal mistero suo libero,

M * Giù essa sarà, dal suo mistero esule,

p. 269

SEMANTICA

Edizioni: Pir, Sch, M, M69

Pir *Boschetti di cahusù*

M *Semantica*

vv. 1-31

Pir

Come in tutte le parti del Matto Grosso
L'angico vi abbonda
E già si vedono alcuni piedi di sapindo
Libarò dei guaranì
E boschetti qua e là di rado cahusù
Un albero di fusto dritto e alto
Di scorza ambigua
È caro ai bambebà
Va sorreggendo una cupola lucida
La scorgi di lontano
Di fitte foglie a tre per tre
Ma troppo verdi

Con la sua gomma
Quegli Indi fanno bottiglie e otri
La forma degli oggetti appare arcadica
Ai portoghesi fa chiamare
Una sì altera pianta seringueira
E seringa è la gomma
E chi la va estraendo è il seringueiro
E un seringal è lo strano boschetto
Straordinario a vero dire e bello

Sch [In tutto simile a M tranne che al v. 14:
E moltitudine erra famelica]

M * Come dovunque in Amazonnia qua,
L'angìco abbonda, e già scoprirsi vedi
Alcuni piedi di sapindo,
Il libarò dei Guaranì;
E, di rado, di qui o di là,
I causcio si radunano a boschetti,
Riposo all'ombra sospirata d'alberi
Di fusto dritto ed alto,
Di scorza come d'angue,
Cari ai Cambebba.
Di lontano li scorgi
Mentre più torrido t'opprime il chiaro
E più ti lega il tedio
E gira moltitudine famelica
Di moschine invisibili,
Quando, di fitte foglie a tre per tre,
Con luccichio ti svelano verdissimo
D'un subito le cupole e la stanza,
Tremuli fino al suolo.
Sai che vi dondola per te un'amaca.
I tronchi ne feriscono e, col succo,
Zufoli ed otri plasmano quegli Indi;
Oggetti il cui destino conviviale
Nel Settecento nominare fa
A Portoghesi lepidi
Seringueira, l'appiccicosa pianta,
E dirne la sostanza,
Arcadi cocciuti, seringa,
Chi la va raccogliendo, seringueiro,
L'irrequieto boschetto, seringal,
Con suoni ormai solo da clinica.

[In M69 *Amazonnia* e *causcio* corretti in *Amazzonia* e *cautsciò*]

IL TACCUINO DEL VECCHIO
Varianti a cura di Mario Diacono

TAVOLA DELLE ABBREVIAZIONI

App	« L'Approdo Letterario », n. 5, gennaio-marzo 1959
F	*Il Taccuino del Vecchio*, in *Morte delle Stagioni*, Fògola, Torino 1967
GLN	*75° compleanno: Il Taccuino del Vecchio, Apocalissi*, Guido Le Noci Editore, Milano 1963
Lt	« Letteratura », V, n. 35-36, settembre-dicembre 1958
Lt (Paci)	E. Paci, *Ungaretti e l'esperienza della poesia*, in « Letteratura », n. 35-36, settembre-dicembre 1958
M	*Il Taccuino del Vecchio*, Mondadori, Milano 1960
M61	*Il Taccuino del Vecchio*, Mondadori, Milano 1961
M69	*Il Taccuino del Vecchio*, presente edizione
Noss	« Nosside », V, n. 5-6, 1959
Off	« Officina », n. 11, novembre 1957
Pa	« Paragone », IX, n. 98, febbraio 1958
Pi	« Pirelli », XIII, n. 2, aprile 1960
Schw	*2 Poesie di Ungaretti*, Scheiwiller, Milano 1959
TP	« Tempo Presente », III, n. 2, febbraio 1958

NOTA AL TACCUINO

La prima occasione della raccolta dei cori del *Taccuino del Vecchio*, fu l'idea di una pubblicazione di omaggio a Ungaretti per i suoi settant'anni. Me ne occupai io e raccolsi saggi, testimonianze, messaggi di cinquantadue scrittori, poeti, saggisti stranieri, francesi, inglesi, americani, tedeschi, spagnoli, da Bandeira a Candido, da Char a Dos Passos, da Eliot a Emmanuel; da Guillén a Jouve, da Maritain a Paulhan, a Perse a Pound, da Spitzer a Supervielle, da Tate a Zervos, ecc., ecc. In quella occasione apparvero i ventisette nuovi cori, ed altre tre canzoni nuove. I settant'anni di Ungaretti cadevano nel '58: per ritardi editoriali la prima edizione del *Taccuino* apparve nel settembre del '60.

L. P.

IL TACCUINO DEL VECCHIO

Edizioni: M, M61, GLN

M — *Il Taccuino del Vecchio*
con testimonianze di amici stranieri del poeta
raccolte a cura di Leone Piccioni
e con uno scritto introduttivo di Jean Paulhan

M61 — *Vita d'un uomo Poesie VII Il Taccuino del Vecchio*
1952-1960

ULTIMI CORI PER LA TERRA PROMESSA

Edizioni: Pa, TP, Lt, Lt(Paci), App, Pi, M, F, M69

Pa — *Quattro nuovi cori per la Terra promessa* [1]

[1] I cori dal 10° al 13°, numerati I-IV, più il coro 9° pubblicato come poesia autonoma, con titolo *Il compleanno*.

TP	*Nuovi cori per « La Terra Promessa »*[1]
Lt	*Nuovi cori per* La Terra promessa[2]
App	*Il Taccuino del Vecchio – Ultimi cori per* La Terra Promessa[3]
M	*Ultimi cori per La Terra Promessa*

p. 273

1

p. 273

2

p. 274

3

p. 274

4

In M e M61 figurava per errore *15* anziché *16*.

Lt (Paci)	*1*
App	*1*
M	*4*

[1] I cori 6° e 7° e dal 14° al 17°, senza numerazione.

[2] Dal coro 19° al coro 22°, datati *1952-1958*, senza numerazione. Sullo stesso fascicolo di Lt, che era dedicato a Giuseppe Ungaretti per il suo settantesimo anno, nel saggio di Enzo Paci *Ungaretti e l'esperienza della poesia* sono riprodotti, con la stessa numerazione che avranno poco dopo in App, i cori dal 4° all'8° e il coro 22°, che presentano alcune varianti, indicate Lt (Paci).

[3] I cori dal 4° al 22°, numerati 1-19 e datati *Roma, 1952-1958.*

v. 5
Lt (Paci)   Ma va la mira al Sinai sopra sabbia

M   * Ma va la mira al Sinai sopra sabbie

p. 275

5

Lt (Paci)   *2*

App   *2*

M   *5*

p. 275

6

TP
M   *3*

Lt (Paci)   *3*

App   *6*

v. 1
Lt (Paci)   All'infinito se durasse il viaggio

M   * All'infinito se durasse il viaggio,

v. 8
TP   Si esacerba illusione.

Lt (Paci)   Riprende l'illusione a incrudelire.

App   Ripiglia a incrudelire l'illusione.

M   * Riprende a incrudelire l'illusione.

p. 275

7

TP

Lt (Paci) *4.*

App *4*

M *7*

vv. 7-8
Lt (Paci) Che solo puoi afferrare bricioli di ricordi.

M * Che solo puoi afferrare
Bricioli di ricordi.

p. 276

8

Lt (Paci) *5.*

App *5*

M *8*

[Nel saggio *Ungaretti e l'esperienza della poesia*, Paci riproduceva anche una più antica stesura del coro 8° (qui indicata Lt (Paci) I), inviatagli dall'Autore in una lettera del 3 dicembre 1958. In una successiva lettera del 7 dicembre, che accompagnava l'invio della nuova stesura, l'Autore aggiungeva: « La poesia – nell'umana espressione almeno – rimane sempre in cantiere. Sempre allo stato imperfetto, sempre in continua sollecitazione di ritocchi. Dunque quella famosa stesura del *Coro del sonno*, avrebbe oggi questa forma. »]

vv. 3-5
Lt (Paci) I Vagammo [...]
Furono gli atti nostri, da sonnambuli
Eseguiti in quei tempi?

M * Vagammo forse vittime del sonno?

Gli atti nostri eseguiti

Furono da sonnambuli, in quei tempi?

vv. 6-7

Lt (Paci) I	Lontani siamo in quell'alone d'echi Se in me riemergi, in mezzo a quel brusìo,
M	* Siamo lontani, in quell'alone d'echi, E mentre in me riemergi, nel brusìo

v. 8

Lt (Paci) I	Mi ascolto che ti svegli da quel sonno
Lt (Paci)	M'ascolto che da un sonno ti sollevi
M	* Mi ascolto che da un sonno ti sollevi

p. 276

9

Pa	*Il compleanno*
App	*6*
M	*9*

p. 276

10

Pa	*I*
App	*7*
M	*10*

p. 277

11

Pa	*II*
App	*8*
M	*11*

p. 277

12

Pa *IV*

App *9*

M *12*

v. 3
Pa Che, dal fondo di notti di memoria

M * Che, dal fondo di notti di memoria,

p. 277

13

Pa *III*

App *10*

M *13*

v. 4
Pa Mentre s'alza il lamento.

M * Mentre si alza il lamento.

v. 7
Pa Per smarrirti e riperderti inseguivi,

M * Per smarrirti e riprenderti inseguivi,

p. 277

14

TP

App *11*

M, F	*14*

v. 2

TP, App	Od al colmo, l'amore:
M	Od al colmo, l'amore,
F, M69	Od al colmo, l'amore.

p. 278

15

TP	
App	*12*
M	*15*

p. 278

16

TP	
App	*13*
M	*16*

p. 278

17

TP	
App	*14*
M	*17*

p. 278

18

App	*15*

M *18*

vv. 5-6
App Al patire ti addestro
Espiando la tua colpa,

M * Al patire ti addestro,
Espìo la tua colpa,

p. 279

19

Lt

App *16*

M *19*

v. 2
Lt Dalla mia carne stanca

M * Dalla mia carne stanca,

p. 279

20

Lt

App *17*

M *20*

v. 1
Lt Se fossi d'ore un'altra volta ignaro,

M * Se fossi d'ore ancora un'altra volta ignaro,

v. 4
Lt Felice, priva d'anima.

M * Felice, priva d'anima?

p. 279

21

Lt

App *18*

M *21*

p. 279

22

Lt

Lt (Paci) *19.*

App *19*

M *22*

v. 4
Lt, Lt (Paci) Bene a portarmi quando,

M * Bene a portarmi quando

v. 5
Lt Per solitudine capisco, a sera.

M * Per solitudine, capisco, a sera.

p. 280

23

Pi *Da Hong Kong a Beirut in jet*

M, F *23*

vv. 1-2
Pi In questo [...]
E di fretta [...]

M * In questo secolo della pazienza
E di fretta angosciosa,

v. 10
Pi Puoi, neanche un punto di riferimento

M * Puoi, non riferimento

v. 20
Pi, M Imparare come avvenga si assenti

F, M69 * Puoi imparare come avvenga si assenti

p. 280

24

p. 281

25

p. 281

26

p. 281

27

p. 282

CANTETTO SENZA PAROLE

Edizioni: Off, M

(Inviandolo ai redattori di Off, nell'ottobre 1957, l'Autore accompagnava il *Cantetto* con queste parole: « Le cose che ho sono forse molte, ma tutte ancora "informi", e sono, preso da mille scocciature, nell'impossibilità di lavorarci. Eccovi il *Cantetto*. Ci penso da qualche anno, ripensando, per la struttura, a quelle poesie nate a Rimbaud e a Verlaine nel viaggio da Parigi al Belgio a Londra. Non so che roba sia, forse nulla. Il motivo mio è quel motivo che è dentro la mia poesia dai tempi del *Dolore*, e che ha dettato il *Dolore*, e che sarà ormai il mio motivo sempre. »)

v. 1-2
Off — A un colombo il sol
Cedette [...]

M — * 1
A colomba il sole
Cedette la luce...

vv. 5-6
Off — Un sole verrà,
In segreto arderà...

M — * La luce verrà,
In segreto vivrà...

vv. 7-9
Off — Si saprà signor
D'un grande mar
Al primo tuo sospir...

M — * Si saprà signora
D'un grande mare
Al primo tuo sospiro...

vv. 10-12
Off — Fluttua sol tubar
Sul fluir del mar
Aperto al tuo sognar. .

M — * Già va rilucendo
Mosso, quel mare,
Aperto per chi sogna...

vv. 13-16

Off A un colombo il sol
Cedette la luce...

Tubando verrà,
Se dormi, nel sogno...

2

M * Non ha solo incanti
La luce che carceri...

Ti parve domestica,
Ad altro mirava...

[In Off le due parti della poesia sono separate da un asterisco]

vv. 17-18

Off Distese il gran mar,
La misura sfidò...

M * Dismisura sùbito,
Volle quel mare abisso...

vv. 19-20

Off Titubasti, il vol
In te perdé,

M * Titubasti, il volo
In te smarrì,

vv. 22-24

Off L'ira in quel chiamar
Ti sciupa il cor,
Risal la luce al sol...

M * L'ira in quel chiamare
Ti sciupa l'anima,
La luce torna al giorno...

p. 284

CANTO A DUE VOCI

Edizioni: Noss, Schw, M

v. 1 PRIMA VOCE

Noss Il cuore mi è crudele!

M * Il cuore mi è crudele:

v. 2

Noss Ama, né troveresti in altro, fuoco

M *Ama né altrove troveresti fuoco

v. 3

Noss Nel rinnovargli strazi, tanto vigile:

M * Nel rinnovargli strazi tanto vigile:

v. 5

Noss Soffocato da tenebra si avventa,

M *Soffocato da tenebra si avventa

vv. 7-8

Noss Tu gli occhi, smemorandoti,
In te arretri, l'agguanti,

M * Arretri smemorandoti
In te gli occhi e l'agguanti,

v. 1 ALTRA VOCE

Noss Più nulla gli si può nel cuore smuovere?

M * Più nulla gli si può nel cuore smuovere,

p. 286

PER SEMPRE

Edizioni: Schw, M

v. 8
Schw Ritorneranno gli occhi con la luce,

M * Riapparsi gli occhi, ridaranno luce,

v. 9
Schw E d'improvviso intatta

M * E, d'improvviso intatta

vv. 10-11
Schw Sarai risorta e, al ritmo tuo di voce,

M * Sarai risorta, mi farà da guida
Di nuovo la tua voce,

v. 12
Schw Ti rivedo per sempre.

M * Per sempre ti rivedo.

APOCALISSI
Varianti a cura di Mario Diacono

TAVOLA DELLE ABBREVIAZIONI

B	*Apocalissi e Sedici Traduzioni*, Bucciarelli, Ancona 1965
Bi	« Il Bimestre », I, n. 1, novembre-dicembre 1964
NA	*Ungaretti-Poesie*, a c. di Elio F. Accrocca, Nuova Accademia, Milano 1964
Pa	« Paragone », XII, n. 140, agosto 1961

APOCALISSI

Edizioni: Pa, NA, B

Pa *Apocalissi*

NA Quattro Cori inediti in volume *Apocalissi*

B *Apocalissi e Sedici traduzioni*

p. 289

1

Edizioni: Pa, Bi, NA, B

Pa, NA 1.

Bi 1

B I

v. 1
Pa, B * Da una finestra trapelando, luce

Bi Da una finestra trapelando, luci

[È in Bi errore di stampa]

p. 289

2
Edizioni: Pa, Bi, NA, B

Pa, NA 2.

Bi 2

B II

v. 3
Pa, B * Sarà perché del vivere trascorse

Bi Sarà perché del vivere nasconde

[È in Bi errore di stampa]

p. 289

3
Edizioni: Pa, Bi, NA, B

Pa, NA 3.

Bi 3

B III

v. 2
Pa, B Palpito, cui, struggendoli, dai moto.

NA Palpito, cui, struggendoli, dài moto.

[È in NA variante di tipografia]

p. 289

4

Edizioni: Pa, Bi, NA, B

Pa, NA	4.
Bi	**4**
B	IV

POESIE DISPERSE
Varianti a cura di Giuseppe De Robertis

TAVOLA DELLE ABBREVIAZIONI

AD	*Antologia della Diana*, Libreria della Diana, Napoli 1918
Co	« Commerce », 1927
D	« La Diana », Napoli 1916
L	« Lacerba », Firenze 1915 7 febbraio: *Il paesaggio d'Alessandria d'Egitto*; *Epifania*. 28 febbraio: *Cresima*. 13 marzo: *Le suppliche*. 17 aprile: *Ineffabile*; *Viso*; *Viareggio*. 8 maggio: *Babele*; *Mandolinata*; *Imbonimento*.
M64	*Poesie disperse*, Mondadori, Milano 1964
R	« La Raccolta », Bologna 15 giugno 1918
RL	« La Riviera Ligure », Oneglia ottobre-novembre 1917
S	*Il Porto Sepolto*, « Stamperia Apuana », La Spezia 1923
V	*Allegria di Naufragi*, Vallecchi, Firenze 1919

p. 369

IL PAESAGGIO
D'ALESSANDRIA D'EGITTO

Edizione: L

p. 370

CRESIMA

Edizione: L

p. 371

INEFFABILE

Edizione: L

[Da M64 al v. 1 per refuso si legge *Case* invece di *Casa*]

p. 372

VISO

Edizione: L

p. 373

VIAREGGIO

Edizione: L

p. 374

BISBIGLI DI SINGHIOZZI

Edizione: D

p. 375

POESIA

Edizione: D

p. 376

L'ILLUMINATA RUGIADA

Edizioni: R, V

p. 377

MATTUTINO E NOTTURNO

Edizioni: R, V

vv. 1-5

R — Placida
vastità

V — * Placida
vastità

Avvicendarsi
di isole
spopolate

v. 6

R — melodioso

V — * Melodioso

v. 8

R — afa

V * Afa

[Da M64 l'ultimo verso *di malie* per errore si dispone su due righe *di / malie*]

p. 378

CONVALESCENZA IN GITA
IN LEGNO

Edizioni: RL, V

p. 379

MELODIA DELLE GOLE DELL'ORCO

Edizioni: RL, V

RL *La melodia delle gole dell'orco*

V *Melodia delle gole dell'orco*

p. 380

TEPIDA VAGA MATTINA

Edizioni: RL, V

p. 381

ALBA

Edizioni: AD, V

v. 3
AD pioventi

V * spioventi

p. 382

. . .

Edizioni: AD, V, S

AD, V *Temporale*

v. 6

AD, V E brilla poi

S * e brilla poi

p. 383

SONO MALATO

Edizioni: AD, V

p. 384

MANDOLINATA

Edizioni: L, V

p. 385

MUGHETTO

Edizioni: L, V

L *Epifania*

V *Mughetto*

p. 386

BABELE

Edizioni: L, V

v. 1
L

Dopo i brindisi
uno sciame si copula nel sangue

S'incrinano e pullulano
i giochi di mora
tra tracanni di trani
chicchi di uri

V

* Uno sciame si copula nel sangue

p. 387

IMBONIMENTO

Edizioni: L, V

p. 388

NOIA

Edizioni: L, V

L *Sbadiglio*

V *Noia*

vv. 3-4
L

. . . .
d'infingarda umanità

Fa sereno
quanta gente attorno
La luna piena
Il cielo mette il livido
delle stoviglie di smalto
dei calamai agli occhi degli adolescenti

la litania ai numeri degli usci serrati
che seguo per accompagnarmi

Cencio buttato nel Naviglio
Alla mercé della vita

V * d'infingarda umanità

Alla mercé della vita

vv. 6-9
L per non [...]
filo d'afa al collo
Occhi
di odalische [...]
calmati dalle palpebre bistrate
da sapore di panna vainiglia
di titillo alabastrino di mussoline
beduini
caligine si dirada
nel cielo
unico confine della desolazione
Tramvai
Eliopoli sfuma
Milano

V * per non disturbarmi

Filo d'afa al collo

Occhi
di odalische a zonzo coll'ombrellino

vv. 10-17
L Com'è immobile [...]
Anche questa notte [...]
Passerà

Questa vita [...]
titubante ombra [...]
sulla siccità del nebuloso asfalto

Luna gioviale
perché s'è scomodata

Guardo [...]

V * Com'è immobile l'aria

>
La litania ai numeri degli usci serrati
che seguo per accompagnarmi

Anche questa notte passerà

Questa vita in giro
Titubante ombra dei fili tramviari
sull'umido asfalto

Guardo i faccioni dei brumisti tentennare

[I vv. 11-12 corrispondono ai vv. 10-11 di *Sbadiglio*]

vv. 18-20
L Sono stanco

Babau insinuato nella stanza

Mi comprimo in me
mi abbandono
il sonno arriva
così prudente
a portarmi un po' via
mi riprenderò più in là

V * Il sonno arriva
così prudente
a portarmi un po' via

p. 389

NEBBIA

Edizioni: L, V

L *Le suppliche*

V *Nebbia*

vv. 3-9
L al lontano [...]
Orizzonte d'oceano cinque nottate contemplato
sdraiato a prua accanto a emigranti soriani
donne botti uomini pertiche bimbi fagotti

spiaccicati a sedere
o trotterellando
mormoravano una ninnananna
li guidava un mugolio di piffero
Faceva freddo
sciambrottato in quel dominio di piroscafo orco

V * al lontano ingombro del cielo

A poppa
gli emigranti soriani
ballavano
a un suono
di piffero

Faceva freddo

v. 14
L Come un baco nascosto nel bozzolo salvo

V * Come un baco nascosto nel bozzolo

vv. 28-40
L Respiro ora che i lumi si struggono
vagiti o rantoli rotolati dalla nebbia
eco in processione che si estingue lontano
e languiscono perplessi
viatico al selciato umido riflessi
viscidi viola argentei rabbrividire
e lascivi argentei limone
come quelli coperti di crespo
che adoprano gli ebrei di Levante
portando via i loro morti di sabato sera
Ora che si accalca prostrato il firmamento
e tocca terra appena
e abbiamo finalmente [...]
e procedo [...]

Vuoi premere la nebbia
Perché tendi le mani
Ti ripari
Ribrezzo
Sei buffa tutta striminzita così
Hai paura della nebbia
Scioccherella

V * Di sabato sera
a quest'ora
gli ebrei di levante
portano via
i loro morti
e nell'imbuto
dei vicoli
non si vede
che il tentennamento
delle luci
coperte di crespo

E abbiamo finalmente smarrito l'itinerario della città

E procedo col cielo addosso

v. 45
L piano come le mani accoglievoli della balia verso
[il bambolo compiacente
balia della Brianza
scarlatto trepido represso tra due globi d'oro e il
[macigno del viso
sopra fulvo azzurro piombante affusolato
e tozza ripidità a piedistallo
bianco e scarlatto listati a bruno
Clausura

V * piano come le mani materne

v. 50
L o sudanese snella tutta evanescente di [...]

Gradevole riverenza del cielo
aroma della nebbia di ricordi appassiti

I nostri passi spiaccicanti rintronano nella tran-
[quillità

Ora accucciato in me
Ora dormire

Perché mi gravi

Tranquillità

V * o sudanese snella tutta evanescente in grigio azzurro

p. 391

TRAME LUNARI

Edizione: S

p. 392

SOGNO

Edizione: Co

ALTRE POESIE RITROVATE
Varianti a cura di Mario Diacono

TAVOLA DELLE ABBREVIAZIONI

ILD	« Italian Literary Digest », vol. I, aprile 1947, n. 1
O	Luciano Rebay, *Le origini della poesia di Giuseppe Ungaretti*, Edizioni di Storia e Letteratura, Roma 1962
RM	« La Rivista di Milano », III, n. 39, 5 giugno 1920
TV	Giuseppe Prezzolini, *Il tempo della Voce*, Longanesi-Vallecchi, Milano-Firenze 1960

ECCO LUCCA *p. 395*

Edizione: O

VIAVAI *p. 396*

Edizioni: ILD, TV

SOLDATO e NOTTE *pp. 397-98*

Edizione: TV

PENSAVO OGGI... *p. 399*

Edizione: O

PRIMAVERA *p. 400*

Edizioni: RM, TV

TV Anche quest'anno ti posso salutare,

TV Primavera.

Questa strada, che ha l'abitudine dei miei
passi stanchi, è la prima di Parigi a svegliare
il grigio dei suoi caseggiati con una fresca
fascia di foglie.
Una cupida apparizione mi accompagna
lieve come il volo di una nuvola, e quando, come
le nobili forme danzanti dell'antilope nella vastità
soffocante dell'aria d'oro, mi ha rasserenato, mi
tenta:
Soltanto la morte è seria
Giovine moderno, guardati intorno... anche la
vita è seria.

BIBLIOGRAFIA
a cura di Leone Piccioni

Una completa bibliografia sull'opera di Ungaretti avrebbe dimensioni enormi. Per quanto riguarda gli studi sull'Autore, noi intendiamo fornire elementi per una bibliografia essenziale (pur ampia) senza tener conto dei tanti saggi ed articoli usciti all'estero in occasione di traduzioni e di nuove opere del poeta. Naturalmente la nostra attenzione è più curiosa dell'andamento della critica nei primi anni del lavoro di Ungaretti. Dal primo articolo di Papini del '17 al recente numero unico della rivista « L'Herne » son già difficili da contare i libri, i saggi, le recensioni. le note dedicate all'opera del Nostro. E bisogna distinguere appunto interi volumi su questo tema, dalle introduzioni, prefazioni e studi allegati a suoi nuovi libri, dai saggi di maggiore impegno alle recensioni, ai ritratti umani e di carattere, allo spazio dato ad Ungaretti in tante antologie.
Nei limiti entro i quali l'opera del critico può riuscire determinante per l'indicazione di un momento del lavoro o dell'itinerario completo dello svolgimento della ispirazione, i caposaldi del lavoro critico per Ungaretti — dopo la prima indicazione di Papini del '17, quella di Prezzolini del '18, quella di De Robertis del '19 e quella di Cecchi del '23 — restano, prima, il lavoro di Gargiulo e di De Robertis; poi, i saggi di Bo e di Contini; infine, per gli anni del dopoguerra, l'attenzione continua alle novità ed alle ricapitolazioni generali per la posizione di Ungaretti nel panorama della poesia d'oggi, ancora dei critici citati, e poi, di Luzi, di Parronchi, di Bigongiari, di Piccioni. Dopo gli illuminati avvertimenti critici fin dal *Porto Sepolto*, l'introduzione di Gargiulo al *Sentimento del Tempo* ed i suoi scritti raccolti in *Letteratura italiana del Novecento*, i saggi di De Robertis in *Scrittori del Novecento*, ma soprattutto lo studio fondamentale intitolato *Sulla formazione della poesia di Giuseppe Ungaretti* del '44, il saggio di Bo *Dimora della poesia*, gli scritti di Contini in *Esercizî di lettura*, l'attenzione ai manoscritti ed alle varianti di Piccioni e di Bigongiari: ecco punti di riferimento per una bibliografia ragionata. E si potrebbero aggiungere, per completezza panoramica, le indicazioni di freddezza e di polemica venute dal Russo, dal Flora, certo anche sotto l'influsso di Benedetto Croce, che tuttavia in occasione della poesia di Ungaretti intitolata *La madre*, ebbe a proporre qualche fertile ripensamento.

Si aggiungano i numeri unici di riviste dedicate a Ungaretti e in particolare la raccolta delle testimonianze di scrittori stranieri per l'uscita del *Taccuino del Vecchio* ('60), il numero della « Fiera Letteraria » del 1° novembre '53, il numero doppio di « Letteratura » 35-36 per i settant'anni del poeta; il numero di « Galleria » del dicembre '68 per il suo ottantesimo compleanno, ed il fascicolo di « L'Herne » di recente uscito a Parigi. Va anche citata, per il particolare momento nel quale uscì, la raccolta di testimonianze su Ungaretti in « Questi giorni » ('45).
Tra i volumi interamente dedicati all'opera di Ungaretti quello di Luciano Rebay (*Le origini della poesia di Giuseppe Ungaretti*, Edizioni di Storia e Letteratura, Roma 1969); quello di G. Cavalli (*Ungaretti*, F.lli Fabbri, Roma 1958); quello di Folco Portinari (*Giuseppe Ungaretti*, Borla editore 1967).
Altro capitolo a parte quello delle antologie sulla poesia lirica e sulla poesia del '900: tralasciando le antologie straniere, tra quelle italiane bisognerà pur far riferimento al lavoro di antologisti di Papini, Pancrazi, De Robertis, Anceschi, Spagnoletti, Volpini, Apollonio, Contini, Sanguineti, ecc., pur lasciando stare le innumerevoli antologie scolastiche.
Il lavoro bibliografico su Ungaretti è stato provvisoriamente concluso per la parte italiana da Renzo Frattarolo — e da par suo — nel '58, quando, approntò per il numero doppio di « Letteratura » una bibliografia ragionata, ampliando quella già allestita nel '53 per il numero speciale della « Fiera Letteraria ». In occasione del numero di « Galleria » del '68 Ornella Sobrero ha aggiornato la bibliografia (non più ragionandola) fino a contributi recentissimi. A queste bibliografie per completezza di informazione si rimanda, dichiarando naturalmente che anche il nostro lavoro si basa soprattutto sulla consultazione, appunto, delle due bibliografie citate.

L.P.

OPERE DI GIUSEPPE UNGARETTI

Poesie

Il Porto Sepolto, Stabilimento Tipografico Friulano, Udine 1916
La Guerre, Établissements Lux, Paris 1919
Allegria di Naufragi, Vallecchi, Firenze 1919
Il Porto Sepolto, Stamperia Apuana, La Spezia 1923
L'Allegria, Preda, Milano 1931
Sentimento del Tempo. Con un saggio di Alfredo Gargiulo, Vallecchi, Firenze 1933
Sentimento del Tempo. Con un saggio di Alfredo Gargiulo, Novissima, Roma 1933 (edizione di lusso)
L'Allegria, Novissima, Roma 1936
Sentimento del Tempo. Con un saggio di Alfredo Gargiulo, Novissima, Roma 1936
Vita d'un uomo: L'Allegria, Mondadori, Milano 1942; 2ª ed. 1946, 3ª ed. 1949, 4ª ed. 1954, 5ª ed. 1957, 6ª ed. 1962, 7ª ed. 1963, 8ª ed. 1966, 9ª ed. 1968
Vita d'un uomo: Sentimento del Tempo. Con un saggio di Alfredo Gargiulo, Mondadori, Milano 1943; 2ª ed. 1946, 3ª ed. 1949, 4ª ed. 1954, 5ª ed. 1959, 6ª ed. 1961, 7ª ed. 1963, 8ª ed. 1966
Frammenti per la Terra Promessa. Con una litografia originale di Pericle Fazzini, Concilium Lithographicum, Roma 1945
Vita d'un uomo: Poesie disperse. Con l'apparato critico delle varianti di tutte le poesie e uno studio di Giuseppe De Robertis, Mondadori, Milano 1945; 2ª ed. 1954, 3ª ed. 1959, 4ª ed. 1964, 5ª ed. 1968
Derniers Jours. 1919. A cura di Enrico Falqui, Garzanti, Milano 1947
Vita d'un uomo: Il Dolore (1937-1946), Mondadori, Milano 1947; 2ª ed. 1949, 3ª ed. 1952, 4ª ed. 1956, 5ª ed. 1959, 6ª ed. 1961, 7ª ed. 1963, 8ª ed. 1966
La Terra Promessa. Frammenti. Con l'apparato critico delle varianti e uno studio di Leone Piccioni, Mondadori, Milano 1950
Gridasti: Soffoco... Con cinque disegni di Léo Maillet, Fiumara, Milano 1951
Un Grido e Paesaggi. Con uno studio di Piero Bigongiari e cinque disegni di Giorgio Morandi, Schwarz, Milano 1952

Vita d'un uomo: La Terra Promessa. Frammenti. Con l'apparato critico delle varianti e uno studio di Leone Piccioni, Mondadori, Milano 1954, 2ª ed. (1ª ed. « Lo Specchio »), 3ª ed. 1959, 4ª ed. 1963, 5ª ed. 1967

Vita d'un uomo: Un Grido e Paesaggi. Con uno studio di Piero Bigongiari, Mondadori, Milano 1954; 2ª ed. 1962, 3ª ed. 1968

Il Taccuino del Vecchio. Con testimonianze di amici stranieri del poeta raccolte a cura di Leone Piccioni, e uno scritto introduttivo di Jean Paulhan, Mondadori, Milano 1960

Vita d'un uomo: Il Taccuino del Vecchio, Mondadori, Milano 1961, 2ª ed. (1ª ed. « Lo Specchio »), 3ª ed. 1964

75° compleanno: Il Taccuino del Vecchio, Apocalissi, Le Noci, Milano 1963

Apocalissi e Sedici traduzioni, Bucciarelli, Ancona 1965

Ungaretti: Poesie. A cura di Elio Filippo Accrocca, Nuova Accademia, Milano 1964

Il Carso non è più un inferno. A cura di Vanni Scheiwiller, per festeggiare i 50 anni del primo libro di Ungaretti *Il Porto Sepolto* (1916) e la liberazione di Gorizia, 9 agosto 1916, Scheiwiller, Milano 1966

Morte delle Stagioni: La Terra Promessa, Il Taccuino del Vecchio, Apocalissi. A cura di Leone Piccioni, con il Commento dell'autore alla *Canzone*, Fògola, Torino 1967

Dialogo (Bruna Bianco - Giuseppe Ungaretti). Con una combustione di Burri e una nota di Leone Piccioni. Edizione fuori commercio, Fògola, Torino 1968

Allegria di Ungaretti. A cura di Annalisa Cima, con tre poesie inedite, una prosa rara e dodici fotografie di Ugo Mulas, Scheiwiller, Milano 1969

Il Dolore, con 36 xilografie di Pasquale Santoro, Roma 1969

Croazia segreta, con la traduzione di Drago Ivanišević, uno studio critico di Leone Piccioni e quattro acqueforti di Piero Dorazio, Grafica Romero, Roma 1969

L'impietrito e il velluto, grande foglio con due acqueforti di Piero Dorazio, Grafica Romero, Roma 1970

Prose

Il povero nella città, Edizioni della Meridiana, Milano 1949

Il Deserto e dopo. Prose di viaggio e saggi, Mondadori, Milano 1961

Viaggetto in Etruria, con una acquaforte di Bruno Caruso, ALUT, Roma 1965. Edizione fuori commercio di 120 es. per i soci dell'Assoc. Laureati Università di Trieste (contiene due prose del 1935, *Sfinge* e *Inno al ponte*)

La produzione in prosa di Ungaretti (scritti su problemi generali di estetica e di poesia; di critica letteraria; di viaggi; su pittori e sulla pittura; conferenze e lezioni universitarie; interventi su fatti e problemi della cultura del suo tempo, ecc.) è copiosissima e ha seguito l'intero arco della sua vita di uomo e di scrittore. Pubblicata via via su riviste e quotidiani, o come prefazioni a libri e cataloghi, e in gran parte inedita, sarà presto raccolta in una serie di volumi che usciranno presso l'editore Mondadori. Un volume di saggi letterari, particolarmente scelti per il pubblico francese, è uscito presso l'editore Gallimard (Parigi 1969), nella traduzione di Philippe Jaccottet, con il titolo *Innocence et mémoire*

Traduzioni

Traduzioni: Saint-John Perse, William Blake, Góngora, Essenin, Jean Paulhan, Affrica, Novissima, Roma 1936
XXII Sonetti di Shakespeare scelti e tradotti da Giuseppe Ungaretti, Documento, Roma 1944
Vita d'un uomo: 40 sonetti di Shakespeare tradotti, Mondadori, Milano 1946
L'Après-Midi et le Monologue d'un Faune di Mallarmé, tradotti da Giuseppe Ungaretti con litografie originali di Carlo Carrà, Il Balcone, Milano 1947
Vita d'un uomo: Da Góngora e da Mallarmé, Mondadori, Milano 1948
Vita d'un uomo: Fedra di Jean Racine, Mondadori, Milano 1950
Andromaca di Jean Racine. Atto III, « L'Approdo Letterario », IV, I, gennaio-marzo 1958, ERI, Torino 1958
Páu Brasil (nel volume *Il Deserto e dopo*), Mondadori, Milano 1961
Finestra del caos, di Murilo Mendes, Scheiwiller, Milano 1961
Vita d'un uomo: Visioni di William Blake, con un Discorsetto del traduttore e una Appendice a cura di Mario Diacono, Mondadori, Milano 1965
Saint-John Perse: Anabase, seguita dalle traduzioni di T.S. Eliot e Giuseppe Ungaretti, illustrata da Berrocal (edizione di lusso), Le Rame, Verona 1967
Frammenti dall'Odissea di Omero, « L'Approdo Letterario », nuova serie, n. 42, ERI, Torino 1968
Il prato e *Nuove note su Fautrier* di Francis Ponge, « L'Approdo Letterario », nuova serie, n. 43, ERI, Torino 1968
Segnaliamo, inoltre: *Canzone*, di Ezra Pound, in « Antologia di Ezra Pound », « Stagione », anno II, n. 7, Roma 1955; Dal *De Rerum Natura* di Lucrezio, libro I, vv. 1-16, « Il Presente »

estate 1957, n. 11; *Tutto sarà in ordine*, di André Frénaud, in *André Frénaud: Poesie*, Scheiwiller, Milano 1964
Cinque poesie di Vinicius de Moraes, con una notizia sull'autore e quattro acqueforti di Piero Dorazio, Grafica Romero, Roma 1969

Opere di Ungaretti tradotte (in volume)

Pohrbeny Pristav, prefazione di L. Pacini, traduzione di Zdenek Kalista, Praha 1934
Poesia, versión de Pedro-Juan Vignale, edición de « Los amigos del libro italiano en la Argentina », Buenos Aires 1936
Vie d'un homme, traduit de l'italien et préfacé par Jean Chuzeville, Gallimard, Paris 1939
Moj Ungaretti, traduzione di Drago Ivanišević, con disegni di Frano Simunović, Izdanje Knjizare Rudolfa Grbica, Zagreb 1942
Poeme de Giuseppe Ungaretti, traduzione di Petru Sfecta, Editura Vrerea, Timisoara 1943
Vie d'un homme (suivie de *La Douleur, La Terre promise*), traduit de l'italien et préfacé par Jean Chuzeville, Mermod, Lausanne 1953
Les Cinq Livres, texte français établi par l'auteur et Jean Lescure, Éditions de Minuit, Paris 1954
El dolor, traducción del italiano por Vintila Horia, Talleres Gráficos Escelicer S. A., Madrid 1958
Sentimiento del tiempo, versión de Tomás Segovia, Universidad Nacional Autonoma de México, México 1958
Life of a Man, a version with introduction by Allen Mandelbaum, Hamilton, London; New Directions, New York; Scheiwiller, Milano 1958
Träume und Akkorde, traduzione di Erik Jayme e Joachim Lieser, Die Villa Handpresse, Darmstadt 1960
Giuseppe Ungaretti tradotto da Pierre-Jean Jouve, Scheiwiller, Milano 1960
Citeni Casu, traduzione di Jan Vladislav, Statni nakladatelstvi krasne literatury hudby a umeni, Praha 1961
Gedichte, Uebertragung und Nachwort von Ingeborg Bachmann, Suhrkamp Verlag, Frankfurt am Main 1961
Poemas escogidos, selección, traducción y prólogo de Rodolfo Alonso, Compañía General Fabril Editora, Buenos Aires 1962
Poezii, traduzione di Miron Radu Paraschivescu e Alexandru Balaci, con un ritratto di Mirea, Editura Tineretului, Bucuresti 1963
Reisebilder, traduzione di Silvia Hildesheimer, Suhrkamp Verlag, Frankfurt am Main 1963
Odabranie Piesmie, traduzione di Jugana Stojanoviev, Bagdala, Kuscievaz 1963

Trianta poièmata toy Giuseppe Ungaretti, traduzione di Are Diktaioy, Ekdotikos Oikos G. Phexe, Athinai 1964
A partir du désert, traduit de l'italien par Philippe Jaccottet, Aux éditions du Seuil, collection « Tel Quel », Paris 1965
Sny a akordy, traduzione di Stefan Záry, illustrazioni di Milan Pasteka, Slovensky Spisovatel, Bratislava 1967
Notizen des Alten - Il Taccuino del Vecchio. Poesie. Nel testo originale e in versione tedesca di Michael Marschall von Bieberstein, con una litografia di Pericle Fazzini, Édition de Beauclair, Verlag Ars Librorum, Frankfurt am Main 1967
Das verheissene Land - Das Merkbuch des Alten, versione di Paul Celan, Insel Verlag, Frankfurt am Main 1968
Innocence et mémoire (essais), traduit de l'italien par Philippe Jaccottet, Gallimard, Paris 1969
L'elenco è di sicuro incompleto. Ungaretti è naturalmente rappresentato largamente in tutte le antologie della poesia italiana contemporanea, tradotte all'estero. Le traduzioni di singole poesie, o di gruppi di poesie, in taluni casi nutritissimi, apparse su riviste e fogli letterari esteri sono innumerevoli, e pressoché impossibili da controllare

STUDI SULL'AUTORE

1917

G. Papini, « Il Resto del Carlino », 4 febbraio

1918

Papini raccoglie in volume (*Testimonianze*) l'articolo del '17
G. Prezzolini, « Il Popolo d'Italia », 28 maggio

1919

G. De Robertis, « Il Progresso », novembre
A.E. Saffi, « La Ronda », novembre

1920

G. Marone, nel volume *Difesa di Dulcinea* (Napoli)
A. Savinio, « La vraie Italie », maggio
A. Soffici, « Rete Mediterranea », marzo

1921

A. Ricolfi, nel volume *Poesia d'oggi e poesia di domani* (Milano)
E. Thovez, nel volume *L'arco di Ulisse* (Napoli)

1922

A. Franci, nel volume *Il servitore di piazza* (Firenze)
L. Russo, « Il Trifalco », III

1923

E. Cecchi, « La Tribuna », 25 luglio
L. Montano, « Corriere Italiano », 10 agosto
B. Mussolini, prefazione a *Il Porto Sepolto* (La Spezia)
G. Prezzolini, *La cultura italiana* (Firenze)
E. Serra, *La poesia di Ungaretti* (La Spezia)

1924

B. Crémieux, « La Nouvelle Revue Française », marzo
G. Debenedetti, « Orizzonte Italico », gennaio
A. Gargiulo, « Il Convegno », X-XII
P. Pancrazi, nel volume *Scrittori italiani del '900* (Bari)
G. Papini, nel volume *Testimonianze* (3ª ed., Firenze)

1925

F. Flora, nel volume *Dal romanticismo al futurismo* (Milano)

1928

B. Crémieux, nel volume *Essai sur l'évolution littéraire de l'Italie de 1870 à nos jours* (Paris)
E. Saya, nel volume *La letteratura italiana dal 1870 ad oggi* (Firenze)

1929

R. Franchi, « Solaria », gennaio
B. Migliore, nel volume *Bilanci e sbilanci del dopoguerra letterario* (Roma)
C. Pellizzi, nel volume *Le lettere italiane del nostro secolo* (Milano)

1930

A. Galletti, nel volume *Il Novecento* (Milano)

1931

L. Anceschi, « Cronache Latine », 20-27 febbraio
A. Bocelli, « Nuova Antologia », 15 agosto
A. Capasso, « Solaria », novembre
G. Contini, *Ungaretti o dell'Allegria*, in « Rivista Rosminiana », ottobre-dicembre
G. De Robertis, *L'Allegria* nel volume *Scrittori del Novecento* (Firenze 1940)
G. Ferrata, « Circoli », I-II
G. Papini, nel volume *Ritratti italiani* (Firenze)

1933

C. Betocchi, « Frontespizio », agosto
V. Branca, « Studium », luglio
A. Capasso, *Incontri con Ungaretti* (Genova)
G. Contini, *Materiali sul secondo Ungaretti* in « L'Italia Letteraria », 9 luglio
M. Dazzi, « Ateneo Veneto », n. 3
A. Gargiulo, introduzione a *Il Sentimento del Tempo* (Firenze)
L. Gigli, « Gazzetta del Popolo », 7 giugno
S. Solmi, « Circoli », n. 3
G. Valentini, « L'Italia che scrive », luglio
G. Villaroel, « La Sera », 19 luglio

1934

F. Antonicelli, « La Cultura », giugno
G. De Robertis, *Sentimento del Tempo*, nel volume *Scrittori del Novecento* (Firenze 1940)

F. Flora (A. Bici), « Leonardo », pp. 111-117
G. Marone, nel volume *Pane nero* (Lanciano)
S. Solmi, « Circoli », n. 3
S. Wolfango, *Stroncatura di Ungaretti* (Bologna)

1935
L. Giusso, « L'Italia Letteraria », 16 febbraio

1936
F. Flora, nel volume *La poesia ermetica* (Bari)
R. Franchi, nel volume *Biglietto per cinque* (Ancona)

1938
G. Camposampiero, nel volume *La poesia italiana contemporanea* (Roma)

1939
C. Bo, « Campo di Marte », 1° gennaio
C. Bo, nel volume *Otto studi* (Firenze), raccoglie il saggio su U. *Dimora della poesia*, scritto nel '38
G. Contini, *Ungaretti in francese* in « Circoli », maggio
G. Contini, nel volume *Esercizî di lettura* (Firenze), raccoglie i tre scritti del '32, '33 e '39
F. Lattes (Franco Fortini), « Riforma Letteraria », aprile
S. Solmi, « Circoli », pp. 15-39
M. Stefanile, « Meridiano di Roma », dal 17 gennaio al settembre

1940
G. De Robertis, nel volume *Scrittori del Novecento* (Firenze), raccoglie i saggi del '31 e del '34
A. Gargiulo, nel volume *Letteratura italiana del Novecento* (Firenze), raccoglie i saggi: « Primo aspetto di U. », « Essenzialità lirica e valori fonici in U. », « Sviluppi di U. », « Conclusioni su U. »
A. Gatto, « Tempo », 26 settembre
S. Solmi, « Il libro italiano », nn. 6-7
G. Titta Rosa, « Corriere Padano », 26 settembre e 2 novembre
E. Villa, « L'Italia che scrive », agosto-settembre

1941
O. Macrì, nel volume *Esemplari del sentimento poetico contemporaneo* (Firenze)
M. Valsecchi, « Corriere Padano », 19 luglio

1942
A. Baldini, nel volume *Buonincontri d'Italia* (Firenze)

G. Contini, « Primato », 15 dicembre
A. Gatto, « La Ruota », maggio-luglio

1943

A. Bocelli, « Nuova Antologia », 16; XII
G. Ferrata, « La Ruota », VII
G. Spagnoletti, « Emporium », aprile

1944

F. Casnati, nel volume *Cinque poeti* (Milano)
E. Rusconi, nel volume *Comune solitudine* (Milano)
A. Seroni, nel volume *Ragioni critiche* (Firenze)

1945

L. Anceschi, cura il fascicolo di « Questi Giorni », 5-20 dicembre, con scritti e testimonianze su U.
G. De Robertis, « Sulla formazione della poesia di Giuseppe Ungaretti », prefazione a *Poesie disperse* (Milano)
F. Giannessi, nel volume *Invito alla poesia moderna* (Milano)

1946

G. Arcangeli, « Campi Elisi », giugno
C. Bo, « Lettere e Arti », gennaio
A. Borlenghi, « Letteratura », marzo-aprile
E. De Michelis, « Mercurio », febbraio

1947

G. Barlozzini, « L'Italia che scrive », ottobre
E. Bonora, « Letteratura », maggio-giugno
A. Borlenghi, « Avanti! », 21 dicembre
G. De Robertis, « Leonardo », giugno-agosto
G. Macchia, « La Fiera Letteraria », 27 marzo
A. Parronchi, « Le Tre Venezie », ottobre
A. Parronchi, « Il Mattino dell'Italia Centrale », 27 novembre

1948

S. Antonielli, « Humanitas », gennaio
L. Bartolini, « Il Giornale Letterario », 15 dicembre
C. Bo, « Omnibus », n. 9
G. Caproni, « Perseo », 15 gennaio
G. De Robertis, « Tempo », 4-11 dicembre
B. Matteucci, « Humanitas », maggio
V. Mucci, « La Fiera Letteraria », 28 gennaio
G. Pampaloni, « Belfagor », 31 marzo
A. Parronchi, « Il Mattino dell'Italia Centrale », 26 novembre
L. Piccioni, « Alfabeto », nn. 14-15, con estratto (*Il Dolore*, *La*

Terra Promessa: i primi frammenti del « Palinuro » e il sentimento del perire in U.)
A. Romanò, « Il Ragguaglio Librario », giugno

1949

G. De Robertis, « Il Nuovo Corriere », 27 gennaio e 10 novembre
E. Francia, « L'ultima », 25 agosto - 25 settembre
M. Luzi, « Rassegna d'Italia », settembre
U. Marvardi, « Responsabilità del Sapere », nn. 15-16
F. Matacotta, « Il Giornale della Sera », 13 marzo

1950

P. Bigongiari, « Paragone », aprile
A. Bocelli, « Il Mondo », 15 aprile
G. De Robertis, « Tempo », 29 aprile
F. Giannessi, nel volume *Gli ermetici* (Brescia)
M. Luzi, « L./A. », gennaio-febbraio
A. Parronchi, « L./A. », agosto
M. Petrucciani, « Idea », 22 gennaio
L. Piccioni, studio sulla *Terra Promessa* (Milano)
A. Romanò, « Vita e Pensiero », marzo
F. Ulivi, « Rassegna di cultura e vita scolastica », 31 marzo
C. Varese, nel volume *Cultura letteraria contemporanea* (Pisa)

1952

E. Cecchi, « La Fiera Letteraria », 1° novembre
L. Piccioni, nel volume *Lettura leopardiana e altri saggi* (Firenze)
F. Piemontese, nel volume *Studi sul Manzoni e altri saggi* (Milano)

1953

G.B. Angioletti, nel volume *Poesia italiana contemporanea* (Milano)
C. Bo, nel volume *Riflessioni critiche* (Firenze)
P.L. Contessi, « Il Mulino », 6
M. Luzi, « Paragone », 40
P.P. Pasolini, « Giovedì », 5 e 19 febbraio
L. Piccioni, nel volume *Sui contemporanei* (Milano)
L. Piccioni, cura il numero della « Fiera Letteraria » dedicato a Ungaretti, con scritti di Montale, Apollonio, Anceschi, Borlenghi, Contini, Macrì, R. Rebora, Vigorelli, De Robertis, Cecchi, Bo, Bigongiari, Luzi, Parronchi, e altri
G. Titta Rosa, nel volume *Poesia italiana del Novecento* (Siena)

1954

P. Bigongiari, studio sul *Monologhetto*, nel volume *Un Grido e Paesaggi* (Milano)

F. Portinari, « L'Esperienza Poetica », nn. 3-4

1955

S. Antonielli, nel volume *Aspetti e figure del Novecento* (Parma)
A. Borlenghi, nel volume *Fra Ottocento e Novecento* (Pisa)
M. Petrucciani, nel volume *La poetica dell'ermetismo italiano* (Torino)

1956

G. Cattaneo, « La Fiera Letteraria », 8 dicembre
O. Macrì, nel volume *Caratteri e figure della poesia italiana contemporanea* (Firenze)
E. Sanguineti, « Letteratura », nn. 19-20
G. Spagnoletti, nel volume *Tre poeti italiani del Novecento* (Torino)

1958

P. Bigongiari, « Paragone », febbraio
G. Cavalli, *Ungaretti* (Roma)
L. De Libero, « Paese Sera », 28 marzo
H. Friedrich, nel volume *La lirica moderna* (trad. it., Milano)
R. Lucchese, cura il fascicolo doppio di « Letteratura » (nn. 35-36) per i 70 anni di Ungaretti, con saggi, note e testimonianze di Bonsanti, De Libero, Pavolini, Ferrata, Piccioni, Paci, Marvardi, Schiaffini, Bàrberi Squarotti, Macrì, Guglielminetti, Bocelli, Apollonio, Cavalli, Bigongiari, Cecchi, De Robertis, Spagnoletti, Romanò, Navarro, Sanguineti, Falqui, Guidi, Silori, Rognoni, Anceschi, Mariani, Apicella, Bodini, Chiappelli, Chiocchio, Liberatore, Portinari, Tognelli, Purificato, Angioletti, Antonini, Balestra, Banti, Bellonci, Bertolucci, Betocchi, Bigiaretti, Bo, Borlenghi, Carrieri, Comello, De Tommaso, Fazzini, Gatto, Gigli, Grande, Lucchese, Luzi, Macchia, Manfredi, Manzini, Montale, Moravia, Natoli, Pampaloni, Papi, Parronchi, Pasolini, Petroni, Raimondi, R. Rebora, Serra, Tecchi, Ulivi, Viola, Zampigni, Accrocca, Barlozzini, Barrella, Brignetti, Diacono, Ligi, Lombardo Frezza, Longobardi, Marniti, Ottaviani, Petrucciani, Riccio, Sobrero, Tundo, Valentini, Vivaldi, Frattarolo
A. Zanzotto, « Comunità », ottobre

1959

M. Ajassa, « Studi Cattolici », IX-X
G. De Robertis, « Tempo », 23 giugno
E. Falqui, « La Fiera Letteraria », 29 marzo
A. Giuliani, « Il Verri », febbraio
J. Gutia, *Linguaggio di Ungaretti* (Firenze)

1960

E.F. Accrocca, nel volume *Ritratti su misura* (Venezia)
L. Anceschi, nel volume *Barocco e Novecento* (Milano)
G. Bàrberi Squarotti, nel volume *Astrazione e realtà* (Milano)
P. Bigongiari, nel volume *Poesia italiana del Novecento* (Milano)
E. Falqui, nel volume *Novecento letterario, II* (Firenze)
G. Manzini, nel volume *Ritratti e pretesti* (Milano)
P. Monelli, « Successo », XI
P.P. Pasolini, nel volume *Passione e ideologia* (Milano)
J. Paulhan, introduzione al *Taccuino del Vecchio* (Milano)
L. Piccioni, raccoglie per l'edizione di lusso del *Taccuino del Vecchio* saggi e testimonianze di « amici stranieri del poeta », per i 70 anni di Ungaretti. Collaborano: Amrouche, Bandeira, Bowra, Candido, Carner, Cassou, Champroux, Char, Clancier, Claus, Dos Passos, Duchateau, Eliot, Elytis, Emmanuel, Frénaud, Frenzel, Greenlees, Guiette, Guillén, Hellens, Jouve, Lescure, de Mandiargues, J. e R. Maritain, Mayoux, Mendes, Moore, Nadal, Noulet Carner, Paz, Perse, Picon, Poulet, Pound, Pryce-Jones, Raymond, Rebay, Richier, de Solier, Rousselot, Roy, Spitzer, Supervielle, Tate, von Taube, J. e H. Thuile, Vivier, Wall, Williamson, Zervos, Z'Graggen
G. Prezzolini, nel volume *Il tempo della Voce* (Milano)
G.B. Vicari, « L'Illustrazione Italiana », VIII

1961

G. Davico Bonino, « Letteratura », n. 51 maggio-giugno
B. Marniti, « Paese Sera », 14-15 aprile
U. Marvardi, « L'Italia che scrive », febbraio-marzo
G. Pampaloni, « Epoca », 8 gennaio
E. Sanguineti, nel volume *Tra Liberty e Crepuscolarismo* (Milano)
O. Sobrero, « Leggere », gennaio
G. Vigorelli, « Tempo », 15 aprile

1962

L. Anceschi, nel volume *Le poetiche del Novecento in Italia* (Milano)
L. De Nardis, nel volume *L'ironia di Mallarmé* (Caltanissetta-Roma)
L. Rebay, *Le origini della poesia di Giuseppe Ungaretti* (Roma), con prefazione di Giuseppe Prezzolini
A. Sempoux, *Le premier style d'Ungaretti. Étude d'un type d'expression poétique* (Liège)

1963

E.F. Accrocca, « La Fiera Letteraria », 15 e 22 settembre (in collaborazione con F. Sampoli)

M. Forti, nel volume *Le proposte della poesia* (Milano)
L. Piccioni, nel volume *Letteratura italiana contemporanea*, vol. II (Milano)
S. Solmi, nel volume *Scrittori negli anni* (Milano)
A. Todisco, « Corriere della Sera », 3 novembre

1964

E.F. Accrocca, nel disco-libro *Ungaretti-Poesie* (Milano)
M. Guglielminetti, nel volume *Struttura e sintassi del romanzo italiano* (Milano)
L. Piccioni, nel volume *Lavagna bianca* (Firenze)

1965

A. Borlenghi, nel volume *Scrittori su nastro*, a cura di P.A. Danovi (Milano)
R. Jacobbi, nel volume *Primo Novecento* (Milano)

1966

L. Piccioni, « Tempo », febbraio
O. Sobrero, « Arte-Sintesi », maggio-agosto

1967

A. Barolini, « La Fiera Letteraria », 19 gennaio
G. Cambon, « Studia Ghisleriana » (Pavia)
S. Guarnieri, « Letteratura », gennaio-giugno
F. Portinari, *Ungaretti* (monografia), Torino
G. Romano, « La Fiera Letteraria », 2 marzo

1968

J.P. Buxó, *Ungaretti traductor de Góngora* (Maracaibo)
G. Contini, nell'antologia *Letteratura dell'Italia unita: 1861-1968* (Firenze)
O. Macrì, nel volume *Realtà del simbolo* (Firenze)
L. Manisco, « Il Messaggero », 10 febbraio
L. Piccioni, nel volume *Pazienza e impazienza* (Firenze); Prefazione a *Morte delle stagioni* di Ungaretti (Torino); Nota a *Dialogo* di G. Ungaretti e Bruna Bianco (Torino)
L. Piccioni, « L'Approdo », gennaio-marzo; « Il Popolo », 10 febbraio; « La Fiera Letteraria », febbraio; « Video », febbraio
L. Piccioni e U. De Stefani, curano un documentario radiofonico, al quale collaborano: Contini, Gatto, Pasolini, Sanguineti, Guttuso, Manzù, Pertini, Gassman, Strehler, Falk (il testo è pubblicato in « L'Approdo », gennaio-marzo)
O. Sobrero, cura un fascicolo della rivista « Galleria » per gli 80 anni di Ungaretti, con scritti di: R. Alberti, Palazzeschi, Accrocca, Anceschi, Arnao, Assunto, Barbieri, Barlozzini, Berenice, Ber-

nari, Betocchi, Bigiaretti, Bigongiari, Bocelli, Brignetti, Calvino, Ciccaglione, de Mandiargues, Guillevic, Heurgon-Desjardins, Lucchese, Marianni, Marniti, Mauro, Mazzullo, Petrucciani, Piccioni, Serra, Silori, Sinisgalli, Tognelli, Tundo, Turoldo, Zàccaro
G. Tedeschi, cura un numero di « Chevron Italiana », dedicato a Giuseppe Ungaretti (gennaio-aprile). Collaborano: Accrocca, Barolini, Bellonci, Bertolucci, Bigiaretti, Caproni, Clementelli, Contini, De Feo, De Cousandier, De Libero, Falqui, Gentilini, Maraini, Montale, Moravia, Pampaloni, Pasolini, Piccioni, Quasimodo, Servadio, Spagnoletti, Stefanile, Vigorelli

1969

S. Ramat, nel volume *L'ermetismo* (Firenze)
P. Sanavio, cura un numero de « L'Herne » dedicato a G. U. Vi collaborano: Piccioni, Holmqvist, Pavolini, Spitzer, Rônay, Rognoni, Vennberg, Falqui, Korach, Gorlier, Anceschi, Mariani, Lisboa, Alberti, Eliot, Palazzeschi, Quasimodo, Paz, Serra, Natoli, Roche, Sanavio, Paulhan, Accrocca, de Acevedo, Amrouche, Bandeira, Bellonci, Berenice, Bertolucci, Blot, Calvino, Candido, Caproni, Cassou, Char, Champroux, Claus, de Causandier, Dos Passos, Duchateau, Elytis, Frenzel, Frénaud, Gatto, Greenless, Guillén, Guillevic, Guiette, Ginsberg, Hellen, Heurgon-Desjardins (riproducendo in parte scritti delle *Testimonianze* raccolte per il *Taccuino,* e del numero di « Letteratura »)

1970

L. Piccioni, *Vita di un poeta: Giuseppe Ungaretti* (Milano)

INDICE DEI TITOLI E DEI CAPOVERSI

INDICE

«Vita d'un uomo - Tutte le poesie»
di Giuseppe Ungaretti
Oscar grandi classici
Arnoldo Mondadori Editore

Questo volume è stato stampato
presso Mondadori Printing S.p.A.
Stabilimento NSM – Cles (TN)
Stampato in Italia. Printed in Italy